# ATLAS ANATOMII

Peter Abrahams

# ATLAS ANATOMII

## Ciało człowieka: budowa i funkcjonowanie

Z angielskiego przełożyli
*Maria Kaczorowska, Sławomir Kaczorowski*

Świat Książki

# Wstęp

W ciągu ostatnich kilkuset lat nastąpił ogromny rozwój medycyny i anatomii człowieka, co było możliwe dzięki przełomowym odkryciom, których dokonało kilku postępowych myślicieli.

Wielka jest fascynacja naszym ciałem, tym jak ono działa, dlaczego coś zaczyna źle funkcjonować i co zrobić, aby powrócić do zdrowia. Na przestrzeni dziejów wszelakiego autoramentu lekarze, chirurdzy, szarlatani, szamani, alchemicy, uzdrowiciele i astrolodzy, którzy w swoim czasie byli poważanymi i dobrze opłacanymi zawodowcami, wymyślali mnóstwo, przeważnie błędnych teorii, mających wyjaśnić anatomię i fizjologię człowieka.

Pomimo długiej listy złych praktyk historia medycyny usiana jest też jasnymi punktami, takimi jak błyskotliwe odkrycia i prawdziwie wizjonerskie myślenie, które przywiodły nas do nowoczesnej wiedzy medycznej. Hipokrates, „ojciec medycyny", praktykował medycynę w V wieku przed naszą erą na greckiej wyspie Kos i niewątpliwie był najsławniejszą postacią w owym czasie. Jego osiągnięciem było ustanowienie ścisłych reguł postępowania etycznego wśród lekarzy i wprowadzenie obserwacji jako metody badań naukowych. Stworzył on podstawy nowoczesnej medycyny.

### Cztery płyny ustrojowe

Prace Hipokratesa wywarły głęboki wpływ na medycynę, a jego idee w następnych wiekach zostały entuzjastycznie poszerzone przez kolejne pokolenia lekarzy. Niestety, jego teorie dotyczące anatomii człowieka i powstawania chorób były nieprecyzyjne. Wierzył on, że cztery płyny ustrojowe (żółć czarna, żółć żółta, flegma i krew) decydują o zdrowiu człowieka i że każda choroba jest skutkiem braku równowagi pomiędzy nimi. W śre-

dniowieczu teoria „humoralna" była ciągle uważana za obowiązującą, a religia chrześcijańska i islam znajdowały się pod jej silnym wpływem. Różnego rodzaju metody leczenia, takie jak puszczanie krwi, usuwanie trujących płynów z organizmu, pobudzanie „nadmiaru płynów" do swobodnego przemieszczania się w organizmie, wprowadzano w życie, często stosując mikstury sporządzone przez aptekarzy, które zawierały tak dziwaczne składniki jak języki traszek i wątroby robaków.

*Na tym XVII-wiecznym wykresie wykonanym przez Anastasiusa Kirchera ludzkie ciało reprezentuje świat w mikrokosmosie, który jest opisywany jako żyjący organizm z przebiegającymi w nim procesami metabolicznymi.*

Pod koniec XIV wieku wraz z nastaniem we Włoszech epoki Renesansu dokonał się postęp w dziedzinie nauk medycznych. Ponowne odkrycie tego, co odkryto już w starożytności, zachęciło lekarzy do zastosowania metod naukowych w badaniach medycznych i uwolnienia się spod wpływów religii i zabobonów. Wielki człowiek tego okresu, Leonardo da Vinci, przedstawił nowe poglądy. Uważał on, że aby móc leczyć choroby, trzeba najpierw poznać ciało i toczące się w nim procesy, a wiedzę tę można zdobyć, przeprowadzając sekcje ludzkich zwłok. Wykonywanie sekcji zwłok nie było czymś nowym. Claudius Galen, lekarz, który cieszył się wielkim uznaniem w II wieku, przeprowadzał sekcje zwierząt i zakładał, że taka sama jest budowa anatomiczna ludzkiego ciała. Pogląd ten cieszył się uznaniem przez ponad 1500 lat. Lecz w XVI wieku Andreas Vasalius zajmujący się anatomią człowieka wykazał, że

Chirurdzy mogą dziś wykonywać takie zabiegi, które 200 lat temu graniczyłyby z cudem, a obecne współczynniki przeżyć pacjentów oszołomiłyby ówczesnych lekarzy.

Galen się mylił i w książce z roku 1543 *de Humani Corporis Fabrica* opisał uprzednio nieznane struktury. Jednak zdobywanie zwłok na potrzeby sekcji nie było zajęciem ani przyjemnym, ani łatwym. Kościół w Europie zabraniał wykonywania sekcji, tak więc lekarze studiujący anatomię, chcąc zdobyć materiał do swoich badań, musieli uciekać się do kradzieży zwłok z grobów lub odcinania ciał wisielców z szubienic. Do innych pionierskich prac Leonarda da Vinci i Vasaliusa należą sporządzane przez nich lub na ich zlecenie diagramy i ilustracje, na których przedstawiono budowę anatomiczną człowieka.

### Krążenie krwi
Jednak poglądy te i metody budziły wiele kontrowersji i były często odrzucane. W 1628 roku angielski lekarz William Harvey zaszokował świat medyczny publikacją *An Anatomical Disquisition on the Movement of the Heart and Blood*. W książce tej wykazał, że krew krąży po organizmie oraz dowodził, że serce przepompowuje krew przez tętnice. Opisał również znaczenie zastawek serca w kontrolowaniu przepływu krwi. Choć poglądy te wydawały się na owe czasy dziwaczne, jednak ponownie udowodniono, że naukowe metody badawcze stanowią drogę, którą należy dalej kroczyć. Jego odkrycia zostały potwierdzone z chwilą wynalezienia mikroskopu w końcu XVII wieku – po raz pierwszy naukowcy mogli zobaczyć więcej niż nieuzbrojonym okiem.

Pod koniec XIX wieku wprowadzono wiele nowych sposobów postępowania, które dziś są czymś zupełnie oczywistym. James Young Simpson opracował pierwsze środki znieczulające, Joseph Lister środki odkażające, a w 1896 roku Wilhelm Roentgen zadziwił świat wynalezieniem aparatu rentgenowskiego, który umożliwiał badanie wnętrza ciała bez konieczności przeprowadzania zabiegu chirurgicznego. Nowe horyzonty ukazał Louis Pasteur, który ustalił związek pomiędzy zarazkami a chorobami, a Karl Landsteiner odkrył istnienie czterech grup krwi i przygotował grunt dla bardziej skomplikowanych zabiegów chirurgicznych, jakimi są przeszczepy narządów. Chirurdzy mogą dziś wykonywać takie zabiegi, które 200 lat temu graniczyłyby z cudem, a obecne współczynniki przeżyć pacjentów oszołomiłyby ówczesnych lekarzy.

### Odkrywanie anatomii ludzkiego ciała
Co właściwie wiemy o tym, jak działają układy naszego ciała i jak możemy lepiej zrozumieć to, co lekarz lub chirurg widzi i robi? *Atlas anatomii* daje możliwość poznania wszystkich elementów, z których się składamy. Książka ta podzielona jest na dziewięć części przedstawiających anatomiczną budowę organizmu od czubka głowy aż po palce stopy. Są to: głowa, szyja, klatka piersiowa, kończyny górne, brzuch, narządy płciowe, miednica, kończyny dolne, układy. W każdym rozdziale omówiono kości, mięśnie, nerwy tkanki miękkie i narządy, przedstawiono ich działanie oraz to, jak ze sobą współpracują. Książka ta z pewnością będzie początkiem fascynującej podróży.

*Connor Kilgallon, Amber Books Ltd.*

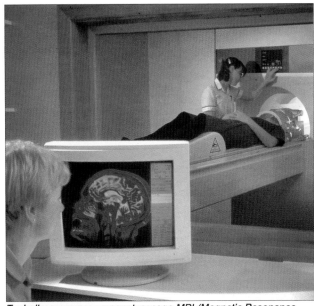

*Technika rezonansu magnetycznego MRI (Magnetic Resonance Imaging) umożliwia personelowi medycznemu uzyskanie przekrojów w postaci plastrów przez organizm. Można ją stosować w badaniach nowotworów tkanek miękkich, jak np. mózgu.*

# Czaszka – widok od przodu

Kości czaszki są naturalnym kaskiem ochronnym osłaniającym mózg i narządy zmysłów przed uszkodzeniami. Czaszka składa się z 28 oddzielnych kości i jest najbardziej złożonym elementem ludzkiego szkieletu.

Kości czaszki stanowią podporę dla części miękkich twarzy i głowy. Jej podstawową funkcją jest ochrona mózgu, szczególnie narządów zmysłów, np. oczu i przebiegających w obrębie głowy fragmentów układów oddechowego i pokarmowego. Czaszka stanowi również miejsce przyczepu dla wielu mięśni szyi i głowy.

Chociaż często myśli się o czaszce jak o jednej kości, to jednak składa się ona z 28 oddzielnych kości. Dla wygody często dzieli się ją na dwie części: czaszkę (*cranium*) i żuchwę. Podstawą do takiego podziału jest fakt, że podczas gdy większość kości czaszki ma względnie stałe połączenia, to żuchwę można łatwo oddzielić. Czaszkę (*cranium*) dzieli się na kilka mniejszych okolic, do których należy:

■ okolica sklepienia czaszki,
■ podstawa czaszki,
■ kości twarzy,
■ szczęka,
■ przewody słuchowe (uszy),
■ jamy czaszki (wnętrze czaszki, w którym znajduje się mózg).

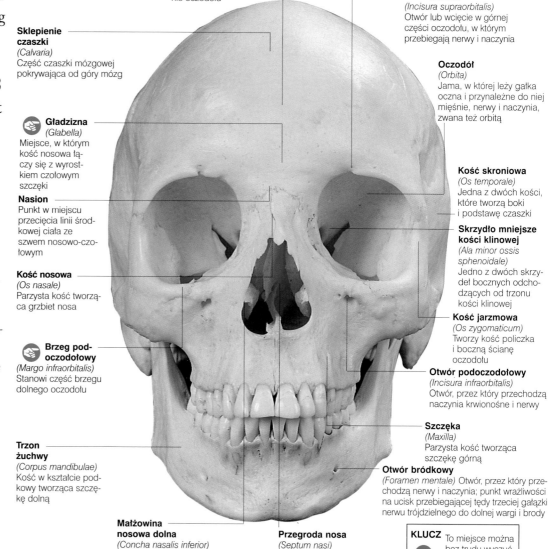

**Kość czołowa**
*(Os frontale)*
Tworzy czoło i sklepienie oczodołu

**Sklepienie czaszki**
*(Calvaria)*
Część czaszki mózgowej pokrywająca od góry mózg

**Gładzizna**
*(Glabella)*
Miejsce, w którym kość nosowa łączy się z wyrostkiem czołowym szczęki

**Nasion**
Punkt w miejscu przecięcia linii środkowej ciała ze szwem nosowo-czołowym

**Kość nosowa**
*(Os nasale)*
Parzysta kość tworząca grzbiet nosa

**Brzeg podoczodołowy**
*(Margo infraorbitalis)*
Stanowi część brzegu dolnego oczodołu

**Trzon żuchwy**
*(Corpus mandibulae)*
Kość w kształcie podkowy tworząca szczękę dolną

**Małżowina nosowa dolna**
*(Concha nasalis inferior)*
Zwiększa powierzchnię jamy nosowej

**Wcięcie nadoczodołowe**
*(Incisura supraorbitalis)*
Otwór lub wcięcie w górnej części oczodołu, w którym przebiegają nerwy i naczynia

**Oczodół**
*(Orbita)*
Jama, w której leży gałka oczna i przynależne do niej mięśnie, nerwy i naczynia, zwana też orbitą

**Kość skroniowa**
*(Os temporale)*
Jedna z dwóch kości, które tworzą boki i podstawę czaszki

**Skrzydło mniejsze kości klinowej**
*(Ala minor ossis sphenoidale)*
Jedno z dwóch skrzydeł bocznych odchodzących od trzonu kości klinowej

**Kość jarzmowa**
*(Os zygomaticum)*
Tworzy kość policzka i boczną ścianę oczodołu

**Otwór podoczodołowy**
*(Incisura infraorbitalis)*
Otwór, przez który przechodzą naczynia krwionośne i nerwy

**Szczęka**
*(Maxilla)*
Parzysta kość tworząca szczękę górną

**Otwór bródkowy**
*(Foramen mentale)* Otwór, przez który przechodzą nerwy i naczynia; punkt wrażliwości na ucisk przebiegającej tędy trzeciej gałązki nerwu trójdzielnego do dolnej wargi i brody

**Przegroda nosa**
*(Septum nasi)*
Ściana dzieląca jamę nosową na prawą i lewą połowę

**KLUCZ** To miejsce można bez trudu wyczuć pod skórą

## Zatoki czaszki

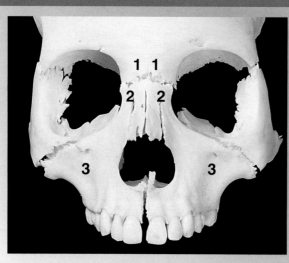

W ogólnym pojęciu zatoki są to jamy lub puste przestrzenie ciała. W czaszce znajdują się cztery zatoki, które poprawnie nazywa się „zatokami przynosowymi". Ich nazwy pochodzą od kości, w których jamy te występują:

■ zatoki czołowe,
■ zatoki sitowe,
■ zatoki szczękowe,
■ zatoki klinowe.

*Ten fragment czaszki przedstawia trzy zatoki przynosowe: czołowe (1), sitowe (2) i szczękowe (3). Czwartych, klinowych, nie widać, gdyż znajdują się one we wnętrzu czaszki, za oczami. Wszystkie zatoki przynosowe łączą się z jamą nosa.*

Zatoki przynosowe są to przestrzenie powietrzne łączące się z jamą nosa cienkimi, a przez to łatwo zatykającymi się kanałami. Ich rola ogranicza się do nadawania głosowi brzmienia i, być może, zmniejszania ciężaru czaszki. Tkanka wyścielająca zatoki przynosowe jest tak sama jak ta, która wyściela jamy nosa, dlatego też łatwo ulega zakażeniu (co prowadzi do zapalenia zatok).

Najczęściej ulega zakażeniu zatoka szczękowa. W przebiegu infekcji rozwija się zapalenie błony śluzowej wyścielającej zatoki, co wywołuje uczucie zatkanego nosa, utratę powonienia oraz wyciek ropy i śluzu z nosa.

W leczeniu stosuje się głównie drenaż z antybiotykami lub bez nich.

# Czaszka podświetlona

Większość kości czaszki połączonych jest za pomocą szwów – nieruchomych włóknistych złączy. Połączenia te oraz kości czaszki znajdujące się w jej wnętrzu można dostrzec, stosując silne oświetlenie.

Miejsca, w których kości czaszki łączą się ze sobą, nazywa się szwami czaszki. Szew wieńcowy łączy kości czołowe i ciemieniowe, a szew strzałkowy łączy dwie kości ciemieniowe. Ważne jest, by wiedzieć, gdzie znajdują się te połączenia, ponieważ na zdjęciu rentgenowskim można pomylić je ze złamaniami.

U noworodków odstępy pomiędzy kośćmi czaszki są względnie szerokie, umożliwia to dopasowanie się kości czaszki w czasie przechodzenia głowy dziecka przez kanał rodny kobiety i zabezpiecza przed złamaniem. Miejsca styku kości są pokryte włóknistymi błonami zwanymi ciemiączkami. W większości porodów główkowych można, w czasie badania ginekologicznego, opuszkami palców wykryć ciemiączka, co pozwala określić położenie głowy dziecka.

## ZMIANY PROPORCJI TWARZY

Ponieważ dzieci mają tylko zawiązki zębów i zatok, ich twarze są proporcjonalnie mniejsze niż dorosłych. (Czaszka noworodka stanowi $\frac{1}{4}$ długości całego ciała). Gdy starzejemy się, zmniejsza się względna wielkość twarzy, co spowodowane jest kurczeniem się dziąseł, utratą zębów oraz masy kości.

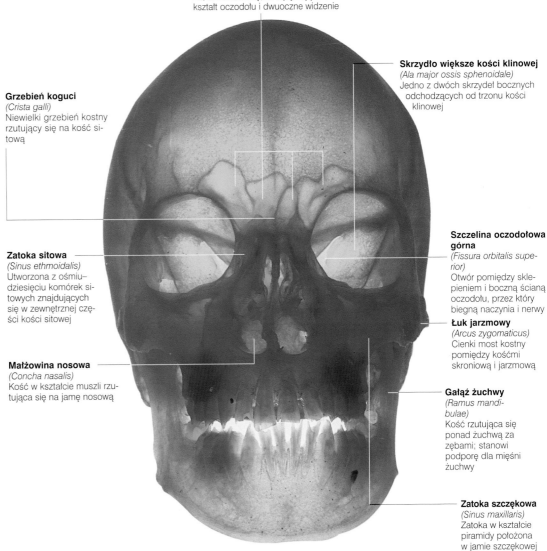

**Zatoki czołowe**
*(Sinus frontalis)*
Przestrzenie powietrzne połączone z jamą nosową; ich rola nie jest w pełni wyjaśniona, ale uważa się, że wpływają one na kształt oczodołu i dwuoczne widzenie

**Grzebień koguci**
*(Crista galli)*
Niewielki grzebień kostny rzutujący się na kość sitową

**Zatoka sitowa**
*(Sinus ethmoidalis)*
Utworzona z ośmiu–dziesięciu komórek sitowych znajdujących się w zewnętrznej części kości sitowej

**Małżowina nosowa**
*(Concha nasalis)*
Kość w kształcie muszli rzutująca się na jamę nosową

**Skrzydło większe kości klinowej**
*(Ala major ossis sphenoidale)*
Jedno z dwóch skrzydeł bocznych odchodzących od trzonu kości klinowej

**Szczelina oczodołowa górna**
*(Fissura orbitalis superior)*
Otwór pomiędzy sklepieniem i boczną ścianą oczodołu, przez który biegną naczynia i nerwy

**Łuk jarzmowy**
*(Arcus zygomaticus)*
Cienki most kostny pomiędzy kośćmi skroniową i jarzmową

**Gałąź żuchwy**
*(Ramus mandibulae)*
Kość rzutująca się ponad żuchwą za zębami; stanowi podporę dla mięśni żuchwy

**Zatoka szczękowa**
*(Sinus maxillaris)*
Zatoka w kształcie piramidy położona w jamie szczękowej

## Czaszka pomalowana

Patrząc na czaszkę od przodu, widzimy dziewięć ważnych kości. Pomalowana farbami czaszka (po prawej) ukazuje wyraźnie ich granice:

1 Kość czołowa
2 Kość potyliczna
3 Kość skroniowa
4 Kość nosowa
5 Kość klinowa
6 Kość łzowa
7 Kość jarzmowa
8 Szczęka
9 Żuchwa

Innymi ważnymi częściami czaszki są oczodoły, jama nosowa i zęby.

Niektóre kości czaszki, jak te otaczające oczodół, są względnie cienkie i podatne na złamania, jednak dużo zachodzących na siebie kości sprawia, że lekarzom podczas badania radiologicznego jest trudno takie złamania zauważyć.

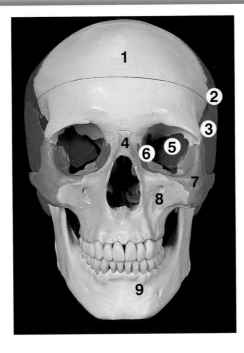

*Kolorami zaznaczono najważniejsze kości czaszki widzianej od przodu. W tej projekcji – zwanej przednią (anterior) – niektórych kości, jak np. kości potylicznej (znajdującej się z tyłu głowy) i podniebiennej (tworzącej podniebienie górne) nie można zobaczyć.*

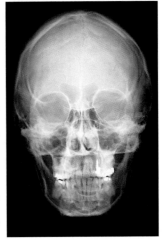

*Radiogram wyraźnie ukazuje szwy łączące kości. Jednak wygląd ich sprawia, że lekarze mają trudności z ustaleniem rozpoznania złamania. Żeby znaleźć złamanie, lekarze obserwują przebieg pięciu czarnych linii w jasnej kości. Obecność jaśniejszego obszaru we wnętrzu zatok może sugerować obecność w jamie płynu, takiego jak ropa lub krew.*

# Czaszka – widok z boku

Widok czaszki z boku wyraźnie ukazuje złożoność jej budowy z wieloma oddzielnymi kośćmi i połączeniami pomiędzy nimi.

Wiele kości czaszki występuje parami i są one ułożone symetrycznie po obu stronach linii przechodzącej przez środek głowy. Parzystymi kośćmi są kości: nosowe, jarzmowe, ciemieniowe, skroniowe. Inne kości, jak np. kości sitowa i klinowa, występują pojedynczo, jednak zlokalizowane są w linii pośrodkowej ciała. Niektóre kości rozwijają się jako dwie oddzielne połowy, a następnie łączą się w linii pośrodkowej, jak np. kość czołowa i żuchwa.

Kości czaszki stale podlegają procesom przebudowy. Na zewnętrznej powierzchni kości tworzy się nowa jej warstwa, a nadmiar jej od strony wewnętrznej ulega wchłanianiu zwrotnemu do krwi. Dynamika tego procesu zależy od wielu różnych komórek i dobrego zaopatrzenia w krew.

Czasami niedobór komórek odpowiedzialnych za wchłanianie zwrotne zaburza metabolizm kości, co prowadzi do znacznego pogrubienia kości czaszki – osteopetrozy (choroby marmurowej kości), lub choroby Pageta – w których przebiegu może rozwinąć się ślepota i głuchota.

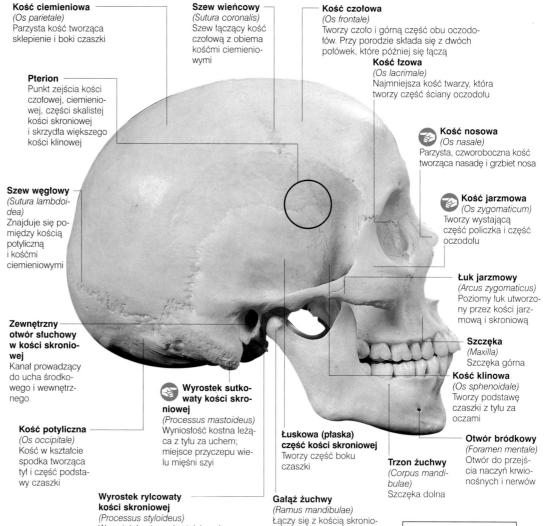

**Kość ciemieniowa**
*(Os parietale)*
Parzysta kość tworząca sklepienie i boki czaszki

**Pterion**
Punkt zejścia kości czołowej, ciemieniowej, części skalistej kości skroniowej i skrzydła większego kości klinowej

**Szew węgłowy**
*(Sutura lambdoidea)*
Znajduje się pomiędzy kością potyliczną i kośćmi ciemieniowymi

**Zewnętrzny otwór słuchowy w kości skroniowej**
Kanał prowadzący do ucha środkowego i wewnętrznego

**Kość potyliczna**
*(Os occipitale)*
Kość w kształcie spodka tworząca tył i część podstawy czaszki

**Wyrostek rylcowaty kości skroniowej**
*(Processus styloideus)*
Wyrostek kostny w kształcie palca, miejsce przyczepu mięśni i ścięgien

**Wyrostek sutkowaty kości skroniowej**
*(Processus mastoideus)*
Wyniosłość kostna leżąca z tyłu za uchem; miejsce przyczepu wielu mięśni szyi

**Szew wieńcowy**
*(Sutura coronalis)*
Szew łączący kość czołową z obiema kośćmi ciemieniowymi

**Łuskowa (płaska) część kości skroniowej**
Tworzy część boku czaszki

**Gałąź żuchwy**
*(Ramus mandibulae)*
Łączy się z kością skroniową, tworząc staw skroniowo--żuchwowy

**Kość czołowa**
*(Os frontale)*
Tworzy czoło i górną część obu oczodołów. Przy porodzie składa się z dwóch połówek, które później się łączą

**Kość łzowa**
*(Os lacrimale)*
Najmniejsza kość twarzy, która tworzy część ściany oczodołu

**Kość nosowa**
*(Os nasale)*
Parzysta, czworoboczna kość tworząca nasadę i grzbiet nosa

**Kość jarzmowa**
*(Os zygomaticum)*
Tworzy wystającą część policzka i część oczodołu

**Łuk jarzmowy**
*(Arcus zygomaticus)*
Poziomy łuk utworzony przez kości jarzmową i skroniową

**Szczęka**
*(Maxilla)*
Szczęka górna

**Kość klinowa**
*(Os sphenoidale)*
Tworzy podstawę czaszki z tyłu za oczami

**Otwór bródkowy**
*(Foramen mentale)*
Otwór do przejścia naczyń krwionośnych i nerwów

**Trzon żuchwy**
*(Corpus mandibulae)*
Szczęka dolna

**KLUCZ** To miejsce można bez trudu wyczuć pod skórą

---

## Połączenia kości czaszki: szwy

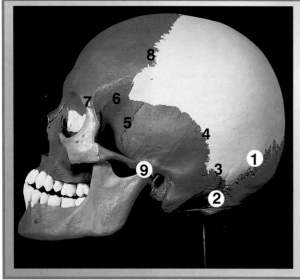

1 Szew węgłowy
2 Szew potyliczno-sutkowy
3 Szew ciemieniowo-sutkowy
4 Szew łuskowy
5 Szew klinowo-łuskowy
6 Szew klinowo-czołowy
7 Szew czołowo-jarzmowy
8 Szew wieńcowy
9 Staw skroniowo-żuchwowy

Jedynym ruchomym stawem czaszki jest staw skroniowo-żuchwowy, w którym żuchwa łączy się z czaszką. Połączenie to umożliwią jedzenie i mówienie.

Wszystkie pozostałe kości są połączone ze sobą za pomocą szwów, które występują tylko w czaszce.

*Ta pomalowana czaszka przedstawia umiejscowienie 11 głównych kości oraz łączące je szwy.*

U dorosłych tworzą je cienkie strefy niezmineralizowanej tkanki włóknistej łączące nieregularne, wzajemnie zazębiające się brzegi sąsiednich kości.

U rozwijającego się małego dziecka połączenie kości czaszki szwami ma na celu umożliwienie ich wzrostu w odpowiednim ustawieniu.

Podczas szybkiego zwiększania się wymiarów czaszki, w okresie od niemowlęctwa do wieku dziecięcego, powiększający się mózg wywiera nacisk na kości, oddzielając je od siebie w miejscu szwów, a nowa kość jest odkładana na brzegu szwu, stabilizując czaszkę w jej nowym wymiarze. W wieku siedmiu lat spowalnia się wzrost w obrębie szwów czaszkowych, a czaszka powiększa się znacznie wolniej w procesie przebudowy kości.

# Wnętrze czaszki

Wnętrze lewej połowy czaszki ukazuje sklepienie czaszki (*calvaria*) i przekrój przez kości twarzy.

Porównując tę fotografię ze zdjęciem czaszki od zewnątrz, widać wiele tych samych kości, jak również dodatkowe struktury. Kostna część przegrody nosa (ściana dzieląca jamę nosa) utworzona jest z lemiesza oraz blaszki pionowej kości sitowej.

W tej czaszce powietrzne zatoki klinowe są duże. W zagłębiającym się w zatokę siodle tureckim znajduje się przysadka mózgowa. Ma ona wielkość ziarna grochu i wytwarza hormony. Kółkiem zaznaczono pterion. Jego pozycja pokrywa się z miejscem zaznaczonym na fotografii przedstawiającej czaszkę z boku.

Czaszka pokrywa mózg, a złamania czaszki mogą prowadzić do stanów zagrażających życiu. Jeśli dojdzie do złamania kości skroniowej, mogą ulec uszkodzeniu naczynia krwionośne odchodzące od tętnicy oponowej środkowej, co prowadzi do powstania krwotoku nadoponowego. Naczynie to zaopatruje w krew kości czaszki i opony pokrywające z zewnątrz mózg. Jeśli ulegnie ono rozerwaniu, wypływająca z niego krew może wywierać nacisk na położone w mózgu ważne dla życia ośrodki. Jeśli nie zmniejszy się ciśnienia wewnątrz czaszki, może wystąpić nagły zgon. Do tętnicy tej chirurg może dotrzeć z dojścia koło punktu określanego jako pterion.

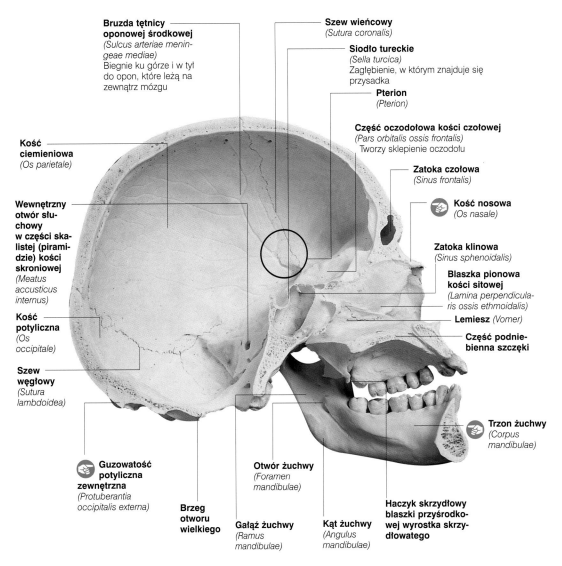

**Bruzda tętnicy oponowej środkowej**
(*Sulcus arteriae meningeae mediae*)
Biegnie ku górze i w tył do opon, które leżą na zewnątrz mózgu

**Szew wieńcowy**
(*Sutura coronalis*)

**Siodło tureckie**
(*Sella turcica*)
Zagłębienie, w którym znajduje się przysadka

**Pterion**
(*Pterion*)

**Część oczodołowa kości czołowej**
(*Pars orbitalis ossis frontalis*)
Tworzy sklepienie oczodołu

**Kość ciemieniowa**
(*Os parietale*)

**Zatoka czołowa**
(*Sinus frontalis*)

**Kość nosowa**
(*Os nasale*)

**Wewnętrzny otwór słuchowy w części skalistej (piramidzie) kości skroniowej**
(*Meatus accusticus internus*)

**Zatoka klinowa**
(*Sinus sphenoidalis*)

**Blaszka pionowa kości sitowej**
(*Lamina perpendicularis ossis ethmoidalis*)

**Lemiesz** (*Vomer*)

**Kość potyliczna**
(*Os occipitale*)

**Część podniebienna szczęki**

**Szew węgłowy**
(*Sutura lambdoidea*)

**Guzowatość potyliczna zewnętrzna**
(*Protuberantia occipitalis externa*)

**Brzeg otworu wielkiego**

**Otwór żuchwy**
(*Foramen mandibulae*)

**Gałąź żuchwy**
(*Ramus mandibulae*)

**Kąt żuchwy**
(*Angulus mandibulae*)

**Haczyk skrzydłowy blaszki przyśrodkowej wyrostka skrzydłowatego**

**Trzon żuchwy**
(*Corpus mandibulae*)

## Typy kości czaszki

Kość jest gęstą, twardą, zmineralizowaną tkanką łączną składającą się z trzech składników:
- macierzy organicznej (ok. 25% wagowych) utworzonej głównie z włókien kolagenu,
- kryształów fosforanu wapnia i węglanu wapnia (ok. 65% wagowych) znanego pod nazwą hydroksyapatytu,
- około 10% wody.

Połączenie materiałów organicznych z mineralnymi sprawia, że kość jest mocna i sztywna, a jednocześnie giętka i może znosić obciążenie, nie krusząc się.

Kości czaszki – czołowa, ciemieniowa, potyliczna i skroniowa – są kośćmi płaskimi składającymi

się z dwóch zewnętrznych cienkich blaszek kości zbitej, pomiędzy którymi znajduje się luźna kość gąbczasta. W podobnej do kratownicy kości gąbczastej znajduje się szpik kostny.

W szpiku kostnym wytwarzane są komórki krwi, podczas gdy same kości są źródłem jonów wapnia niezbędnych do prawidłowego funkcjonowania nerwów i mięśni.

Kości gąbczaste występują tylko w czaszce. Stanowią one mocną i lekką ochronę mózgu oraz odżywiają mózg i ważne dla życia narządy zmysłów.

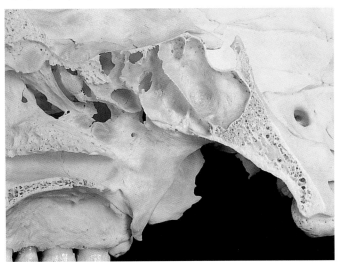

*Przekrój poprzeczny kości szczęki górnej ukazuje budowę zatok przynosowych podobną do plastra miodu – sprawia to, że są one lżejsze, lecz wcale nie słabsze.*

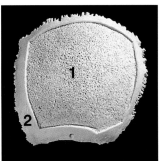

*Prawa kość ciemieniowa, odcięta blaszka zewnętrzna (2), poniżej której znajduje się kość gąbczasta (1). Widać budowę podobną do gąbki; poniżej znajduje się wewnętrzna blaszka kości zbitej.*

# Skóra głowy

Kości czaszki pokrywa pięć warstw tkanki.
Skóra przymocowana jest mocno do mięśni za pomocą tkanki łącznej,
przez którą przebiega dużo naczyń krwionośnych.

Skóra głowy pokrywa wierzchołek głowy i rozciąga się od linii włosów z tyłu głowy do brwi z przodu. Stanowi ona grubą przesuwalną ochronną warstwę pokrywającą czaszkę. Można w niej wyróżnić pięć warstw; pierwsze trzy są ze sobą ściśle połączone.

## OCHRONA

Skóra głowy jest najgrubsza i najbardziej owłosiona na całym ciele. Chroni ona czaszkę, a skóra okolicy czoła ma szczególne znaczenie dla mimiki twarzy, ponieważ jest do niej przyczepionych wiele włókien mięśniowych, co umożliwia przesuwanie jej do przodu i do tyłu.

## TKANKA ŁĄCZNA ZBITA

Pod skórą głowy znajduje się ściśle z nią związana warstwa zbitej tkanki łącznej, przez którą przebiega wiele tętnic i żył. Tętnice te są gałązkami tętnic szyjnych wewnętrznej i zewnętrznej, które łącząc się ze sobą, zapewniają bogate unaczynienie wszystkich okolic skóry głowy.

Ta warstwa tkanki łącznej łączy mięśnie ze skórą głowy w taki sposób, że gdy nawet dochodzi do rozdarcia skóry w czasie wypadku, te trzy warstwy pozostają ściśle ze sobą połączone.

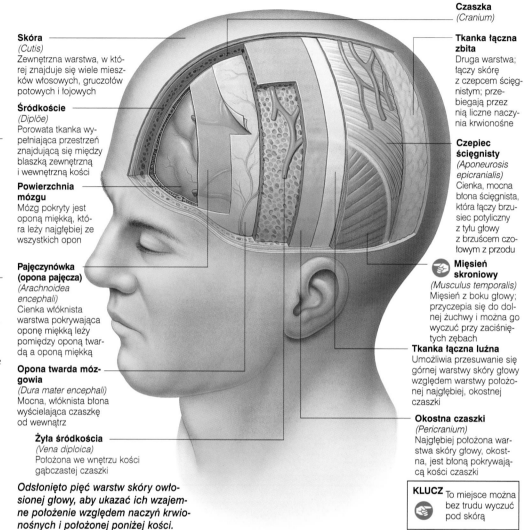

**Skóra**
*(Cutis)*
Zewnętrzna warstwa, w której znajduje się wiele mieszków włosowych, gruczołów potowych i łojowych

**Śródkoście**
*(Diplöe)*
Porowata tkanka wypełniająca przestrzeń znajdującą się między blaszką zewnętrzną i wewnętrzną kości

**Powierzchnia mózgu**
Mózg pokryty jest oponą miękką, która leży najgłębiej ze wszystkich opon

**Pajęczynówka (opona pajęcza)**
*(Arachnoidea encephali)*
Cienka włóknista warstwa pokrywająca oponę miękką leży pomiędzy oponą twardą a oponą miękką

**Opona twarda mózgowia**
*(Dura mater encephali)*
Mocna, włóknista błona wyścielająca czaszkę od wewnątrz

**Żyła śródkościa**
*(Vena diploica)*
Położona we wnętrzu kości gąbczastej czaszki

*Odsłonięto pięć warstw skóry owłosionej głowy, aby ukazać ich wzajemne położenie względem naczyń krwionośnych i położonej poniżej kości.*

**Czaszka**
*(Cranium)*

**Tkanka łączna zbita**
Druga warstwa; łączy skórę z czepcem ścięgnistym; przebiegają przez nią liczne naczynia krwionośne

**Czepiec ścięgnisty**
*(Aponeurosis epicranialis)*
Cienka, mocna błona ścięgnista, która łączy brzusiec potyliczny z tyłu głowy z brzuścem czołowym z przodu

**Mięsień skroniowy**
*(Musculus temporalis)*
Mięsień z boku głowy; przyczepia się do dolnej żuchwy i można go wyczuć przy zaciśniętych zębach

**Tkanka łączna luźna**
Umożliwia przesuwanie się górnej warstwy skóry głowy względem warstwy położonej najgłębiej, okostnej czaszki

**Okostna czaszki**
*(Pericranium)*
Najgłębiej położona warstwa skóry głowy, okostna, jest błoną pokrywającą kości czaszki

**KLUCZ** To miejsce można bez trudu wyczuć pod skórą

---

## Mieszki włosowe skóry głowy

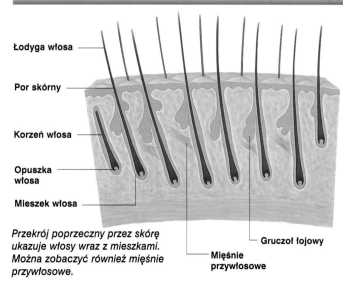

Łodyga włosa

Por skórny

Korzeń włosa

Opuszka włosa

Mieszek włosa

Gruczoł łojowy

Mięśnie przywłosowe

*Przekrój poprzeczny przez skórę ukazuje włosy wraz z mieszkami. Można zobaczyć również mięśnie przywłosowe.*

Skóra głowy jest najbardziej owłosioną okolicą ciała. Włosy na skórze głowy izolują od zimna i chronią przed działaniem słońca i w pewnej mierze osłaniają głowę przed niewielkimi urazami.

Każdy włos składa się z korzenia położonego w skórze i łodygi wystającej ponad skórę. W skórze korzeń otoczony jest mieszkiem włosowym. Włos wystaje z mieszka włosowego pod kątem ostrym i dlatego skutecznie okrywa skórę.

Mieszki włosowe w skórze głowy przechodzą przez fazę wzrostu i spoczynku. Po aktywnej fazie wzrostowej mieszki włosowe i opuszka włosa odpoczywają przez krótki okres. Włosy wypadają w czasie fazy spoczynku. Ponieważ fazy wzrostu i spoczynku

w poszczególnych mieszkach włosowych układają się naprzemiennie, wypadania włosów zwykle się nie zauważa.

Gruczoły łojowe, które wytwarzają oleistą wydzielinę nazywaną łojem skórnym, znajdują się także w skórze kontaktującej się z mieszkiem włosa. Łój smaruje łodygę włosa oraz chroni skórę przed bakteriami i grzybami.

Do mieszka dochodzi mięsień, który w czasie skurczu pociąga łodygę i prostuje włosy, przez co powstaje „gęsia skórka". Skurcz mięśni powoduje również wyciśnięcie na zewnątrz zawartości gruczołu łojowego.

# Mięśnie skóry głowy

Mięśnie skóry głowy
znajdują się pod skórą
i warstwą tkanki łącznej.
Przesuwają one skórę
czoła i szczęk podczas
żucia.

Mięsień potyliczno-czołowy jest
dużym mięśniem składającym się
z dwóch części, jednej położonej
z przodu, a drugiej z tyłu skóry
głowy, połączonych płatem
włóknistej tkanki łącznej (czepcem
ścięgnistym). Brzusiec czołowy
mięśnia potyliczno-czołowego
znajduje się w okolicy czołowej.
Rozpoczyna się na skórze brwi,
kieruje się do tyłu i łączy z czepcem
ścięgnistym. Mięsień ten podnosi
brwi i marszczy czoło lub pociąga
skórę głowy do przodu.

Brzusiec potyliczny mięśnia
potyliczno-czołowego rozpoczyna
się w tylnym górnym odcinku szyi
i kieruje się do przodu, gdzie łączy
się z czepcem ścięgnistym. Skurcz
mięśnia powoduje przesunięcie
skóry głowy ku tyłowi.

Mięśnie skroniowe położone są
z boku po obu stronach czaszki
nad uszami. Ich włókna przebiegają
od czaszki w kierunku żuchwy.
Uczestniczą one w procesie żucia.

### LUŹNA TKANKA ŁĄCZNA

Czwartą warstwą znajdującą się pod
mięśniami i czepcem ścięgnistym
jest luźna tkanka łączna. Dzięki niej
warstwy znajdujące się powyżej
mogą względnie łatwo przesuwać
się po warstwie położonej poniżej.
Jest to miejsce, w którym skóra
głowy może się oderwać podczas
wypadku, gdy np. głowa wypada
przez przednią szybę samochodu.

Piątą warstwę stanowi okostna
czaszki, która jest mocną błoną
pokrywającą bezpośrednio kości
czaszki.

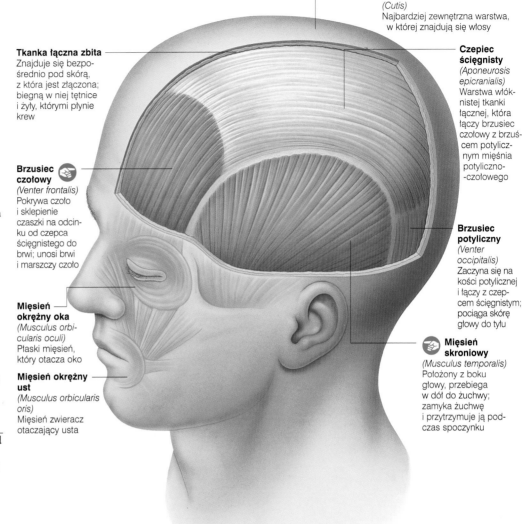

**Skóra**
*(Cutis)*
Najbardziej zewnętrzna warstwa,
w której znajdują się włosy

**Tkanka łączna zbita**
Znajduje się bezpo-
średnio pod skórą,
z którą jest złączona;
biegną w niej tętnice
i żyły, którymi płynie
krew

**Czepiec ścięgnisty**
*(Aponeurosis epicranialis)*
Warstwa włók-
nistej tkanki
łącznej, która
łączy brzusiec
czołowy z brzuś-
cem potylicz-
nym mięśnia
potyliczno-
-czołowego

**Brzusiec czołowy**
*(Venter frontalis)*
Pokrywa czoło
i sklepienie
czaszki na odcin-
ku od czepca
ścięgnistego do
brwi; unosi brwi
i marszczy czoło

**Brzusiec potyliczny**
*(Venter occipitalis)*
Zaczyna się na
kości potylicznej
i łączy z czep-
cem ścięgnistym;
pociąga skórę
głowy do tyłu

**Mięsień okrężny oka**
*(Musculus orbicularis oculi)*
Płaski mięsień,
który otacza oko

**Mięsień skroniowy**
*(Musculus temporalis)*
Położony z boku
głowy, przebiega
w dół do żuchwy;
zamyka żuchwę
i przytrzymuje ją pod-
czas spoczynku

**Mięsień okrężny ust**
*(Musculus orbicularis oris)*
Mięsień zwieracz
otaczający usta

*Brzusiec potyliczny mięśnia
potyliczno-czołowego unieruchamia
czepiec ścięgnisty, przez co brzusiec
czołowy może uczestniczyć w mimice
twarzy. Mięsień skroniowy odpowiada
za zaciskanie żuchwy.*

**KLUCZ** To miejsce można
bez trudu wyczuć
pod skórą

## Uraz skóry głowy

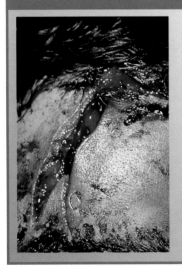

Uszkodzenia skóry głowy i warstw
znajdujących się pod nią powodują
obfite krwawienie, nawet przy
niewielkim skaleczeniu. Za
długotrwałe i obfite krwawienie po
zranieniu odpowiadają dwa
czynniki.

Aby odżywić tak wiele mieszków
włosowych, tkanki pokrywające
czaszkę mają więcej głębokich
naczyń krwionośnych niż skóra
w pozostałych obszarach ciała.
Krew dopływa do skóry i tkanki
podskórnej głowy przez wiele tętnic,

*Rozległe zranienia skóry głowy
bardzo krwawią, gdyż tętnice się
nie obkurczają. Upośledza to
powstawanie skrzepu.*

które łączą się ze sobą przez anastomozy biegnące w tkance łącznej
zbitej położonej pod skórą. Te
łączące się ze sobą naczynia
krwionośne zapewniają bardzo
dobre ukrwienie wszystkich tkanek
pokrywających kości czaszki.

Warstwa tkanki łącznej zbitej
przytrzymuje naczynia i sprawia,
że nie mogą się one obkurczać po
urazie, tak jak tętnice w innych
okolicach ciała. Jeśli tętnice nie
mogą się zwężać, utrudnia to
tworzenie się skrzepu. Aby
zahamować krwawienie, konieczne
jest uciśnięcie krwawiącego
miejsca.

*Większość krwi zaopatrującej
skórę głowy przepływa przez naczynia położone na powierzchni
mięśni pokrywających czaszkę.*

# Mózg

Mózg stanowi część ośrodkowego układu nerwowego, położoną we wnętrzu jamy czaszki.
Zarządza on wieloma funkcjami organizmu, takimi jak praca serca,
zdolność chodzenia i biegania oraz myśleniem i emocjami.

Mózg składa się z trzech głównych części: przodomózgowia, śródmózgowia i tyłomózgowia. Przodomózgowie dzieli się na dwie połowy, które tworzą lewą i prawą półkulę mózgu.

## PÓŁKULE MÓZGU

Półkule mózgu stanowią największą część przodomózgowia. Ich zewnętrzna powierzchnia jest pofałdowana i tworzy wiele zakrętów i bruzd, które znacznie powiększają jego powierzchnię. Większa część powierzchni mózgu jest głęboko ukryta w bruzdach.

Każda półkula mózgu dzieli się na płaty: czołowy, ciemieniowy, potyliczny i skroniowy. Nazwy ich pochodzą od sąsiadujących z nimi kości czaszki. Obie półkule łączy spoidło wielkie (*corpus callosum*), skupisko wielu włókien położonych głęboko w bruździe środkowej.

## ISTOTA BIAŁA I SZARA

Półkule zbudowane są z położonej zewnętrznie kory (istoty szarej) i wewnętrznie położonego skupiska włókien nerwowych (istoty białej).

■ Istota szara zbudowana jest z ciał komórek nerwowych; występuje w półkulach kory mózgu i móżdżku oraz w jądrach podkorowych.

■ Istota szara zbudowana jest z włókien nerwowych (wypustek ciał komórek nerwowych) położonych poniżej kory. Tworzą one sieć łączących się ze sobą włókien, które mogą komunikować się z innymi obszarami mózgu i rdzenia kręgowego.

**Lewa półkula mózgu**  **Prawa półkula mózgu**

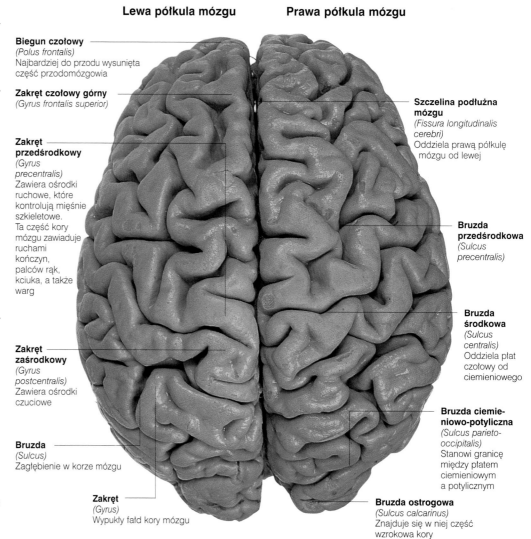

**Biegun czołowy**
*(Polus frontalis)*
Najbardziej do przodu wysunięta część przodomózgowia

**Zakręt czołowy górny**
*(Gyrus frontalis superior)*

**Zakręt przedśrodkowy**
*(Gyrus precentralis)*
Zawiera ośrodki ruchowe, które kontrolują mięśnie szkieletowe. Ta część kory mózgu zawiaduje ruchami kończyn, palców rąk, kciuka, a także warg

**Zakręt zaśrodkowy**
*(Gyrus postcentralis)*
Zawiera ośrodki czuciowe

**Bruzda**
*(Sulcus)*
Zagłębienie w korze mózgu

**Zakręt**
*(Gyrus)*
Wypukły fałd kory mózgu

**Szczelina podłużna mózgu**
*(Fissura longitudinalis cerebri)*
Oddziela prawą półkulę mózgu od lewej

**Bruzda przedśrodkowa**
*(Sulcus precentralis)*

**Bruzda środkowa**
*(Sulcus centralis)*
Oddziela płat czołowy od ciemieniowego

**Bruzda ciemieniowo-potyliczna**
*(Sulcus parieto-occipitalis)*
Stanowi granicę między płatem ciemieniowym a potylicznym

**Bruzda ostrogowa**
*(Sulcus calcarinus)*
Znajduje się w niej część wzrokowa kory

## Fałdy i bruzdy

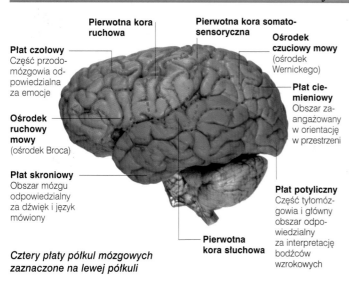

**Pierwotna kora ruchowa**

**Płat czołowy**
Część przodomózgowia odpowiedzialna za emocje

**Ośrodek ruchowy mowy**
(ośrodek Broca)

**Płat skroniowy**
Obszar mózgu odpowiedzialny za dźwięk i język mówiony

**Pierwotna kora somatosensoryczna**

**Ośrodek czuciowy mowy**
(ośrodek Wernickego)

**Płat ciemieniowy**
Obszar zaangażowany w orientację w przestrzeni

**Płat potyliczny**
Część tyłomózgowia i główny obszar odpowiedzialny za interpretację bodźców wzrokowych

**Pierwotna kora słuchowa**

*Cztery płaty półkul mózgowych zaznaczone na lewej półkuli*

Bruzda środkowa mózgu biegnie od szczeliny podłużnej mózgu do bruzdy bocznej i stanowi granicę pomiędzy płatem czołowym a ciemieniowym. Bruzda przedśrodkowa leży z przodu przed bruzdą środkową i przebiega równolegle do niej; znajduje się w niej pierwotna kora ruchowa odpowiedzialna za ruchy celowe. W zakręcie zaśrodkowym leży pierwotna kora somatosensoryczna, która odbiera bodźce z ciała. Bruzdy ciemieniowo-potyliczne (leżące na przyśrodkowych powierzchniach obu półkul mózgu) są granicą między płatami ciemieniowymi a potylicznymi.

W bruździe ostrogowej mieści się pierwotna kora wzrokowa, gdzie powstają obrazy. Pierwotna kora słuchowa leży w tylnym odcinku szczeliny bocznej. Na powierzchni przyśrodkowej płata skroniowego, z przodu na zakręcie czołowym górnym, leży pierwotna kora węchowa odbierająca zapachy. Wewnętrznie od zakrętu przyhipokampowego leży hipokamp, który jest częścią układu limbicznego i odpowiada za pamięć. Obszary nadzorujące mowę leżą w półkuli dominującej (zwykle lewej). Ośrodek ruchowy mowy (ośrodek Broca) leży na zakręcie czołowym dolnym i ma zasadnicze znaczenie dla powstania mowy.

# Wnętrze mózgu

Przekrój w linii pośrodkowej ciała pomiędzy dwiema półkulami mózgu ukazuje główne struktury, które kontrolują większość czynności ciała. Podczas gdy określone obszary nadzorują czucie i przepływ informacji, inne kontrolują mowę i sen.

## MOWA, MYŚLI I RUCHY

Ośrodek czuciowy mowy (ośrodek Wernickego) leży poza pierwotną korą słuchową i jest niezbędny do rozumienia mowy. Kora przedczołowa spełnia wyższe funkcje poznawcze: odpowiada za myślenie abstrakcyjne, zachowania społeczne i zdolność podejmowania decyzji.

Wewnątrz istoty białej półkul mózgowych znajdują się liczne skupiska istoty szarej, które tworzą jądra podstawne. Struktury te są odpowiedzialne za funkcje ruchowe, w tym programowanie ruchów, planowanie, wybór kolejności wykonywania ruchów i przywoływanie pamięci.

## MIĘDZYMÓZGOWIE

Środkowa część przodomózgowia zawiera struktury, które otaczają komorę trzecią. Tworzą one międzymózgowie, w skład którego wchodzą wzgórze, podwzgórze, nadwzgórze i niskowzgórze zlokalizowane w obu półkulach. Wzgórze jest ostatnią stacją przekaźnikową dla informacji płynących z pnia mózgu i rdzenia kręgowego do kory mózgu.

Podwzgórze mieści się pod wzgórzem na dnie międzymózgowia. Odpowiada ono za wiele mechanizmów homeostazy i kontroluje działanie przysadki

**Ciało modzelowate**
*(Corpus callosum)*
Grube pasmo włókien nerwowych znajdujące się w dnie szczeliny podłużnej, które zespala obydwie półkule mózgu

**Prawa półkula mózgu**
Jedna z dwóch półkul, które stanowią największą część przodomózgowia

**Komora**
*(Ventriculus)*
Jama wypełniona płynem

**Wzgórze**
*(Thalamus)*
Przekazuje informacje sensoryczne z narządów zmysłów do odpowiednich obszarów kory mózgu

**Nerw wzrokowy**
*(Nervus opticus)*
Przekazuje informacje wzrokowe z oka do mózgu

**Przysadka**
*(Hypophysis)*
Mózg wyjęty z czaszki nie zawiera przysadki

**Podwzgórze**
*(Hypothalamus)*
Odpowiedzialne za uczucia i popędy, takie jak głód i pragnienie; pomaga też kontrolować temperaturę ciała i równowagą wodno-elektrolitową krwi

**Śródmózgowie**
*(Mesencephalon)*
Ważne dla wzroku; łączy przodomózgowie z tyłomózgowiem

**Zakręt przed-środkowy**
*(Gyrus precentralis)*

**Bruzda środkowa**
*(Sulcus centralis)*

**Most**
*(Pons)*
Część pnia mózgu zawierająca liczne drogi nerwowe

**Rdzeń kręgowy**
*(Medulla spinalis)*

**Zakręt zaśrodkowy**
*(Gyrus postcentralis)*

**Szyszynka**
*(Corpus pineale)*
Część nadwzgórza, która syntetyzuje melatoninę

**Bruzda ciemieniowo-potyliczna**
*(Sulcus parietooccipitalis)*
Oddziela płat ciemieniowy od potylicznego

**Bruzda ostrogowa**
*(Sulcus calcarinus)*
Znajduje się tu większość pierwotnej kory wzrokowej

**Móżdżek**
*(Cerebellum)*
Kontroluje ruchy ciała i równowagę; na zewnątrz znajduje się istota szara, a wewnątrz istota biała

**Rdzeń przedłużony**
*(Medulla oblongata)*
Zawiera ważne dla życia ośrodki kontrolujące oddychanie i układ sercowo-naczyniowy

mózgowej, która zwiesza się z jego podstawy. Płat przedni przysadki wydziela substancje, które wpływają na nadnercza, tarczycę, gonady i wytwarza czynniki wzrostu. Płat tylny produkuje hormony, które zwiększają ciśnienie krwi, zmniejszają wytwarzanie moczu i powodują skurcze macicy.

Podwzgórze wpływa również na układ współczulny (sympatyczny) i przywspółczulny (parasympatyczny) i kontroluje temperaturę organizmu, apetyt i czujność. Nadwzgórze jest względnie małą częścią grzbietowo-ogonową międzymózgowia, w której znajduje się szyszynka wytwarzająca

melatoninę; zarządza ona kontrolą cyklu sen/czuwanie. Niskowzgórze leży poniżej wzgórza i obok podwzgórza. W strukturze tej znajdują się jądra, które kontrolują ruch.

## Pień mózgu i móżdżek

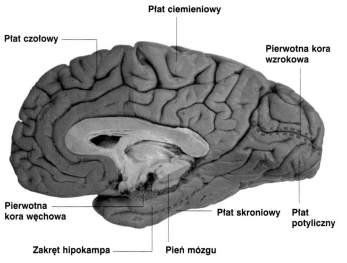

**Płat ciemieniowy**

**Płat czołowy**

**Pierwotna kora wzrokowa**

**Pierwotna kora węchowa**

**Płat skroniowy**

**Płat potyliczny**

**Zakręt hipokampa**

**Pień mózgu**

Tylny odcinek międzymózgowia łączy się ze śródmózgowiem, które przechodzi w most i rdzeń przedłużony w tyłomózgowiu. Śródmózgowie i tyłomózgowie zawierają włókna nerwowe łączące półkule mózgu z jądrami nerwów czaszkowych, a także z niższymi ośrodkami w pniu mózgu i rdzeniu kręgowym. Zawierają one również jądra nerwów czaszkowych.

Większość tworu siatkowatego, sieci włókien nerwowych, leży w śródmózgowiu i tyłomózgowiu.

*Widok przyśrodkowej powierzchni prawej półkuli mózgu po usunięciu pnia mózgu, co umożliwia wgląd w dolną część półkuli.*

W układzie tym znajdują się ważne ośrodki oddechowe, sercowe i naczynioruchowe.

Móżdżek znajduje się z tyłu za tyłomózgowiem i łączy się z nim za pomocą trzech par wąskich struktur, tzw. konarów móżdżku. Konary te zapewniają też połączenie móżdżku z resztą mózgu i rdzeniem kręgowym. Móżdżek koordynuje ruchy zapoczątkowane przez inne obszary mózgu. Sprawuje on również kontrolę nad utrzymaniem równowagi, a także wpływa na postawę i napięcie mięśniowe.

# Naczynia krwionośne mózgu

Tętnice zaopatrują mózg w krew utlenowaną.

Mózg waży około 1,4 kg, co stanowi około 2% masy całego ciała, jednak do prawidłowego funkcjonowania potrzebuje od 15% do 20% krwi pompowanej przez serce. Jeśli mózg nie otrzymuje krwi przez 10 sekund, człowiek traci przytomność, a jeśli przepływ krwi nie zostanie w ciągu kilku minut przywrócony, to następuje jego nieodwracalne uszkodzenie.

### SIEĆ NACZYŃ TĘTNICZYCH

Krew tętnicza dopływa do mózgu przez dwie pary tętnic. Tętnice szyjne wewnętrzne odchodzą od tętnic szyjnych wspólnych, biegnących po obu stronach szyi, i wnikają do jamy czaszki przez kanał tętnicy szyjnej, a następnie rozgałęziają się i zaopatrują korę mózgową. Dwoma głównymi gałęziami tętnicy szyjnej wewnętrznej są tętnica środkowa mózgu i tętnica przednia mózgu.

Tętnice kręgowe będące odgałęzieniami tętnic podobojczykowych wnikają do jamy czaszki przez otwór wielki i zaopatrują w krew pień mózgu i móżdżek. Łączą się ze sobą, tworząc tętnicę podstawną, która dzieli się na dwie tętnice tylne mózgu, które zaopatrują między innymi korę płata potylicznego lub korę wzrokową leżącą z tyłu mózgu.

Te dwa źródła dostarczające krew do mózgu łączą się ze sobą i tworzą koło tętnicze na podstawie mózgu zwane „kołem Willisa".

## Widok mózgu od dołu

**Prawa półkula**          **Lewa półkula**

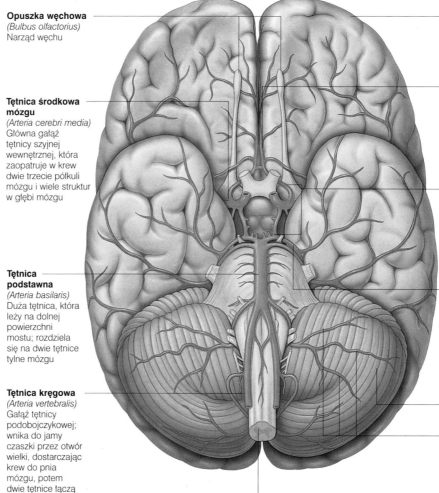

**Opuszka węchowa**
*(Bulbus olfactorius)*
Narząd węchu

**Tętnica środkowa mózgu**
*(Arteria cerebri media)*
Główna gałąź tętnicy szyjnej wewnętrznej, która zaopatruje w krew dwie trzecie półkuli mózgu i wiele struktur w głębi mózgu

**Tętnica podstawna**
*(Arteria basilaris)*
Duża tętnica, która leży na dolnej powierzchni mostu; rozdziela się na dwie tętnice tylne mózgu

**Tętnica kręgowa**
*(Arteria vertebralis)*
Gałąź tętnicy podobojczykowej; wnika do jamy czaszki przez otwór wielki, dostarczając krew do pnia mózgu, potem dwie tętnice łączą się w tętnicę podstawną

**Rdzeń kręgowy**
*(Medulla spinalis)*

**Mózg**
*(Cerebrum)*

**Tętnica przednia mózgu**
*(Arteria cerebri anterior)*
Dostarcza krew do płata czołowego i do środkowej powierzchni półkuli mózgu

**Koło tętnicze mózgu (koło Willisa)**
*(Circulus arteriosus cerebri)*
Koło łączących się ze sobą tętnic na podstawie mózgu

**Tętnica tylna mózgu**
*(Arteria cerebri posterior)*
Dostarcza krew do dolnej części płata skroniowego i do płata potylicznego z tyłu mózgu

**Móżdżek**
*(Cerebellum)*

**Tętnice móżdżkowe**
*(Arteriae cerebelli)*
Gałęzie tętnic kręgowych i podstawnych, które dostarczają krew do móżdżku

## Co się dzieje, gdy dopływ krwi jest wstrzymany

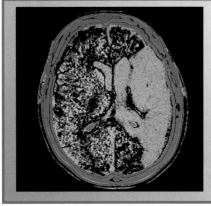

*Ten kolorowy obraz tomograficzny ukazuje obszar martwicy (niebieski) spowodowanej zamknięciem światła tętnicy mózgowej, na przykład przez skrzeplinę.*

Znaczenie zaopatrzenia mózgu w krew szczególnie widać wtedy, kiedy dopływ krwi zostaje przerwany, jak np. w udarze.

Do udaru może dojść w wyniku zahamowania dopływu (niedokrwienie) lub krwawienia (krwotok) do mózgu. Może to spowodować śmierć tkanki mózgowej zaopatrywanej przez określone naczynie.

Ściślej mówiąc, u pacjenta efekt kliniczny zależy od lokalizacji uszkodzonego naczynia. W „klasycznym udarze" jest to tętnica środkowa mózgu (patrz zdjęcie). Zamknięcie tego naczynia powoduje uszkodzenie obszaru kory ruchowej, która kontroluje zamierzone ruchy mięśni po stronie przeciwnej, i porażenie połowy ciała.

Inne objawy, które mogą towarzyszyć uszkodzeniu tej tętnicy, to:
■ utrata czucia w połowie ciała po stronie przeciwnej niż ognisko,
■ zaburzenia widzenia,
■ zaburzenia mowy (jeśli uszkodzenie obejmuje dominującą lewą półkulę).
Wielkość uszkodzenia i stopień powrotu do zdrowia zależą od obszaru objętego zawałem (obszaru martwej tkanki). Czasem porażenie się nie cofa.

# Żyły mózgu

Żyły głębokie i powierzchowne odprowadzają krew z mózgu do skomplikowanego układu zatok. Z zatok krew pod wpływem sił grawitacji powraca do serca – w przeciwieństwie do innych żył nie ma tam zastawek.

Żyły mózgu można podzielić na układy żył powierzchownych i głębokich. Żyły te nie mają zastawek i odprowadzają krew do zatok żylnych czaszki.

Zatoki znajdują się pomiędzy warstwami opony twardej, mocnej zewnętrznej błony otaczającej mózg, i w przeciwieństwie do żył znajdujących się w innych częściach ciała nie mają włókien mięśniowych w swoich ścianach.

Żyły powierzchowne mają różny przebieg na powierzchni mózgu i wiele z nich ma połączenia z innymi żyłami. Większość żył powierzchownych uchodzi do zatoki strzałkowej górnej. Większość żył głębokich, odprowadzających krew ze struktur położonych wewnątrz mózgu, odprowadza krew do zatoki prostej przez żyłę wielką mózgu (żyłę Galena).

### ZADANIA ZATOK

Zatoka prosta i zatoka strzałkowa górna łączą się ze sobą. Krew przepływa przez zatoki poprzeczną i esowatą i opuszcza jamę czaszki przez żyłę szyjną wewnętrzną, która prowadzi ją z powrotem do serca.

Poniżej mózgu po obu stronach kości klinowych znajdują się zatoki jamiste, do których spływa krew z oczodołów i głębiej położonych części twarzy. Zatoka ta stanowi potencjalną drogę szerzenia się zakażenia do wnętrza czaszki.

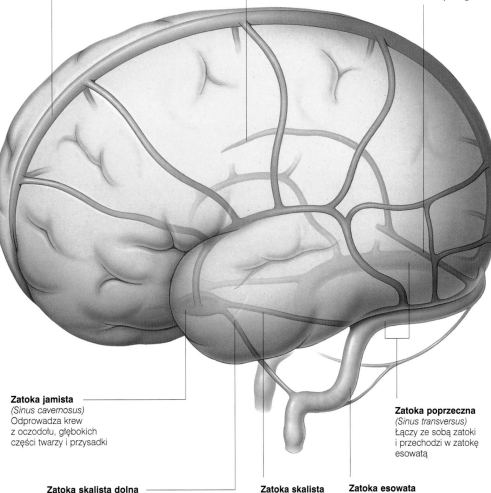

**Zatoka strzałkowa górna**
*(Sinus sagittalis superior)*
Największa z zatok żylnych; otrzymuje krew z wielu powierzchownych żył mózgu; jest również miejscem wchłaniania zwrotnego płynu mózgowo-rdzeniowego do krwiobiegu

**Zatoka strzałkowa dolna**
*(Sinus sagittalis inferior)*
Znajduje się przy dolnym brzegu sierpu mózgu (dużej wypustki opony twardej oddzielającej obie półkule mózgu); otrzymuje krew z żył powierzchownych

**Zatoka prosta**
*(Sinus rectus)*
Odprowadza krew z zatoki strzałkowej dolnej i głębokich żył mózgu przez duże naczynie żylne – żyłę wielką mózgu

**Zatoka jamista**
*(Sinus cavernosus)*
Odprowadza krew z oczodołu, głębokich części twarzy i przysadki

**Zatoka poprzeczna**
*(Sinus transversus)*
Łączy ze sobą zatoki i przechodzi w zatokę esowatą

**Zatoka skalista dolna**
*(Sinus petrosus inferior)*
Biegnie wzdłuż tylnej krawędzi części skalistej kości skroniowej; odprowadza krew z zatoki jamistej do żyły szyjnej wewnętrznej

**Zatoka skalista górna**
*(Sinus petrosus superior)*
Odprowadza krew z zatoki jamistej do zatoki poprzecznej

**Zatoka esowata**
*(Sinus sigmoideus)*
Odprowadza krew z zatoki poprzecznej do żyły szyjnej wewnętrznej; nazwa jej pochodzi od przebiegu w kształcie litery „S"

## Obrazowanie żył mózgu

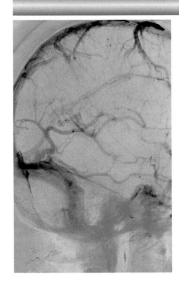

Żyły mózgu i zatoki żylne można łatwo uwidocznić w badaniu angiograficznym.

Badanie to polega na wstrzyknięciu środka cieniującego do tętnicy szyjnej wewnętrznej. Mniej więcej po 7 sekundach środek cieniujący powinien znaleźć się w krążeniu żylnym. Następnie wykonuje się seryjne zdjęcia rentgenowskie, na których można łatwo uwidocznić nieprawidłowości w obrębie układu żylnego mózgu.

*Na tym arteriogramie tętnicy szyjnej (faza żylna) widać żyły mózgu. Środek cieniujący w naczyniach krwionośnych jest na zdjęciu czarny.*

Za pomocą tej techniki można uwidocznić miejsca, w których doszło do zakrzepu, a także wady wrodzone połączeń pomiędzy tętnicami a żyłami.

Jednak zaburzenia w żyłach mózgowych występują znacznie rzadziej niż w tętnicach mózgu.

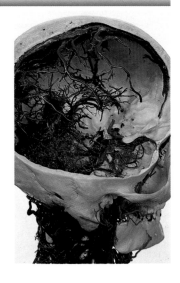

*Ten model ukazuje zatoki żylne mózgu, które odprowadzają odtlenowaną krew z powrotem do serca.*

# Komory mózgu

Mózg „pływa"
w ochronnej warstwie
płynu mózgowo-rdze-
niowego – wodnistej
cieczy, która jest wytwa-
rzana w układzie komór
leżących we wnętrzu
mózgu oraz w jego pniu.

Mózg zawiera układ łączących się
ze sobą jam, które określa się
mianem komór. W mózgu i pniu
mózgu znajdują się cztery komory.
Każda wytwarza płyn mózgowo-
-rdzeniowy, który otacza i nasiąka
mózg i rdzeń kręgowy, chroniąc go
przed urazami i infekcjami.

Trzy komory – dwie parzyste
komory boczne i komora trzecia –
znajdują się w przodomózgowiu.
Parzyste komory boczne są
największe, a każda z nich leży
w jednej z półkul mózgu.
W komorze bocznej można
wyróżnić część środkową i trzy
rogi, przedni (położony w płacie
czołowym), tylny (w płacie
potylicznym) i wewnętrzny (w płacie skroniowym). Komora trzecia
jest wąską jamą leżącą pomiędzy
wzgórzem a podwzgórzem.

## KOMORA CZWARTA

Komora czwarta znajduje się
w tyłomózgowiu poniżej móżdżku.
Gdy patrzy się na nią z góry, ma
kształt diamentu, lecz w płaszczyźnie
strzałkowej (patrz na prawo) ma
kształt trójkąta. Łączy się z komorą
trzecią wąskim kanałem –
wodociągiem mózgu – znajdującym
się w śródmózgowiu. Sklepienie
czwartej komory jest niepełne,
przez co może się ona komunikować
z przestrzenią podpajęczynówkową
(patrz powyżej).

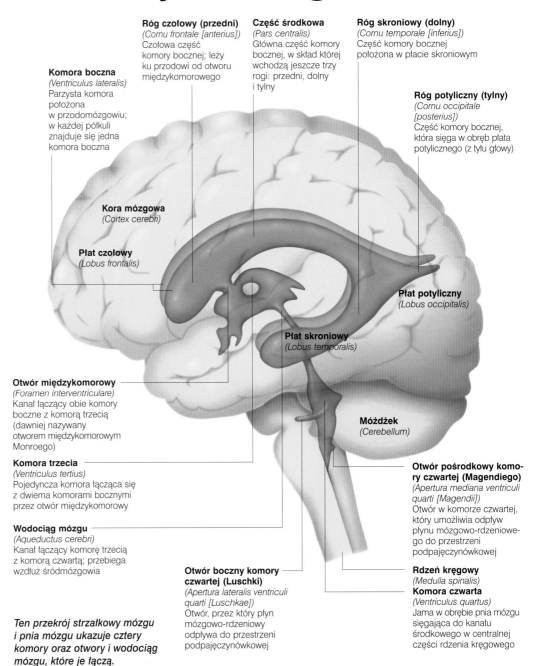

**Róg czołowy (przedni)**
*(Cornu frontale [anterius])*
Czołowa część
komory bocznej; leży
ku przodowi od otworu
międzykomorowego

**Część środkowa**
*(Pars centralis)*
Główna część komory
bocznej, w skład której
wchodzą jeszcze trzy
rogi: przedni, dolny
i tylny

**Róg skroniowy (dolny)**
*(Cornu temporale [inferius])*
Część komory bocznej
położona w płacie skroniowym

**Komora boczna**
*(Ventriculus lateralis)*
Parzysta komora
położona
w przodomózgowiu;
w każdej półkuli
znajduje się jedna
komora boczna

**Róg potyliczny (tylny)**
*(Cornu occipitale
[posterius])*
Część komory bocznej,
która sięga w obręb płata
potylicznego (z tyłu głowy)

**Kora mózgowa**
*(Cortex cerebri)*

**Płat czołowy**
*(Lobus frontalis)*

**Płat potyliczny**
*(Lobus occipitalis)*

**Płat skroniowy**
*(Lobus temporalis)*

**Otwór międzykomorowy**
*(Foramen interventriculare)*
Kanał łączący obie komory
boczne z komorą trzecią
(dawniej nazywany
otworem międzykomorowym
Monroego)

**Móżdżek**
*(Cerebellum)*

**Komora trzecia**
*(Ventriculus tertius)*
Pojedyncza komora łącząca się
z dwiema komorami bocznymi
przez otwór międzykomorowy

**Wodociąg mózgu**
*(Aqueductus cerebri)*
Kanał łączący komorę trzecią
z komorą czwartą; przebiega
wzdłuż śródmózgowia

**Otwór boczny komory
czwartej (Luschki)**
*(Apertura lateralis ventriculi
quarti [Luschkae])*
Otwór, przez który płyn
mózgowo-rdzeniowy
odpływa do przestrzeni
podpajęczynówkowej

**Otwór pośrodkowy komo-
ry czwartej (Magendiego)**
*(Apertura mediana ventriculi
quarti [Magendii])*
Otwór w komorze czwartej,
który umożliwia odpływ
płynu mózgowo-rdzeniowe-
go do przestrzeni
podpajęczynówkowej

**Rdzeń kręgowy**
*(Medulla spinalis)*
**Komora czwarta**
*(Ventriculus quartus)*
Jama w obrębie pnia mózgu
sięgająca do kanału
środkowego w centralnej
części rdzenia kręgowego

*Ten przekrój strzałkowy mózgu
i pnia mózgu ukazuje cztery
komory oraz otwory i wodociąg
mózgu, które je łączą.*

## Płyn mózgowo-rdzeniowy w komorach mózgu

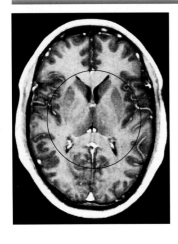

*Na tym zdjęciu z rezonansu
magnetycznego wyraźnie widać
symetryczny układ komór mózgu
(w kółku).*

Wewnątrz każdej komory znajduje
się sieć naczyń krwionośnych znanych jako splot naczyniówkowy.
Jest to miejsce, w którym wytwarzany jest płyn mózgowo-rdzeniowy. Płyn ten wypełnia komory,
a także przestrzeń podpajęczynówkową otaczającą mózg i rdzeń kręgowy, gdzie pełni funkcje ochronne.
Uważa się, że płyn ten usuwa szko-
dliwe produkty do układu żylnego.
Wygląd płynu może często dostar-

czyć ważnych informacji na temat
ewentualnej infekcji.

Płyn mózgowo-rdzeniowy można
pobrać z wielu miejsc, położonych
wzdłuż rdzenia kręgowego, podczas
zabiegu zwanego punkcją lędźwiową.
Igłę wkłuwa się przez oponę twardą
(najbardziej zewnętrzną warstwę
opon otaczających mózg i rdzeń kręgowy) do jamy podpajęczynówkowej, skąd aspiruje się (odciąga) płyn.

Zwykle płyn mózgowo-rdzeniowy
jest jasny, bezbarwny, a każda zmiana jego wyglądu może świadczyć
o chorobie. Czerwone zabarwienie
np. może wskazywać, że do płynu
dostała się krew z ogniska krwotoku.

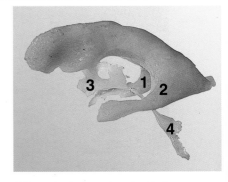

*Odlew z żywicy przedstawia układ
komór mózgu, który składa się
z czterech połączonych ze sobą jam.*

# Krążenie płynu mózgowo-rdzeniowego

Płyn mózgowo-rdzeniowy wytwarzany jest w splocie naczyniówkowym znajdującym się w komorach bocznych oraz w komorach trzeciej i czwartej.

Splot naczyniówkowy zawiera dużo naczyń krwionośnych, które pochodzą z położonej najgłębiej i otaczającej bezpośrednio mózg opony miękkiej. W splocie tym znajduje się wiele wypustek kosmkowatych, które uwypuklają się do komór, i wytwarzany jest w nich płyn mózgowo-rdzeniowy.

Ze splotu naczyniówkowego znajdującego się w obu komorach bocznych mózgu płyn mózgowo--rdzeniowy przechodzi przez otwór międzykomorowy do komory trzeciej. Wraz z płynem, który powstaje w komorze trzeciej, przepływa on przez wodociąg mózgu do śródmózgowia i komory czwartej. Dodatkowo płyn mózgowo-rdzeniowy wytwarzany jest przez splot naczyniówkowy w komorze czwartej.

## PRZESTRZEŃ PODPAJĘCZYNÓWKOWA

Z komory czwartej płyn mózgowo--rdzeniowy ostatecznie trafia do otaczającej mózg jamy podpajęczynówkowej. Płyn mózgowo-rdzeniowy przepływa do przestrzeni podpajęczynówkowej przez otwory znajdujące się w komorze czwartej – otwór pośrodkowy (Magendiego) i dwa otwory boczne (Luschki). Gdy płyn znajdzie się w jamie podpajęczynówkowej, okrąża on ośrodkowy układ nerwowy.

W związku z tym, że płyn mózgowo-rdzeniowy jest ciągle produkowany, musi on stale odpływać, aby nie wytworzyło się zbyt duże ciśnienie. Za przepływ płynu do układu zatok żylnych mózgu odpowiedzialne są wypustki, tzw. ziarnistości pajęczynówki. Szczególnie dużo ich znajduje się w zatoce strzałkowej górnej.

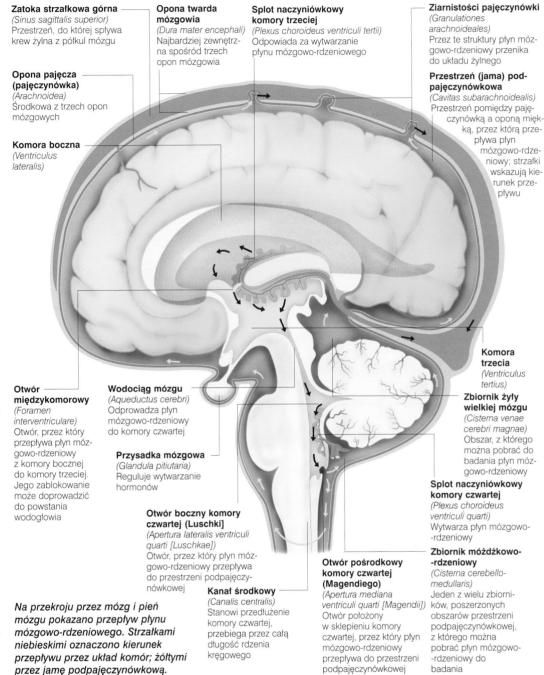

**Zatoka strzałkowa górna**
*(Sinus sagittalis superior)*
Przestrzeń, do której spływa krew żylna z półkul mózgu

**Opona pajęcza (pajęczynówka)**
*(Arachnoidea)*
Środkowa z trzech opon mózgowych

**Komora boczna**
*(Ventriculus lateralis)*

**Opona twarda mózgowia**
*(Dura mater encephali)*
Najbardziej zewnętrzna spośród trzech opon mózgowia

**Splot naczyniówkowy komory trzeciej**
*(Plexus choroideus ventriculi tertii)*
Odpowiada za wytwarzanie płynu mózgowo-rdzeniowego

**Ziarnistości pajęczynówki**
*(Granulationes arachnoideales)*
Przez te struktury płyn mózgowo-rdzeniowy przenika do układu żylnego

**Przestrzeń (jama) podpajęczynówkowa**
*(Cavitas subarachnoidealis)*
Przestrzeń pomiędzy pajęczynówką a oponą miękką, przez którą przepływa płyn mózgowo-rdzeniowy; strzałki wskazują kierunek przepływu

**Otwór międzykomorowy**
*(Foramen interventriculare)*
Otwór, przez który przepływa płyn mózgowo-rdzeniowy z komory bocznej do komory trzeciej. Jego zablokowanie może doprowadzić do powstania wodogłowia

**Wodociąg mózgu**
*(Aqueductus cerebri)*
Odprowadza płyn mózgowo-rdzeniowy do komory czwartej

**Przysadka mózgowa**
*(Glandula pituitaria)*
Reguluje wytwarzanie hormonów

**Otwór boczny komory czwartej (Luschki)**
*(Apertura lateralis ventriculi quarti [Luschkae])*
Otwór, przez który płyn mózgowo-rdzeniowy przepływa do przestrzeni podpajęczynówkowej

**Kanał środkowy**
*(Canalis centralis)*
Stanowi przedłużenie komory czwartej, przebiega przez całą długość rdzenia kręgowego

**Otwór pośrodkowy komory czwartej (Magendiego)**
*(Apertura mediana ventriculi quarti [Magendii])*
Otwór położony w sklepieniu komory czwartej, przez który płyn mózgowo-rdzeniowy przepływa do przestrzeni podpajęczynówkowej

**Komora trzecia**
*(Ventriculus tertius)*

**Zbiornik żyły wielkiej mózgu**
*(Cisterna venae cerebri magnae)*
Obszar, z którego można pobrać do badania płyn mózgowo-rdzeniowy

**Splot naczyniówkowy komory czwartej**
*(Plexus choroideus ventriculi quarti)*
Wytwarza płyn mózgowo-rdzeniowy

**Zbiornik móżdżkowo--rdzeniowy**
*(Cisterna cerebello-medullaris)*
Jeden z wielu zbiorników, poszerzonych obszarów przestrzeni podpajęczynówkowej, z którego można pobrać płyn mózgowo--rdzeniowy do badania

*Na przekroju przez mózg i pień mózgu pokazano przepływ płynu mózgowo-rdzeniowego. Strzałkami niebieskimi oznaczono kierunek przepływu przez układ komór; żółtymi przez jamę podpajęczynówkową.*

## Badanie płynu mózgowo-rdzeniowego

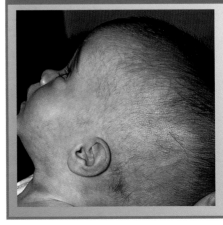

Płyn mózgowo-rdzeniowy wytwarzany jest ciągle, dlatego zaburzenia w jego odpływie prowadzą do wzrostu ciśnienia śródczaszkowego. Do rozwoju wodogłowia (gromadzenia się płynu w mózgu) może dojść w sytuacji zablokowania przepływu przez otwór międzykomorowy, wodociąg mózgu lub otworów w sklepieniu komory czwartej. U pacjenta

*Wodogłowie jest stanem, w którym dochodzi do zahamowania przepływu płynu mózgowo--rdzeniowego w układzie komór mózgu lub przez przestrzeń podpajęczynówkową. Przyczyną blokady w układzie komorowym może być guz, a zaburzenia przepływu przez jamę podpajęczynówkową – uraz głowy lub zapalenie opon mózgowo-rdzeniowych.*

z tą chorobą występują ból głowy, zawroty głowy i upośledzenie funkcji intelektualnych.

U noworodków wodogłowie może powodować napięcie i tętnienie ciemiączka przedniego oraz powiększanie się obwodu głowy. Stan ten wymaga natychmiastowego obniżenia ciśnienia śródczaszkowego. Jeśli u osoby dorosłej konieczne jest pobranie płynu mózgowo-rdzeniowego do badania, wykonuje się punkcję lędźwiową. Podczas tego zabiegu wprowadza się igłę do przestrzeni podpajęczynówkowej pomiędzy trzonem czwartego a piątego kręgu lędźwiowego. Nie powoduje to uszkodzenia tkanki nerwowej, gdyż w warunkach prawidłowych rdzeń kręgowy kończy się znacznie wyżej (pomiędzy pierwszym a drugim kręgiem lędźwiowym).

# Półkule mózgu

Półkule mózgu są największą częścią mózgu.
U ludzi są one bardziej rozwinięte niż inne części mózgu,
i to właśnie odróżnia nasze mózgi od mózgów zwierząt.

Lewa i prawa półkula mózgu oddzielone są od siebie szczeliną podłużną mózgu. Patrząc na powierzchnię półkul mózgowych od góry i z boku, widać wyraźnie rowek schodzący w dół, położony około 1 cm za punktem wyznaczającym środek pomiędzy przednim a tylnym biegunem mózgu.

Jest to tzw. bruzda środkowa mózgu lub bruzda Rolanda. Schodząc dalej z boku mózgu, widać drugi duży rowek tzw. bruzdę boczną mózgu lub bruzdę Sylviusa.

### PŁATY MÓZGU

Półkule mózgu dzielą się na płaty, które nazywają się tak jak położone powyżej kości czaszki:

■ płat czołowy znajduje się przed bruzdą środkową mózgu i powyżej bruzdy bocznej,

■ płat ciemieniowy położony jest za bruzdą środkową mózgu i powyżej tylnego odcinka bruzdy bocznej mózgu; rozciąga się on do tyłu aż do bruzdy ciemieniowo-potylicznej, która oddziela ten płat od leżącego z tyłu mózgu płata potylicznego;

■ płat skroniowy obejmuje obszar znajdujący się poniżej bruzdy bocznej mózgu, rozciąga się on do tyłu i styka się z płatem potylicznym.

## Płaty półkul mózgu

**Bruzda środkowa**
*(Sulcus centralis)*
Bruzda Rolanda

**Płat czołowy**
*(Lobus frontalis)*
Odpowiada
za planowanie
przyszłych ruchów
i kontrolę ich
wykonania

**Płat ciemieniowy**
*(Lobus parietalis)*
Odpowiada za czucie
somatyczne

**Bruzda ciemieniowo-potyliczna**
*(Sulcus
parietooccipitalis)*

**Bruzda boczna**
*(Sulcus lateralis
= sulcus Sylvii)*
Bruzda Sylviusa

**Płat skroniowy**
*(Lobus temporalis)*
Odpowiada za słyszenie
i niektóre elementy uczenia się,
pamięć i emocje

**Płat potyliczny**
*(Lobus occipitalis)*
Odpowiada za
interpretację obrazów

*Każda z półkul mózgu dzieli się
na cztery płaty, które nazywają
się tak jak leżące bezpośrednio
nad nimi kości czaszki.*

## Zakręty i bruzdy

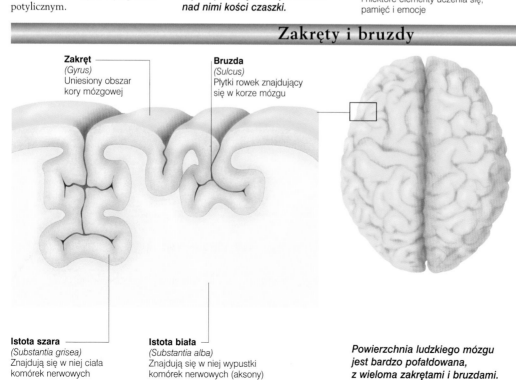

**Zakręt**
*(Gyrus)*
Uniesiony obszar
kory mózgowej

**Bruzda**
*(Sulcus)*
Płytki rowek znajdujący
się w korze mózgu

**Istota szara**
*(Substantia grisea)*
Znajdują się w niej ciała
komórek nerwowych

**Istota biała**
*(Substantia alba)*
Znajdują się w niej wypustki
komórek nerwowych (aksony)

*Powierzchnia ludzkiego mózgu
jest bardzo pofałdowana,
z wieloma zakrętami i bruzdami.*

Ponieważ mózg w życiu płodowym bardzo szybko rośnie, kora mózgu ulega pofałdowaniu w wyniku nachodzenia na siebie tkanki mózgowej. Mózg przypomina wyglądem powierzchnię orzecha włoskiego. Fałdy nazywane są zakrętami, a płytkie rowki znajdujące się pomiędzy nimi to bruzdy.

Niektóre bruzdy znajdują się w tym samym miejscu w mózgach wszystkich ludzi i dlatego wykorzystuje się je jako punkty odniesienia przy podziale kory mózgu na cztery płaty.

### POWSTAWANIE ZAKRĘTÓW I BRUZD

Zakręty i bruzdy pojawiają się około trzeciego–czwartego miesiąca życia płodowego. Do tego czasu powierzchnia mózgu jest gładka, jak w mózgach ptaków i gadów. Taki skomplikowany układ pofałdowania powierzchni pozwala zwiększyć powierzchnię kory mózgu wewnątrz czaszki, która ma ograniczoną pojemność.

# Funkcje półkul mózgowych

Różne obszary kory mózgowej spełniają odmienne, wysoko specjalistyczne funkcje.

Kora mózgu dzieli się na:
■ Pola ruchowe, które inicjują i kontrolują przebieg ruchów. Pierwotna kora ruchowa kontroluje ruchy zamierzone po przeciwnej stronie ciała. Z przodu, przed pierwotną korą ruchową, leży część przednia (kora przedruchowa), a strefa trzecia, dodatkowy obszar ruchowy, znajduje się na wewnętrznej powierzchni płata czołowego. Wszystkie obszary współdziałają ze zwojami podstawy mózgu i móżdżkiem, umożliwiając wykonywanie skomplikowanych sekwencji dokładnie kontrolowanych ruchów.
■ Pola czuciowe otrzymują i zbierają informacje pochodzące z receptorów czuciowych znajdujących się w ciele. Pierwotna kora czuciowa otrzymuje informacje dotyczące dotyku, bólu, temperatury i położenia stawów i mięśni (czucie głębokie) z receptorów czuciowych umiejscowionych po przeciwnej stronie ciała.
■ Pola asocjacyjne kory mózgowej uczestniczą w integracji skomplikowanych funkcji mózgu – wyższych procesów umysłowych związanych z nauką, pamięcią, mową, oceną, rozumowaniem, uczuciami i osobowością.

**Pierwotna kora ruchowa**
Kontroluje ruchy zależne od woli po przeciwnej stronie ciała; pobudzanie elektryczne tego obszaru powoduje ruchy określonych grup mięśni

**Pierwotna kora somatosensoryczna**
Docierają do niej informacje z receptorów czuciowych po stronie przeciwnej ciała dotyczące dotyku, bólu, temperatury i pozycji mięśni oraz stawów

**Kora asocjacyjna (kojarzeniowa) słuchowa**
Odpowiada za interpretację i znaczenie dźwięków

**Kora asocjacyjna (kojarzeniowa) wzrokowa**
Odpowiada za rozpoznawanie i znaczenie informacji wzrokowych i odnoszenie ich do wcześniejszych doświadczeń

**Ośrodek ruchowy mowy (Broca)**
Odpowiada za wytwarzanie dźwięków (mowę); u 97% ludzi obszar ten znajduje się z lewej strony mózgu

*Kilka z najważniejszych pod względem funkcji obszarów przedstawiono w postaci mapy na bocznej powierzchni mózgu.*

**Pierwotna kora słuchowa**
Przetwarza podstawowe cechy dźwięków, jak wysokość tonu i rytm

**Pierwotna kora wzrokowa**
Dochodzą do niej informacje z oczu z przeciwległej połowy pola widzenia

## Reprezentacja czuciowa i ruchowa ciała człowieka (*Humunculus*)

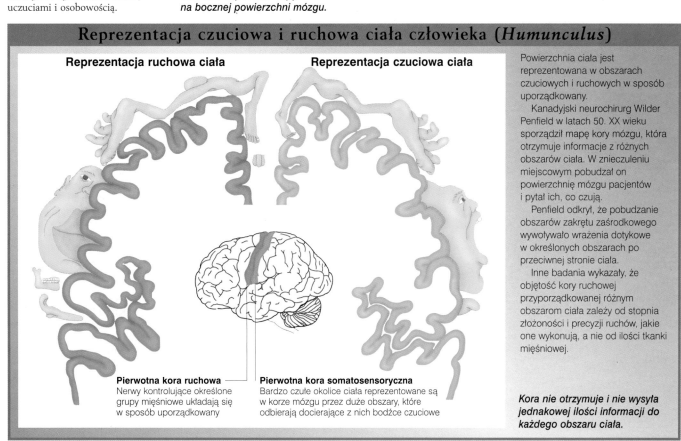

**Reprezentacja ruchowa ciała**

**Reprezentacja czuciowa ciała**

**Pierwotna kora ruchowa**
Nerwy kontrolujące określone grupy mięśniowe układają się w sposób uporządkowany

**Pierwotna kora somatosensoryczna**
Bardzo czułe okolice ciała reprezentowane są w korze mózgu przez duże obszary, które odbierają docierające z nich bodźce czuciowe

Powierzchnia ciała jest reprezentowana w obszarach czuciowych i ruchowych w sposób uporządkowany.

Kanadyjski neurochirurg Wilder Penfield w latach 50. XX wieku sporządził mapę kory mózgu, która otrzymuje informacje z różnych obszarów ciała. W znieczuleniu miejscowym pobudzał on powierzchnię mózgu pacjentów i pytał ich, co czują.

Penfield odkrył, że pobudzanie obszarów zakrętu zaśrodkowego wywoływało wrażenia dotykowe w określonych obszarach po przeciwnej stronie ciała.

Inne badania wykazały, że objętość kory ruchowej przyporządkowanej różnym obszarom ciała zależy od stopnia złożoności i precyzji ruchów, jakie one wykonują, a nie od ilości tkanki mięśniowej.

*Kora nie otrzymuje i nie wysyła jednakowej ilości informacji do każdego obszaru ciała.*

# Wzgórze (thalamus)

Wzgórze jest głównym ośrodkiem przekaźnikowym i integrującym w mózgu,
położonym głęboko w jego części centralnej. Zbudowane jest z dwóch połów
i odbiera bodźce czuciowe wszystkich rodzajów oprócz zapachu.

Wzgórze zbudowane jest z parzystych, jajowatych skupisk istoty szarej (ciała komórek nerwowych), długości 3–4 cm i szerokości 1,5 cm, położonych głęboko w środku mózgowia, w okolicy nazywanej międzymózgowiem.

Wzgórze tworzy około 80% międzymózgowia i znajduje się po obu stronach wypełnionej płynem mózgowo-rdzeniowym komory trzeciej. Lewa i prawa część wzgórza łączą się przez most utworzony z istoty szarej – zrost międzywzgórzowy.

## NEUROANATOMIA

Z przodu wzgórze jest zaokrąglone i węższe niż w odcinku tylnym, który przechodzi w poduszkę. Powierzchnię górną wzgórza pokrywa cienka warstwa istoty białej – warstwa obwodowa. Druga warstwa istoty białej – blaszka rdzenna zewnętrzna – pokrywa powierzchnię boczną.

Budowa wzgórza jest bardzo złożona. Wzgórze zawiera ponad 25 różnych jąder (skupiska komórek nerwowych pełniących tę samą funkcję).

Jądra wzgórza oddzielone są od siebie pionową warstwą istoty białej, która ma kształt litery Y – tzw. blaszką rdzenną wewnętrzną. Jądro przednie znajduje się w rozwidleniu litery Y, której ogonek oddziela jądra boczne i środkowe i dzieli się, obejmując jądra śródblaszkowe.

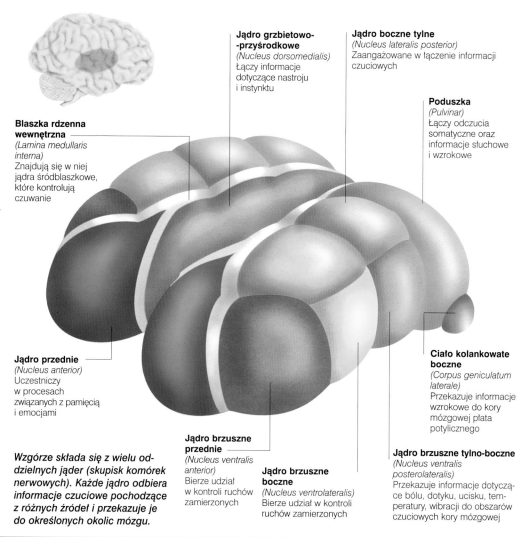

**Jądro grzbietowo--przyśrodkowe**
*(Nucleus dorsomedialis)*
Łączy informacje dotyczące nastroju i instynktu

**Jądro boczne tylne**
*(Nucleus lateralis posterior)*
Zaangażowane w łączenie informacji czuciowych

**Blaszka rdzenna wewnętrzna**
*(Lamina medullaris interna)*
Znajdują się w niej jądra śródblaszkowe, które kontrolują czuwanie

**Poduszka**
*(Pulvinar)*
Łączy odczucia somatyczne oraz informacje słuchowe i wzrokowe

**Jądro przednie**
*(Nucleus anterior)*
Uczestniczy w procesach związanych z pamięcią i emocjami

**Ciało kolankowate boczne**
*(Corpus geniculatum laterale)*
Przekazuje informacje wzrokowe do kory mózgowej płata potylicznego

**Jądro brzuszne przednie**
*(Nucleus ventralis anterior)*
Bierze udział w kontroli ruchów zamierzonych

**Jądro brzuszne boczne**
*(Nucleus ventrolateralis)*
Bierze udział w kontroli ruchów zamierzonych

**Jądro brzuszne tylno-boczne**
*(Nucleus ventralis posterolateralis)*
Przekazuje informacje dotyczące bólu, dotyku, ucisku, temperatury, wibracji do obszarów czuciowych kory mózgowej

*Wzgórze składa się z wielu oddzielnych jąder (skupisk komórek nerwowych). Każde jądro odbiera informacje czuciowe pochodzące z różnych źródeł i przekazuje je do określonych okolic mózgu.*

## Wyższa kontrola funkcji mózgu

### Widok mózgu z boku

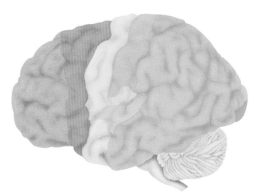

### Widok mózgu od wewnątrz

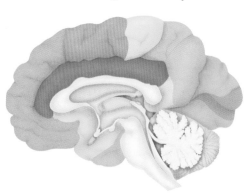

*Każde jądro wzgórza łączy się z określonym obszarem kory mózgowej (zewnętrzną warstwą mózgu). Na obu powyższych ilustracjach pokolorowano obszary kory mózgu odpowiadające rysunkowi wzgórza znajdującego się na górze strony.*

Każde jądro wzgórza łączy się z określonym obszarem kory mózgowej poprzez pęczki włókien nerwowych przebiegających w torebce wewnętrznej.

Niektóre jądra wzgórza przekazują informacje pochodzące z różnych receptorów czuciowych, np. bodźce somatyczne (fizyczne), wzrokowe i słuchowe, do kory somatosensorycznej.

Inne uczestniczą w przekazywaniu informacji dotyczących ruchu, z móżdżku i jąder podstawy, do okolic ruchowych okolicy czołowej kory mózgu.

Wzgórze uczestniczy również w autonomicznych (bezwiednych) funkcjach, jak zachowanie świadomości.

# Podwzgórze (hypothalamus)

Podwzgórze jest złożoną strukturą położoną głęboko w mózgu. Zarządza ono podstawowymi funkcjami organizmu i odgrywa znaczną rolę w utrzymaniu homeostazy – równowagi środowiska wewnętrznego organizmu.

Podwzgórze jest małym obszarem międzymózgowia; ma wielkość paznokcia pokrywającego kciuk i masę tylko 4 gramów. Położone jest poniżej wzgórza i oddzielone jest od niego płytkimi bruzdami. Podwzgórze znajduje się tuż za skrzyżowaniem nerwów wzrokowych, w którym dwa nerwy wzrokowe krzyżują się po drodze z gałek ocznych do kory wzrokowej położonej z tyłu mózgu.

W podwzgórzu wyróżnia się wiele wyraźnych struktur. Na jego spodniej powierzchni znajdują się:
■ ciała suteczkowate (corpora mamillaria), dwie małe wyniosłości wielkości groszku, które zaangażowane są w zmysł powonienia;
■ lejek (infundibulum), czyli szypuła przysadki, łączący podwzgórze z leżącą poniżej tylną, nerwową, częścią przysadki;
■ guz popielaty (tuber cinerum), szaroniebieskie wzniesienie otaczające podstawę lejka.

## Jądra podwzgórza

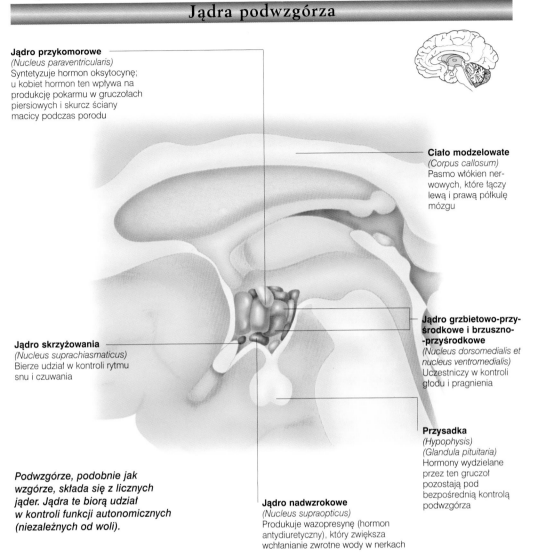

**Jądro przykomorowe**
(Nucleus paraventricularis)
Syntetyzuje hormon oksytocynę; u kobiet hormon ten wpływa na produkcję pokarmu w gruczołach piersiowych i skurcz ściany macicy podczas porodu

**Ciało modzelowate**
(Corpus callosum)
Pasmo włókien nerwowych, które łączy lewą i prawą półkulę mózgu

**Jądro skrzyżowania**
(Nucleus suprachiasmaticus)
Bierze udział w kontroli rytmu snu i czuwania

**Jądro grzbietowo-przyśrodkowe i brzuszno-przyśrodkowe**
(Nucleus dorsomedialis et nucleus ventromedialis)
Uczestniczy w kontroli głodu i pragnienia

*Podwzgórze, podobnie jak wzgórze, składa się z licznych jąder. Jądra te biorą udział w kontroli funkcji autonomicznych (niezależnych od woli).*

**Jądro nadwzrokowe**
(Nucleus supraopticus)
Produkuje wazopresynę (hormon antydiuretyczny), który zwiększa wchłanianie zwrotne wody w nerkach

**Przysadka**
(Hypophysis)
(Glandula pituitaria)
Hormony wydzielane przez ten gruczoł pozostają pod bezpośrednią kontrolą podwzgórza

## Kontrola podwzgórzowa innych funkcji

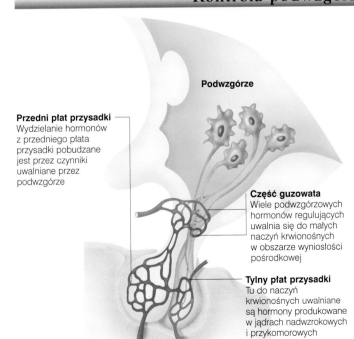

**Podwzgórze**

**Przedni płat przysadki**
Wydzielanie hormonów z przedniego płata przysadki pobudzane jest przez czynniki uwalniane przez podwzgórze

**Część guzowata**
Wiele podwzgórzowych hormonów regulujących uwalnia się do małych naczyń krwionośnych w obszarze wyniosłości pośrodkowej

**Tylny płat przysadki**
Tu do naczyń krwionośnych uwalniane są hormony produkowane w jądrach nadwzrokowych i przykomorowych

Podwzgórze reguluje wiele podstawowych procesów organizmu:
■ **Przysadka**
Podwzgórze stanowi główne połączenie pomiędzy ośrodkowym układem nerwowym a układem wewnątrzwydzielniczym, kontrolującym funkcje przysadki.
■ **Autonomiczny układ nerwowy**
Włókna nerwowe łączą podwzgórze z ośrodkami autonomicznymi położonymi w pniu mózgu. Dzięki temu podwzgórze może wpływać na częstość pracy serca i ciśnienie krwi; pracę jelit i pęcherza moczowego; pocenie się i wydzielanie śliny.
■ **Jedzenie i picie**
Pobudzanie bocznego obszaru podwzgórza zwiększa głód

i pragnienie, a pobudzanie obszaru przyśrodkowego zmniejsza głód i spożycie pokarmu.
■ **Temperatura ciała**
Pewne obszary podwzgórza kontrolują temperaturę krwi i pełnią funkcję termostatu.
■ **Kontrola zachowań emocjonalnych**
Podwzgórze wraz z innymi obszarami mózgu uczestniczy w wyrażaniu strachu i agresji oraz wpływa na zachowania seksualne.
■ **Kontrola cyklu snu i czuwania**
Jądro skrzyżowania odpowiada za codzienny sen i czuwanie.
■ **Pamięć**
Uszkodzenie ciał suteczkowatych wiąże się z upośledzeniem zdolności do nauki i przyswajaniem nowych informacji.

*Podwzgórze kontroluje przysadkę za pośrednictwem włókien nerwowych dochodzących do tylnego płata przysadki i naczyń włosowatych zaopatrujących przedni płat przysadki.*

# Układ limbiczny

Układem limbicznym nazywamy zespół łączących się ze sobą struktur położonych wewnątrz mózgu. Układ limbiczny łączy się z innymi częściami mózgu. Odpowiada on za nastrój i pamięć.

Układ limbiczny jest zespołem struktur położonych głęboko w mózgu, który wiąże się z odbiorem emocji i odpowiedzią organizmu na nie.

Układ limbiczny nie jest jedną wyraźną częścią mózgu, lecz raczej pierścieniem połączonych struktur otaczających górny odcinek pnia mózgu. Połączenia pomiędzy tymi strukturami są złożone, często tworzą pętle lub okręgi. Ich dokładne znaczenie nie zostało jeszcze w pełni wyjaśnione.

## BUDOWA

Układ limbiczny składa się ze wszystkich lub tylko niektórych spośród wymienionych struktur:
■ ciało migdałowate – jądro w kształcie migdała wydaje się wiązać z uczuciem strachu i agresji;
■ hipokamp – struktura odgrywająca pewną rolę w procesie nauki i pamięci;
■ jądra przednie (wzgórza) – te skupiska komórek nerwowych tworzą część wzgórza. Do ich zadań należy między innymi kontrola zachowań instynktownych;
■ zakręt obręczy – łączy układ limbiczny z korą mózgową, częścią mózgu odpowiedzialną za świadome myślenie;
■ podwzgórze – reguluje środowisko wewnętrzne organizmu, w tym ciśnienie krwi, tętno i stężenie hormonów. Układ limbiczny wpływa na organizm za pośrednictwem podwzgórza, do którego wysyła bodźce.

### Układ limbiczny we wnętrzu mózgu – widok od strony przyśrodkowej

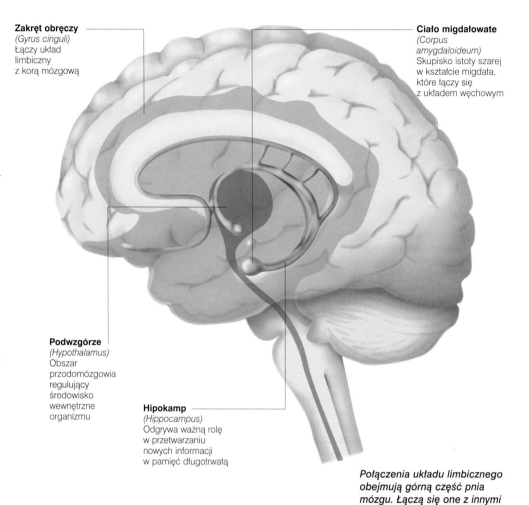

**Zakręt obręczy**
(Gyrus cinguli)
Łączy układ limbiczny z korą mózgową

**Ciało migdałowate**
(Corpus amygdaloideum)
Skupisko istoty szarej w kształcie migdała, które łączy się z układem węchowym

**Podwzgórze**
(Hypothalamus)
Obszar przodomózgowia regulujący środowisko wewnętrzne organizmu

**Hipokamp**
(Hippocampus)
Odgrywa ważną rolę w przetwarzaniu nowych informacji w pamięć długotrwałą

*Połączenia układu limbicznego obejmują górną część pnia mózgu. Łączą się one z innymi częściami mózgu i są odpowiedzialne za emocje.*

## Układ limbiczny i zmysł węchu

Układ węchowy (odpowiedzialny za zmysł węchu) często zaliczany jest do układu limbicznego. Z pewnością istnieje ścisłe połączenie pomiędzy nimi.

### EMOCJE

Włókna nerwowe przewodzące do mózgu informacje z receptorów czuciowych zlokalizowanych w nosie łączą się ze strukturami układu limbicznego, przede wszystkim z ciałem migdałowatym.

*Nasz zmysł węchu jest ściśle związany ze wspomnieniami z przeszłości lub emocjami. Na przykład zapach noworodka może wyzwolić uczucia macierzyńskie.*

Dzięki temu różne zapachy często kojarzą się z różnymi emocjami i uczuciami. Przykładem może być wstręt, jaki wywołuje woń odchodów, lub uczucie macierzyńskie, które wywołuje zapach małego dziecka.

### WSPOMNIENIA

Zapach wiąże się również z pamięcią; nie jest niczym niezwykłym to, że jakiś zapach budzi w nas nagle wspomnienia, które, jak się wydawało, zostały już dawno zapomniane. Zjawisko to można wyjaśnić rolą układu limbicznego, zwłaszcza hipokampu, w procesach uczenia się i utrwalania pamięci.

# Połączenia układu limbicznego

Układ limbiczny łączy się z wyższymi ośrodkami znajdującymi się w korze mózgowej i z bardziej prymitywnym pniem mózgu. Sprawia on, że uczucia i emocje oddziałują na organizm, a także umożliwia regulację odpowiedzi emocjonalnej.

Ludzki mózg można podzielić na trzy części. Części te rozwijały się kolejno przez tysiące lat.

## PIEŃ MÓZGU

„Najstarszą" rozwojowo częścią mózgu jest pień mózgu. Kontroluje on głównie wewnętrzną homeostazę organizmu. Pień mózgu można postrzegać jako rodzaj „układu podtrzymującego życie".

## UKŁAD LIMBICZNY

Wraz z rozwojem ssaków pojawiła się druga „warstwa" mózgu – układ limbiczny. Układ ten umożliwił rozwój odczuć i emocji w odpowiedzi na dopływające bodźce czuciowe. Wiąże się on również z rozwojem nowych – w pojęciu ewolucyjnym – zachowań więzi z potomstwem (więzi macierzyńskiej).

## KORA MÓZGOWA

Ostatnią warstwą ludzkiego mózgu wspólną dla ssaków wyższego rzędu jest kora mózgowa, część mózgu, która umożliwia myślenie i posługiwanie się rozumem. Za pomocą tej części mózgu osoby postrzegają świat zewnętrzny i podejmują świadome decyzje dotyczące zachowania i działań.

**Rozwój mózgu**

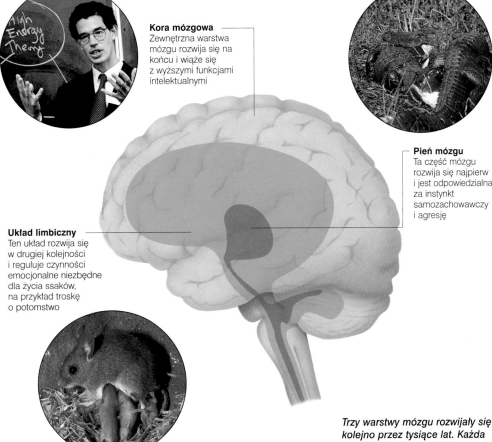

**Kora mózgowa**
Zewnętrzna warstwa mózgu rozwija się na końcu i wiąże się z wyższymi funkcjami intelektualnymi

**Pień mózgu**
Ta część mózgu rozwija się najpierw i jest odpowiedzialna za instynkt samozachowawczy i agresję

**Układ limbiczny**
Ten układ rozwija się w drugiej kolejności i reguluje czynności emocjonalne niezbędne dla życia ssaków, na przykład troskę o potomstwo

*Trzy warstwy mózgu rozwijały się kolejno przez tysiące lat. Każda z nich jest odpowiedzialna za inne funkcje ciała i inne funkcje intelektualne.*

## ZNACZENIE UKŁADU LIMBICZNEGO

Układ limbiczny leży pomiędzy korą a pniem mózgu i komunikuje się z obiema tymi strukturami. Dzięki połączeniom z pniem mózgu układ limbiczny powoduje, że stan emocjonalny może wpływać na stan wewnętrzny organizmu. Może on na przykład przygotować organizm do zachowań zależnych od „instynktu samozachowawczego", np. ucieczki w sytuacji zagrożenia lub do zbliżenia seksualnego.

Rozległe połączenia pomiędzy układem limbicznym a korą mózgu umożliwiają człowiekowi wykorzystywanie wiedzy na temat świata zewnętrznego do odpowiedzi na bodźce emocjonalne. W razie potrzeby kora mózgowa może „przejąć władzę" nad bardziej prymitywnym układem limbicznym.

## Choroby układu limbicznego

*Padaczka skroniowa może obejmować układ limbiczny. Elektroencefalografia ukazuje nieprawidłową aktywność elektryczną w określonych obszarach mózgu.*

Ponieważ układ limbiczny jest odpowiedzialny za emocje, nastrój i pamięć, uszkodzenie jego struktur może wywierać wpływ na te obszary.

### ENCEFALOPATIA WERNICKEGO

Encefalopatia Wernickego jest chorobą mózgu, w której dochodzi do krwawień z drobnych naczyń krwionośnych do górnego odcinka pnia mózgu i układu limbicznego.

Chorobę tę powoduje długotrwałe nadużywanie alkoholu, z jednoczesnymi niedoborami pokarmowymi. U osób chorych występuje splątanie, które w końcu przechodzi w śpiączkę. Objawy choroby często nie ustępują całkowicie. Pozostają pewnego stopnia amnezja i niemożność nauczenia się nowych rzeczy.

### PADACZKA SKRONIOWA

W padaczce skroniowej ognisko chorobowe znajduje się w płacie skroniowym mózgu, w pobliżu układu limbicznego. Jeśli procesem chorobowym objęte są ciała migdałowate lub hipokamp, w czasie napadu padaczkowego chory może odczuwać różne zapachy, zmiany nastroju czy zaburzenia pamięci. Napady mogą być tak ciężkie, że mogą przypominać schizofrenię.

# Jądra podstawne

Jądra podstawne leżą głęboko w istocie białej półkul mózgu.
Są to skupiska komórek nerwowych,
które sprawują kontrolę nad ruchami ciała.

Powszechnie używana nazwa, zwoje podstawy mózgu, w rzeczywistości jest terminem błędnym, gdyż określenie „zwój" odnosi się do skupiska wielu komórek nerwowych znajdujących się w obwodowym, a nie ośrodkowym układzie nerwowym. Właściwym terminem anatomicznym jest określenie „jądra podstawne".

## CZĘŚCI SKŁADOWE

Istnieje wiele struktur zaliczanych do jąder podstawnych i wszystkie są blisko powiązane anatomicznie i czynnościowo. Należą do nich:
■ Skorupa. Wraz z jądrem ogoniastym skorupa otrzymuje sygnały pochodzące z kory mózgu.
■ Jądro ogoniaste. Nazwa odzwierciedla jego kształt, gdyż ma ono długi ogon. Jądro to łączy się z przednim odcinkiem skorupy.
■ Gałka blada. Jądro to przekazuje informacje ze skorupy do barwnikowego obszaru śródmózgowia znanego jako istota czarna, z którym ma wiele cech wspólnych.

## PODZIAŁ

Różne nazwy wiążą się z różnymi grupami jąder podstawnych. Określenie „ciało prążkowane" odnosi się do całej grupy wchodzącej w skład jąder podstawnych, podczas gdy prążkowie obejmuje tylko skorupę i jądro ogoniaste. Inny termin – jądro soczewkowate, odnosi się do skorupy i gałki bladej, które razem tworzą strukturę podobną do soczewki.

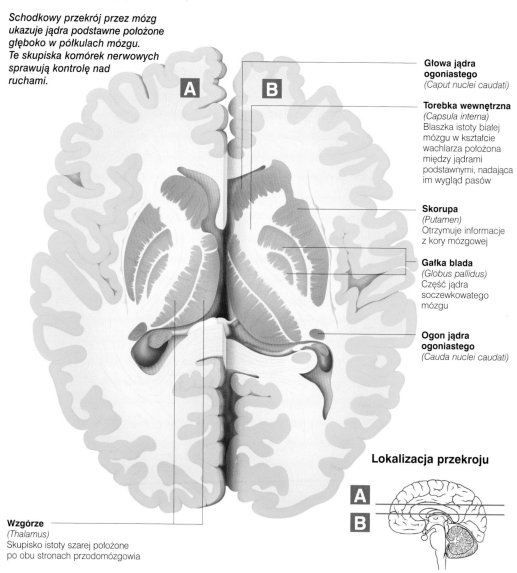

*Schodkowy przekrój przez mózg ukazuje jądra podstawne położone głęboko w półkulach mózgu. Te skupiska komórek nerwowych sprawują kontrolę nad ruchami.*

**Głowa jądra ogoniastego**
*(Caput nuclei caudati)*

**Torebka wewnętrzna**
*(Capsula interna)*
Blaszka istoty białej mózgu w kształcie wachlarza położona między jądrami podstawnymi, nadająca im wygląd pasów

**Skorupa**
*(Putamen)*
Otrzymuje informacje z kory mózgowej

**Gałka blada**
*(Globus pallidus)*
Część jądra soczewkowatego mózgu

**Ogon jądra ogoniastego**
*(Cauda nuclei caudati)*

**Lokalizacja przekroju**

A
B

**Wzgórze**
*(Thalamus)*
Skupisko istoty szarej położone po obu stronach przodomózgowia

---

## Przekrój w płaszczyźnie czołowej przez mózg

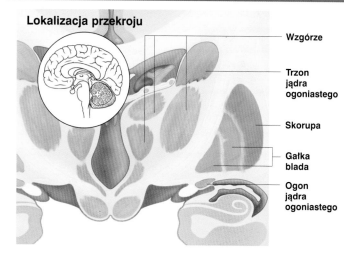

**Lokalizacja przekroju**

**Wzgórze**

**Trzon jądra ogoniastego**

**Skorupa**

**Gałka blada**

**Ogon jądra ogoniastego**

Przekrój w płaszczyźnie czołowej przez mózg ukazuje dwie anatomiczne właściwości jąder podstawnych – kształt i położenie – w odniesieniu do innych struktur tej okolicy.

### KSZTAŁT JĄDER

Przekrój w płaszczyźnie czołowej pokazuje, że jądro soczewkowate ma kształt podobny do orzecha brazylijskiego lub cząstki pomarańczy.
Skorupa leży na bocznej (zewnętrznej) gałce bladej, która

*Ten przekrój czołowy przez mózg ukazuje położenie jąder podstawnych w odniesieniu do innych struktur mózgu.*

zwęża się i kończy tępo. W bok od skorupy znajduje się pasmo istoty szarej zwane przedmurzem (niepokazane), które czasami włączane jest do jąder podstawnych.

### TOREBKA

Jądra podstawne znajdują się w pobliżu wzgórza, ważnego obszaru mózgu, z którym mają wiele połączeń. Oddzielone są one od podwzgórza torebką wewnętrzną, obszarem istoty białej zawierającym włókna nerwowe, które od kory mózgowej przechodzą w dół do rdzenia kręgowego.

# Budowa i funkcje jąder podstawnych

Ogólny kształt jąder podstawnych mózgu jest złożony i na podstawie dwuwymiarowego obrazu trudno sobie wyobrazić rzeczywisty ich wygląd.

Trójwymiarowy obraz jąder podstawnych pozwala łatwiej zrozumieć ich położenie w mózgu, wielkość oraz kształt.

Łatwiej można sobie wyobrazić kształt jądra ogoniastego – w okolicy głowy łączy się ono ze skorupą, a następnie zagina się ku tyłowi, tworząc łuk powyżej wzgórza, i ponownie kieruje się ku przodowi. Koniec ogona jądra ogoniastego łączy się z jądrami migdałowatymi stanowiącymi część układu limbicznego (odpowiedzialnego za nieświadome funkcje autonomiczne).

### ZNACZENIE JĄDER PODSTAWNYCH

Badanie funkcji jąder podstawnych mózgu nie jest łatwe, ponieważ leżą one głęboko w mózgu i z tego powodu są stosunkowo trudno dostępne. Większość tego, co wiemy na temat ich funkcji, pochodzi z obserwacji klinicznych tych pacjentów z chorobami jąder podstawnych, które prowadzą do określonych zaburzeń ruchowych i zaburzeń postawy, jak np. choroba Parkinsona.

Obecny stan wiedzy na temat funkcji jąder podstawnych pozwala stwierdzić, iż pomagają one wykonywać precyzyjne ruchy zamierzone i przeciwdziałają wykonywaniu ruchów niezamierzonych i mimowolnych.

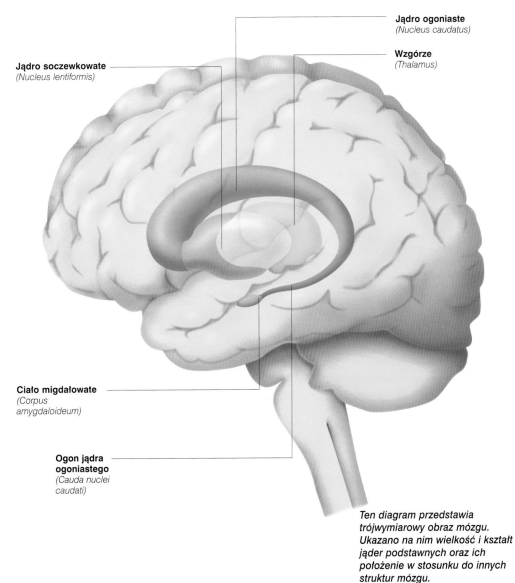

**Jądro soczewkowate**
(Nucleus lentiformis)

**Jądro ogoniaste**
(Nucleus caudatus)

**Wzgórze**
(Thalamus)

**Ciało migdałowate**
(Corpus amygdaloideum)

**Ogon jądra ogoniastego**
(Cauda nuclei caudati)

*Ten diagram przedstawia trójwymiarowy obraz mózgu. Ukazano na nim wielkość i kształt jąder podstawnych oraz ich położenie w stosunku do innych struktur mózgu.*

## Choroby jąder podstawnych

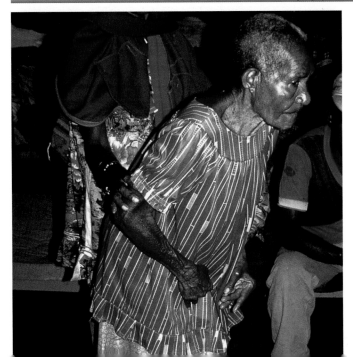

*Choroba Parkinsona może być spowodowana uszkodzeniem jąder podstawnych. Do objawów tej choroby należą: pochylenie tułowia do przodu, drżenie i chód powolny z szuraniem nogami.*

Wiele zaburzeń ruchowych jest skutkiem uszkodzenia jąder podstawnych mózgu. Do chorób tych należy choroba Parkinsona, pląsawica Huntingtona i choroba Wilsona.

### ZABURZENIA RUCHOWE

Choroba Parkinsona jest chorobą o nieznanej etiologii, która występuje głównie u ludzi starszych. Prowadzi do różnych zaburzeń ruchowych – spowolnienia ruchów, zwiększenia napięcia mięśni, drżeń i pochylenia postawy ciała. Osoby dotknięte tą chorobą mają trudności z rozpoczęciem i zakończeniem ruchu, wyraz twarzy chorego przypomina maskę.

W badaniach jąder podstawnych chorych na chorobę Parkinsona wykazano niedobór dopaminy, substancji, która umożliwia neuronom komunikowanie się między sobą.

Pląsawica Huntingtona jest chorobą wrodzoną, która nie ujawnia się przed osiągnięciem wieku średniego. Wiąże się z powolną degeneracją części jąder podstawnych i prowadzi do występowania nieprawidłowych ruchów i otępienia.

Choroba Wilsona jest chorobą wrodzoną związaną z uszkodzeniem jąder podstawnych i postępującym otępieniem w młodym wieku.

# Móżdżek

Móżdżek, po łacinie *cerebellum* – „mały mózg",
znajduje się z tyłu, poniżej płatów potylicznych kory mózgu.
Kontroluje on ruchy w sposób podświadomy.

Część mózgu nazywana móżdżkiem zlokalizowana jest z tyłu głowy poniżej płatów potylicznych kory mózgu. Najważniejszym zadaniem móżdżku jest koordynacja ruchów, utrzymanie równowagi ciała oraz postawy. Móżdżek wykonuje swoje funkcje w sposób podświadomy, więc człowiek nie uświadamia sobie jego działania.

## BUDOWA
Móżdżek składa się z dwóch półkul połączonych w linii pośrodkowej robakiem. Półkule móżdżku położone są z boku i z tyłu od linii pośrodkowej ciała.

Powierzchnia móżdżku ma charakterystyczny wygląd. W przeciwieństwie do dużych zakrętów kory mózgowej powierzchnię móżdżku tworzy wiele drobnych zakrętów.

## PŁATY
Pomiędzy zakrętami móżdżku na jego powierzchni znajdują się głębokie szczeliny, które dzielą móżdżek na trzy płaty:
- płat przedni,
- płat tylny,
- płat kłaczkowo-grudkowy.

*Móżdżek ma dwie półkule, po jednej z każdej strony robaka. Powierzchnia móżdżku składa się z wąskich fałdów (zakrętów).*

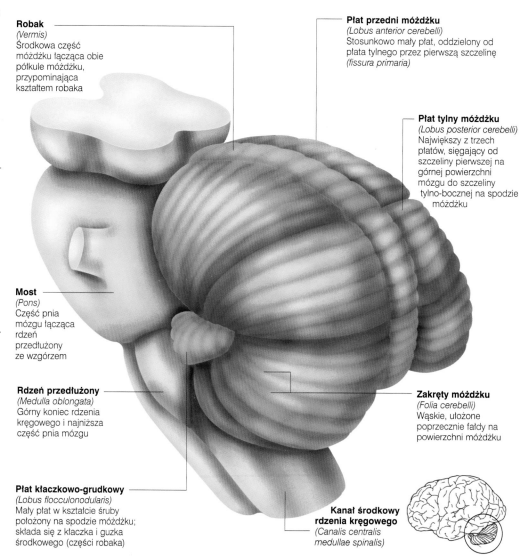

**Robak**
*(Vermis)*
Środkowa część móżdżku łącząca obie półkule móżdżku, przypominająca kształtem robaka

**Płat przedni móżdżku**
*(Lobus anterior cerebelli)*
Stosunkowo mały płat, oddzielony od płata tylnego przez pierwszą szczelinę *(fissura primaria)*

**Płat tylny móżdżku**
*(Lobus posterior cerebelli)*
Największy z trzech płatów, sięgający od szczeliny pierwszej na górnej powierzchni mózgu do szczeliny tylno-bocznej na spodzie móżdżku

**Most**
*(Pons)*
Część pnia mózgu łącząca rdzeń przedłużony ze wzgórzem

**Rdzeń przedłużony**
*(Medulla oblongata)*
Górny koniec rdzenia kręgowego i najniższa część pnia mózgu

**Zakręty móżdżku**
*(Folia cerebelli)*
Wąskie, ułożone poprzecznie fałdy na powierzchni móżdżku

**Płat kłaczkowo-grudkowy**
*(Lobus flocculonodularis)*
Mały płat w kształcie śruby położony na spodzie móżdżku; składa się z kłaczka i guzka środkowego (części robaka)

**Kanał środkowy rdzenia kręgowego**
*(Canalis centralis medullae spinalis)*

---

## Konary móżdżku

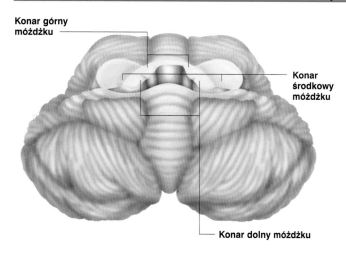

**Konar górny móżdżku**

**Konar środkowy móżdżku**

**Konar dolny móżdżku**

Móżdżek łączą z pniem mózgu, czyli z resztą mózgu, trzy pary konarów móżdżku, które składają się z wiązek włókien nerwowych. Można je zobaczyć na dolnej powierzchni móżdżku. Istnieją trzy szlaki:
- konar górny móżdżku, łączy móżdżek ze śródmózgowiem,
- konar środkowy móżdżku, łączy móżdżek z mostem,
- konar dolny móżdżku, łączy móżdżek z rdzeniem przedłużonym.

*Trzy pary konarów móżdżku stanowią połączenie móżdżku z pniem mózgu. Konary składają się z wiązek włókien nerwowych.*

Nie ma bezpośredniego połączenia pomiędzy móżdżkiem a korą mózgową. Wszystkie informacje przepływające do lub z móżdżku przechodzą przez konary.

W odróżnieniu od kory mózgu, w której każda ze stron kontroluje przeciwną stronę ciała, każda połowa móżdżku kontroluje tę samą połowę ciała. Oznacza to, że każde uszkodzenie jednej ze stron móżdżku spowoduje wystąpienie objawów po tej samej stronie ciała.

# Struktury wewnętrzne móżdżku

Móżdżek ma zewnętrzną szarą korę i rdzeń utworzony z włókien nerwowych, czyli istoty białej. Głęboko wewnątrz istoty białej leżą cztery pary jąder móżdżku: jądra wierzchu, kulkowate, czopowate i zębate.

Móżdżek utworzony jest z warstwy powierzchownej, ciał komórek nerwowych, czyli istoty szarej, która pokrywa z zewnątrz rdzeń składający się z włókien nerwowych, czyli istoty białej. Wewnątrz istoty białej leżą jądra móżdżku.

### KORA MÓŻDŻKU

Obecność wielu zakrętów na powierzchni móżdżku powoduje, że jego kora ma bardzo dużą powierzchnię. Korę móżdżku tworzą ciała komórek nerwowych i dendryty (wypustki odchodzące od ciała komórki), które stanowią większość neuronów móżdżku.

Informacje spoza móżdżku dochodzą do komórek kory poprzez konary móżdżku. Komórki te tworzą wiele połączeń między sobą w obrębie kory.

### SYGNAŁY

Zwykle sygnały z kory móżdżku przewodzone są przez włókna nerwowe istoty białej do jąder móżdżku. Z jąder informacje te opuszczają móżdżek i są przekazywane do reszty ośrodkowego układu nerwowego.

### JĄDRA MÓŻDŻKU

Istnieją cztery pary jąder móżdżku, które leżą od linii pośrodkowej ciała w kierunku na zewnątrz. Są to:
- jądra wierzchu,
- jądra kulkowate,
- jądra czopowate,
- jądra zębate.

**Przekrój móżdżku w płaszczyźnie poziomej**

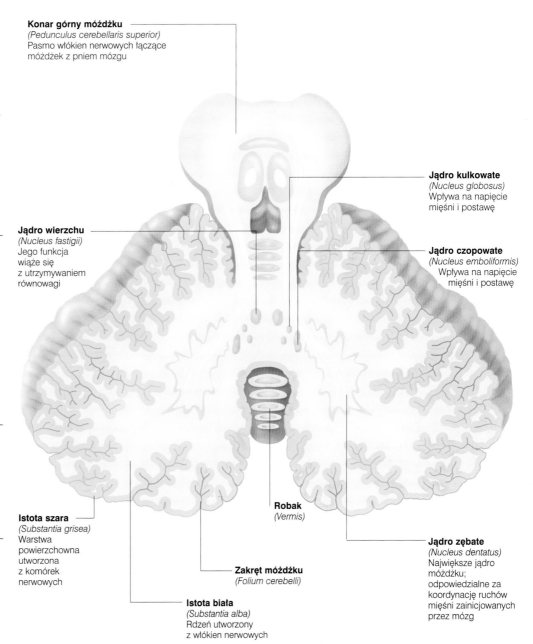

**Konar górny móżdżku**
*(Pedunculus cerebellaris superior)*
Pasmo włókien nerwowych łączące móżdżek z pniem mózgu

**Jądro kulkowate**
*(Nucleus globosus)*
Wpływa na napięcie mięśni i postawę

**Jądro wierzchu**
*(Nucleus fastigii)*
Jego funkcja wiąże się z utrzymywaniem równowagi

**Jądro czopowate**
*(Nucleus emboliformis)*
Wpływa na napięcie mięśni i postawę

**Istota szara**
*(Substantia grisea)*
Warstwa powierzchowna utworzona z komórek nerwowych

**Robak**
*(Vermis)*

**Zakręt móżdżku**
*(Folium cerebelli)*

**Istota biała**
*(Substantia alba)*
Rdzeń utworzony z włókien nerwowych

**Jądro zębate**
*(Nucleus dentatus)*
Największe jądro móżdżku; odpowiedzialne za koordynację ruchów mięśni zainicjowanych przez mózg

## Warstwy kory móżdżku

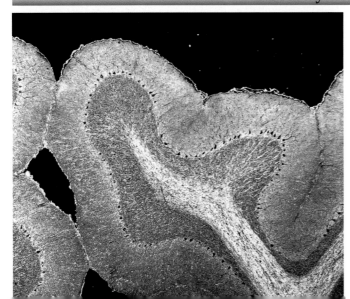

Oglądając korę móżdżku pod mikroskopem, można zobaczyć wyraźny warstwowy układ komórek:
- Warstwa drobinowa (najbardziej zewnętrzna) zawiera ciała komórek nerwowych i dużo włókien nerwowych pochodzących z głębszych warstw komórek.
- Warstwa komórek Purkinjego (następna warstwa), choć ma grubość tylko jednej komórki, stosunkowo

*Zdjęcie mikroskopowe zabarwionego wycinka kory móżdżku ukazuje jego skomplikowany układ warstwowy. Każda warstwa wyróżnia się typem komórek.*

łatwo jest ją zauważyć z powodu wielkości komórek Purkinjego. Te wyspecjalizowane komórki nerwowe są niezbędne do prawidłowego funkcjonowania móżdżku. Otrzymują one sygnały przez dendryty, które znajdują się głównie w warstwie powyżej i przesyłają informacje dalej do jąder móżdżku.
- Warstwa ziarnista (położona najgłębiej) zawiera ciała komórek ziarnistych, które mają wiele ziarnistości. Komórki te otrzymują informacje przepływające przez konary mózgu i przesyłają sygnały przez aksony do warstwy drobinowej móżdżku.

# Nerwy czaszkowe

Z mózgu wychodzi dwanaście par nerwów czaszkowych,
które unerwiają różne struktury położone głównie w obrębie głowy i szyi.
Nerwy czaszkowe przekazują informacje z i do mózgu.

Nerwy są drogami, którymi przepływają informacje pomiędzy ośrodkowym układem nerwowym (OUN) a resztą ciała. Od poziomu szyi nerwy kierujące się z OUN na obwód wychodzą z rdzenia kręgowego i przechodzą przez otwory znajdujące się w kręgosłupie. Natomiast nerwy czaszkowe wychodzą bezpośrednio z mózgu.

Jest dwanaście par nerwów czaszkowych. Mają one swoje nazwy i numerację rzymską. Dwie pierwsze pary nerwów wychodzą z przodomózgowia, a pozostałe z pnia mózgu. Nerwy czaszkowe unerwiają struktury znajdujące się w obrębie głowy i szyi. Aby dotrzeć do nich, muszą przejść przez specjalne otwory znajdujące się w kościach czaszki.

## WŁÓKNA NERWÓW CZASZKOWYCH

Nerwy czaszkowe zawierają włókna czuciowe i ruchowe, dlatego mogą przenosić informacje z i do mózgu:
■ włókna czuciowe przenoszą takie informacje jak: ból, dotyk i temperatura twarzy oraz smak, bodźce wzrokowe i słuchowe;
■ włókna ruchowe przesyłają instrukcje do mięśni głowy, szyi i twarzy, umożliwiają wykonywanie różnorodnych ruchów mimicznych twarzy oraz gałek ocznych;
■ włókna autonomiczne umożliwiają bezwiedną kontrolę nad narządami wewnętrznymi jak ślinianki, tęczówka i niektórymi ważnymi narządami znajdującymi się w klatce piersiowej i jamie brzusznej.

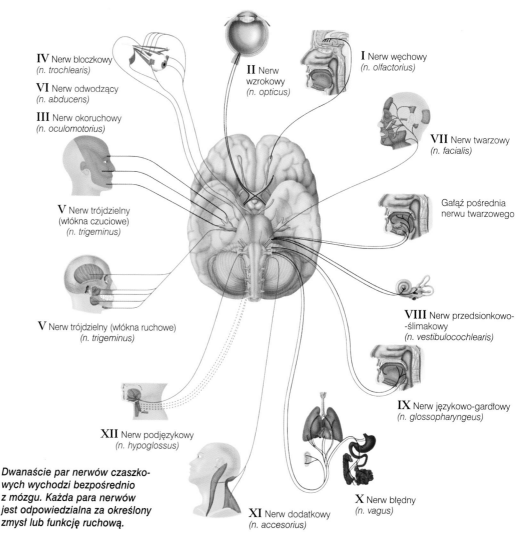

**IV** Nerw bloczkowy *(n. trochlearis)*

**VI** Nerw odwodzący *(n. abducens)*

**III** Nerw okoruchowy *(n. oculomotorius)*

**II** Nerw wzrokowy *(n. opticus)*

**I** Nerw węchowy *(n. olfactorius)*

**VII** Nerw twarzowy *(n. facialis)*

Gałąź pośrednia nerwu twarzowego

**V** Nerw trójdzielny (włókna czuciowe) *(n. trigeminus)*

**V** Nerw trójdzielny (włókna ruchowe) *(n. trigeminus)*

**VIII** Nerw przedsionkowo-ślimakowy *(n. vestibulocochlearis)*

**IX** Nerw językowo-gardłowy *(n. glossopharyngeus)*

**XII** Nerw podjęzykowy *(n. hypoglossus)*

**X** Nerw błędny *(n. vagus)*

**XI** Nerw dodatkowy *(n. accesorius)*

*Dwanaście par nerwów czaszkowych wychodzi bezpośrednio z mózgu. Każda para nerwów jest odpowiedzialna za określony zmysł lub funkcję ruchową.*

## Funkcje 12 nerwów czaszkowych

| Numer | Nazwa | Uwagi |
|---|---|---|
| I | Nerw węchowy (*n. olfactorius*) | Nerw czuciowy przewodzący bodźce węchowe |
| II | Nerw wzrokowy (*n. opticus*) | Nerw czuciowy przewodzący bodźce wzrokowe |
| III | Nerw okoruchowy (*n. oculomotorius*) | Unerwia cztery z sześciu mięśni poruszających okiem |
| IV | Nerw bloczkowy (*n. trochlearis*) | Unerwia mięsień, który porusza okiem |
| V | Nerw trójdzielny (*n. trigeminus*) | Przenosi bodźce czuciowe z twarzy i porusza mięśnie żwaczowe |
| VI | Nerw odwodzący (*n. abducens*) | Unerwia mięsień, który porusza okiem |
| VII | Nerw twarzowy (*n. facialis*) | Porusza mięśniami mimicznymi twarzy |
| VIII | Nerw przedsionkowo-ślimakowy (*n. vestibulocochlearis*) | Nerw czuciowy słuchu i równowagi |
| IX | Nerw językowo-gardłowy (*n. glossopharyngeus*) | Bierze udział w unerwianiu języka i gardła |
| X | Nerw błędny (*n. vagus*) | Unerwia wiele struktur, w tym narządy klatki piersiowej i brzucha |
| XI | Nerw dodatkowy (*n. accesorius*) | Unerwia struktury klatki piersiowej i niektóre mięśnie szyi |
| XII | Nerw podjęzykowy (*n. hypoglossus*) | Unerwia mięśnie języka |

# Nerwy węchowe

Nerwy węchowe są małymi nerwami czuciowymi, które odbierają bodźce węchowe. Przebiegają one od błony śluzowej nosa do opuszki węchowej.

Nerwy węchowe przenoszą specjalne wrażenia zapachowe z komórek receptorowych znajdujących się w jamie nosowej wyżej do mózgu.

### NABŁONEK WĘCHOWY

Nabłonek węchowy jest częścią wyściółki jamy nosowej, w której znajdują się specjalne komórki receptorowe odbierające bodźce węchowe. Nabłonek ten znajduje się w górnej części jamy nosowej oraz na przegrodzie nosa dzielącej jamę nosa na dwie części.

Receptory węchowe są wyspecjalizowanymi neuronami lub komórkami nerwowymi, które mogą wykryć zapachy zawieszone w powietrzu w postaci mikroskopijnych kropelek.

### NERWY WĘCHOWE

Informacje pochodzące z receptorów węchowych (neuronów) przechodzą do mózgu przez długie wypustki (aksony), które łączą się, tworząc około 20 pęczków. Pęczki te, tzw. nici węchowe, są prawdziwymi nerwami węchowymi, które kierują się do góry poprzez cienką perforowaną warstwę kości (blaszkę sitową kości sitowej), aby dotrzeć do opuszki węchowej położonej w mózgu.

Włókna nerwów węchowych tworzą połączenia (synapsy) z neuronami opuszki węchowej.

**Lokalizacja**

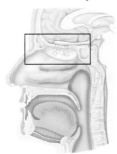

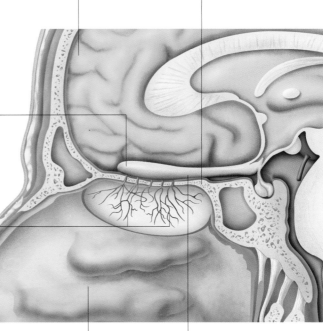

**Płat czołowy półkuli mózgu**
*(Lobus frontalis)*

**Blaszka sitowa kości sitowej**
*(Lamina cribrosa)*

**Opuszka węchowa**
*(Bulbus olfactorius)*
Dwie opuszki węchowe otrzymują i przetwarzają informacje z włókien nerwów węchowych

**Nici węchowe (nerwy węchowe)**
*(Fila olfactoria [nervi olfactorii])*
Włókna te wychodzą z komórek receptorowych w błonie śluzowej nosa

**Wyściółka nosa**
Nabłonek węchowy w części węchowej wyściółki nosa zawiera komórki receptorowe

**Pasmo węchowe**
*(Tractus olfactorius)*
Łączy dolną powierzchnię płata czołowego mózgu z opuszką węchową

*Włókna nerwów węchowych przechodzą z wyściółki nosa do mózgu. Informacje przenoszone są wzdłuż tych włókien i interpretowane w ośrodku węchowym.*

### OPUSZKA WĘCHOWA

Parzyste opuszki węchowe stanowią część mózgu. Wystają one w postaci wypustek z drogi węchowej, którą przebiegają włókna łączące je z półkulami mózgu.

Duże wyspecjalizowane neurony, tzw. komórki dwubiegunowe, łączą się z nerwami węchowymi w opuszce. Połączenie to umożliwia przesyłanie informacji o zapachach z nerwów węchowych.

Wypustki komórek dwubiegunowych przenoszą informację dalej szlakiem węchowym do ośrodka węchu znajdującego się w mózgu.

---

## Utrata węchu

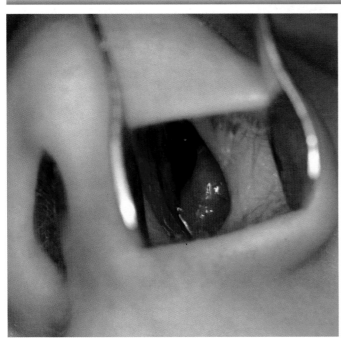

Brak powonienia, określany terminem anosmia, może wystąpić po jednej lub po obu stronach nosa i może być zaburzeniem przejściowym lub trwałym.

Główną dolegliwością zgłaszaną przez osoby z anosmią jest brak smaku, a nie brak powonienia. Spowodowane jest to tym, że wiele z tego, co odbieramy jako wrażenia smakowe, w rzeczywistości jest odczuwaniem zapachów jedzonych pokarmów. Bez powonienia język może rozpoznać tylko cztery smaki: słodki, gorzki, kwaśny i słony.

### WPŁYW STARZENIA

Wraz ze starzeniem się organizmu obserwuje się stopniowy zanik włókien węchowych. Dlatego starsi

*Zapalenie błony śluzowej nosa powoduje obrzęk nozdrzy w jamie nosowej, w efekcie czego dochodzi do upośledzenia węchu.*

ludzie często uskarżają się, że – jedzenie „straciło zapach", co spowodowane jest utratą powonienia.

### URAZY GŁOWY

Urazy głowy mogą doprowadzić do rozerwania opuszki węchowej lub złamania delikatnej blaszki sitowej. Może to spowodować wystąpienie anosmii, zwykle tylko po jednej stronie.

### NIEŻYT NOSA

Do nieżytu lub zapalenia błony śluzowej nosa może dojść w wyniku infekcji wirusowej, np. przeziębienia, lub w przebiegu alergii, np. kataru siennego. Powoduje to zatkanie nosa lub katar i kichanie.

W takiej sytuacji powszechnie obserwuje się wystąpienie przejściowej utraty powonienia spowodowanego zajęciem przez proces chorobowy nabłonka węchowego.

# Mięśnie twarzy

Jedną z cech, która odróżnia ludzi od zwierząt,
jest zdolność komunikowania się za pomocą mimiki twarzy.
Przybieranie różnych wyrazów twarzy możliwe jest dzięki złożonemu układowi mięśni.

Tuż poniżej skóry na czaszce i twarzy znajduje się grupa bardzo cienkich mięśni, które określa się wspólnym mianem mięśni mimicznych twarzy. Mięśnie te poza funkcjami fizjologicznymi mają inne ważne znaczenie. Wpływają one na wyraz twarzy, umożliwiając komunikację niewerbalną i przekazywanie wielu informacji dotyczących emocji, a także są potrzebne do stymulacji mowy.

Oprócz tego mięśnie twarzy pełnią funkcję zwieraczy, które otwierają i zamykają naturalne otwory w twarzy, takie jak oczy i usta.

### SKÓRA I KOŚCI

Większość mięśni twarzy łączy się jednym końcem z kośćmi czaszki, a drugim z głęboką warstwą skóry (skórą właściwą). Dzięki tym połączeniom można zobaczyć, jak wiele mięśni wpływa na mimikę twarzy i jak w końcowym efekcie powodują powstawanie zmarszczek i zagłębień na pokrywającej je skórze.

Wiele małych mięśni uczestniczy w otwieraniu ust. Rozchodzą się one promieniście od kącików ust i warg, przyczepiając się do kości. Usta i wargi mogą się unosić, opuszczać i przemieszczać na boki.

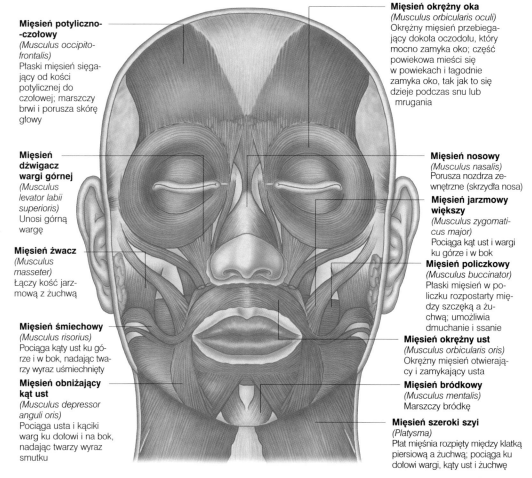

**Mięsień potyliczno--czołowy**
*(Musculus occipito-frontalis)*
Płaski mięsień sięgający od kości potylicznej do czołowej; marszczy brwi i porusza skórę głowy

**Mięsień dźwigacz wargi górnej**
*(Musculus levator labii superioris)*
Unosi górną wargę

**Mięsień żwacz**
*(Musculus masseter)*
Łączy kość jarzmową z żuchwą

**Mięsień śmiechowy**
*(Musculus risorius)*
Pociąga kąty ust ku górze i w bok, nadając twarzy wyraz uśmiechnięty

**Mięsień obniżający kąt ust**
*(Musculus depressor anguli oris)*
Pociąga usta i kąciki warg ku dołowi i na bok, nadając twarzy wyraz smutku

**Mięsień okrężny oka**
*(Musculus orbicularis oculi)*
Okrężny mięsień przebiegający dokoła oczodołu, który mocno zamyka oko; część powiekowa mieści się w powiekach i łagodnie zamyka oko, tak jak to się dzieje podczas snu lub mrugania

**Mięsień nosowy**
*(Musculus nasalis)*
Porusza nozdrza zewnętrzne (skrzydła nosa)

**Mięsień jarzmowy większy**
*(Musculus zygomaticus major)*
Pociąga kąt ust i wargi ku górze i w bok

**Mięsień policzkowy**
*(Musculus buccinator)*
Płaski mięsień w policzku rozpostarty między szczęką a żuchwą; umożliwia dmuchanie i ssanie

**Mięsień okrężny ust**
*(Musculus orbicularis oris)*
Okrężny mięsień otwierający i zamykający usta

**Mięsień bródkowy**
*(Musculus mentalis)*
Marszczy bródkę

**Mięsień szeroki szyi**
*(Platysma)*
Płat mięśnia rozpięty między klatką piersiową a żuchwą; pociąga ku dołowi wargi, kąty ust i żuchwę

## Mięsień szeroki szyi (*platysma*)

*Duży, płaski mięsień szeroki szyi jest powierzchownym mięśniem, który rozciąga się od górnej części klatki piersiowej w skórze szyi do mięśni ust i warg. Jego głównym zadaniem jest opuszczanie dolnej wargi i żuchwy w czasie robienia grymasów twarzy.*

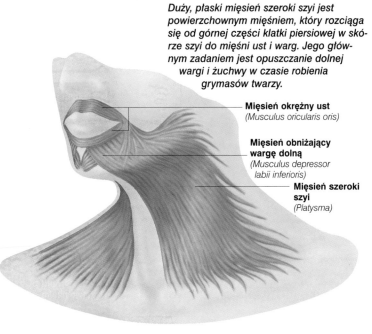

**Mięsień okrężny ust**
*(Musculus oricularis oris)*

**Mięsień obniżający wargę dolną**
*(Musculus depressor labii inferioris)*

**Mięsień szeroki szyi**
*(Platysma)*

Chociaż nie jest on ściśle mięśniem głowy, mięsień szeroki szyi odgrywa ważną rolę w mimice twarzy. Ten płaski mięsień rozciąga się pomiędzy górną częścią klatki piersiowej a żuchwą. Pokrywa od przodu szyję, napina skórę i łączy się z mięśniami i skórą kątów ust.

Mięsień szeroki szyi wpływa na mimikę twarzy, powodując napinanie skóry szyi i obniżanie żuchwy. Przesuwa usta ku dołowi, np. w wyrazie obrzydzenia. Współuczestniczy w ruchach dolnej wargi.

Mięsień szeroki szyi można przeciąć i przyszyć za uchem, podczas operacji plastycznej mającej na celu zmniejszenie „drugiego podbródka". Jest to inny kontrowersyjny sposób zmiany wyrazu twarzy przez mięsień szeroki szyi.

*Mięsień szeroki szyi jest dużym płaskim mięśniem, który napina się w czasie golenia podbródka. Powoduje to rozciągnięcie i naprężenie skóry szyi.*

# Otwieranie i zamykanie oka

Czy jest to zalotne mruganie, czy zaciskanie powiek, aby ochronić oko, powieki przekazują wiele sygnałów niewerbalnych. Powieki pełnią również ważną funkcję polegającą na oczyszczaniu i nawilżaniu oczu.

Mięsień okrężny oka jest odpowiedzialny za zamykanie powiek. Ten płaski zwieracz zlokalizowany jest na brzegu oczodołu, a jego różne fragmenty mogą działać oddzielnie.

Część mięśnia okrężnego oka znajduje się w powiekach (część powiekowa). Ten fragment mięśnia odpowiedzialny jest za delikatne zamykanie powiek podczas snu czy naturalnego mrugania. Ruch ten ułatwia rozprowadzanie produkowanych w gruczołach łzowych łez po spojówce (błonie pokrywającej oczy), oczyszczanie jej z ciał obcych i nawilżanie.

## SZPARA POWIEKOWA

Większa część mięśnia okrężnego oka zbudowana jest z włókien ułożonych koncentrycznie, które pokrywają oczodół z przodu. Zadaniem tej części mięśnia jest przymykanie powiek (mrużenie oczu), aby chronić je przed silnymi podmuchami czy jasnym światłem.

Drugim mięśniem jest mięsień dźwigacz powieki górnej. Tak jak wskazuje jego nazwa, ten mały mięsień unosi powiekę górną, aby otworzyć oko. W przeciwieństwie do dużego mięśnia, jakim jest mięsień okrężny oka, znajduje się on wewnątrz oczodołu.

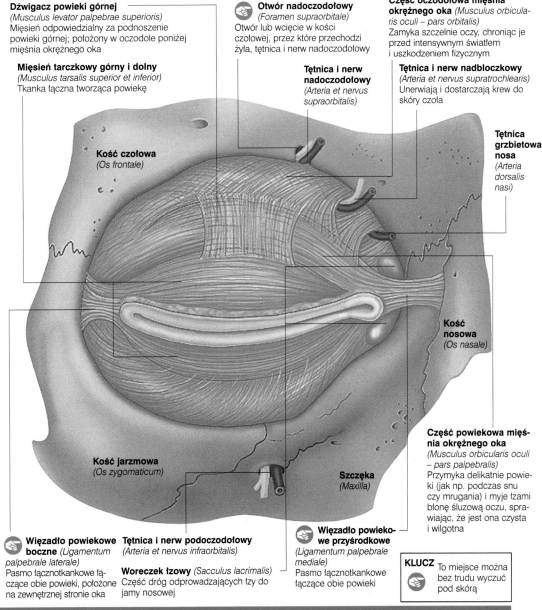

**Dźwigacz powieki górnej**
(Musculus levator palpebrae superioris)
Mięsień odpowiedzialny za podnoszenie powieki górnej; położony w oczodole poniżej mięśnia okrężnego oka

**Mięsień tarczkowy górny i dolny**
(Musculus tarsalis superior et inferior)
Tkanka łączna tworząca powiekę

**Kość czołowa**
(Os frontale)

**Kość jarzmowa**
(Os zygomaticum)

**Otwór nadoczodołowy**
(Foramen supraorbitale)
Otwór lub wcięcie w kości czołowej, przez które przechodzi żyła, tętnica i nerw nadoczodołowy

**Tętnica i nerw nadoczodołowy**
(Arteria et nervus supraorbitalis)

**Część oczodołowa mięśnia okrężnego oka** (Musculus orbicularis oculi – pars orbitalis)
Zamyka szczelnie oczy, chroniąc je przed intensywnym światłem i uszkodzeniem fizycznym

**Tętnica i nerw nadbloczkowy**
(Arteria et nervus supratrochlearis)
Unerwiają i dostarczają krew do skóry czoła

**Tętnica grzbietowa nosa**
(Arteria dorsalis nasi)

**Kość nosowa**
(Os nasale)

**Część powiekowa mięśnia okrężnego oka**
(Musculus orbicularis oculi – pars palpebralis)
Przymyka delikatnie powieki (jak np. podczas snu czy mrugania) i myje łzami błonę śluzową oczu, sprawiając, że jest ona czysta i wilgotna

**Szczęka**
(Maxilla)

**Więzadło powiekowe boczne** (Ligamentum palpebrale laterale)
Pasmo łącznotkankowe łączące obie powieki, położone na zewnętrznej stronie oka

**Tętnica i nerw podoczodołowy**
(Arteria et nervus infraorbitalis)

**Woreczek łzowy** (Sacculus lacrimalis)
Część dróg odprowadzających łzy do jamy nosowej

**Więzadło powiekowe przyśrodkowe**
(Ligamentum palpebrale mediale)
Pasmo łącznotkankowe łączące obie powieki

**KLUCZ** To miejsce można bez trudu wyczuć pod skórą

---

## Mięśnie policzka i warg

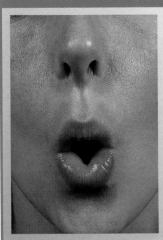

*Mięsień okrężny ust kontroluje zamykanie ust. Skurcz tego mięśnia powoduje zamknięcie jamy ustnej.*

Mięsień policzkowy tworzy policzek położony z boku twarzy. Jego górny brzeg łączy się ze szczęką wzdłuż linii biegnącej nad zębodołami szczęki, a dolny brzeg jest przyczepiony do żuchwy poniżej dolnych zębodołów. Działa głównie podczas jedzenia.

Mięsień policzkowy popycha pokarm, który zgromadził się w policzkach podczas żucia, na tył języka i pomiędzy powierzchnie zębów gotowych do wykonania kolejnego ugryzienia. Mięsień policzkowy uczestniczy w takich czynnościach jak nadmuchiwanie balonu czy gra na instrumentach muzycznych takich jak trąbka (łacińskie słowo buccinator oznacza trąbkę).

Mięsień znajdujący się wewnątrz wargi górnej i dolnej, otaczający wejście do ust, to mięsień okrężny ust. Tworzą go koncentrycznie ułożone włókna mięśniowe, które zakrzywiają się w kącikach ust i z jednego końca przytwierdzone są do kości znajdującej się poniżej nosa, a z drugiego powyżej brody.

Z przedniego brzegu mięśnia policzkowego odchodzą włókna, które krzyżują się przy wejściu do ust i mieszają się z mięśniem okrężnym ust.

Mięsień okrężny ust zamyka usta. Jest on ciągle delikatnie napięty, dociska wargi, zamykając szparę ustną i zapobiega wypływaniu z ust stale wytwarzanej śliny, jak również zatrzymuje pokarm w ustach podczas jedzenia. Jest on także wykorzystywany w czasie gwizdania i przesyłania pocałunku.

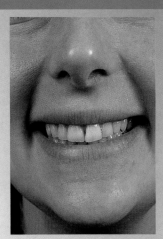

*Pierścień włókien mięśniowych biegnących wokół warg pomaga człowiekowi artykułować szeroki zakres dźwięków.*

35

# Tętnice twarzy i szyi

Tętno wyczuwalne na szyi wywołuje fala krwi płynąca z serca przez tętnicę szyjną do głowy.

Głowę i szyję zaopatrują w krew dwie tętnice szyjne wspólne, które biegną do góry po obu stronach szyi. Przebieg tętnic pokrywa się z przebiegiem żyły szyjnej wewnętrznej oraz nerwu błędnego; struktury te otoczone są wspólną pochewką zbudowaną z tkanki łącznej. Tętnice te odchodzą u podstawy szyi od różnych struktur. Lewa tętnica wspólna odchodzi bezpośrednio od łuku aorty, a prawa od pnia ramienno--głowowego.

## ROZGAŁĘZIENIA TĘTNIC

Tętnica szyjna wspólna dzieli się na wysokości górnego brzegu chrząstki tarczowatej (jabłko Adama) ma tętnicę szyjną wewnętrzną i zewnętrzną. Tętnica szyjna wewnętrzna wnika do czaszki i zaopatruje w krew mózg; od tętnicy szyjnej zewnętrznej odchodzą gałązki, które zaopatrują w krew twarz oraz skórę głowy.

Wiele odgałęzień tętnicy szyjnej zewnętrznej ma kręty lub falisty przebieg. Ta giętkość powoduje, że podczas ruchów ust, krtani lub gardła, np. podczas połykania, nie dochodzi do rozciągnięcia naczyń i ich uszkodzenia.

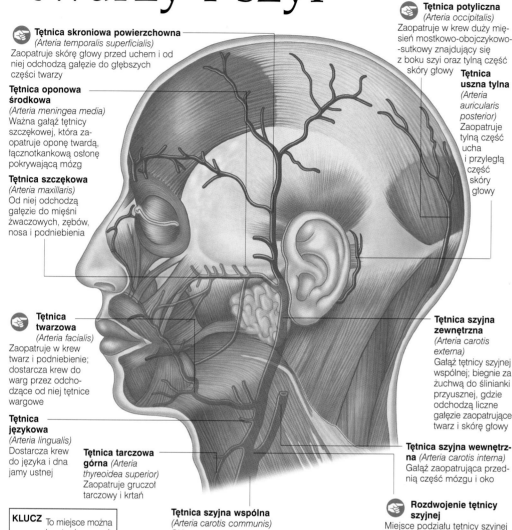

**Tętnica skroniowa powierzchowna**
*(Arteria temporalis superficialis)*
Zaopatruje skórę głowy przed uchem i od niej odchodzą gałęzie do głębszych części twarzy

**Tętnica oponowa środkowa**
*(Arteria meningea media)*
Ważna gałąź tętnicy szczękowej, która zaopatruje oponę twardą, łącznotkankową osłonę pokrywającą mózg

**Tętnica szczękowa**
*(Arteria maxillaris)*
Od niej odchodzą gałęzie do mięśni żwaczowych, zębów, nosa i podniebienia

**Tętnica twarzowa**
*(Arteria facialis)*
Zaopatruje w krew twarz i podniebienie; dostarcza krew do warg przez odchodzące od niej tętnice wargowe

**Tętnica językowa**
*(Arteria lingualis)*
Dostarcza krew do języka i dna jamy ustnej

**Tętnica tarczowa górna** *(Arteria thyreoidea superior)*
Zaopatruje gruczoł tarczowy i krtań

**KLUCZ** To miejsce można bez trudu wyczuć pod skórą

**Tętnica potyliczna**
*(Arteria occipitalis)*
Zaopatruje w krew duży mięsień mostkowo-obojczykowo--sutkowy znajdujący się z boku szyi oraz tylną część skóry głowy

**Tętnica uszna tylna**
*(Arteria auricularis posterior)*
Zaopatruje tylną część ucha i przyległą część skóry głowy

**Tętnica szyjna zewnętrzna**
*(Arteria carotis externa)*
Gałąź tętnicy szyjnej wspólnej; biegnie za żuchwą do ślinianki przyusznej, gdzie odchodzą liczne gałęzie zaopatrujące twarz i skórę głowy

**Tętnica szyjna wewnętrzna** *(Arteria carotis interna)*
Gałąź zaopatrująca przednią część mózgu i oko

**Rozdwojenie tętnicy szyjnej**
Miejsce podziału tętnicy szyjnej wspólnej; tu leży zatoka tętnicy szyjnej, struktura regulująca ciśnienie tętnicze krwi

**Tętnica szyjna wspólna**
*(Arteria carotis communis)*
Główne naczynie zaopatrujące w krew głowę i szyję; biegnie do chrząstki tarczowatej, gdzie dzieli się na tętnicę szyjną wewnętrzną i zewnętrzną

## Angiografia tętnicy szyjnej

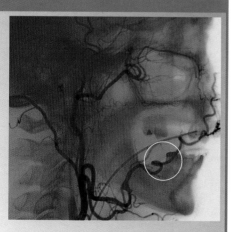

Wstrzyknięcie środka cieniującego i natychmiastowe wykonanie serii zdjęć rentgenowskich może ukazać rozgałęzienia tętnicy szyjnej wspólnej.

Angiografię wykorzystuje się do oceny naczyń krwionośnych i do badania nieprawidłowości, takich jak upośledzenie drożności w tętnicach szyjnych. Czasami w miejscu podziału tętnicy szyjnej wspólnej, w ścianie tętnic można wykryć złogi tłuszczu związane z miażdżycą. Chirurg może wówczas wykonać zabieg delikatnego usunięcia tych złogów bez uszkodzenia ściany tętnicy. Zabieg ten nazywany jest endarterektomią tętnicy szyjnej i skutecznie poprawia zaopatrzenie w krew głowy i szyi. Zmniejsza on ryzyko wystąpienia udaru mózgu.

Inną nieprawidłowością, którą można wykryć za pomocą angiografii, jest obecność tętniaka, czyli przypominającego balon rozdęcia ściany tętnicy.

*Kolorowy angiogram tętnic biegnących od aorty do głowy (duże naczynie u podstawy zdjęcia).*

*To zdjęcie z cyfrowej angiografii subtrakcyjnej ukazuje gałęzie tętnicy szyjnej. W kółku – kręta tętnica twarzowa.*

# Żyły twarzy i szyi

Żyły w obrębie twarzy
i szyi mają podobny
przebieg jak tętnice.
Wiele żył ma również te
same nazwy.

Krew spływa z głowy i szyi do serca
poprzez żyły szyjne wewnętrzne,
które znajdują się po obu stronach
szyi. Tak jak tętnice szyjne wspólne,
także żyły otoczone są ochronną
pochewką.

W przeciwieństwie do żył reszty
ciała w żyłach tych nie ma
zastawek i powrót krwi do serca
odbywa się dzięki sile grawitacji
i ujemnemu ciśnieniu w klatce
piersiowej.

Żyły powierzchowne (położone
blisko skóry) często można
zobaczyć podczas wysiłku, np.
u śpiewaków widać nabrzmiałe
żyły szyi.

### ŻYŁA SZYJNA

Żyła szyjna wewnętrzna ma zwykle
stały przebieg. Z tego powodu
wykorzystuje się ją do pomiarów
ośrodkowego ciśnienia żylnego
(ciśnienia panującego w prawym
przedsionku serca). Do żyły
wprowadza się cienką kaniulę
(cewnik) i prowadzi do serca.
Drugi koniec kaniuli podłącza się
do przetwornika, urządzenia, które
przetwarza i rejestruje ciśnienie.
Pozwala to ocenić objętość krążącej
krwi.

Poza żyłami odprowadzającymi
krew z twarzy istnieje też wiele żył
(tzw. żyły wypustowe) łączących
zatoki żylne (które odprowadzają
krew z mózgu) z żyłami skóry
głowy. Razem z żyłami
występującymi w kościach czaszki
mogą one stanowić wrota szerzenia
się infekcji ze skóry czaszki do
mózgu.

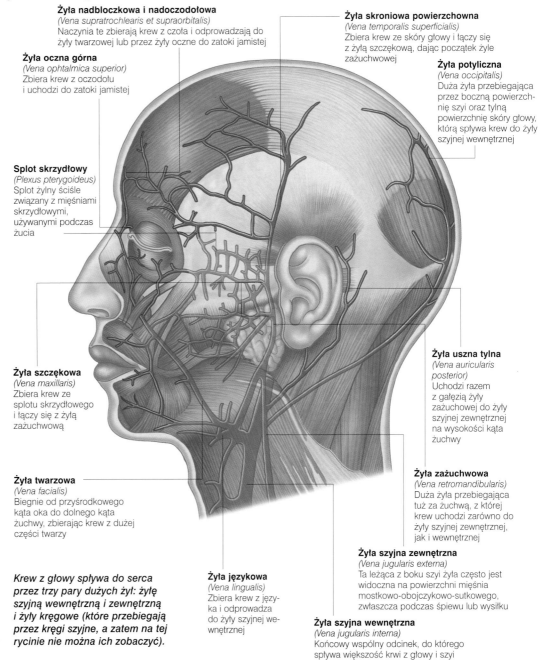

**Żyła nadblokkowa i nadoczodołowa**
*(Vena supratrochlearis et supraorbitalis)*
Naczynia te zbierają krew z czoła i odprowadzają do
żyły twarzowej lub przez żyły oczne do zatoki jamistej

**Żyła oczna górna**
*(Vena ophtalmica superior)*
Zbiera krew z oczodołu
i uchodzi do zatoki jamistej

**Splot skrzydłowy**
*(Plexus pterygoideus)*
Splot żylny ściśle
związany z mięśniami
skrzydłowymi,
używanymi podczas
żucia

**Żyła szczękowa**
*(Vena maxillaris)*
Zbiera krew ze
splotu skrzydłowego
i łączy się z żyłą
zażuchwową

**Żyła twarzowa**
*(Vena facialis)*
Biegnie od przyśrodkowego
kąta oka do dolnego kąta
żuchwy, zbierając krew z dużej
części twarzy

**Żyła skroniowa powierzchowna**
*(Vena temporalis superficialis)*
Zbiera krew ze skóry głowy i łączy się
z żyłą szczękową, dając początek żyle
zażuchwowej

**Żyła potyliczna**
*(Vena occipitalis)*
Duża żyła przebiegająca
przez boczną powierzch-
nię szyi oraz tylną
powierzchnię skóry głowy,
którą spływa krew do żyły
szyjnej wewnętrznej

**Żyła uszna tylna**
*(Vena auricularis
posterior)*
Uchodzi razem
z gałęzią żyły
zażuchowej do żyły
szyjnej zewnętrznej
na wysokości kąta
żuchwy

**Żyła zażuchwowa**
*(Vena retromandibularis)*
Duża żyła przebiegająca
tuż za żuchwą, z której
krew uchodzi zarówno do
żyły szyjnej zewnętrznej,
jak i wewnętrznej

**Żyła szyjna zewnętrzna**
*(Vena jugularis externa)*
Ta leżąca z boku szyi żyła często jest
widoczna na powierzchni mięśnia
mostkowo-obojczykowo-sutkowego,
zwłaszcza podczas śpiewu lub wysiłku

**Żyła szyjna wewnętrzna**
*(Vena jugularis interna)*
Końcowy wspólny odcinek, do którego
spływa większość krwi z głowy i szyi

**Żyła językowa**
*(Vena lingualis)*
Zbiera krew z języ-
ka i odprowadza
do żyły szyjnej we-
wnętrznej

*Krew z głowy spływa do serca
przez trzy pary dużych żył: żyłę
szyjną wewnętrzną i zewnętrzną
i żyły kręgowe (które przebiegają
przez kręgi szyjne, a zatem na tej
rycinie nie można ich zobaczyć).*

## Wzajemne połączenia

Pomiędzy naczyniami istnieje wiele połączeń,
zwanych anastomozami. Anastomozy łączą
tętnice po lewej i prawej stronie twarzy oraz
gałęzie tętnicy szyjnej zewnętrznej i wewnętrznej.
Ma to istotne znaczenie w leczeniu np. skaleczonej
wargi, kiedy to w celu zatamowania krwawienia
należy ucisnąć zarówno lewą, jak i prawą tętnicę
twarzową.

Duża liczba naczyń krwionośnych w skórze
głowy oznacza też, że uraz w tej okolicy może
doprowadzić do bardzo obfitego krwawienia.
Wynika to nie tylko z dobrego ukrwienia, ale

*Wykonany z żywicy odlew żył i tętnic
zaopatrujących twarz i szyję pokazuje złożoną
sieć naczyń krwionośnych i ich gałęzi. Warto
zwrócić uwagę na szczególne zagęszczenie
naczyń z przodu szyi (gruczoł tarczowy)
i w języku.*

również z faktu, że naczynia w tym obszarze nie
obkurczają się dostatecznie szybko, co jest
spowodowane obecnością włóknistej tkanki
łącznej pod skórą.

Olbrzymia liczba połączeń pomiędzy żyłami
na głowie i szyi oznacza również, że istnieje duże
ryzyko rozprzestrzeniania się zakażenia tymi
drogami. Czyrak czy krosta zlokalizowane
w okolicy nosa mogą wywołać zakrzepicę
(tworzenie się skrzepu) w żyle twarzowej. To
z kolei może spowodować przemieszczenie się
materiału zakrzepowego przez żyłę oczną do
zatoki jamistej (parzysta zatoka w kości klinowej
czaszki, do której spływa krew z mózgu, oczu
i nosa). Powstaje wówczas zakrzepica zatoki
jamistej, która nieleczona antybiotykami może
spowodować zgon. Do leczenia tej choroby
zaczęto w latach 40. XX wieku stosować
penicylinę.

# Nerwy twarzowe

Mięśnie twarzowe i funkcje mimowolne, takie jak produkcja łez, są kontrolowane przez nerwy twarzowe, które przewodzą bodźce z mózgu.

Mięśnie mimiczne prawej i lewej połowy twarzy unerwiają odpowiednio włókna nerwowe prawego i lewego nerwu twarzowego. Każdy z nerwów przechodzi przez parzysty otwór w czaszce, tzw. otwór rylcowo-sutkowy, znajdujący się poniżej ucha, a jego włókna dochodzą do mięśni mimicznych twarzy, uprzednio rozgałęziając się w śliniance przyusznej położonej po obu stronach twarzy.

Nerwy są pęczkami włókien, które przenoszą impulsy elektryczne z mózgu i rdzenia kręgowego do mięśni, lub z narządów zmysłów do mózgu i rdzenia kręgowego. Większość nerwów, w tym nerw twarzowy, zawiera dwa typy włókien – włókna przewodzące impulsy do mózgu oraz z mózgu.

## USZKODZENIE NERWU

Istnieje 12 par nerwów czaszkowych, które pełnią różne funkcje, od kierowania ruchami gałek ocznych aż po zachowanie równowagi. Nerwy twarzowe stanowią siódmą parę i głównym ich zadaniem jest unerwienie ruchowe mięśni mimicznych twarzy. Mięśnie odpowiedzialne za żucie pokarmu unerwiane są przez włókna nerwu piątego, trójdzielnego (n. trigeminus).

Poza włóknami ruchowymi biegnącymi do mięśni (przesyłaniem impulsów do mięśni) nerwy twarzowe zawierają również włókna autonomiczne, które regulują wytwarzanie śliny i łez. Mają one również włókna czuciowe, które przenoszą wrażenia smakowe z kubków smakowych.

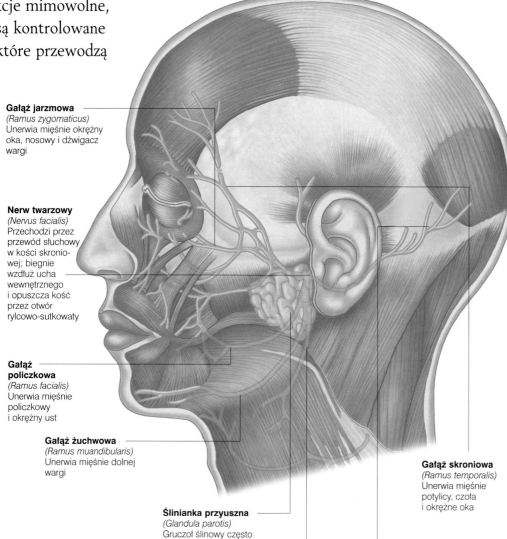

**Gałąź jarzmowa**
*(Ramus zygomaticus)*
Unerwia mięśnie okrężny oka, nosowy i dźwigacz wargi

**Nerw twarzowy**
*(Nervus facialis)*
Przechodzi przez przewód słuchowy w kości skroniowej; biegnie wzdłuż ucha wewnętrznego i opuszcza kość przez otwór rylcowo-sutkowaty

**Gałąź policzkowa**
*(Ramus facialis)*
Unerwia mięśnie policzkowy i okrężny ust

**Gałąź żuchwowa**
*(Ramus muandibularis)*
Unerwia mięśnie dolnej wargi

**Gałąź skroniowa**
*(Ramus temporalis)*
Unerwia mięśnie potylicy, czoła i okrężne oka

**Ślinianka przyuszna**
*(Glandula parotis)*
Gruczoł ślinowy często obrzmiewa w czasie świnki (zapalenie przyusznic)

**Gałąź szyjna**
*(Ramus cervicalis)*
Unerwia mięsień szeroki szyi

**Gałąź tylna**
*(Ramus posterior)*
Zanim nerw twarzowy wniknie do ślinianki przyusznej i podzieli się, odchodzi od niego gałąź unerwiająca mięśnie potylicy (skóra głowy) i uszu

*Nerw twarzowy dzieli się na pięć głównych gałęzi: skroniową, jarzmową, policzkową, żuchwową i szyjną. Tych pięć gałęzi obejmuje wachlarzowato twarz i dzieli się dalej, unerwiając mięśnie mimiczne twarzy.*

## Choroby nerwu twarzowego

*W spoczynku twarz osoby z porażeniem Bella ma charakterystyczny wygląd: widać opadnięcie lewej połowy twarzy.*

*Podczas uśmiechu i przymrużenia oczu pacjent z porażeniem nie może poruszyć lewą stroną ust ani zamknąć oka.*

Do uszkodzenia nerwu twarzowego może dojść w wyniku bezpośredniego urazu jednej strony lub w następstwie zapalenia, gdy dochodzi do obrzęku nerwu w miejscu jego przechodzenia przez kości czaszki – kanał nerwu twarzowego. Może to doprowadzić do powstania niedowładu (osłabienia) lub porażenia mięśni twarzy, co objawia się opadaniem jednej połowy twarzy.

U osoby z uszkodzonym nerwem twarzowym oko nie zamyka się, co naraża rogówkę i spojówkę na wysychanie. Mowa jest niewyraźna, gdyż wargi nie układają się prawidłowo i usta nie mogą się

dobrze zamykać. Następstwem tego jest wypadanie pokarmu i wyciek śliny z ust.

Porażenie Bella najczęściej występuje przy obrzęku nerwu twarzowego. W chorobie tej stwierdza się upośledzenia słuchu, smaku, widzenia i siły mięśniowej.

Czasami do porażenia nerwu twarzowego może dojść w czasie porodu kleszczowego. U noworodków znajdujący się za uchem wyrostek sutkowy jest jeszcze nierozwinięty i nerw nie ma właściwej ochrony. Takie porażenie może uniemożliwić ssanie.

# Mięśnie żucia

**Mięśnie, które pomagają nam żuć pokarm, biorą też udział w mówieniu, oddychaniu i ziewaniu.**

Mięśnie żwaczowe to takie mięśnie, które przesuwają żuchwę do góry i w dół, do przodu i w tył, co powoduje otwieranie i zamykanie ust.

Mięśnie te biorą udział w takich czynnościach jak mówienie, oddychanie przez usta oraz ziewanie. Unoszą one silnie żuchwę w czasie odgryzania kęsów pokarmu i przesuwają ją na boki w czasie żucia.

### PRZESUWANIE ŻUCHWY

Wszystkie ruchy żuchwy odbywają się w parzystych, znajdujących się po obu stronach czaszki przed uszami stawach skroniowo-żuchwowych.

Kości, które tworzą połączenie stawowe, to główka kości żuchwowej (górny odcinek żuchwy) i dół żuchwowy kości skroniowej (zagłębienie w czaszce, w którym mieści się żuchwa).

Połączenie zawiasowe umożliwia ruchy żuchwy w górę i w dół. Ponadto główka żuchwy pokryta jest ściśle przylegającym chrzęstnym krążkiem stawowym, dzięki czemu możliwy jest ruch do przodu i do tyłu. Ten ostatni ruch umożliwia również przesunięcie otwartej żuchwy w bok w stosunku do nieruchomej szczęki i wykorzystanie sił działających z boku potrzebnych do kruszenia twardych pokarmów podczas zamykania ust i żucia.

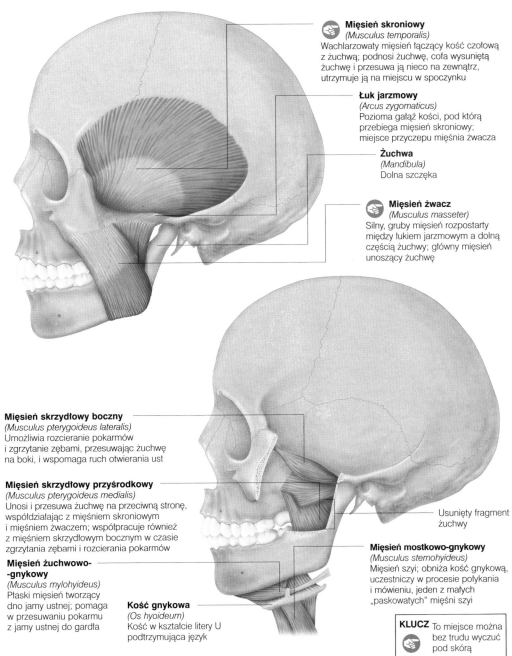

**Mięsień skroniowy**
*(Musculus temporalis)*
Wachlarzowaty mięsień łączący kość czołową z żuchwą; podnosi żuchwę, cofa wysuniętą żuchwę i przesuwa ją nieco na zewnątrz, utrzymuje ją na miejscu w spoczynku

**Łuk jarzmowy**
*(Arcus zygomaticus)*
Pozioma gałąź kości, pod którą przebiega mięsień skroniowy; miejsce przyczepu mięśnia żwacza

**Żuchwa**
*(Mandibula)*
Dolna szczęka

**Mięsień żwacz**
*(Musculus masseter)*
Silny, gruby mięsień rozpostarty między łukiem jarzmowym a dolną częścią żuchwy; główny mięsień unoszący żuchwę

**Mięsień skrzydłowy boczny**
*(Musculus pterygoideus lateralis)*
Umożliwia rozcieranie pokarmów i zgrzytanie zębami, przesuwając żuchwę na boki, i wspomaga ruch otwierania ust

**Mięsień skrzydłowy przyśrodkowy**
*(Musculus pterygoideus medialis)*
Unosi i przesuwa żuchwę na przeciwną stronę, współdziałając z mięśniem skroniowym i mięśniem żwaczem; współpracuje również z mięśniem skrzydłowym bocznym w czasie zgrzytania zębami i rozcierania pokarmów

**Mięsień żuchwowo--gnykowy**
*(Musculus mylohyideus)*
Płaski mięsień tworzący dno jamy ustnej; pomaga w przesuwaniu pokarmu z jamy ustnej do gardła

**Kość gnykowa**
*(Os hyoideum)*
Kość w kształcie litery U podtrzymująca język

Usunięty fragment żuchwy

**Mięsień mostkowo-gnykowy**
*(Musculus sternohyideus)*
Mięsień szyi; obniża kość gnykową, uczestniczy w procesie połykania i mówieniu, jeden z małych „paskowatych" mięśni szyi

**KLUCZ** To miejsce można bez trudu wyczuć pod skórą

---

## Zwichnięcie żuchwy

Podczas otwierania ust głowa żuchwy wraz z chrzęstnym krążkiem wysuwa się z panewki stawu do przodu w kierunku guzka (małej wyniosłości) z przodu. Ruch do przodu można łatwo zauważyć i wyczuć tuż przed wejściem do ucha.

Jeśli ruch ten jest zbyt duży, podczas szerokiego ziewania lub entuzjastycznego śmiechu, główka żuchwy może wysunąć się przed guzek i utkwić pod kością jarzmową. Powoduje to zablokowanie otwartych ust i wymaga pomocy lekarskiej. Do tego samego stanu może dojść podczas uderzenia w żuchwę z boku i dlatego bokserzy w czasie walk muszą mieć

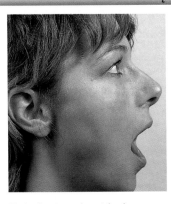

*Z chwilą otwarcia ust żuchwa przesuwa się do przodu w kierunku guzka i można ją wyczuć w postaci wypukłości przed uchem.*

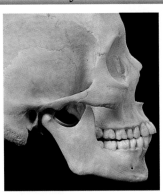

*Otwarcie zbyt szerokie lub uderzenie wybija ze stawu główkę, prowadząc do skurczu mięśnia skroniowego i zablokowania stawu.*

zamknięte usta i mocno zaciśnięte zęby na osłonie gumowej.

Aby odblokować żuchwę i zamknąć usta, żuchwę należy zepchnąć do dołu, przeciwdziałając sile mięśni skroniowych, żwaczy i mięśni skrzydłowych przyśrodkowych. Powoduje to ponowne wprowadzenie głowy żuchwy nad guzkiem do stawu.

Podczas wykonywania tej czynności nie powinno się kciukami wywierać ucisku na zęby. Zamiast tego skierowana w dół siła powinna być przyłożona do żuchwy poniżej linii zębów. Zapobiega to ugryzieniu palców lekarza zębami trzonowymi pacjenta w chwili wskakiwania główki na miejsce.

# Gałka oczna

Oczy są wyspecjalizowanymi narządami wzroku, reagującymi na światło.

Oczy umożliwiają odbieranie informacji pochodzących z otoczenia poprzez rozpoznawanie wzorów światła. Informacje te przesyłane są do mózgu, który przetwarza je na obrazy.

Każda gałka oczna otoczona jest ochronna tkanką tłuszczową wyściełającą oczodół. Oczodół ma dwa otwory: duży z przodu, przez który dostaje się światło, oraz mały z tyłu, którym wychodzi nerw wzrokowy kierujący się do mózgu, naczynia krwionośne i nerwy wnikające do oczodołu.

## KOMORY OKA

Gałkę oczną można podzielić na trzy komory wewnętrzne. Dwie komory z cieczą wodnistą położone w przednim odcinku oka to komory przednia i tylna. Oddzielone są one od siebie tęczówką. Komory te wypełnia przezroczysta ciecz wodnista, która jest wytwarzana w tylnej komorze przez warstwę komórek pokrywających ciało rzęskowe.

Ciecz wodnista przepływa przez źrenicę do komory przedniej, a następnie do krwiobiegu przez wiele małych kanalików znajdujących się w miejscu, gdzie podstawa tęczówki styka się z rogówką.

Największą komorą jest ciało szkliste, które położone jest za komorą przednią i tylną, odgrodzone od nich soczewką i więzadłami, łączącymi soczewkę z ciałem rzęskowym. Ciało szkliste wypełnia przezroczysty płyn o konsystencji żelu.

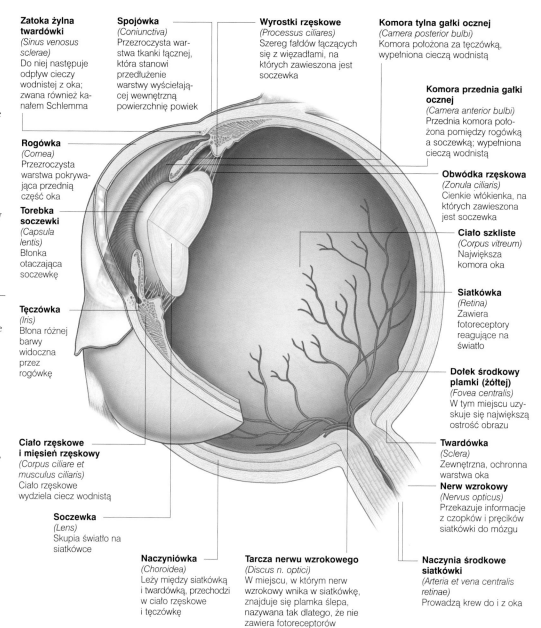

**Zatoka żylna twardówki**
*(Sinus venosus sclerae)*
Do niej następuje odpływ cieczy wodnistej z oka; zwana również kanałem Schlemma

**Spojówka**
*(Coniunctiva)*
Przezroczysta warstwa tkanki łącznej, która stanowi przedłużenie warstwy wyściełającej wewnętrzną powierzchnię powiek

**Wyrostki rzęskowe**
*(Processus ciliares)*
Szereg fałdów łączących się z więzadłami, na których zawieszona jest soczewka

**Komora tylna gałki ocznej**
*(Camera posterior bulbi)*
Komora położona za tęczówką, wypełniona cieczą wodnistą

**Komora przednia gałki ocznej**
*(Camera anterior bulbi)*
Przednia komora położona pomiędzy rogówką a soczewką; wypełniona cieczą wodnistą

**Rogówka**
*(Cornea)*
Przezroczysta warstwa pokrywająca przednią część oka

**Torebka soczewki**
*(Capsula lentis)*
Błonka otaczająca soczewkę

**Tęczówka**
*(Iris)*
Błona różnej barwy widoczna przez rogówkę

**Ciało rzęskowe i mięsień rzęskowy**
*(Corpus ciliare et musculus ciliaris)*
Ciało rzęskowe wydziela ciecz wodnistą

**Soczewka**
*(Lens)*
Skupia światło na siatkówce

**Naczyniówka**
*(Choroidea)*
Leży między siatkówką i twardówką, przechodzi w ciało rzęskowe i tęczówkę

**Tarcza nerwu wzrokowego**
*(Discus n. optici)*
W miejscu, w którym nerw wzrokowy wnika w siatkówkę, znajduje się plamka ślepa, nazywana tak dlatego, że nie zawiera fotoreceptorów

**Obwódka rzęskowa**
*(Zonula ciliaris)*
Cienkie włókienka, na których zawieszona jest soczewka

**Ciało szkliste**
*(Corpus vitreum)*
Największa komora oka

**Siatkówka**
*(Retina)*
Zawiera fotoreceptory reagujące na światło

**Dołek środkowy plamki (żółtej)**
*(Fovea centralis)*
W tym miejscu uzyskuje się największą ostrość obrazu

**Twardówka**
*(Sclera)*
Zewnętrzna, ochronna warstwa oka

**Nerw wzrokowy**
*(Nervus opticus)*
Przekazuje informacje z czopków i pręcików siatkówki do mózgu

**Naczynia środkowe siatkówki**
*(Arteria et vena centralis retinae)*
Prowadzą krew do i z oka

## Uszkodzenie oka

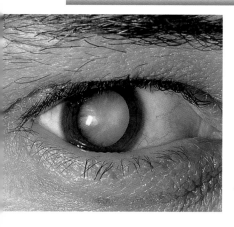

Choroba lub uraz mogą spowodować, że przezroczyste struktury oka (rogówka lub soczewka) mogą w różnym stopniu stracić swoją przejrzystość. Zmętnienie soczewki (zaćma) występuje dość często szczególnie po przekroczeniu średniego wieku. Leczenie polega zwykle na usunięciu soczewki i wszczepieniu sztucznej soczewki.

*W oku tego mężczyzny widoczna jest zaćma dojrzała. Została ona spowodowana stopniową denaturacją białek w soczewce.*

Choroba lub uraz mogą również doprowadzić do uszkodzenia siatkówki. Może dojść do odwarstwienia siatkówki, a odwarstwiona siatkówka może ulec degeneracji.

Dość częstą przyczyną uszkodzenia siatkówki jest jaskra. Spowodowana jest ona utrudnieniem odpływu cieczy wodnistej z komory przedniej oka, co prowadzi do wzrostu ciśnienia wewnątrz gałki ocznej. Podwyższone ciśnienie uszkadza komórki nerwowe siatkówki. W celu wczesnego wykrywania jaskry wykonuje się rutynowo pomiar ciśnienia wewnątrzgałkowego.

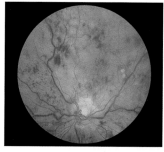

*Badanie siatkówki pomaga rozpoznać chorobę. W tym przypadku zmiany w naczyniach krwionośnych wskazują na obecność cukrzycy.*

# Warstwy oka

Ściana gałki ocznej
utworzona jest z trzech
warstw, które pełnią
odmienne funkcje.

Gałka oczna pokryta jest
z zewnątrz ochronną warstwą
mocnej tkanki włóknistej, tak zwaną
twardówką. Od przodu twardówka
widoczna jest jako „białko oka".
Twardówkę pokrywa z zewnątrz
spojówka, która jest przezroczystą
warstwą tkanki łącznej. Z przodu
oka znajduje się przezroczysta
rogówka, przez którą światło wnika
do oka.

### BŁONA NACZYNIOWA OKA

Pod twardówką leży błona
naczyniowa oka, w której znajdują
się liczne naczynia krwionośne,
komórki barwnikowe i nerwy.
W błonie naczyniowej oka, tzw. ja-
godówce, można wyróżnić trzy części:
naczyniówkę (*choroidea*), ciało
rzęskowe (*corpus ciliaris*) i tęczówkę
(*iris*). Błona naczyniowa rozciąga
się od miejsca, w którym nerw
wzrokowy wnika do gałki ocznej aż
po przedni odcinek oka, gdzie
tworzy ciało rzęskowe i tęczówkę.

### SIATKÓWKA

Najbardziej wewnętrzną warstwą
oka jest siatkówka, utworzona
z tkanki nerwowej, w której znajdują
się komórki wrażliwe na światło
nazywane fotoreceptorami.
Wyróżniamy dwa typy komórek
fotoreceptorowych: skupione na
obwodzie siatkówki pręciki, które
wykrywają intensywność oświetlenia,
i położone głównie w tylnej części
gałki ocznej czopki, które
wykrywają barwy.

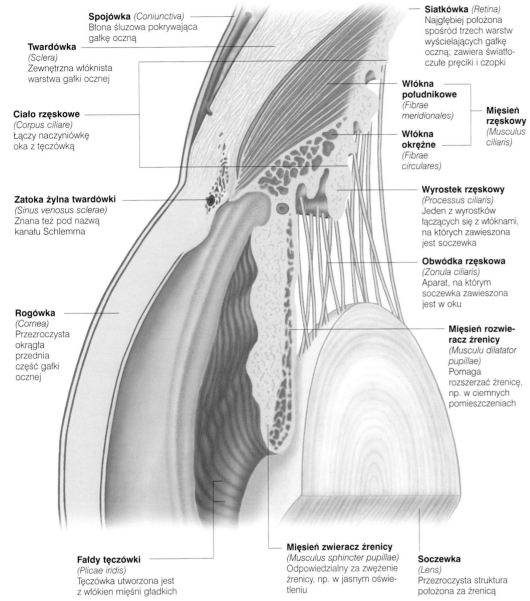

**Spojówka** (*Coniunctiva*)
Błona śluzowa pokrywająca
gałkę oczną

**Twardówka**
(*Sclera*)
Zewnętrzna włóknista
warstwa gałki ocznej

**Ciało rzęskowe**
(*Corpus ciliare*)
Łączy naczyniówkę
oka z tęczówką

**Zatoka żylna twardówki**
(*Sinus venosus sclerae*)
Znana też pod nazwą
kanału Schlemma

**Rogówka**
(*Cornea*)
Przezroczysta
okrągła
przednia
część gałki
ocznej

**Siatkówka** (*Retina*)
Najgłębiej położona
spośród trzech warstw
wyściełających gałkę
oczną; zawiera światło-
czułe pręciki i czopki

**Włókna południkowe**
(*Fibrae meridionales*)

**Mięsień rzęskowy**
(*Musculus ciliaris*)

**Włókna okrężne**
(*Fibrae circulares*)

**Wyrostek rzęskowy**
(*Processus ciliaris*)
Jeden z wyrostków
łączących się z włóknami,
na których zawieszona
jest soczewka

**Obwódka rzęskowa**
(*Zonula ciliaris*)
Aparat, na którym
soczewka zawieszona
jest w oku

**Mięsień rozwie-racz źrenicy**
(*Musculu dilatator pupillae*)
Pomaga
rozszerzać źrenicę,
np. w ciemnych
pomieszczeniach

**Fałdy tęczówki**
(*Plicae iridis*)
Tęczówka utworzona jest
z włókien mięśni gładkich

**Mięsień zwieracz źrenicy**
(*Musculus sphincter pupillae*)
Odpowiedzialny za zwężenie
źrenicy, np. w jasnym oświe-
tleniu

**Soczewka**
(*Lens*)
Przezroczysta struktura
położona za źrenicą

## Zaburzenia widzenia

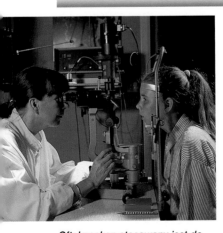

*Oftalmoskop stosowany jest do
badania wnętrza oka. Technika
ta pozwala rozpoznać niektóre
poważne choroby, na przykład
jaskrę, we wczesnym, jeszcze
bezobjawowym okresie.*

Widzenie może być zaburzone w różny sposób. Jednak najczęstsze są
błędy refrakcji. W oku z prawidłową
refrakcją (*emmetropia*) promienie
światła załamują się na rogówce
i soczewce i skupiają się na siatkówce. Podczas patrzenia w dal soczewka
oka jest spłaszczona, rozciągana przez
ciało rzęskowe, pociągające za więzadła, na których jest ona zawieszona.

Gdy patrzymy na przedmioty
z bliska, włókna mięśnia rzęskowego
w ciele rzęskowym kurczą się, co
powoduje, że ciało rzęskowe
zmniejsza wielkość, rozluźniając
więzadła. Soczewka staje się wtedy
bardziej kulista, co zwiększa jej siłę
łamiącą i ułatwia zogniskowanie
obrazu na siatkówce. Proces ten
nazywa się akomodacją.

U osób z krótkowzrocznością
(*miopia*) obrazy przedmiotów
powstają przed siatkówką. Spowodo-

wane jest to albo zbyt długim
wymiarem przednio-tylnym oka,
albo zbyt dużą krzywizną soczewki,
w wyniku czego dochodzi do nadmiernego załamania promieni
świetlnych. U osób z nadwroczno-
ścią (*hypermetropia*) sytuacja jest
odwrotna. W astygmatyzmie krzywizna oka nie jest jednolita, co powoduje nierówne ogniskowanie obrazów na siatkówce, które nie może
być skompensowane przez akomoda-
cję soczewki. Zaburzenia refrakcji
koryguje się za pomocą soczewek
(okularów lub soczewek kontaktowych) umieszczanych przed okiem.

*W normalnym oku (góra) promienie
światła skupiają się na siatkówce.
W oku krótkowzrocznym (dół) oko
jest za długie – promienie światła
skupiają się przed siatkówką
i powstaje nieostry obraz.*

# Mięśnie, naczynia krwionośne i nerwy oka

Ruchy gałki ocznej kontroluje sześć mięśni zewnętrznych gałki ocznej podobnych do liny.

Mięśnie oka można podzielić na trzy grupy: mięśnie wewnątrz gałki ocznej, mięśnie powiek i mięśnie zewnętrzne oka, które odpowiadają za ruchy gałek ocznych w oczodole.

Sześć mięśni zewnętrznych oka przypomina kształtem liny i bezpośrednio łączy się z twardówką. Istnieją cztery mięśnie proste – górny, dolny, boczny (od strony skroni) i przyśrodkowy (od strony nosa). Każdy z mięśni prostych przyczepia się jednym końcem do pierścienia ścięgnistego znajdującego się za gałką oczną i kieruje się do przodu, gdzie łączy się z gałką oczną w miejscu styku twardówki i rogówki.

### MIĘŚNIE SKOŚNE

Dwa dodatkowe mięśnie pozagałkowe są mięśniami skośnymi. Mięsień skośny górny przyczepia się jednym końcem w pobliżu tyłu oczodołu i kieruje się do przodu oka, gdzie zawija się na bloczku utworzonym z włókien i chrząstki, następnie kieruje się ku tyłowi i wnika w twardówkę.

Mięsień skośny dolny przyczepia się na dnie oczodołu, kieruje się do tyłu i bocznie pod gałką oczną i wnika z tyłu w oko.

## LEWE OKO (WIDOK Z BOKU)

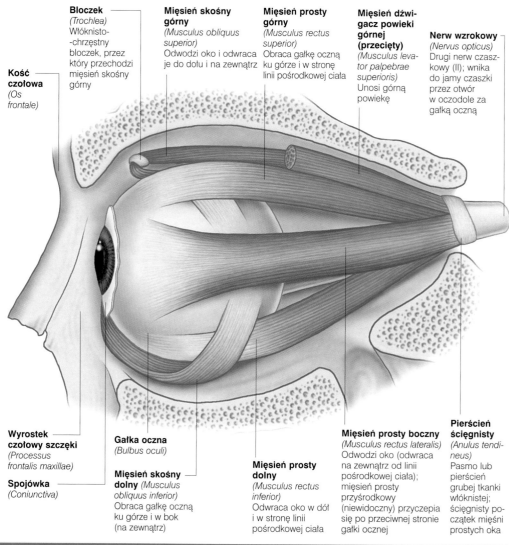

**Bloczek** *(Trochlea)* Włóknisto- -chrzęstny bloczek, przez który przechodzi mięsień skośny górny

**Mięsień skośny górny** *(Musculus obliquus superior)* Odwodzi oko i odwraca je do dołu i na zewnątrz

**Mięsień prosty górny** *(Musculus rectus superior)* Obraca gałkę oczną ku górze i w stronę linii pośrodkowej ciała

**Mięsień dźwigacz powieki górnej (przecięty)** *(Musculus levator palpebrae superioris)* Unosi górną powiekę

**Nerw wzrokowy** *(Nervus opticus)* Drugi nerw czaszkowy (II); wnika do jamy czaszki przez otwór w oczodole za gałką oczną

**Kość czołowa** *(Os frontale)*

**Wyrostek czołowy szczęki** *(Processus frontalis maxillae)*

**Spojówka** *(Coniunctiva)*

**Gałka oczna** *(Bulbus oculi)*

**Mięsień skośny dolny** *(Musculus obliquus inferior)* Obraca gałkę oczną ku górze i w bok (na zewnątrz)

**Mięsień prosty dolny** *(Musculus rectus inferior)* Odwraca oko w dół i w stronę linii pośrodkowej ciała

**Mięsień prosty boczny** *(Musculus rectus lateralis)* Odwodzi oko (odwraca na zewnątrz od linii pośrodkowej ciała); mięsień prosty przyśrodkowy (niewidoczny) przyczepia się po przeciwnej stronie gałki ocznej

**Pierścień ścięgnisty** *(Anulus tendineus)* Pasmo lub pierścień grubej tkanki włóknistej; ścięgnisty początek mięśni prostych oka

## Choroby oczu

Zez (*strabismus*) jest następstwem nieprawidłowego działania mięśni zewnętrznych oka. Poza tym, że wpływa on na jakość widzenia, może również być objawem ciężkiej choroby.

Istnieją dwa rodzaje zeza: nieporażenny i porażenny. Nieporażenny występuje wtedy, gdy funkcja mięśni nie jest zaburzona. Może być wynikiem niepełnego rozwoju mechanizmu regulującego ruchy obu gałek ocznych (można go korygować przesłonami na oczy i/lub operacyjnie) lub ciężkich zaburzeń widzenia (np. znaczna

*Wytrzeszcz (exophtalmus) może być spowodowany osłabieniem mięśni zewnętrznych oka. U tego pacjenta osłabienie mięśni spowodowane było tyreotoksykozą, nadmierną produkcją hormonów gruczołu tarczowego.*

nadwzroczność lub krótkowzroczność, zaćma lub nowotwór siatkówki retinoblastoma = siatkówczak).

W zezie porażennym jeden lub kilka mięśni zewnętrznych oka nie funkcjonuje prawidłowo. Zwykle jest to zaburzenie wrodzone lub nabyte w późniejszym życiu. Występuje często u dorosłych w przebiegu chorób (stwardnienie rozsiane, zapalenie opon mózgowo-rdzeniowych i guzy mózgu) lub urazów. Określenie, które ruchy gałek ocznych są zaburzone, pokazuje, które mięśnie są wyłączone i pozwala zlokalizować możliwe miejsca uszkodzenia w oku lub w mózgu.

Wytrzeszcz gałek ocznych u osób z nadczynnością tarczycy jest skutkiem jej oddziaływania na mięśnie oka. W tej chorobie mięsień dźwigacz powieki górnej, który unosi powiekę, jest nadmiernie stymulowany, co daje efekt „gapienia się".

# Nerwy i naczynia krwionośne oka

Mięśnie oka zaopatrywane są przez wiele nerwów i naczyń krwionośnych, które wspomagają nasz dominujący narząd zmysłu, wzrok.

Nerwy zaopatrujące oko wnikają do oczodołu przez otwór położony z tyłu oczodołu. Nerw czaszkowy (II) – nerw wzrokowy, którym przesyłane są bodźce wzrokowe z siatkówki do mózgu, przechodzi z oczodołu do jamy czaszki przez kanał nerwu wzrokowego. Inne nerwy – w tym gałęzie nerwu ocznego, unerwiające czuciowo oko – wnikają do oczodołu przez jego tkanki.

Innym ważnym nerwem dla oka jest nerw twarzowy (VII). Unerwia on mięsień okrężny oka (mięsień mimiczny twarzy) odpowiedzialny za mruganie oraz kontroluje wydzielanie gruczołu łzowego, który nawilża gałkę oczną. Gruczoły łzowe wydzielają stale płyn – łzy, które są rozprowadzane po powierzchni rogówki w czasie mrugania. Podrażnienie rogówki może spowodować zwiększone wydzielanie łez.

## TĘTNICE OKA

Główną tętnicą oka jest tętnica oczna, będąca gałęzią tętnicy szyjnej wewnętrznej. Tętnica oczna wnika do oczodołu wraz z nerwem wzrokowym we wspólnej pochewce, a następnie dzieli się na gałązki, które dochodzą do mięśni zewnętrznych oka, samej gałki ocznej, gruczołów łzowych i otaczających tkanek.

Tętnica siatkówki biegnie wewnątrz nerwu wzrokowego (II) do miejsca, gdzie nerw tworzy tarczę nerwu wzrokowego. W tym miejscu rozgałęzia się, a jej gałązki odżywiają siatkówkę. Żyły odprowadzają krew z oczodołu do zatoki jamistej w jamie czaszkowej i do żyły twarzowej, tworząc połączenia pomiędzy naczyniami krwionośnymi twarzy i mózgu.

**LEWE OKO (WIDOK OD GÓRY)**

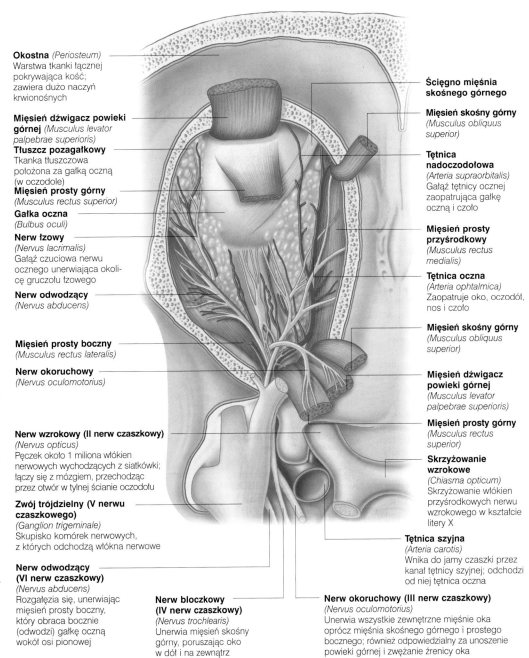

**Okostna** (*Periosteum*)
Warstwa tkanki łącznej pokrywająca kość; zawiera dużo naczyń krwionośnych

**Mięsień dźwigacz powieki górnej** (*Musculus levator palpebrae superioris*)

**Tłuszcz pozagałkowy**
Tkanka tłuszczowa położona za gałką oczną (w oczodole)

**Mięsień prosty górny** (*Musculus rectus superior*)

**Gałka oczna** (*Bulbus oculi*)

**Nerw łzowy** (*Nervus lacrimalis*)
Gałąź czuciowa nerwu ocznego unerwiająca okolicę gruczołu łzowego

**Nerw odwodzący** (*Nervus abducens*)

**Mięsień prosty boczny** (*Musculus rectus lateralis*)

**Nerw okoruchowy** (*Nervus oculomotorius*)

**Nerw wzrokowy (II nerw czaszkowy)** (*Nervus opticus*)
Pęczek około 1 miliona włókien nerwowych wychodzących z siatkówki; łączy się z mózgiem, przechodząc przez otwór w tylnej ścianie oczodołu

**Zwój trójdzielny (V nerwu czaszkowego)** (*Ganglion trigeminale*)
Skupisko komórek nerwowych, z których odchodzą włókna nerwowe

**Nerw odwodzący (VI nerw czaszkowy)** (*Nervus abducens*)
Rozgałęzia się, unerwiając mięsień prosty boczny, który obraca bocznie (odwodzi) gałkę oczną wokół osi pionowej

**Ścięgno mięśnia skośnego górnego**

**Mięsień skośny górny** (*Musculus obliquus superior*)

**Tętnica nadoczodołowa** (*Arteria supraorbitalis*)
Gałąź tętnicy ocznej zaopatrująca gałkę oczną i czoło

**Mięsień prosty przyśrodkowy** (*Musculus rectus medialis*)

**Tętnica oczna** (*Arteria ophtalmica*)
Zaopatruje oko, oczodół, nos i czoło

**Mięsień skośny górny** (*Musculus obliquus superior*)

**Mięsień dźwigacz powieki górnej** (*Musculus levator palpebrae superioris*)

**Mięsień prosty górny** (*Musculus rectus superior*)

**Skrzyżowanie wzrokowe** (*Chiasma opticum*)
Skrzyżowanie włókien przyśrodkowych nerwu wzrokowego w kształcie litery X

**Tętnica szyjna** (*Arteria carotis*)
Wnika do jamy czaszki przez kanał tętnicy szyjnej; odchodzi od niej tętnica oczna

**Nerw okoruchowy (III nerw czaszkowy)** (*Nervus oculomotorius*)
Unerwia wszystkie zewnętrzne mięśnie oka oprócz mięśnia skośnego górnego i prostego bocznego; również odpowiedzialny za unoszenie powieki górnej i zwężanie źrenicy oka

**Nerw bloczkowy (IV nerw czaszkowy)** (*Nervus trochlearis*)
Unerwia mięsień skośny górny, poruszając oko w dół i na zewnątrz

---

## Ruchy oka

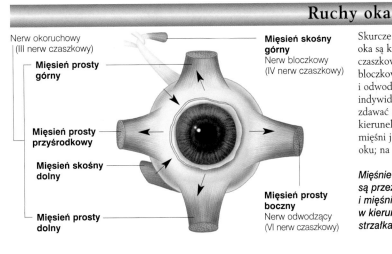

**Nerw okoruchowy** (III nerw czaszkowy)

**Mięsień prosty górny**

**Mięsień prosty przyśrodkowy**

**Mięsień skośny dolny**

**Mięsień prosty dolny**

**Mięsień skośny górny**
Nerw bloczkowy (IV nerw czaszkowy)

**Mięsień prosty boczny**
Nerw odwodzący (VI nerw czaszkowy)

Skurcze mięśni zewnętrznych oka są kontrolowane przez nerwy czaszkowe, a szczególnie nerw bloczkowy (IV), okoruchowy (III) i odwodzący (VI). Mięśnie działają indywidualnie, jednak należy zdawać sobie sprawę z tego, że kierunek ruchu dla określonych mięśni jest inny w lewym i prawym oku; na przykład w oku prawym

*Mięśnie zewnętrzne oka unerwiane są przez nerwy czaszkowe. Nerwy i mięśnie poruszają gałką oczną w kierunkach zaznaczonych strzałkami.*

mięsień prosty boczny powoduje obrócenie oka w prawo, podczas gdy w oku lewym w lewo. Ponieważ ruchy oczu odbywają się równolegle, podczas poruszania oczami w każdym oku współdziałają ze sobą różne mięśnie.

Na przykład, aby spojrzeć w lewo, mięsień prosty boczny obróci oko lewe, a mięsień przyśrodkowy prosty oko prawe. Ruch jednego oka jest zwykle wypadkową działania więcej niż jednego mięśnia.

# Zatoki przynosowe

Zatoki przynosowe, po łacinie *sinuses paranasales* (z boku nosa), są jamami wypełnionymi powietrzem, które znajduje się w kościach położonych wokół jamy nosa.

Zatoki przynosowe są strukturami parzystymi. Każdej zatoce z jednej strony jamy nosowej odpowiada zatoka położona po drugiej stronie.

Nazwy czterech par zatok przynosowych pochodzą od kości, w których się one znajdują. Są to:
- zatoki szczękowe,
- zatoki sitowe,
- zatoki czołowe,
- zatoki klinowe.

Każda para zatok przynosowych łączy się z odpowiadającą jej połową jamy nosowej za pomocą cienkiego przewodu zwanego ujściem zatoki.

Zatoki przynosowe są bardzo małe, a u noworodków jeszcze niewykształcone, i pozostają małe aż do okresu pokwitania. Potem powiększają się dość szybko; zmiana ich wielkości odpowiada za zmiany wyglądu i kształtu twarzy, do którego dochodzi w okresie dojrzewania.

## ZATOKI CZOŁOWE

Zatoki czołowe zlokalizowane są w kości czołowej. Każda z nich ma zmienną wielkość odpowiadającą obszarowi znajdującemu się powyżej wewnętrznej części oczodołów.

Zatoki czołowe znajdują się powyżej wejścia do jamy nosowej położonego w przewodzie nosowym środkowym. Skutecznemu usuwaniu wydzieliny śluzowej z zatoki sprzyja siła grawitacji.

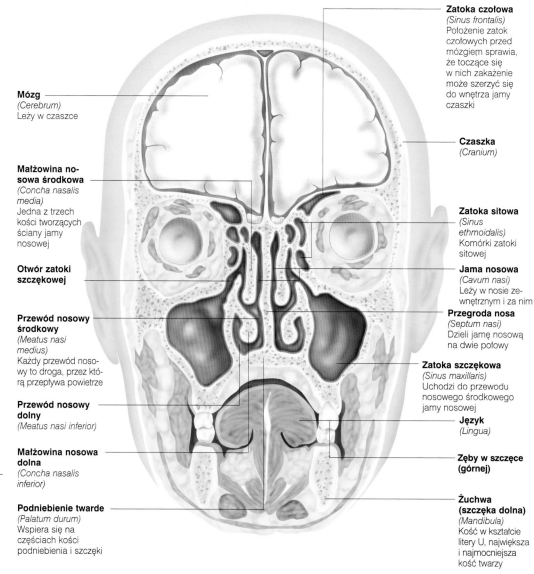

**Zatoka czołowa**
*(Sinus frontalis)*
Położenie zatok czołowych przed mózgiem sprawia, że toczące się w nich zakażenie może szerzyć się do wnętrza jamy czaszki

**Czaszka**
*(Cranium)*

**Zatoka sitowa**
*(Sinus ethmoidalis)*
Komórki zatoki sitowej

**Jama nosowa**
*(Cavum nasi)*
Leży w nosie zewnętrznym i za nim

**Przegroda nosa**
*(Septum nasi)*
Dzieli jamę nosową na dwie połowy

**Zatoka szczękowa**
*(Sinus maxillaris)*
Uchodzi do przewodu nosowego środkowego jamy nosowej

**Język**
*(Lingua)*

**Zęby w szczęce (górnej)**

**Żuchwa (szczęka dolna)**
*(Mandibula)*
Kość w kształcie litery U, największa i najmocniejsza kość twarzy

**Mózg**
*(Cerebrum)*
Leży w czaszce

**Małżowina nosowa środkowa**
*(Concha nasalis media)*
Jedna z trzech kości tworzących ściany jamy nosowej

**Otwór zatoki szczękowej**

**Przewód nosowy środkowy**
*(Meatus nasi medius)*
Każdy przewód nosowy to droga, przez którą przepływa powietrze

**Przewód nosowy dolny**
*(Meatus nasi inferior)*

**Małżowina nosowa dolna**
*(Concha nasalis inferior)*

**Podniebienie twarde**
*(Palatum durum)*
Wspiera się na częściach kości podniebienia i szczęki

---

## Funkcje zatok przynosowych

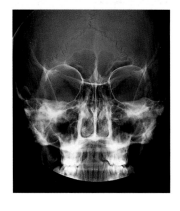

Ważną funkcją zatok przynosowych jest nadawanie głosowi ciepłego i pełnego tonu, gdyż działają one jako pudło rezonansowe. Głos osób z przewlekłym zapaleniem zatok często bywa wyraźnie bezdźwięczny. Potwierdza to przypuszczenie, że zdrowe zatoki mają znaczenie w modulowaniu i jakości głosu.

*Na tym zdjęciu rentgenowskim, poniżej oczodołów, widać zatoki szczękowe. Są one jedną z czterech par zatok przynosowych.*

Uważa się, że zatoki przynosowe pełnią również funkcję izolatora – zapobiegają oziębianiu otaczających struktur przez wdychane zimne powietrze. Inną funkcją zatok przynosowych jest zmniejszenie ciężaru czaszki.

W zatokach wytwarza się śluz, który spływa do jamy nosowej.

*Guz przysadki (w kółku) często usuwa się chirurgicznie, dochodząc do przysadki przez zatokę klinową.*

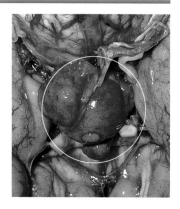

# Wnętrze zatok

Sprawność opróżniania
się każdej pary zatok
z wydzieliny śluzowej
zależy od jej położenia.
Usuwanie wydzieliny
zmniejsza ryzyko
zapalenia zatok.

### ZATOKA KLINOWA

Zatoki klinowe położone są za
sklepieniem jamy nosowej
wewnątrz kości klinowej. Dwie
zatoki klinowe leżące obok siebie
oddziela cienkie pionowe pasmo
kostne. Każda zatoka klinowa
uchodzi w najwyższym punkcie
bocznej ściany jamy nosowej (tuż
nad małżowiną nosową górną)
i dość sprawnie opróżnia się do
jamy nosowej.

### ZATOKI SITOWE

Każda zatoka sitowa znajduje się
pomiędzy cienką wewnętrzną
ścianą oczodołu a ścianą boczną
jamy nosowej. W odróżnieniu od
innych zatok przynosowych zatoki
te utworzone są z wielu stykających
się ze sobą jam zwanych
komórkami sitowymi. Komórki te
dzielą się na trzy grupy – przednie,
środkowe i tylne. Komórki
przednie i środkowe łączą się
z przewodem nosowym
środkowym, podczas gdy tylne
uchodzą do przewodu nosowego
górnego. Zatoki klinowe nie
całkiem opróżniają się do jamy
nosowej.

### ZATOKA SZCZĘKOWA

Największymi z parzystych zatok są
zatoki szczękowe, położone w kości
szczękowej. Spośród wszystkich
zatok przynosowych zatoki
szczękowe są najbardziej podatne
na infekcje i rozwój zapalenia,
ponieważ dość trudno oczyszczają
się z wydzieliny śluzowej.

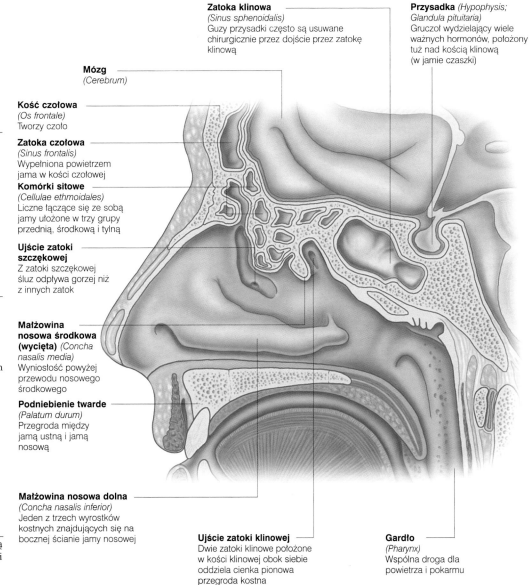

**Zatoka klinowa**
(Sinus sphenoidalis)
Guzy przysadki często są usuwane
chirurgicznie przez dojście przez zatokę
klinową

**Przysadka** (Hypophysis;
Glandula pituitaria)
Gruczoł wydzielający wiele
ważnych hormonów, położony
tuż nad kością klinową
(w jamie czaszki)

**Mózg**
(Cerebrum)

**Kość czołowa**
(Os frontale)
Tworzy czoło

**Zatoka czołowa**
(Sinus frontalis)
Wypełniona powietrzem
jama w kości czołowej

**Komórki sitowe**
(Cellulae ethmoidales)
Liczne łączące się ze sobą
jamy ułożone w trzy grupy
przednią, środkową i tylną

**Ujście zatoki
szczękowej**
Z zatoki szczękowej
śluz odpływa gorzej niż
z innych zatok

**Małżowina
nosowa środkowa
(wycięta)** (Concha
nasalis media)
Wyniosłość powyżej
przewodu nosowego
środkowego

**Podniebienie twarde**
(Palatum durum)
Przegroda między
jamą ustną i jamą
nosową

**Małżowina nosowa dolna**
(Concha nasalis inferior)
Jeden z trzech wyrostków
kostnych znajdujących się na
bocznej ścianie jamy nosowej

**Ujście zatoki klinowej**
Dwie zatoki klinowe położone
w kości klinowej obok siebie
oddziela cienka pionowa
przegroda kostna

**Gardło**
(Pharynx)
Wspólna droga dla
powietrza i pokarmu

## Choroby zatok

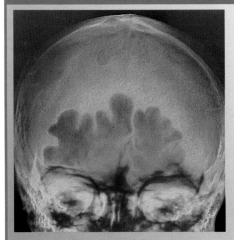

Zatoki przynosowe są wysłane błoną śluzową
podobną do tej, która wyściela jamę nosową. Tak
jak w błonie śluzowej nosa wyściółka zatok zawiera
wiele komórek, które stale wydzielają płyn.

Inne komórki wyściółki mają na swojej
powierzchni wypustki podobne do włosów
(rzęski). Rzęski te dzięki stałym ruchom pomagają
transportować wydzielinę przez ujścia zatok
do jamy nosowej.

Zapalenie zatok powoduje obrzęk
wyściełających je błon śluzowych i prowadzi do

*Zdjęcie rentgenowskie osoby chorej
na zapalenie zatok ukazuje wypełnione
śluzem zatoki przynosowe w kości czołowej.
Przestrzeń ta jest zwykle wypełniona
powietrzem, lecz tu jest powiększona
i zmieniona zapalnie.*

zablokowania otworów, przez które zatoki łączą
się z jamą nosową, oraz zalegania w nich
wydzieliny.

Ponieważ wyściółka jamy nosowej przechodzi
przez otwory łączące jamę nosową z zatokami,
zatoki przynosowe uważa się za przedłużenie
jamy nosowej. Taki układ sprzyja szerzeniu się
zakażenia z jamy nosowej na zatoki
przynosowe.

Zapalenie zatok przynosowych (sinusitis)
prawie zawsze poprzedzone jest infekcją jamy
nosowej lub gardła. Objawami zapalenia zatok
jest ból, obecność ropnej wydzieliny i zatkanie
nosa. Infekcja może czasami szerzyć się też na
opony mózgu, powodując ich zapalenie
(meningitis), chorobę zagrażającą życiu.

# Jama ustna

Jama ustna rozpościera się od warg do cieśni gardła stanowiącej wejście do gardła.

W sklepieniu jamy ustnej oglądanym od dołu widać dwie różne struktury: łuk zębowy i podniebienie. Łuk zębowy jest zakrzywioną częścią szczęki, położoną z przodu oraz z obu boków sklepienia. Podniebienie jest poziomą płytką kostną, która oddziela jamę ustną od jamy nosowej.

Przednie dwie trzecie podniebienia jest twarde i utworzone z kości szczęki. Podniebienie twarde jest pokryte błoną śluzową, pod którą biegną tętnice, żyły i nerwy. Naczynia te odżywiają i unerwiają czuciowo podniebienie oraz gruczoły śluzowe, które często tworzą poprzeczne włókniste fałdy podniebienne. Śluz wydzielany przez te gruczoły nawilża spożywany pokarm, aby ułatwić jego połykanie.

## PODNIEBIENIE MIĘKKIE

Tylną jedną trzecią podniebienia tworzą mięśnie, ścięgna i gruczoły śluzowe. Największą część podniebienia miękkiego stanowią mięśnie; napinacz i dźwigacz podniebienia. Mięśnie te, napinając i unosząc podniebienie miękkie, odgradzają jamę nosową od jamy ustnej podczas połykania pokarmu. Współdziałają one również z innymi mięśniami w procesie otwierania trąbki słuchowej, co wyrównuje ciśnienie po obu stronach błony bębenkowej.

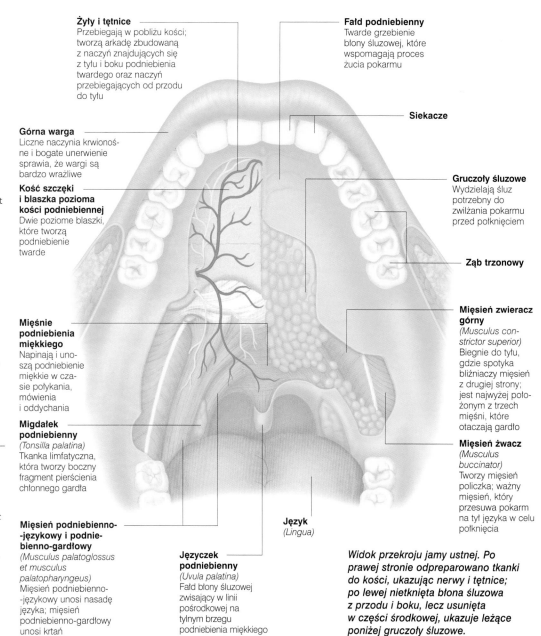

**Żyły i tętnice**
Przebiegają w pobliżu kości; tworzą arkadę zbudowaną z naczyń znajdujących się z tyłu i boku podniebienia twardego oraz naczyń przebiegających od przodu do tyłu

**Górna warga**
Liczne naczynia krwionośne i bogate unerwienie sprawia, że wargi są bardzo wrażliwe

**Kość szczęki i blaszka pozioma kości podniebiennej**
Dwie poziome blaszki, które tworzą podniebienie twarde

**Mięśnie podniebienia miękkiego**
Napinają i unoszą podniebienie miękkie w czasie połykania, mówienia i oddychania

**Migdałek podniebienny**
(Tonsilla palatina)
Tkanka limfatyczna, która tworzy boczny fragment pierścienia chłonnego gardła

**Mięsień podniebienno-językowy i podniebienno-gardłowy**
(Musculus palatoglossus et musculus palatopharyngeus)
Mięsień podniebienno-językowy unosi nasadę języka; mięsień podniebienno-gardłowy unosi krtań

**Języczek podniebienny**
(Uvula palatina)
Fałd błony śluzowej zwisający w linii pośrodkowej na tylnym brzegu podniebienia miękkiego

**Fałd podniebienny**
Twarde grzebienie błony śluzowej, które wspomagają proces żucia pokarmu

**Siekacze**

**Gruczoły śluzowe**
Wydzielają śluz potrzebny do zwilżania pokarmu przed połknięciem

**Ząb trzonowy**

**Mięsień zwieracz górny**
(Musculus constrictor superior)
Biegnie do tyłu, gdzie spotyka bliźniaczy mięsień z drugiej strony; jest najwyżej położonym z trzech mięśni, które otaczają gardło

**Mięsień żwacz**
(Musculus buccinator)
Tworzy mięsień policzka; ważny mięsień, który przesuwa pokarm na tył języka w celu połknięcia

**Język**
(Lingua)

*Widok przekroju jamy ustnej. Po prawej stronie odpreparowano tkanki do kości, ukazując nerwy i tętnice; po lewej nietknięta błona śluzowa z przodu i boku, lecz usunięta w części środkowej, ukazuje leżące poniżej gruczoły śluzowe.*

## Rozszczep podniebienia

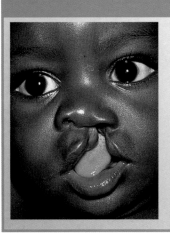

Termin „rozszczep podniebienia" odnosi się do stanu, w którym struktury tworzące podniebienie nie uległy właściwemu zespoleniu. Powoduje to powstanie szczeliny w sklepieniu podniebienia biegnącej wzdłuż linii pośrodkowej cała. Choroba może obejmować wargę górną, która jest również podzielona, zniekształcenie to określa się mianem zajęczej wargi.

Wprawdzie nasilenie i zasięg rozszczepu mogą być różne, jednak każda wada tego rodzaju może prowadzić do poważnych zaburzeń mowy i połykania. Rozszczep podniebienia u niemowląt powoduje trudności ze ssaniem z piersi matki.

Defekt ten można w większości przypadków naprawić chirurgicznie, często z bardzo dobrymi wynikami kosmetycznymi.

*To dziecko ma rozszczep podniebienia i zajęczą wargę. Ta wada wrodzona może uniemożliwiać prawidłowe karmienie dziecka.*

*Chirurgiczny zabieg koryguje obie nieprawidłowości. Na wardze górnej widać później tylko małą bliznę.*

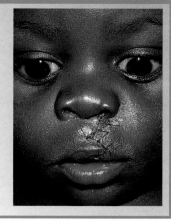

# Dno jamy ustnej

Dno jamy ustnej jest podporą dla wielu mięśni i gruczołów, które są niezbędne do jej funkcjonowania.

Język leży nad mięśniem żuchwowo-gnykowym, który tworzy mięśniowe dno jamy ustnej. Mięsień gnykowo-językowy łączy język z kością gnykową i wspomaga pracę języka, a mięsień bródkowo-językowy powstrzymuje język przed cofaniem się do gardła.

Mięśnie skroniowe biorą udział w żuciu pokarmu. Języczek żuchwy jest małym wyrostkiem kostnym. Nerw żuchwowy przechodzi poniżej języczka żuchwy przez otwór żuchwowy i biegnie wewnątrz trzonu żuchwy – unerwia czuciowo dolne zęby i dolną wargę.

## ŚLINIANKI

Ślinianki podżuchwowe i podjęzykowe występują parzyście po obu stronach w dnie jamy ustnej. Oprócz nich istnieje jeszcze parzysta ślinianka przyuszna, tak więc w sumie jest sześć dużych ślinianek. Ślina płynie przez przewody ślinianek podżuchwowych wzdłuż mięśnia żuchwowo-gnykowego i uchodzi w przednim odcinku jamy ustnej po obu stronach języka za zębami dolnymi.

Ślina ze ślinianki podjęzykowej uchodzi albo do przewodu podżuchwowego, albo wypływa przez otwory w błonie śluzowej z boku języka.

Nerw językowy przewodzi bodźce czuciowe i smakowe z przednich dwóch trzecich języka.

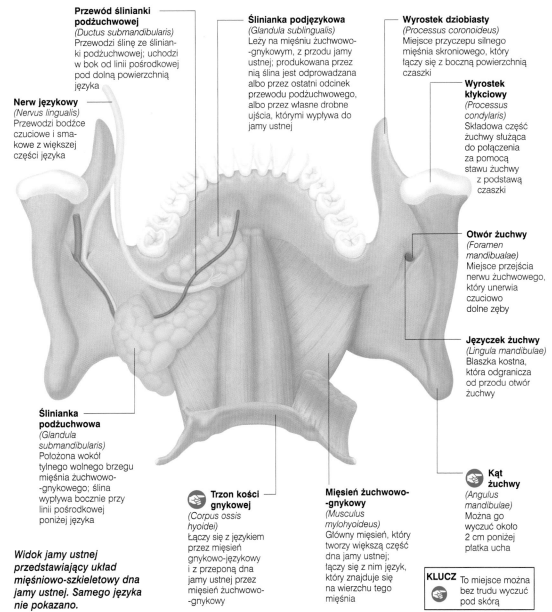

**Przewód ślinianki podżuchwowej**
*(Ductus submandibularis)*
Przewodzi ślinę ze ślinianki podżuchwowej; uchodzi w bok od linii pośrodkowej pod dolną powierzchnią języka

**Nerw językowy**
*(Nervus lingualis)*
Przewodzi bodźce czuciowe i smakowe z większej części języka

**Ślinianka podjęzykowa**
*(Glandula sublingualis)*
Leży na mięśniu żuchwowo-gnykowym, z przodu jamy ustnej; produkowana przez nią ślina jest odprowadzana albo przez ostatni odcinek przewodu podżuchwowego, albo przez własne drobne ujścia, którymi wypływa do jamy ustnej

**Wyrostek dziobiasty**
*(Processus coronoideus)*
Miejsce przyczepu silnego mięśnia skroniowego, który łączy się z boczną powierzchnią czaszki

**Wyrostek kłykciowy**
*(Processus condylaris)*
Składowa część żuchwy służąca do połączenia za pomocą stawu żuchwy z podstawą czaszki

**Otwór żuchwy**
*(Foramen mandibualae)*
Miejsce przejścia nerwu żuchwowego, który unerwia czuciowo dolne zęby

**Języczek żuchwy**
*(Lingula mandibulae)*
Blaszka kostna, która odgranicza od przodu otwór żuchwy

**Ślinianka podżuchwowa**
*(Glandula submandibularis)*
Położona wokół tylnego wolnego brzegu mięśnia żuchwowo-gnykowego; ślina wypływa bocznie przy linii pośrodkowej poniżej języka

**Trzon kości gnykowej**
*(Corpus ossis hyoidei)*
Łączy się z językiem przez mięsień gnykowo-językowy i z przeponą dna jamy ustnej przez mięsień żuchwowo-gnykowy

**Mięsień żuchwowo-gnykowy**
*(Musculus mylohyoideus)*
Główny mięsień, który tworzy większą część dna jamy ustnej; łączy się z nim język, który znajduje się na wierzchu tego mięśnia

**Kąt żuchwy**
*(Angulus mandibulae)*
Można go wyczuć około 2 cm poniżej płatka ucha

**KLUCZ** To miejsce można bez trudu wyczuć pod skórą

*Widok jamy ustnej przedstawiający układ mięśniowo-szkieletowy dna jamy ustnej. Samego języka nie pokazano.*

---

## Wargi i policzki

Wargi i policzki tworzą część jamy ustnej nazywaną przedsionkiem jamy ustnej. Obie struktury współpracują z łukami zębowymi, językiem i podniebieniem w takich czynnościach jak mówienie i jedzenie.

Początkowym odcinkiem układu trawiennego są wargi, które stanowią wejście do jamy ustnej. Są one bardzo wrażliwe, mają dużą ruchomość, są bogato zaopatrzone w nerwy, naczynia krwionośne i limfatyczne. Zbudowane są głównie z włókien mięśniowych i elastycznej tkanki łącznej. Tkanki te pokrywa cienka przezroczysta warstwa zewnętrzna, z widocznymi małymi włośniczkami, które nadają wargom charakterystyczny czerwony kolor.

Zarówno wargi, jak i policzki uczestniczą w przytrzymywaniu pokarmu w jamie ustnej, tak by zęby mogły go skutecznie rozdrobnić. Wargi zawierają specjalne zakończenia nerwowe, które umożliwiają rozróżnienie struktury pokarmu.

Wewnętrzna powierzchnia policzków wysłana jest błoną śluzową zbudowaną z komórek nabłonkowych. Powierzchowne komórki szybko się ścierają i są zastępowane przez równie szybko dzielące się komórki leżące pod spodem.

Śluz wytwarzany przez błonę śluzową policzków pomaga nawilżać powierzchnię zębową policzków oraz kęsy pokarmu, ułatwiając jego połknięcie.

*Różowa część powszechnie określana jako wargi jest to czerwień wargowa. W rzeczywistości wargi sięgają od okolicy pod nosem do okolicy nad brodą.*

*Zewnętrzna powierzchnia warg pokryta jest skórą, w której znajdują się mieszki włosowe i gruczoły potowe. Czerwona część jest pokryta przezroczystą błoną.*

# Zęby

Zęby przystosowane
są do gryzienia i żucia
pokarmu i każdy
z nich ma własne
przeznaczenie.

Zęby są wyspecjalizowanymi, twardymi obszarami dziąseł, częściowo położonymi w kościach żuchwy i szczęki. Rozkruszają one stałe pokarmy w procesie gryzienia i żucia.

Widoczną częścią zęba jest korona zęba. Zbudowana jest ona z twardej uwapnionej otoczki nazywanej zębiną (podobnej do tej, która występuje w kości zbitej, lecz pozbawionej naczyń krwionośnych), pokrytej cienką warstwą jeszcze bardziej uwapnionego (twardego) materiału nazywanego szkliwem.

Niewidoczną częścią zęba jest korzeń, który tkwi w zębodole znajdującym się w kości (żuchwy i szczęki). Korzeń zbudowany jest również z zębiny, którą pokrywa warstwa cementu, i wraz z licznymi więzadłami kolagenowymi zakotwiczony jest w kości, w zębodole.

## WNĘTRZE ZĘBA

Wewnątrz zęba znajduje się miazga utworzona z luźnej tkanki łącznej, naczyń krwionośnych i nerwów. Miazga łączy się z kością żuchwy lub szczęki poprzez korzeń.

Układ zębów osoby dorosłej w szczęce i żuchwie jest taki sam. Każdy kwadrant ma osiem zębów: dwa siekacze, jeden kieł, dwa zęby przedtrzonowe i trzy trzonowe, czyli razem 32 zęby. Dzieci mają 20 mlecznych zębów i tylko po jednym zębie trzonowym w każdym kwadrancie.

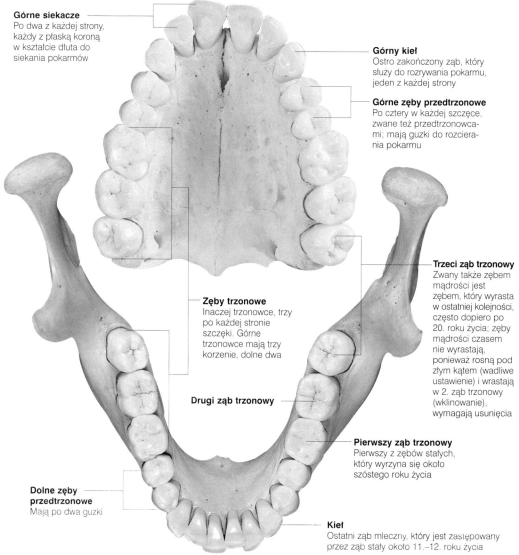

**ZĘBY GÓRNEJ SZCZĘKI**

**Górne siekacze**
Po dwa z każdej strony, każdy z płaską koroną w kształcie dłuta do siekania pokarmów

**Górny kieł**
Ostro zakończony ząb, który służy do rozrywania pokarmu, jeden z każdej strony

**Górne zęby przedtrzonowe**
Po cztery w każdej szczęce, zwane też przedtrzonowcami; mają guzki do rozcierania pokarmu

**Zęby trzonowe**
Inaczej trzonowce, trzy po każdej stronie szczęki. Górne trzonowce mają trzy korzenie, dolne dwa

**Trzeci ząb trzonowy**
Zwany także zębem mądrości jest zębem, który wyrasta w ostatniej kolejności, często dopiero po 20. roku życia; zęby mądrości czasem nie wyrastają, ponieważ rosną pod złym kątem (wadliwe ustawienie) i wrastają w 2. ząb trzonowy (wklinowanie), wymagają usunięcia

**Drugi ząb trzonowy**

**Pierwszy ząb trzonowy**
Pierwszy z zębów stałych, który wyrzyna się około szóstego roku życia

**Dolne zęby przedtrzonowe**
Mają po dwa guzki

**Kieł**
Ostatni ząb mleczny, który jest zastępowany przez ząb stały około 11.–12. roku życia

**ZĘBY DOLNEJ SZCZĘKI (ŻUCHWY)**

## Kształt i funkcja zębów

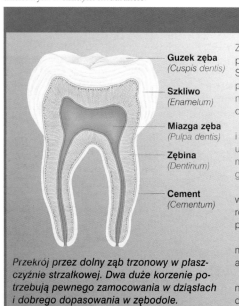

**Guzek zęba**
(Cuspis dentis)

**Szkliwo**
(Enamelum)

**Miazga zęba**
(Pulpa dentis)

**Zębina**
(Dentinum)

**Cement**
(Cementum)

*Przekrój przez dolny ząb trzonowy w płaszczyźnie strzałkowej. Dwa duże korzenie potrzebują pewnego zamocowania w dziąsłach i dobrego dopasowania w zębodole.*

Zęby mają różne kształty i każdy jest przystosowany do pełnienia szczególnych funkcji. Siekacze położone z przodu jamy ustnej są płaskie, podobne do dłuta i służą do cięcia. Za nimi znajdują się kły, które są ostre i służą do oddzierania twardego pożywienia.

Powierzchnia korony zębów przedtrzonowych i trzonowych jest szeroka, z guzkami umożliwiającymi kruszenie. Zęby przedtrzonowe mają dwa guzki, a trzonowe cztery–pięć guzków.

Układ zębów w szczęce i żuchwie jest w zasadzie identyczny, choć istnieją pewne różnice dotyczące kształtu i rozmiaru. Na przykład siekacze szczęki są szersze niż żuchwy.

Różnią się również korzenie zębów; siekacze mają jeden korzeń, dolne zęby trzonowe dwa, a górne trzy korzenie.

Uważa się, że uzębienie ludzi, tak jak innych naczelnych, było początkowo przystosowane do diety, w skład której wchodzą owoce, orzechy i korzenie. Udowodniono jednak, że z czasem przystosowało się ono do bardziej urozmaiconego pożywienia.

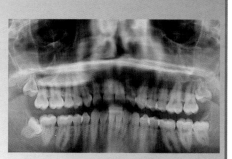

*Zdjęcie ortopantograficzne pokazuje wszystkie zęby w żuchwie i szczęce. Zdjęcie to wykonano za pomocą specjalnego aparatu, który porusza się wokół twarzy.*

# Rozwój zębów

W rozwoju zębów
w okresie dzieciństwa
można wyróżnić dwie
główne fazy. Pozwala
to na wzrost czaszki
i rozwój zębów stałych.

Zawiązki zębów powstają już
w życiu płodowym, około
6. tygodnia ciąży. Sześć do ośmiu
miesięcy po porodzie rosnące
korzenie wypychają korony zębów
przez dziąsła w procesie nazwanym
ząbkowaniem.

Pierwszymi zębami są zęby
mleczne. Wyrastają one
w określonej kolejności. Zwykle na
początku pojawiają się siekacze
dolne, następnie siekacze górne.
W zębach mlecznych nie
występują zęby przedtrzonowe.

### ZĘBY STAŁE

Zawiązki zębów stałych powstają
w tym samym okresie co zębów
mlecznych. Zęby stałe pozostają
w okresie spoczynku aż do 5.–7.
roku życia, kiedy to zaczynają
rosnąć i niszczą korzenie zębów
mlecznych.

Proces ten wraz z naciskiem
wywieranym od dołu przez zęby
stałe powoduje wypadanie zębów
mlecznych. Pojawiają się nowe
zęby; proces ten trwa do
10.–12. roku życia.

Zęby stałe wyrastają w podobnej
kolejności jak zęby mleczne (choć
pomiędzy kłami a trzonowcami
pojawiają się zęby przedtrzonowe).
Zestaw zębów stałych ma trzeci
dodatkowy ząb (ząb mądrości),
który pojawia się pomiędzy
15. a 25. rokiem życia.

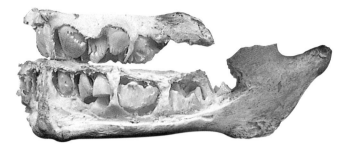

**Szczęki noworodka**
W mieszkach zębowych szczęki
górnej i dolnej można zobaczyć
zęby mleczne, które jeszcze się
nie wyrznęły. Ząbkowanie
(pojawianie się zębów) zaczyna
się około 6. miesiąca życia

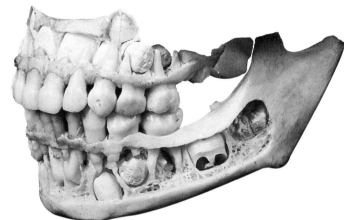

**Szczęki sześciolatka**
Wszystkie zęby mleczne już się
wyrznęły. Pod nimi w mieszkach
zębowych widać zęby stałe,
gotowe do wyrzynania.
Proces ten trwa do wieku
młodzieńczego

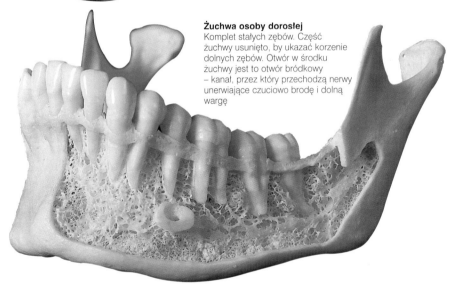

**Żuchwa osoby dorosłej**
Komplet stałych zębów. Część
żuchwy usunięto, by ukazać korzenie
dolnych zębów. Otwór w środku
żuchwy jest to otwór bródkowy
– kanał, przez który przechodzą nerwy
unerwiające czuciowo brodę i dolną
wargę

## Próchnica zębów i inne choroby

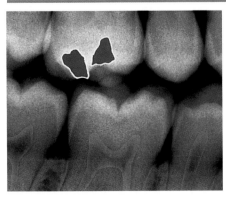

*Na zdjęciu rentgenowskim zębów widać dwa
metalowe wypełnienia w górnym zębie
przedtrzonowym. Strefy różowe oznaczają
miazgę.*

Próchnica zębów wywołana jest tworzeniem się
płytki nazębnej, w skład której wchodzi ślina,
resztki pokarmu i bakterie produkujące kwasy,
mogące strawić szkliwo i zębinę. Gdy próchnica
wniknie dostatecznie głęboko, rozwija się zapalenie
miazgi zęba. Ponieważ miazga jest żywą tkanką,
stan ten wywołuje silny ból. Nieleczony ząb obumiera. Stan zapalny może również spowodować
powstanie ropnia zębodołowego i ropnia dziąsła.

Lekarz stomatolog może leczyć zęby
kanałowo, usunąć miazgę zęba (razem
z naczyniami i nerwami), oczyścić kanał
i wypełnić go odpowiednim materiałem.

Duży problem stanowią choroby dziąseł.
Zapalenie dziąseł (*gingivitis*) może doprowadzić
do obluzowania zębów i ich wypadania; może
nawet dojść do zaniku kości szczęki lub żuchwy.
Spowodowane jest to prawdopodobnie utratą
mechanicznego nacisku na kości podczas żucia.

Kamień nazębny jest osadem soli wapnia
pochodzących ze śliny. Jeśli nie jest on
systematycznie usuwany, może doprowadzić do
uszkodzenia dziąseł i rozwoju próchnicy.

*W razie zakażenia miazgi ząb można
uratować, rozwiercając kanał korzenia cienkim
wiertłem. Potem jamę się wypełnia, by
uniknąć nawrotu choroby.*

# Język

Język jest narządem mięśniowym, którego złożone ruchy umożliwiają mówienie, żucie i połykanie. Jego górna powierzchnia jest pokryta wyspecjalizowaną tkanką, która zawiera kubki smakowe.

Grzbietowa (górna) powierzchnia języka pokryta jest wyspecjalizowanym nabłonkiem, który odbiera bodźce smakowe. Przednie dwie trzecie powierzchni języka w spoczynku leży wewnątrz dolnego łuku zębowego. Tylna jedna trzecia języka opada do tyłu i do dołu i tworzy przednią ścianę części ustnej gardła. Mięśnie i ruchy języka opisano na stronie obok.

## POWIERZCHNIA GRZBIETOWA

Na górnej powierzchni języka leżą charakterystyczne nitkowate brodawki, przez które powierzchnia ta sprawia wrażenie szorstkiej. Brodawki te są zakończone kępkami rogowymi, które wydłużając się, sprawiają wrażenie, że język jest „owłosiony". „Włoski" te mogą zabarwić się pokarmem, spożywanymi lekami i nikotyną. Wśród nich leżą rozproszone większe brodawki grzybowate języka. Największymi brodawkami są brodawki okolone języka, których jest od 8 do 12, ułożonym w kształcie odwróconej litery V, w miejscu połączenia przednich dwóch trzecich z tylną jedną trzecią języka. W brodawkach znajdują się głównie kubki smakowe, rozproszone są na całej powierzchni języka, błonie śluzowej policzków i gardła.

Tylna jedna trzecia grzbietowa powierzchnia języka ma wygląd kamieni brukowych, co spowodowane jest obecnością 40–100 grudek chłonnych, tworzących migdałek językowy.

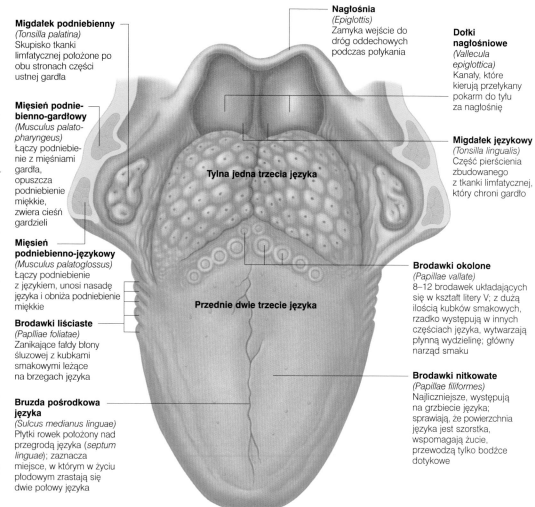

**Migdałek podniebienny**
*(Tonsilla palatina)*
Skupisko tkanki limfatycznej położone po obu stronach części ustnej gardła

**Mięsień podniebienno-gardłowy**
*(Musculus palato-pharyngeus)*
Łączy podniebienie z mięśniami gardła, opuszcza podniebienie miękkie, zwiera cieśń gardzieli

**Mięsień podniebienno-językowy**
*(Musculus palatoglossus)*
Łączy podniebienie z językiem, unosi nasadę języka i obniża podniebienie miękkie

**Brodawki liściaste**
*(Paplliae foliatae)*
Zanikające fałdy błony śluzowej z kubkami smakowymi leżące na brzegach języka

**Bruzda pośrodkowa języka**
*(Sulcus medianus linguae)*
Płytki rowek położony nad przegrodą języka (*septum linguae*); zaznacza miejsce, w którym w życiu płodowym zrastają się dwie połowy języka

**Nagłośnia**
*(Epiglottis)*
Zamyka wejście do dróg oddechowych podczas połykania

**Dołki nagłośniowe**
*(Vallecula epiglottica)*
Kanały, które kierują przełykany pokarm do tyłu za nagłośnię

**Migdałek językowy**
*(Tonsilla lingualis)*
Część pierścienia zbudowanego z tkanki limfatycznej, który chroni gardło

**Brodawki okolone**
*(Papillae vallate)*
8–12 brodawek układających się w kształt litery V; z dużą ilością kubków smakowych, rzadko występują w innych częściach języka, wytwarzają płynną wydzielinę; główny narząd smaku

**Brodawki nitkowate**
*(Papillae filiformes)*
Najliczniejsze, występują na grzbiecie języka; sprawiają, że powierzchnia języka jest szorstka, wspomagają żucie, przewodzą tylko bodźce dotykowe

**Tylna jedna trzecia języka**

**Przednie dwie trzecie języka**

## Powierzchnia języka

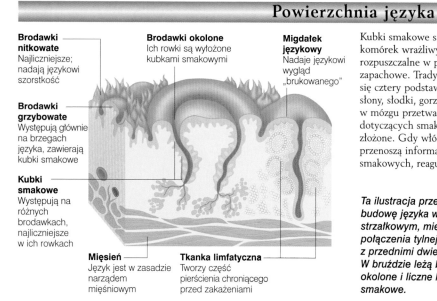

**Brodawki nitkowate**
Najliczniejsze; nadają językowi szorstkość

**Brodawki grzybowate**
Występują głównie na brzegach języka, zawierają kubki smakowe

**Kubki smakowe**
Występują na różnych brodawkach, najliczniejsze w ich rowkach

**Brodawki okolone**
Ich rowki są wyłożone kubkami smakowymi

**Migdałek językowy**
Nadaje językowi wygląd „brukowanego"

**Mięsień**
Język jest w zasadzie narządem mięśniowym

**Tkanka limfatyczna**
Tworzy część pierścienia chroniącego przed zakażeniami

Kubki smakowe są skupiskami komórek wrażliwych na rozpuszczalne w płynach substancje zapachowe. Tradycyjnie rozpoznaje się cztery podstawowe smaki: słony, słodki, gorzki i kwaśny, lecz w mózgu przetwarzanie danych dotyczących smaku jest bardziej złożone. Gdy włókna nerwowe przenoszą informacje z kubków smakowych, reagują one na kilka

*Ta ilustracja przedstawia budowę języka w przekroju strzałkowym, miejsce połączenia tylnej jednej trzeciej z przednimi dwiema trzecimi. W bruździe leżą brodawki okolone i liczne kubki smakowe.*

lub wszystkie smaki podstawowe, jednak z różną czułością. Ponadto zmysł smaku zależy od zmysłu powonienia, co oznacza, że jedzenie traci smak w przebiegu ciężkiego przeziębienia.

Na języku znajdują się zakończenia nerwowe odbierające „zwykłe" bodźce jak dotyk, ciśnienie i ból.

Już od najdawniejszych czasów na podstawie wyglądu języka oceniano ogólny stan zdrowia. Hipokrates w V wieku p.n.e. uważał, że suchy, obłożony, bruzdowany język jest objawem gorączki i odwodnienia, a pacjenci z owrzodzeniami na czerwonym języku i w jamie ustnej w przebiegu przewlekającej się biegunki źle rokują.

# Mięśnie języka

Mięśnie języka (mięśnie położone wewnątrz języka) składają się z trzech grup pęczków włókien mięśniowych biegnących wzdłuż, w poprzek i w głąb narządu.

Mięśnie położone wewnątrz języka zmieniają jego kształt, wspomagając mowę, żucie i połykanie pokarmów. Inne mięśnie łączące się z językiem poruszają nim w całości. Nazwy mięśni zewnętrznych wskazują na miejsca ich przyczepów i mówią o ogólnym kierunku ruchu.

Wysuwanie języka, unoszenie jego boków i obniżanie w środku zależy od mięśni wewnętrznych języka. Język wraz podniebieniem, wargami i zębami umożliwia tworzenie określonych dźwięków mówionych.

### POŁYKANIE

Przeżuty i wymieszany ze śliną pokarm przesuwany jest do góry i do tyłu między górną powierzchnią języka a podniebieniem twardym, co spowodowane jest skurczem mięśnia rylcowo-językowego, który przesuwa język do góry i do tyłu. Następnie kurczy się mięsień podniebienno-językowy i przesuwa kęs pokarmu do ustnej części gardła. Mięsień dźwigacz podniebienia unosi podniebienie miękkie, by zamknąć dostęp do jamy nosowej, a krtań i krtaniowa część gardła, unosząc się, uszczelnia drogi oddechowe z pomocą nagłośni, gdy przesuwa się nad nią kęs pokarmu.

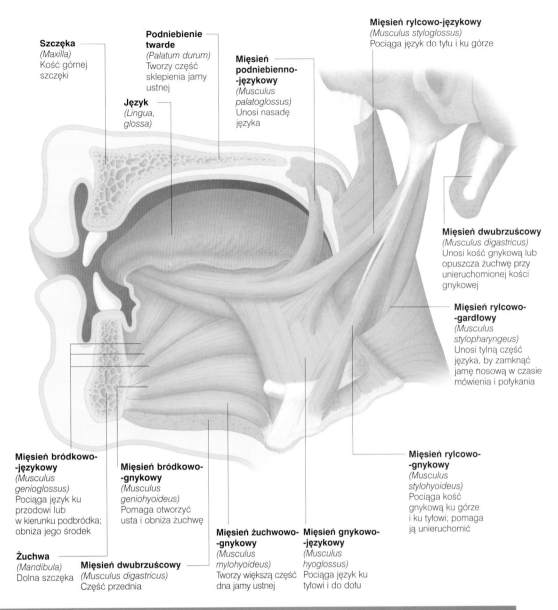

**Szczęka**
(*Maxilla*)
Kość górnej szczęki

**Podniebienie twarde**
(*Palatum durum*)
Tworzy część sklepienia jamy ustnej

**Język**
(*Lingua, glossa*)

**Mięsień podniebienno-językowy**
(*Musculus palatoglossus*)
Unosi nasadę języka

**Mięsień rylcowo-językowy**
(*Musculus styloglossus*)
Pociąga język do tyłu i ku górze

**Mięsień dwubrzuścowy**
(*Musculus digastricus*)
Unosi kość gnykową lub opuszcza żuchwę przy unieruchomionej kości gnykowej

**Mięsień rylcowo-gardłowy**
(*Musculus stylopharyngeus*)
Unosi tylną część języka, by zamknąć jamę nosową w czasie mówienia i połykania

**Mięsień bródkowo-językowy**
(*Musculus genioglossus*)
Pociąga język ku przodowi lub w kierunku podbródka; obniża jego środek

**Mięsień bródkowo-gnykowy**
(*Musculus geniohyoideus*)
Pomaga otworzyć usta i obniża żuchwę

**Żuchwa**
(*Mandibula*)
Dolna szczęka

**Mięsień dwubrzuścowy**
(*Musculus digastricus*)
Część przednia

**Mięsień żuchwowo-gnykowy**
(*Musculus mylohyoideus*)
Tworzy większą część dna jamy ustnej

**Mięsień gnykowo-językowy**
(*Musculus hyoglossus*)
Pociąga język ku tyłowi i do dołu

**Mięsień rylcowo-gnykowy**
(*Musculus stylohyoideus*)
Pociąga kość gnykową ku górze i ku tyłowi; pomaga ją unieruchomić

## Choroby języka

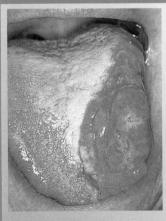

*Fotografia ukazuje zaawansowanego raka języka obejmującego większą część przednich dwóch trzecich lewej strony języka pacjenta.*

Najczęściej występującym owrzodzeniem jamy ustnej jest owrzodzenie aftowe, pojedyncze lub mnogie. Duże owrzodzenia mają średnicę powyżej 1 cm i utrzymują się od kilku tygodni do kilku miesięcy; goją się z pozostawieniem blizny. Małe afty mają średnicę poniżej 1 cm, utrzymują się przez 10–14 dni i nie powodują blizn. Oba rodzaje są bardzo bolesne i występują na ruchomej części błony śluzowej, np. na języku, wargach i podniebieniu miękkim. Leczenie jest głównie objawowe i polega na stosowaniu środków do płukania jamy ustnej. Etiologia ich nie jest znana. Mogą być spowodowane niedoborami witaminy $B_{12}$, żelaza i kwasu foliowego, miejscowymi urazami i stresem.

Nawracające owrzodzenia w przebiegu opryszczki wywołane są wirusem, który powoduje zmiany na wargach (tzw. zimno). W przeciwieństwie do aft w jamie ustnej zmiany tworzą się na błonie śluzowej, która połączona jest z nieprzesuwalnym podłożem, jak np. na podniebieniu twardym, dziąsłach i błonie śluzowej pokrywającej żuchwę i szczękę. Są one bardzo bolesne, lecz zwykle trwają krócej niż 10 dni. Podanie odpowiednio wcześnie leków przeciwwirusowych może przynieść ulgę oraz skrócić czas trwania choroby.

Rak języka, najczęstszy nowotwór jamy ustnej, może wyglądać jak narośl lub niegojące się owrzodzenie. Leczony dostatecznie wcześnie rokuje pomyślnie, lecz kiedy choroba jest już bardzo zaawansowana, nawet rozległy zabieg operacyjny i/lub radioterapia tylko nieznacznie poprawiają rokowanie.

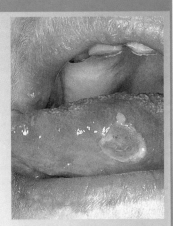

*Widać tu wyraźnie duże owrzodzenie aftowe. Kilka mniejszych aft znajduje się na spodzie lewej strony języka.*

# Ślinianki

Ślinianki wytwarzają około trzech czwartych litra śliny dziennie.
Ślina odgrywa istotną rolę w nawilżaniu i ochronie jamy ustnej oraz zębów,
jak również wspomaga połykanie i żucie pokarmu.

W jamie ustnej występują trzy pary dużych ślinianek, które wytwarzają około 90% śliny, pozostałe 10% śliny powstaje w małych śliniankach położonych w policzkach, wargach, języku i podniebieniu. Główną rolą śliny jest nawilżanie, umożliwiające żucie, połykanie i mówienie. Ma ona również działanie ochronne, nawilża jamę ustną i dziąsła oraz ogranicza rozmnażanie się bakterii.

Komórki wytwarzające ślinę zgromadzone są w skupiskach, które znajdują się na końcach rozgałęziających się przewodów. Dwa różne rodzaje komórek – komórki surowicze i śluzowe – wytwarzają dwa rodzaje śliny. Komórki śluzowe wydzielają lepką wydzielinę zawierającą mucynę, a komórki surowicze wytwarzają wodnistą wydzielinę zawierającą enzym – amylazę.

## ŚLINIANKA PRZYUSZNA

Największe wśród ślinianek są ślinianki przyuszne, które wytwarzają wydzielinę surowiczą. Ślinianki te znajdują się tuż pod skórą, pomiędzy żuchwą a uchem.

Przez śliniankę przyuszną przechodzi wiele ważnych struktur. Najgłębiej leży tętnica szyjna zewnętrzna, a najbardziej powierzchownie przebiega nerw twarzowy, który unerwia mięśnie mimiczne twarzy.

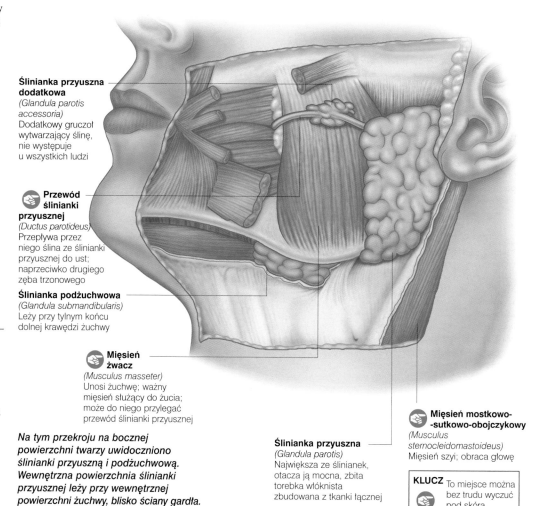

**Ślinianka przyuszna dodatkowa**
*(Glandula parotis accessoria)*
Dodatkowy gruczoł wytwarzający ślinę, nie występuje u wszystkich ludzi

**Przewód ślinianki przyusznej**
*(Ductus parotideus)*
Przepływa przez niego ślina ze ślinianki przyusznej do ust; naprzeciwko drugiego zęba trzonowego

**Ślinianka podżuchwowa**
*(Glandula submandibularis)*
Leży przy tylnym końcu dolnej krawędzi żuchwy

**Mięsień żwacz**
*(Musculus masseter)*
Unosi żuchwę; ważny mięsień służący do żucia; może do niego przylegać przewód ślinianki przyusznej

*Na tym przekroju na bocznej powierzchni twarzy uwidoczniono ślinianki przyuszną i podżuchwową. Wewnętrzna powierzchnia ślinianki przyusznej leży przy wewnętrznej powierzchni żuchwy, blisko ściany gardła.*

**Ślinianka przyuszna**
*(Glandula parotis)*
Największa ze ślinianek, otacza ją mocna, zbita torebka włóknista zbudowana z tkanki łącznej

**Mięsień mostkowo--sutkowo-obojczykowy**
*(Musculus sternocleidomastoideus)*
Mięsień szyi; obraca głowę

**KLUCZ** To miejsce można bez trudu wyczuć pod skórą

---

## Powiększenie ślinianek przyusznych

*Zgrubienie wokół ucha tej kobiety wskazuje na obecność guza ślinianki przyusznej.*

Powoli rosnące łagodne guzy ślinianki przyusznej mogą nie powodować żadnych objawów poza powiększeniem jej rozmiarów. Szybko rosnące guzy złośliwe mogą zniszczyć przebiegający przez śliniankę nerw twarzowy, powodując porażenie mięśni twarzy po jednej stronie. Przypomina to porażenie Bella.

Jeśli zaburzenie to dotyczy większości mięśni unerwianych przez ten nerw, porażona strona twarzy jest pozbawiona wyrazu. Chory ma trudności z mówieniem i gwizdaniem i nie może zapobiec wypadaniu jedzenia oraz wyciekaniu śliny z kącika ust.

Jeśli uszkodzone są też nerwy zaopatrujące mięsień zamykający powieki – mięsień okrężny oka – utracona jest zdolność mrugania i rozprowadzania łez po gałce oka. Może to doprowadzić do owrzodzenia rogówki.

W zespole Sjögrena ślinianka przyuszna powiększa się w wyniku naciekania przez komórki krwi zwane limfocytami, które prowadzą do jej uszkodzenia i zaniku komórek surowiczych. Zmniejszenie wytwarzania śliny powoduje suchość w jamie ustnej (*xerostomia*). W wyniku utraty funkcji oczyszczających śliny w jamie ustnej dochodzi do ciężkich zapaleń dziąseł i krwawienia z dziąseł oraz zapalenia ozębnej (struktury mocującej zęby) i nasilonej próchnicy zębów.

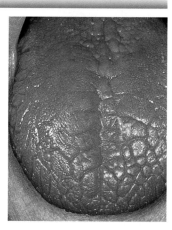

*Zespół Sjögrena powoduje zanik ślinianek. Suchość błony śluzowej jamy ustnej (xerostomia) można łagodzić płukaniem ust.*

# Ślinianki podżuchwowe i podjęzykowe

Dwie pary małych
gruczołów ślinowych,
ślinianki podżuchwowe
i podjęzykowe, znajdują
się w dnie jamy ustnej.

Ślinianka podżuchwowa położona
jest poniżej dolnego brzegu żuchwy
w okolicy kąta żuchwy. Jest to
ślinianka typu mieszanego
zawierająca komórki surowicze
(około 60%) i śluzowe (około
40%). Ma wielkość orzecha
włoskiego i można w niej wyróżnić
dwie części: dużą powierzchowną
i mniejszą położoną głębiej, za
mięśniem żuchwowo-gnykowym
tworzącym dno jamy ustnej. Ślina
wytwarzana w śliniance
podżuchwowej wypływa z niej
przez przewód ślinianki
podżuchwowej, który ma ujście
na brodawce podjęzykowej.

## ŚLINIANKA PODJĘZYKOWA

Ślinianka podjęzykowa jest
najmniejszą z trzech dużych
ślinianek i ma kształt migdała.
W 60% składa się z komórek
wytwarzających śluz i w 40%
z komórek surowiczych. Leży pod
językiem. Dwie ślinianki
podjęzykowe prawie stykają się
ze sobą w linii pośrodkowej i leżą
na mięśniu żuchwowo-gnykowym.

Za ślinianką podjęzykową
znajduje się głęboko położona
część ślinianki podżuchwowej.
W przeciwieństwie do innych
ślinianek ślinianki podjęzykowe nie
mają jednego przewodu
wyprowadzającego, lecz wiele
małych oddzielnych ujść w dnie
jamy ustnej lub uchodzą do
przewodu podżuchwowego.

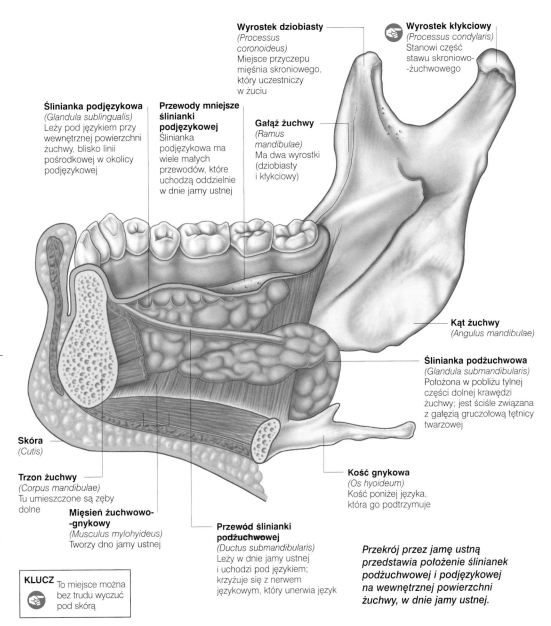

**Wyrostek dziobiasty**
*(Processus coronoideus)*
Miejsce przyczepu mięśnia skroniowego, który uczestniczy w żuciu

**Wyrostek kłykciowy**
*(Processus condylaris)*
Stanowi część stawu skroniowo-żuchwowego

**Ślinianka podjęzykowa**
*(Glandula sublingualis)*
Leży pod językiem przy wewnętrznej powierzchni żuchwy, blisko linii pośrodkowej w okolicy podjęzykowej

**Przewody mniejsze ślinianki podjęzykowej**
Ślinianka podjęzykowa ma wiele małych przewodów, które uchodzą oddzielnie w dnie jamy ustnej

**Gałąź żuchwy**
*(Ramus mandibulae)*
Ma dwa wyrostki (dziobiasty i kłykciowy)

**Kąt żuchwy**
*(Angulus mandibulae)*

**Ślinianka podżuchwowa**
*(Glandula submandibularis)*
Położona w pobliżu tylnej części dolnej krawędzi żuchwy; jest ściśle związana z gałązią gruczołową tętnicy twarzowej

**Skóra**
*(Cutis)*

**Trzon żuchwy**
*(Corpus mandibulae)*
Tu umieszczone są zęby dolne

**Mięsień żuchwowo-gnykowy**
*(Musculus mylohyideus)*
Tworzy dno jamy ustnej

**Przewód ślinianki podżuchwowej**
*(Ductus submandibularis)*
Leży w dnie jamy ustnej i uchodzi pod językiem; krzyżuje się z nerwem językowym, który unerwia język

**Kość gnykowa**
*(Os hyoideum)*
Kość poniżej języka, która go podtrzymuje

**KLUCZ** To miejsce można bez trudu wyczuć pod skórą

*Przekrój przez jamę ustną przedstawia położenie ślinianek podżuchwowej i podjęzykowej na wewnętrznej powierzchni żuchwy, w dnie jamy ustnej.*

## Niedrożność przewodów ślinowych

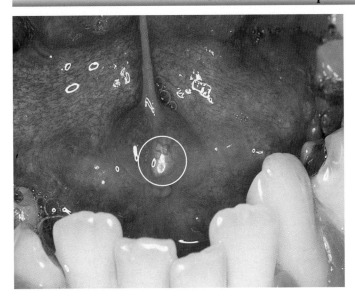

*Mały uwapniony złóg blokujący przewód ślinowy widoczny jest tu jako żółta substancja (w kółku) w środkowej części dna jamy ustnej.*

W przewodzie wyprowadzającym
ślinianki podżuchwowej łatwo
tworzą się małe uwapnione kamyki
ślinowe. Wpływają na to
następujące czynniki:
■ ślina zawiera rozpuszczalne jony
wapnia i fosforany;
■ przewód ma kręty przebieg, co
sprzyja zastojowi śliny;
■ ślina wytwarzana w śliniance
podżuchwowej jest lepka
i gromadzi się za zębami siecznymi
dolnymi w pobliżu ujścia
przewodu.

Kamienie w przewodzie ślinianki
utrudniają przepływ śliny,
szczególnie w okresie zwiększonego
zapotrzebowania na nią podczas
jedzenia. Kamienie sprzyjają
powstawaniu infekcji w jamie
ustnej. Kamienie można z łatwością
wyczuć palcami i dostrzec na
zdjęciu rentgenowskim. Zabieg
chirurgicznego usunięcia kamieni
jest prosty.

W śliniance podżuchwowej,
podobnie jak przyusznej, mogą
rozwinąć się guzy. Aby mieć
pewność, że usunięto cały
nowotwór, czasami trzeba usunąć
przylegające nerwy, które mogą być
zajęte przez nowotwór. Wycięcie
nerwu podjęzykowego powoduje
utratę ruchomości połowy języka
po stronie nowotworu i może
doprowadzić do zaniku tej strony
języka.

# Dół podskroniowy

Dół podskroniowy (*fossa infratemporalis*) jest to obustronne zagłębienie na bocznej powierzchni czaszki, w którym znajdują się liczne ważne nerwy, naczynia krwionośne i mięśnie biorące udział w żuciu (mięśnie żwaczowe).

Dół podskroniowy znajduje się poniżej podstawy czaszki, pomiędzy gardłem a ramieniem żuchwy. Jest to bardzo ważny obszar dla chirurgów szczękowych nie tylko dlatego, że wiele elementów położonych w tym obszarze ma duże znaczenie dla procesu żucia, ale również dlatego, że znajduje się tam wiele nerwów i naczyń krwionośnych zaopatrujących jamę ustną.

### ANATOMIA DOŁU
Zasięg dołu podskroniowego określają granice kostne. Z przodu ścianę stanowi tylna powierzchnia szczęki, a ścianę tylną wyznacza wyrostek rylcowaty (*processus styloideus*) kości skroniowej i pochewka tętnicy szyjnej. Ścianę przyśrodkową tworzy blaszka boczna wyrostka skrzydłowatego kości klinowej, a ścianę boczną ramię żuchwy. Dół podskroniowy nie ma dna i przechodzi w struktury szyi.

### ZAWARTOŚĆ DOŁU
W dole podskroniowym mieści się mięsień skrzydłowy, gałęzie nerwu żuchwowego, struna bębenkowa (gałąź nerwu twarzowego), zwój uszny (część autonomicznego układu nerwowego), tętnica szczękowa i żylny splot skrzydłowy (naczynia otaczające mięsień skrzydłowy).

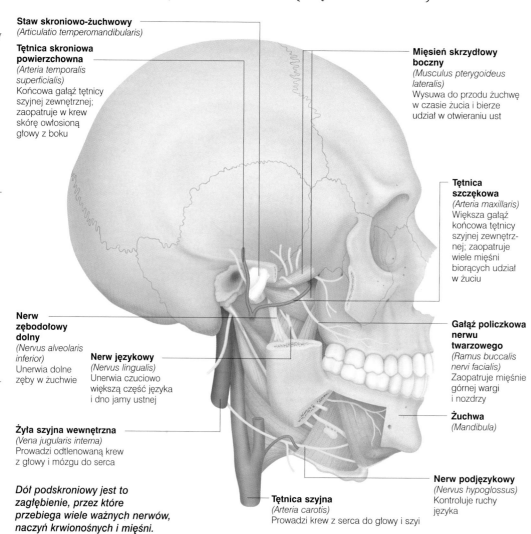

**Staw skroniowo-żuchwowy**
(*Articulatio temperomandibularis*)

**Tętnica skroniowa powierzchowna**
(*Arteria temporalis superficialis*)
Końcowa gałąź tętnicy szyjnej zewnętrznej; zaopatruje w krew skórę owłosioną głowy z boku

**Mięsień skrzydłowy boczny**
(*Musculus pterygoideus lateralis*)
Wysuwa do przodu żuchwę w czasie żucia i bierze udział w otwieraniu ust

**Tętnica szczękowa**
(*Arteria maxillaris*)
Większa gałąź końcowa tętnicy szyjnej zewnętrznej; zaopatruje wiele mięśni biorących udział w żuciu

**Nerw zębodołowy dolny**
(*Nervus alveolaris inferior*)
Unerwia dolne zęby w żuchwie

**Nerw językowy**
(*Nervus lingualis*)
Unerwia czuciowo większą część języka i dno jamy ustnej

**Gałąź policzkowa nerwu twarzowego**
(*Ramus buccalis nervi facialis*)
Zaopatruje mięśnie górnej wargi i nozdrzy

**Żyła szyjna wewnętrzna**
(*Vena jugularis interna*)
Prowadzi odtlenowaną krew z głowy i mózgu do serca

**Żuchwa**
(*Mandibula*)

**Nerw podjęzykowy**
(*Nervus hypoglossus*)
Kontroluje ruchy języka

*Dół podskroniowy jest to zagłębienie, przez które przebiega wiele ważnych nerwów, naczyń krwionośnych i mięśni.*

**Tętnica szyjna**
(*Arteria carotis*)
Prowadzi krew z serca do głowy i szyi

## Struna bębenkowa

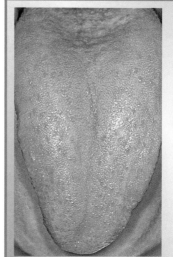

Większość kubków smakowych znajduje się na języku. Jednak smak jest specjalnym rodzajem czucia, które nie jest przewodzone przez nerw trójdzielny.

Gałąź nerwu twarzowego, struna bębenkowa, łączy się z nerwem językowym w dole podskroniowym i przewodzi bodźce smakowe. Przez strunę bębenkową przewodzone są również informacje do ślinianek podżuchwowej i podjęzykowej, kiedy powinna być wydzielana ślina.

*Struna bębenkowa (chorda tympani) jest to gałąź nerwu twarzowego, która prowadzi włókna czuciowe (smakowe) z przedniej części języka.*

## Mięśnie skrzydłowe

Mięśnie skrzydłowe położone wewnątrz dołu podskroniowego są dwoma z czterech mięśni określanych wspólnym mianem mięśni żwaczowych. Wszystkie te mięśnie mają takie same pochodzenie i dlatego unerwia je ten sam nerw – nerw żuchwowy – gałązka nerwu trójdzielnego.

### ŻUCIE
W procesie żucia żuchwa wykonuje ruchy w kierunku czaszki. Dlatego mięśnie żwaczowe przyczepione są z jednej strony na czaszce, a z drugiej na żuchwie.

Włókna mięśniowe przebiegają od przodu do tyłu, a ich skurcz (skrócenie włókien mięśniowych) po obu stronach głowy powoduje, że żuchwa wysuwa się do przodu.

Działając naprzemiennie, lewe i prawe mięśnie poruszają żuchwą na boki. Włókna mięśnia skrzydłowego przyśrodkowego przyczepiają się na przyśrodkowej powierzchni kąta żuchwy. Ponieważ włókna tego mięśnia przebiegają w dół i do tyłu, skurcz ich powoduje uniesienie żuchwy i zwarcie jej ze szczęką. Naprzemienne skurcze prawego i lewego mięśnia powodują ruch rozcierania (kruszenia) pokarmu między zębami.

# Nerw żuchwowy

Nerw żuchwowy opuszcza jamę czaszki przez otwór owalny, by wniknąć do dołu podskroniowego, w którym odchodzą od niego liczne odgałęzienia.

Nerw żuchwowy jest nerwem ruchowym, który zaopatruje we włókna ruchowe wszystkie mięśnie biorące udział w procesie żucia. Nerw ten oddaje również gałąź czuciową, nerw uszno-skroniowy, który zaopatruje skórę skroni, skórę wokół i skórę zewnętrznej powierzchni policzka oraz nerw policzkowy, który zaopatruje błonę śluzową policzka i część dziąseł.

### GAŁĘZIE NERWU ŻUCHWOWEGO

Gałąź nerwu żuchwowego, nerw zębodołowy dolny, kieruje się w dół, potem do przodu i wnika do trzonu żuchwy. Przewodzi on bodźce czuciowe z dolnych zębów, oddaje również gałązkę, tzw. nerw bródkowy, która opuszcza żuchwę przez otwór znajdujący się w okolicy dolnych zębów przedtrzonowych. Przewodzi on bodźce czuciowe z dolnej wargi.

Nerw językowy unerwia czuciowo większą powierzchnię języka oraz dno jamy ustnej (przewodzi bodźce dotyku, temperatury i bólu).

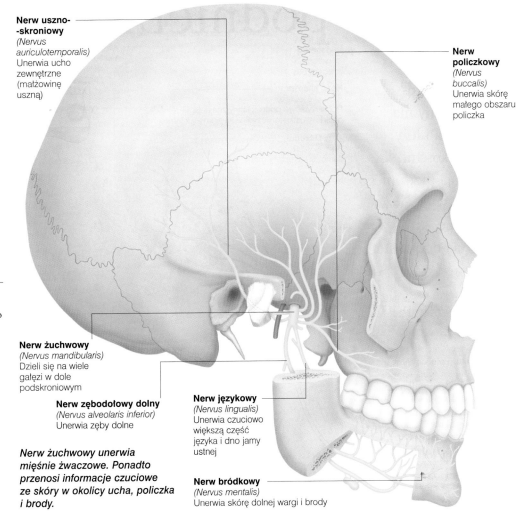

**Nerw uszno-skroniowy**
*(Nervus auriculotemporalis)*
Unerwia ucho zewnętrzne (małżowinę uszną)

**Nerw policzkowy**
*(Nervus buccalis)*
Unerwia skórę małego obszaru policzka

**Nerw żuchwowy**
*(Nervus mandibularis)*
Dzieli się na wiele gałęzi w dole podskroniowym

**Nerw zębodołowy dolny**
*(Nervus alveolaris inferior)*
Unerwia zęby dolne

**Nerw językowy**
*(Nervus lingualis)*
Unerwia czuciowo większą część języka i dno jamy ustnej

**Nerw bródkowy**
*(Nervus mentalis)*
Unerwia skórę dolnej wargi i brody

*Nerw żuchwowy unerwia mięśnie żwaczowe. Ponadto przenosi informacje czuciowe ze skóry w okolicy ucha, policzka i brody.*

## Znieczulenie zębów

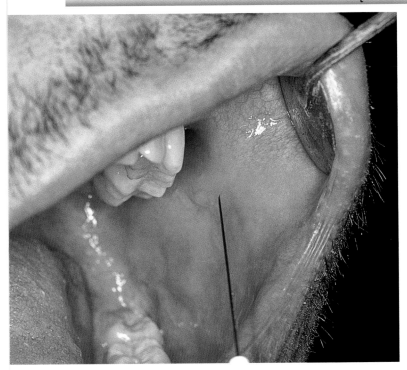

Kiedy lekarz dentysta przystępuje do leczenia zęba i dziąsła żuchwy, częsta wykonuje blokadę nerwu zębodołowego dolnego. W czasie tego zabiegu wstrzykuje się środek miejscowo znieczulający w miejsce, w którym nerw wnika w trzon żuchwy po stronie wymagającej leczenia. Następuje znieczulenie nerwu, w tym gałęzi nerwu bródkowego, czego efektem jest zdrętwienie dolnej wargi – często jest to pierwszy sygnał, że znieczulenie już działa.

Aby znieczulić zęby górne, środki znieczulające wstrzykuje się po obu stronach określonego zęba, a czasami w podniebienie; kość szczęki jest wystarczająco cienka, aby środek znieczulający przez nią przeniknął.

*Znieczulenie miejscowe wykonuje się w celu zniesieniu bólu w obszarze, w którym przeprowadzane będzie leczenie zębów. Aby znieczulić dolne zęby i dziąsło, znieczulenie wstrzykuje się w pobliżu nerwu zębodołowego dolnego.*

## Guzy

Guzy występujące w dole podskroniowym są zwykle łagodne. Najczęściej jest to gruczolak wielopostaciowy ślinianki przyusznej i nerwiak osłonkowy (*schwannoma*, czyli guz z osłonki Schwanna). Objawiają się one uczuciem pełności w szyi lub obrzękiem z tyłu gardła.

Rezonans magnetyczny lub tomografia komputerowa umożliwia określenie rozległości zmiany i jej położenia w stosunku do tętnicy szyjnej wewnętrznej. W badaniach tych można również ocenić stan kości podstawy czaszki.

Leczenie chirurgiczne polega na usunięciu guza. Małe guzy usuwa się przez szyję zza żuchwy, duże lub bardziej unaczynione mogą wymagać usunięcia pewnego fragmentu kości, aby uzyskać lepsze dojście do tętnicy szyjnej wewnętrznej i zapobiec zagrażającemu życiu krwotokowi.

# Ucho

Uszy są ważnymi narządami zmysłu słuchu i równowagi.
Każde ucho dzieli się na trzy części: ucho zewnętrzne, środkowe i wewnętrzne,
każda z tych części odbiera dźwięk lub ruch w inny sposób.

Anatomicznie ucho dzieli się na trzy różne części: ucho zewnętrzne, środkowe i wewnętrzne. Ucho zewnętrzne i środkowe uczestniczą w zbieraniu i przesyłaniu fal dźwiękowych. Ucho wewnętrzne jest narządem słuchu oraz ważnym narządem umożliwiającym utrzymanie równowagi ciała.

## PRZEKAZYWANIE INFORMACJI

Ucho zewnętrzne składa się z widocznej małżowiny usznej i kanału, który prowadzi w głąb głowy – przewodu słuchowego zewnętrznego. Na końcu przewodu słuchowego znajduje się błona bębenkowa, która stanowi granicę pomiędzy uchem zewnętrznym a środkowym.

Ucho środkowe łączy się z gardłem poprzez trąbkę słuchową. Wewnątrz ucha środkowego znajdują się trzy kości zwane kosteczkami słuchowymi. Łączą się one ze sobą w taki sposób, że ruchy błony bębenkowej są przenoszone przez młoteczek, kowadełko i strzemiączko (podstawę strzemiączka) do okienka owalnego stanowiącego połączenie pomiędzy uchem środkowym a wewnętrznym.

W uchu wewnętrznym znajduje się główny narząd słuchu, ślimak, oraz układ przedsionkowy, który kontroluje zachowanie równowagi. Bodźce z obu części ucha przewodzone są przez nerw przedsionkowo-ślimakowy do określonych obszarów pnia mózgu.

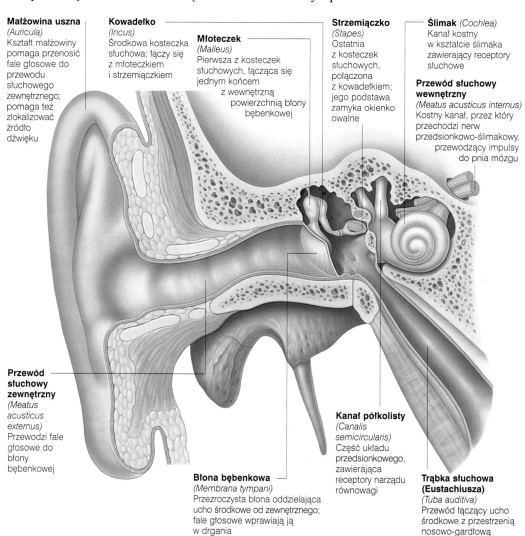

**Małżowina uszna**
*(Auricula)*
Kształt małżowiny pomaga przenosić fale głosowe do przewodu słuchowego zewnętrznego; pomaga też zlokalizować źródło dźwięku

**Kowadełko**
*(Incus)*
Środkowa kosteczka słuchowa; łączy się z młoteczkiem i strzemiączkiem

**Młoteczek**
*(Malleus)*
Pierwsza z kosteczek słuchowych, łącząca się jednym końcem z wewnętrzną powierzchnią błony bębenkowej

**Strzemiączko**
*(Stapes)*
Ostatnia z kosteczek słuchowych, połączona z kowadełkiem; jego podstawa zamyka okienko owalne

**Ślimak** *(Cochlea)*
Kanał kostny w kształcie ślimaka zawierający receptory słuchowe

**Przewód słuchowy wewnętrzny**
*(Meatus acusticus internus)*
Kostny kanał, przez który przechodzi nerw przedsionkowo-ślimakowy, przewodzący impulsy do pnia mózgu

**Przewód słuchowy zewnętrzny**
*(Meatus acusticus externus)*
Przewodzi fale głosowe do błony bębenkowej

**Błona bębenkowa**
*(Membrana tympani)*
Przezroczysta błona oddzielająca ucho środkowe od zewnętrznego; fale głosowe wprawiają ją w drgania

**Kanał półkolisty**
*(Canalis semicircularis)*
Część układu przedsionkowego, zawierająca receptory narządu równowagi

**Trąbka słuchowa (Eustachiusza)**
*(Tuba auditiva)*
Przewód łączący ucho środkowe z przestrzenią nosowo-gardłową

## Oglądanie ucha otoskopem

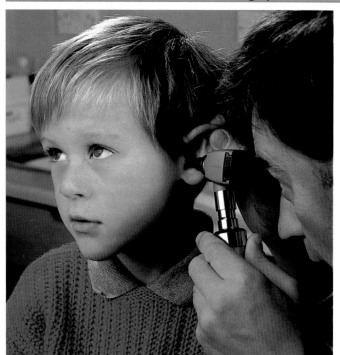

Błonę bębenkową można zbadać za pomocą otoskopu, przyrządu, który wprowadza się do przewodu słuchowego zewnętrznego. Światło oświetla błonę bębenkową, która ma kolor perłowoszary. W małym zagłębieniu, w części środkowej błony bębenkowej (w tzw. pępku błony bębenkowej), można zobaczyć powstający tam odbity stożek światła, który kieruje się w dół i do przodu. Punkt ten wskazuje na miejsce połączenia błony bębenkowej z młoteczkiem znajdującym się po drugiej stronie błony bębenkowej.

*Przed wprowadzeniem otoskopu małżowinę uszną pociąga się do góry i ku tyłowi. Jest to konieczne, ponieważ przewód słuchowy zewnętrzny nie ma prostego przebiegu.*

Większość błony bębenkowej jest grubsza i napięta (część napięta = *pars tensa*). U góry błony bębenkowej znajduje się mały obszar, który nie jest tak włóknisty (część wiotka = *pars flacida*). Błona bębenkowa jest dobrze unerwiona, a jej zapalenie jest bolesne.

*Obraz zdrowej błony bębenkowej widzianej przez otoskop. Błona bębenkowa jest przezroczysta.*

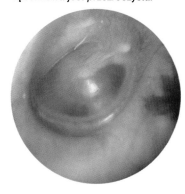

# Ucho zewnętrzne

Małżowina uszna tworząca ucho zewnętrzne zbudowana jest ze skóry i chrząstki. Służy ona do przenoszenia dźwięków do ucha środkowego.

Małżowina uszna zbiera dźwięki z otoczenia i przesyła je do przewodu słuchowego zewnętrznego. Zbudowana jest z cienkiej warstwy elastycznej chrząstki i dolnej części zwanej płatkiem usznym, utworzonym głównie z tkanki tłuszczowej i otoczonym ściśle skórą.

Małżowina uszna łączy się z głową za pomocą wielu więzadeł i mięśni. Ucho zewnętrzne ma złożone unerwienie, które tworzą włókna pochodzące z trzech nerwów czaszkowych.

### OCHRONA UCHA

Przewód słuchowy zewnętrzny ma kształt rury i rozciąga się od płatka usznego do błony bębenkowej. U dorosłych ma długość 2,5 cm. Zewnętrzna jedna trzecia przewodu słuchowego zewnętrznego zbudowana jest z chrząstki (podobnej do tej, która tworzy małżowinę), a wewnętrzne dwie trzecie zbudowane jest z kości (część kości skroniowej).

W skórze pokrywającej chrzęstną część przewodu słuchowego zewnętrznego znajdują się grube włosy i gruczoły woszczynowe, wydzielające woskowinę (cerumen). Woskowina zwykle wysycha i wypada z przewodu, lecz może odkładać się wewnątrz i zaburzać słuch. Woskowina i włosy zapobiegają wnikaniu ciał obcych i kurzu do ucha.

Błona bębenkowa stanowi granicę pomiędzy uchem zewnętrznym a środkowym. Jest ona przezroczysta i można ją obejrzeć za pomocą otoskopu. Błona bębenkowa może pęknąć w przebiegu zapalenia ucha środkowego lub w wyniku działania wysokiego ciśnienia.

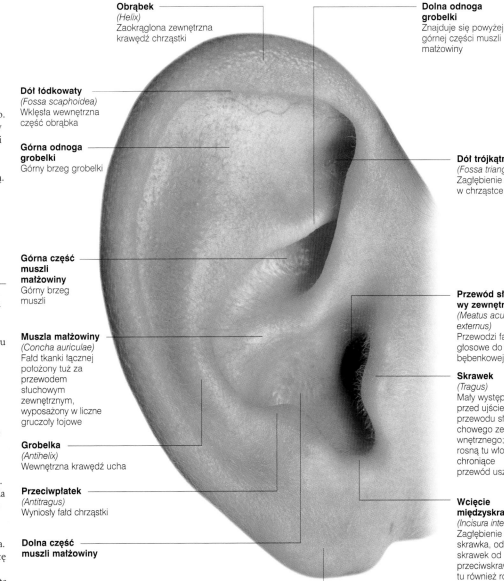

**Obrąbek**
(Helix)
Zaokrąglona zewnętrzna krawędź chrząstki

**Dół łódkowaty**
(Fossa scaphoidea)
Wklęsła wewnętrzna część obrąbka

**Górna odnoga grobelki**
Górny brzeg grobelki

**Górna część muszli małżowiny**
Górny brzeg muszli

**Muszla małżowiny**
(Concha auriculae)
Fałd tkanki łącznej położony tuż za przewodem słuchowym zewnętrznym, wyposażony w liczne gruczoły łojowe

**Grobelka**
(Antihelix)
Wewnętrzna krawędź ucha

**Przeciwpłatek**
(Antitragus)
Wyniosły fałd chrząstki

**Dolna część muszli małżowiny**

**Płatek małżowiny usznej**
(Lobulus auriculae)
Dolna, miękka część małżowiny usznej zbudowana z tkanki tłuszczowej, częste miejsce przekłuwania uszu; nie zawiera chrząstki

**Dolna odnoga grobelki**
Znajduje się powyżej górnej części muszli małżowiny

**Dół trójkątny**
(Fossa triangularis)
Zagłębienie w chrząstce

**Przewód słuchowy zewnętrzny**
(Meatus acusticus externus)
Przewodzi fale głosowe do błony bębenkowej

**Skrawek**
(Tragus)
Mały występ tuż przed ujściem przewodu słuchowego zewnętrznego; rosną tu włosy chroniące przewód uszny

**Wcięcie międzyskrawkowe**
(Incisura intertragica)
Zagłębienie poniżej skrawka, oddziela skrawek od przeciwskrawka; tu również rosną włosy

## Deformacje uszu

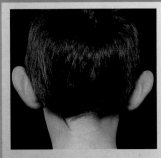

*Odstające uszy są częstą niewielką wadą kosmetyczną. Stopień odstawania uszu bywa bardzo różny.*

Dzieci z odstającymi uszami lub tzw. uszami „nietoperza" często wstydzą się swoich uszu i cierpią z powodu dokuczania im przez inne dzieci. Dlatego niektórzy ludzie decydują się na operacje plastyczne uszu. Aby można było wykonać zabieg korekcyjny, dzieci muszą mieć co najmniej pięć lat, gdyż u młodszych chrząstki nie są jeszcze dostatecznie twarde.

Niekiedy odstające uszy powstają przez nadmiar chrząstki wokół kanału słuchowego – powoduje to odstawanie uszu po obu stronach głowy. W takich przypadkach chirurg nacina ucho od tyłu i wytwarza fałd w obrębie chrząstki. Następnie ucho przyszywa się, by umożliwić jego wygięcie.

Do rozwoju uszu kalafiorowatych (ucho bokserskie) dochodzi w wyniku powtarzających się bezpośrednich urazów. Powodują one uszkodzenie chrząstki małżowiny usznej. Warto pamiętać, że chrząstki nie są odżywiane przez własne naczynia krwionośne, lecz przez naczynia znajdujące się w skórze. W wyniku urazu ucha chrząstka może pęknąć na wiele kawałków, między którymi gromadzi się krew z uszkodzonych naczyń. Prowadzi to do powstawania blizn.

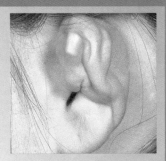

*W wyniku powtarzających się urazów małżowiny usznej powstają blizny, które prowadzą do rozwoju ucha kalafiorowatego.*

# Wnętrze ucha

Ucho środkowe jest jamą wypełnioną powietrzem, w której znajduje się błona bębenkowa i trzy małe kosteczki. Kosteczki te pomagają przenosić dźwięki do ucha wewnętrznego. Ucho środkowe łączy się z gardłem przez trąbkę słuchową.

Ucho środkowe jest jamą w kształcie pudełka wypełnioną powietrzem, położoną w kości skroniowej. Wewnątrz niej znajdują się małe kosteczki słuchowe – młoteczek, kowadełko i strzemiączko – które łączą przestrzeń pomiędzy błoną bębenkową a przyśrodkową ściana jamy.

Znajdują się tam również dwa małe mięśnie: mięsień napinający błonę bębenkową, który łączy się z rękojeścią młoteczka, i mięsień strzemiączkowy łączący się ze strzemiączkiem. Oba wpływają na ruchy kosteczek słuchowych. Ściana przyśrodkowa oddziela ucho środkowe od ucha wewnętrznego. Znajdują się w niej dwa otwory pokryte błoną – otwór owalny i okrągły.

### TRĄBKA SŁUCHOWA

Ucho środkowe łączy się z gardłem za pomocą trąbki słuchowej (Eustachiusza). Przewód ten stanowi drogę, po której może przenosić się zakażenie do ucha środkowego. Nieleczone zakażenie może szerzyć się na powietrzne komórki sutkowe, które znajdują się tuż za jamą ucha środkowego, może też naruszyć sklepienie kości skroniowej oraz spowodować zapalenie opon mózgowo-rdzeniowych.

Tuż poniżej dolnej ściany ucha środkowego znajduje się opuszka żyły szyjnej wewnętrznej, z przodu tętnica szyjna wewnętrzna.

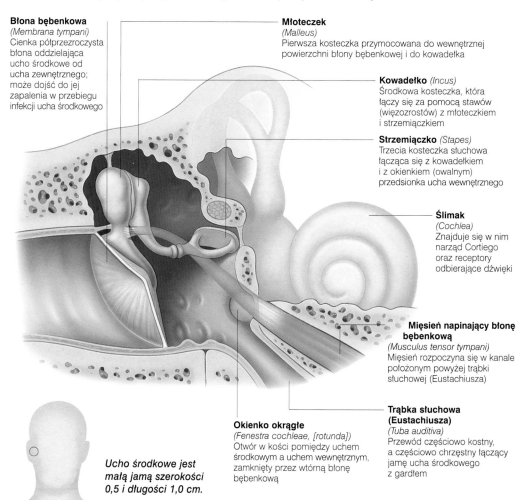

**Błona bębenkowa**
*(Membrana tympani)*
Cienka półprzezroczysta błona oddzielająca ucho środkowe od ucha zewnętrznego; może dojść do jej zapalenia w przebiegu infekcji ucha środkowego

**Młoteczek**
*(Malleus)*
Pierwsza kosteczka przymocowana do wewnętrznej powierzchni błony bębenkowej i do kowadełka

**Kowadełko** *(Incus)*
Środkowa kosteczka, która łączy się za pomocą stawów (więzozrostów) z młoteczkiem i strzemiączkiem

**Strzemiączko** *(Stapes)*
Trzecia kosteczka słuchowa łącząca się z kowadełkiem i z okienkiem (owalnym) przedsionka ucha wewnętrznego

**Ślimak**
*(Cochlea)*
Znajduje się w nim narząd Cortiego oraz receptory odbierające dźwięki

**Mięsień napinający błonę bębenkową**
*(Musculus tensor tympani)*
Mięsień rozpoczyna się w kanale położonym powyżej trąbki słuchowej (Eustachiusza)

**Trąbka słuchowa (Eustachiusza)**
*(Tuba auditiva)*
Przewód częściowo kostny, a częściowo chrzęstny łączący jamę ucha środkowego z gardłem

**Okienko okrągłe**
*(Fenestra cochleae, [rotunda])*
Otwór w kości pomiędzy uchem środkowym a uchem wewnętrznym, zamknięty przez wtórną błonę bębenkową

*Ucho środkowe jest małą jamą szerokości 0,5 i długości 1,0 cm.*

## Kosteczki słuchowe

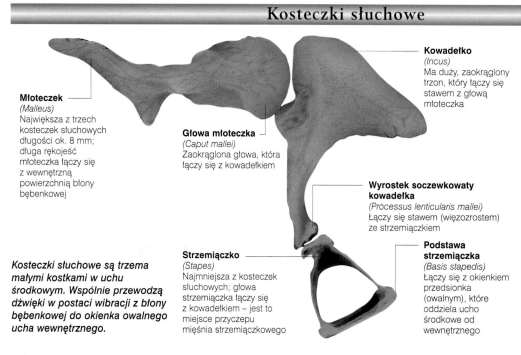

**Młoteczek**
*(Malleus)*
Największa z trzech kosteczek słuchowych długości ok. 8 mm; długa rękojeść młoteczka łączy się z wewnętrzną powierzchnią błony bębenkowej

**Głowa młoteczka**
*(Caput mallei)*
Zaokrąglona głowa, która łączy się z kowadełkiem

**Strzemiączko**
*(Stapes)*
Najmniejsza z kosteczek słuchowych; głowa strzemiączka łączy się z kowadełkiem – jest to miejsce przyczepu mięśnia strzemiączkowego

**Kowadełko**
*(Incus)*
Ma duży, zaokrąglony trzon, który łączy się stawem z głową młoteczka

**Wyrostek soczewkowaty kowadełka**
*(Processus lenticularis mallei)*
Łączy się stawem (więzozrostem) ze strzemiączkiem

**Podstawa strzemiączka**
*(Basis stapedis)*
Łączy się z okienkiem przedsionka (owalnym), które oddziela ucho środkowe od wewnętrznego

*Kosteczki słuchowe są trzema małymi kostkami w uchu środkowym. Wspólnie przewodzą dźwięki w postaci wibracji z błony bębenkowej do okienka owalnego ucha wewnętrznego.*

Kosteczki słuchowe są tak ustawione, by drgania błony bębenkowej były przenoszone przez ucho środkowe do okienka owalnego i do ucha wewnętrznego. Wszystkie trzy kosteczki są połączone więzadłami, ich ruchy modulują dwa mięśnie.

Mięsień strzemiączkowy jest najmniejszym mięśniem szkieletowym organizmu, rozpoczyna się na wierzchołku wyniosłości piramidowej i jest przyczepiony do głowy strzemiączka. Skurcz mięśnia pomaga wytłumić głośne dźwięki.

Drugim mięśniem jest mięsień napinający błonę bębenkową. Wywiera on podobny efekt, lecz działa przez zwiększanie napięcia błony bębenkowej. Osoby z uszkodzeniem nerwu twarzowego mogą uskarżać się na przeczulicę słuchową – nadmierną wrażliwość słuchu.

# Ucho wewnętrzne

W tej części ucha znajdują się narządy odpowiedzialne za równowagę i słuch. Znajduje się tam błędnik, który jest narządem równowagi, oraz ślimak, narząd słuchu.

Ucho wewnętrzne z powodu zakrzywionego kształtu nazywane jest też błędnikiem. Znajdują się w nim narządy odpowiedzialne za zachowanie równowagi (przedsionek) i słuch (ślimak). Błędnik można podzielić na zewnętrzny błędnik kostny i wewnętrzny błoniasty. Błędnik kostny wypełniony jest płynem, przychłonką (*perilympha*), a błędnik błoniasty płynem wodnistym, śródchłonką (*endolympha*), które różnią się składem chemicznym.

### ZACHOWANIE RÓWNOWAGI

W błędniku błoniastym znajdują się łagiewka i woreczek. Obie struktury mają kształt woreczka i łączą się wewnątrz błędnika kostnego. Pomagają one zachować orientację w środowisku zewnętrznym.

Z łagiewką łączą się trzy przewody półkoliste położone wewnątrz kanałów półkolistych. W miejscu, w którym stykają się z łagiewką kanały półkoliste, poszerzają się i tworzą bańkę, w której znajduje się nabłonek zmysłowy. Zmiany w ruchu płynnej zawartości przewodów dostarczają informacji na temat przyśpieszania i zwalniania ruchu głowy.

Ślimak jest spiralnym kanałem kostnym zawiniętym wokół położonego w środku wrzecionka. Wewnątrz ślimaka znajduje się nabłonek zmysłowy narządu słuchu, który odbiera drgania śródchłonki wywołane ruchami strzemiączka w okienku owalnym.

**Kanały półkoliste kostne**
*(Canales semicirculares ossei)*
Trzy kanały ustawione względem siebie pod kątem prostym; znajdują się w nich przewody półkoliste, które dostarczają informacji na temat ruchów głowy

**Bańki kostne**
*(Ampulae osseae)*
Poszerzone zakończenia kanałów półkolistych; znajduje się w nich nabłonek zmysłowy, który rejestruje zmiany ruchów endolimfy, dzięki czemu dostarcza informacji na temat ruchów głowy

**Przedsionek**
*(Vestibulum)*
Środkowa część błędnika kostnego położona pomiędzy uchem środkowym a przewodem słuchowym wewnętrznym, która zawiera łagiewkę i woreczek

**Łagiewka**
*(Urticulus)*
Większa niż woreczek stanowi również część błędnika błoniastego; wraz z woreczkiem dostarcza informacji na temat położenia głowy

**Worek śródchłonki**
*(Sacculus endolymphaticus)*
Znajduje się na końcu przewodu śródchłonki; usuwa odpady z ucha środkowego

**Okienko przedsionka (owalne)**
*(Fenestra vestibuli [ovalis])*
Otwór, który oddziela ucho środkowe od ucha wewnętrznego; podstawa strzemiączka umocowana jest w okienku przedsionka i kontaktuje się bezpośrednio z błoną

**Woreczek**
*(Sacculus)*
Mały woreczek stanowiący część błędnika błoniastego położony wewnątrz przedsionka kostnego

**Okienko ślimaka (okrągłe)**
*(Fenestra cochleae [rotunda])*
Otwór w kości pomiędzy uchem środkowym a wewnętrznym pokryty błoną bębenkową wtórną

**Ślimak** *(Cochlea)*
Położony jest z przodu przed przedsionkiem, w jego wnętrzu znajduje się przewód ślimaka – narząd spiralny odpowiedzialny za słyszenie (dawniej nazywany narządem Cortiego)

*Złożone struktury stanowiące ucho wewnętrzne są otoczone z zewnątrz przez kość zwaną błędnikiem kostnym. Chroni ona nabłonek zmysłowy narządu słuchu oraz delikatne narządy, które wykrywają ruchy głowy.*

## Aparaty słuchowe i implanty ślimakowe

Istnieją dwie postacie głuchoty. Głuchota typu przewodzeniowego, gdy występują zaburzenia przewodzenia dźwięków, których przyczyna leży w uchu zewnętrznym i środkowym, oraz głuchota czuciowo-nerwowa występująca wtedy, gdy choroba rozwija się w ślimaku lub na drodze nerwowej pomiędzy ślimakiem a mózgiem.

Głuchotę typu przewodzeniowego można niekiedy skorygować zabiegiem operacyjnym, lecz często stosuje się elektryczne aparaty słuchowe. Taki aparat składa się z mikrofonu, wzmacniacza i baterii. Można go nosić albo za małżowiną uszną, albo zminiaturyzowany w uchu.

U pacjentów z głuchotą czuciowo-nerwową wspomaganie słuchu jest bardziej skomplikowane. Stosuje się implant ślimakowy lub sztuczne ucho. Zabieg polega na umieszczeniu mikroskopijnego mikrofonu w uchu. Mikrofon przetwarza dźwięki na impulsy elektryczne, które następnie przewodzone są przez elektrody do ślimaka, gdzie wyzwalają impulsy w nerwie przedsionkowo-ślimakowym. Metodę tę stosuje się u pacjentów, którzy mają zniszczony nabłonek zmysłowy narządu słuchu. U tych pacjentów powraca dość prymitywne słyszenie, pozwalające na odczuwanie rytmu i intensywności dźwięków.

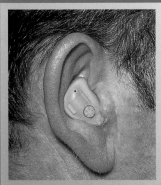

*Aparat słuchowy poprawia słyszenie u osób częściowo niedosłyszących dzięki wzmacnianiu dźwięków i przewodzeniu ich do ucha.*

*Przekaźnik z implantu ślimakowego przymocowany jest do skóry głowy. Poniżej znajduje się odbiornik. Elektrody przechodzą od odbiornika do ślimaka.*

# Wnętrze szyi

Szyja jest jednym z najbardziej złożonych anatomicznie obszarów ciała.
W obrębie szyi znajduje się wiele ważnych dla życia narządów,
w tym rdzeń kręgowy i tarczyca, które są ściśle otoczone tkanką łączną i mięśniami.

Okolica szyi obejmuje obszar pomiędzy dolną powierzchnią żuchwy a górną powierzchnią obojczyków. W obrębie tego względnie małego obszaru znajduje się wiele ważnych dla życia struktur, leżących blisko siebie między warstwami tkanki łącznej.

Najbardziej zewnętrzną warstwą szyi jest skóra. Znajdują się w niej zakończenia nerwów czuciowych pochodzące od drugiego, trzeciego i czwartego nerwu szyjnego. Na skórze widać naturalne linie napięcia (linie rozszczepienia) biegnące poziomo wokół szyi. W czasie operacji chirurgicznej cięcie wykonuje się wzdłuż tych linii, a nie w poprzek, po to by zmniejszyć bliznę.

## ŻYŁA SZYJNA ZEWNĘTRZNA

Tuż poniżej skóry znajduje się cienka warstwa podskórnej tkanki tłuszczowej oraz tkanka łączna zwana powięzią powierzchowną. W tej warstwie biegną naczynia krwionośne, takie jak żyła szyjna zewnętrzna oraz jej dopływy. Żyła ta odprowadza krew z twarzy, skóry i tkanek podskórnych głowy oraz szyi. W pobliżu tej żyły leżą powierzchowne węzły chłonne.

Inną ważną strukturą, która znajduje się w tej warstwie z przodu szyi, jest mięsień szeroki szyi, który pomaga obniżać żuchwę.

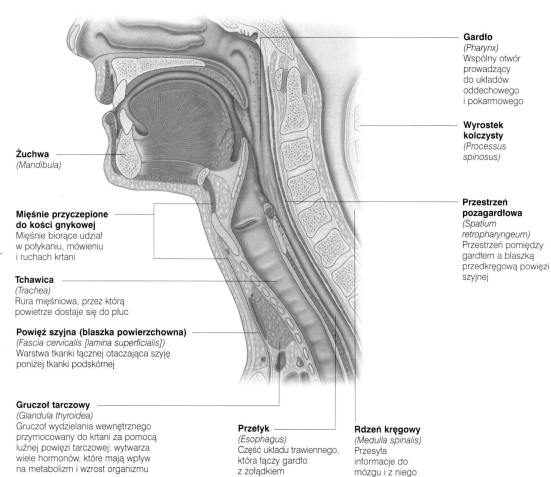

**Żuchwa**
(Mandibula)

**Mięśnie przyczepione do kości gnykowej**
Mięśnie biorące udział w połykaniu, mówieniu i ruchach krtani

**Tchawica**
(Trachea)
Rura mięśniowa, przez którą powietrze dostaje się do płuc

**Powięź szyjna (blaszka powierzchowna)**
(Fascia cervicalis [lamina superficialis])
Warstwa tkanki łącznej otaczająca szyję poniżej tkanki podskórnej

**Gruczoł tarczowy**
(Glandula thyroidea)
Gruczoł wydzielania wewnętrznego przymocowany do krtani za pomocą luźnej powięzi tarczowej; wytwarza wiele hormonów, które mają wpływ na metabolizm i wzrost organizmu

**Przełyk**
(Esophagus)
Część układu trawiennego, która łączy gardło z żołądkiem

**Gardło**
(Pharynx)
Wspólny otwór prowadzący do układów oddechowego i pokarmowego

**Wyrostek kolczysty**
(Processus spinosus)

**Przestrzeń pozagardłowa**
(Spatium retropharyngeum)
Przestrzeń pomiędzy gardłem a blaszką przedkręgową powięzi szyjnej

**Rdzeń kręgowy**
(Medulla spinalis)
Przesyła informacje do mózgu i z niego

## Węzły chłonne

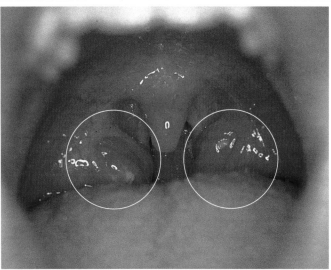

W obrębie szyi znajdują się węzły chłonne, które pełnią istotną funkcję w ochronie organizmu przed infekcjami. Węzły chłonne leżą w tkance łącznej w różnych częściach organizmu, szczególnie w pachwinach, w dole pachowym i na szyi. Tkanka chłonna występuje również w narządach takich jak śledziona i migdałki.

Zadaniem węzłów chłonnych jest filtrowanie chłonki, w której krążą po całym organizmie wyspecjalizowane komórki krwi (limfocyty). Limfocyty osiadłe

*Migdałki (w kółku) zawierają tkankę chłonną i są odpowiedzialne za zwalczanie infekcji. Są one podatne na zakażenia i zapalenia.*

w węzłach chłonnych mają również ważne znaczenie dla obrony organizmu, gdyż wytwarzają przeciwciała zwalczające infekcje.

Choroby układu chłonnego są niebezpieczne. Należą do nich:
■ obrzęk limfatyczny – będący następstwem zablokowania odpływu chłonki, które prowadzi do znacznych obrzęków. Może być wywołany przez niektóre pasożyty, uszkodzenie układu chłonnego lub wrodzone anomalie, np. chorobę Milroya;
■ zapalenie naczyń chłonnych w przebiegu ostrej infekcji paciorkowcowej.

# Przekrój poprzeczny przez szyję

Głębiej położone warstwy szyi ukazują położenie poszczególnych warstw tkanek. Łączą się one z różnymi strukturami i chronią je.

Wnikając w głąb szyi, głęboka blaszka powięzi szyi dzieli się na wiele warstw. Pasma tej powięzi otaczają różne grupy mięśni, naczynia krwionośne i nerwy, umożliwiając im poruszanie się względem siebie z niewielkim tarciem.

Pierwszą z nich jest powięź szyjna: jej blaszka powierzchowna otacza szyję i jest przyczepiona do wyrostków kolczystych kręgów szyjnych. Obejmuje ona duży mięsień mostkowo-obojczykowo--sutkowy z przodu i z boku szyi oraz mięsień czworoboczny z tyłu. Oba mięśnie odgrywają ważną rolę w ruchach głowy i szyi.

## KRTAŃ I TCHAWICA

Cienka blaszka przedtchawicza łączy gruczoł tarczowy z krtanią i tchawicą z przodu szyi. Jest ona przyczepiona do chrząstki pierścieniowatej i umożliwia wykonywanie ruchu podczas połykania.

Blaszka przedtchawicza przechodzi w osłonkę tętnicy szyjnej, żyły szyjnej wewnętrznej i nerwu błędnego. Za tchawicą leży przełyk, a powyżej krtani znajduje się gardło – rura mięśniowa, która łączy się z przełykiem.

Ostatnim, najgłębiej położonym pasmem tkanki łącznej jest blaszka przedkręgowa. Obejmuje ona pozostałe mięśnie szyi i kręgosłup z rdzeniem kręgowym. Rdzeń kręgowy wymaga największej ochrony i dlatego znajduje się w samym środku szyi.

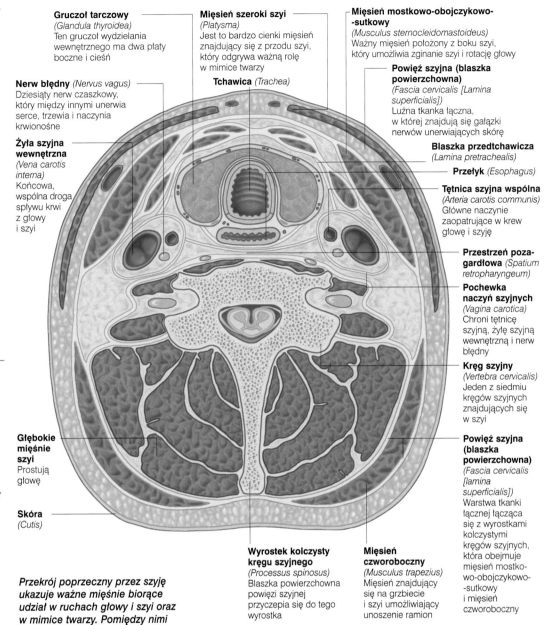

**Gruczoł tarczowy**
(Glandula thyroidea)
Ten gruczoł wydzielania wewnętrznego ma dwa płaty boczne i cieśń

**Mięsień szeroki szyi**
(Platysma)
Jest to bardzo cienki mięsień znajdujący się z przodu szyi, który odgrywa ważną rolę w mimice twarzy

**Tchawica** (Trachea)

**Mięsień mostkowo-obojczykowo--sutkowy**
(Musculus sternocleidomastoideus)
Ważny mięsień położony z boku szyi, który umożliwia zginanie szyi i rotację głowy

**Nerw błędny** (Nervus vagus)
Dziesiąty nerw czaszkowy, który między innymi unerwia serce, trzewia i naczynia krwionośne

**Żyła szyjna wewnętrzna**
(Vena carotis interna)
Końcowa, wspólna droga spływu krwi z głowy i szyi

**Powięź szyjna (blaszka powierzchowna)**
(Fascia cervicalis [Lamina superficialis])
Luźna tkanka łączna, w której znajdują się gałązki nerwów unerwiających skórę

**Blaszka przedtchawicza**
(Lamina pretrachealis)

**Przełyk** (Esophagus)

**Tętnica szyjna wspólna**
(Arteria carotis communis)
Główne naczynie zaopatrujące w krew głowę i szyję

**Przestrzeń pozagardłowa** (Spatium retropharyngeum)

**Pochewka naczyń szyjnych**
(Vagina carotica)
Chroni tętnicę szyjną, żyłę szyjną wewnętrzną i nerw błędny

**Kręg szyjny**
(Vertebra cervicalis)
Jeden z siedmiu kręgów szyjnych znajdujących się w szyi

**Głębokie mięśnie szyi**
Prostują głowę

**Skóra**
(Cutis)

**Wyrostek kolczysty kręgu szyjnego**
(Processus spinosus)
Blaszka powierzchowna powięzi szyjnej przyczepia się do tego wyrostka

**Mięsień czworoboczny**
(Musculus trapezius)
Mięsień znajdujący się na grzbiecie i szyi umożliwiający unoszenie ramion

**Powięź szyjna (blaszka powierzchowna)**
(Fascia cervicalis [lamina superficialis])
Warstwa tkanki łącznej łącząca się z wyrostkami kolczystymi kręgów szyjnych, która obejmuje mięsień mostkowo-obojczykowo--sutkowy i mięsień czworoboczny

*Przekrój poprzeczny przez szyję ukazuje ważne mięśnie biorące udział w ruchach głowy i szyi oraz w mimice twarzy. Pomiędzy nimi leży tkanka łączna i naczynia krwionośne.*

## Przestrzeń pozagardłowa

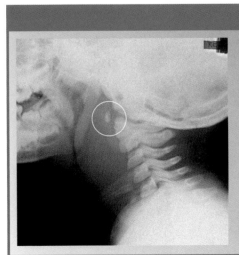

Pomiędzy różnymi warstwami powięzi znajdują się strefy znacznie luźniejszej tkanki łącznej i przestrzenie, np. przestrzeń pozagardłowa. Przestrzeń ta położona jest pomiędzy tylną ścianą gardła a blaszką przedkręgową i rozciąga się od podstawy czaszki do jamy klatki piersiowej.

Przestrzeń ta ma szczególne znaczenie kliniczne w razie szerzenia się zakażenia. Z powodu warstwowej budowy powięzi infekcja

*Przestrzeń pozagardłowa może być miejscem infekcji. Na zdjęciu radiologicznym uwidoczniono ropień przestrzeni pozagardłowej (w kółku). Może on być następstwem rozprzestrzeniania się infekcji z migdałków.*

w obrębie jamy ustnej lub zębów może przenieść się na przestrzeń pozagardłową i, rzadko, objąć narządy klatki piersiowej.

Ropień pozagardłowy rozwija się najczęściej u dzieci, gdy infekcja przenosi się dalej z jamy ustnej i migdałków. Może również rozwinąć się na skutek uszkodzenia tylnej ściany gardła przez różne przedmioty, takie jak np. patyk od lizaka.

Chory gorączkuje i uskarża się na ból podczas połykania. Znaczny obrzęk może utrudniać oddychanie. Ropień można dostrzec na zdjęciu radiologicznym z boku szyi. Leczenie obejmuje drenaż chirurgiczny ropnia oraz podawanie antybiotyków.

# Kręgosłup

Kręgosłup zapewnia naszemu ciału giętkość i sprawia, że możemy stać prosto. Chroni on również delikatny rdzeń kręgowy.

Kręgosłup stanowi część szkieletu, podpiera czaszkę oraz łączy się z kośćmi miednicy, stanowiąc podparcie dla kończyn dolnych. Poza oczywistym znaczeniem dla postawy i ruchów ciała kręgosłup otacza i chroni rdzeń kręgowy. Podobnie jak we wszystkich kościach szpik w kościach kręgosłupa jest źródłem komórek krwi oraz zapasowym źródłem jonów wapnia.

Patrząc z boku na kręgosłup, można zauważyć cztery krzywizny. Krzywizna odcinka szyjnego i lędźwiowego skierowana jest wypukłością do przodu, a odcinka piersiowego i krzyżowego do tyłu. Krzywizna odcinka szyjnego tworzy się w niemowlęctwie, gdy dziecko uczy się trzymać głowę prosto, a krzywizna lędźwiowa trochę później, gdy dziecko uczy się chodzić.

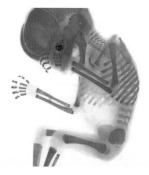

*Kręgosłup płodu ma tylko jedną krzywiznę w odcinkach piersiowym i krzyżowym. Inne krzywizny powstają z chwilą, gdy dziecko zaczyna siadać, stać i chodzić.*

**Widok z przodu**

**Widok z boku**

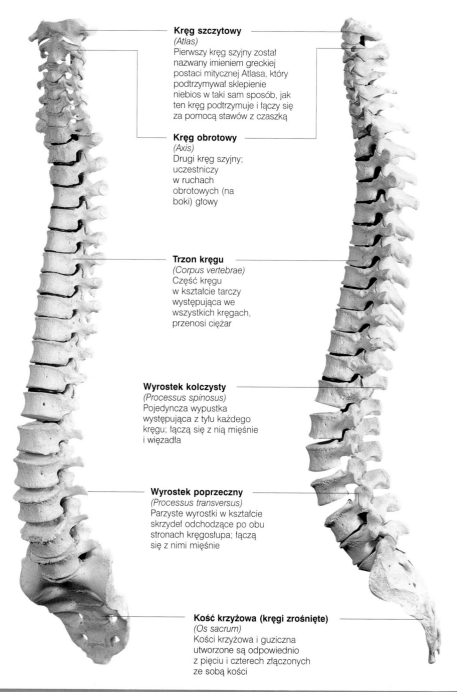

**Kręg szczytowy**
*(Atlas)*
Pierwszy kręg szyjny został nazwany imieniem greckiej postaci mitycznej Atlasa, który podtrzymywał sklepienie niebios w taki sam sposób, jak ten kręg podtrzymuje i łączy się za pomocą stawów z czaszką

**Kręg obrotowy**
*(Axis)*
Drugi kręg szyjny; uczestniczy w ruchach obrotowych (na boki) głowy

**Trzon kręgu**
*(Corpus vertebrae)*
Część kręgu w kształcie tarczy występująca we wszystkich kręgach, przenosi ciężar

**Wyrostek kolczysty**
*(Processus spinosus)*
Pojedyncza wypustka występująca z tyłu każdego kręgu; łączą się z nią mięśnie i więzadła

**Wyrostek poprzeczny**
*(Processus transversus)*
Parzyste wyrostki w kształcie skrzydeł odchodzące po obu stronach kręgosłupa; łączą się z nimi mięśnie

**Kość krzyżowa (kręgi zrośnięte)**
*(Os sacrum)*
Kości krzyżowa i guziczna utworzone są odpowiednio z pięciu i czterech złączonych ze sobą kości

## Krążki międzykręgowe

Pomiędzy trzonami poszczególnych kręgów znajdują się krążki międzykręgowe. Każdy krążek międzykręgowy zbudowany jest z tkanki łącznej z leżącym w środku miękkim galaretowatym jądrem miażdżystym i otaczającego je pierścienia włóknistego.

Krążki międzykręgowe stanowią około 25% całej długości kręgosłupa. Są one elastyczne i ulegają kompresji w czasie dnia, co oznacza, że pod koniec dnia jesteśmy o kilka centymetrów niżsi niż z samego rana. Krążki międzykręgowe umożliwiają wykonywanie szerokiego zakresu ruchów i amortyzują wstrząsy, chroniąc kręgosłup przed nadmiernym obciążeniem.

Krążek międzykręgowy może wypaść (*prolapsus*) do tyłu, powodując ucisk na nerwy rdzeniowe i ból. Odpoczynek często przynosi ulgę, lecz czasami konieczne jest leczenie chirurgiczne.

Z wiekiem krążki międzykręgowe stają się cieńsze, co częściowo odpowiada za zmniejszanie się wzrostu osób starszych.

*Na zdjęciu widać krążki międzykręgowe w kształcie poduszki. Zapewniają one kręgosłupowi giętkość.*

# Połączenia kręgów

Kręgosłup dzieli się na pięć odcinków. Każdy odcinek ma określoną funkcję. Wszystkie razem zapewniają stabilność całego szkieletu.

Kręgosłup utworzony jest z 33 kości, nazywanych kręgami. Jest siedem kręgów szyjnych, dwanaście piersiowych, pięć lędźwiowych, pięć krzyżowych i cztery guziczne. Kręgi szyjne, piersiowe i lędźwiowe są oddzielnymi kośćmi, natomiast kręgi krzyżowe i guziczne są ze sobą zrośnięte (nieruchome). Wzdłuż kręgosłupa widać pewne różnice. Zostaną one omówione na kolejnych stronach.

### BUDOWA KRĘGU

Każdy kręg ma podobną budowę i składa się z trzonu znajdującego się z przodu i łuku z tyłu. Łuk ten otacza i chroni rdzeń kręgowy. Od łuku odchodzą wyrostki poprzeczne oraz wyrostek kolczysty, do których przyczepione są więzadła i mięśnie. Sąsiadujące ze sobą kręgi łączą się za pomocą powierzchni stawowych, dzięki czemu możliwe jest wykonywanie ruchów. Zakres ruchów pomiędzy sąsiednimi kręgami jest względnie mały, lecz gdy zsumuje się je na całej długości kręgosłupa, okazuje się, że tułów ma znaczną ruchomość.

Nerwy wychodzą z rdzenia kręgowego i wchodzą do niego przez otwory międzykręgowe, które znajdują się pomiędzy sąsiednimi kręgami.

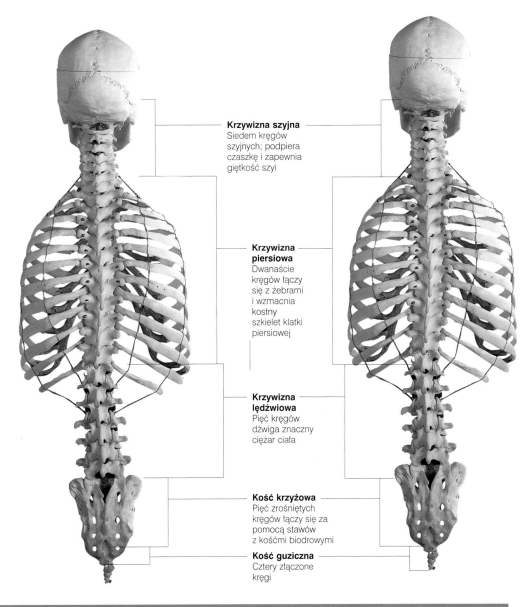

**Krzywizna szyjna**
Siedem kręgów szyjnych; podpiera czaszkę i zapewnia giętkość szyi

**Krzywizna piersiowa**
Dwanaście kręgów łączy się z żebrami i wzmacnia kostny szkielet klatki piersiowej

**Krzywizna lędźwiowa**
Pięć kręgów dźwiga znaczny ciężar ciała

**Kość krzyżowa**
Pięć zrośniętych kręgów łączy się za pomocą stawów z kośćmi biodrowymi

**Kość guziczna**
Cztery złączone kręgi

## Choroby kręgosłupa

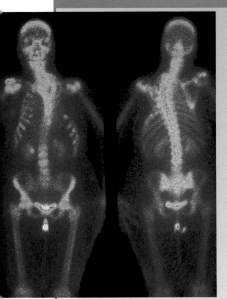

W kręgach i ich stawach występują te same choroby jak w innych kościach, takie jak osteoporoza, zmiany zwyrodnieniowe stawów oraz reumatoidalne zapalenie stawów. W kręgach dochodzi również do złamań, które są bardzo niebezpieczne ze względu na bliskość rdzenia kręgowego.

Rozszczep kręgosłupa (spina bifida) jest wadą wrodzoną, która polega na braku zespolenia tylnych łuków kręgowych w linii pośrodkowej ciała. Przez ubytek w kości mogą się uwypuklać opony, niekiedy łącznie z rdzeniem kręgowym.

*Skrzywienie boczne kręgosłupa (skolioza) jest nieprawidłowym wygięciem kręgosłupa w odcinku piersiowym. Koryguje się je chirurgicznie lub za pomocą aparatu korekcyjnego.*

Stan ten jest następstwem zaburzenia rozwoju płodowego. Zwykle można go wykryć w badaniu ultrasonograficznym po 16. tygodniu ciąży. Łagodne przypadki obejmujące zwykle odcinek lędźwiowo-krzyżowy kręgosłupa bywają jednak nierozpoznane. W najcięższych przypadkach choroba może dotknąć cały kręgo-

słup (i czaszkę). Mogą jej towarzyszyć nieprawidłowości w obrębie mózgu, np. wodogłowie.

*W rozszczepie kręgosłupa rdzeń kręgowy i otaczające go opony wystają poza skórę. Częstym objawem jest porażenie kończyn dolnych.*

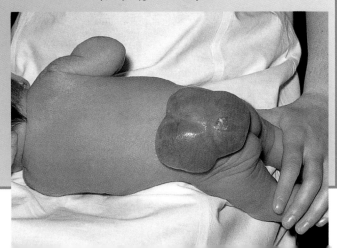

# Kręgi szyjne

Istnieje siedem kręgów szyjnych, które wspólnie tworzą szkielet szyi.
Kręgi te chronią rdzeń kręgowy, są podporą dla czaszki
i umożliwiają wykonywanie szerokiego zakresu ruchów.

Spośród siedmiu kręgów szyjnych pięć dolnych ma podobną budowę, choć kręg siódmy ma pewne wyróżniające go cechy. Pierwszy kręg szyjny szczytowy (atlas) i drugi kręg obrotowy mają odmienną budowę związaną z obecnością połączeń stawowych pomiędzy kręgosłupem a czaszką.

### TYPOWY KRĘG SZYJNY

Kręgi szyjne od trzeciego do szóstego zbudowane są z dwóch głównych elementów, trzonu znajdującego się z przodu i łuku z tyłu. Otaczają one otwór, który jest częścią kręgosłupa i wspólnie tworzą kanał kręgowy. Trzon tych kręgów jest mniejszy niż kręgów w pozostałych odcinkach kręgosłupa, a jego kształt jest zbliżony do walca.

W łuku kręgowym można wyróżnić dwa główne elementy. W nasadach łuku kręgowego, łączących się z trzonem kręgu, znajdują się zagłębienia, przez które przechodzą nerwy rdzeniowe. Blaszki łuku kręgowego są cienkimi płytkami kostnymi, które kierują się ku tyłowi i zrastają ze sobą w linii pośrodkowej i rozdzielają na końcu.

Z każdym łukiem wiąże się para wyrostków poprzecznych, do których przyczepione są mięśnie umożliwiające wykonywanie ruchów. Zawierają one otwory, przez które przechodzą naczynia krwionośne.

**Widok od przodu**

**Widok z boku**

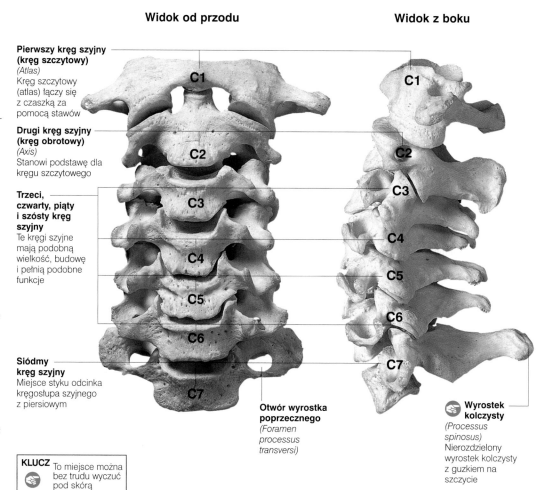

**Pierwszy kręg szyjny (kręg szczytowy)**
*(Atlas)*
Kręg szczytowy (atlas) łączy się z czaszką za pomocą stawów

**Drugi kręg szyjny (kręg obrotowy)**
*(Axis)*
Stanowi podstawę dla kręgu szczytowego

**Trzeci, czwarty, piąty i szósty kręg szyjny**
Te kręgi szyjne mają podobną wielkość, budowę i pełnią podobne funkcje

**Siódmy kręg szyjny**
Miejsce styku odcinka kręgosłupa szyjnego z piersiowym

C1
C2
C3
C4
C5
C6
C7

**Otwór wyrostka poprzecznego**
*(Foramen processus transversi)*

**Wyrostek kolczysty**
*(Processus spinosus)*
Nierozdzielony wyrostek kolczysty z guzkiem na szczycie

**KLUCZ** To miejsce można bez trudu wyczuć pod skórą

## Uszkodzenie kręgosłupa szyjnego

*Po urazie ruchy głowy mogą być ograniczone przez kołnierz ortopedyczny. Zmniejsza to ryzyko uszkodzenia rdzenia kręgowego.*

Przemieszczenie (zwichnięcie) kręgów szyjnych jest bardzo groźne, gdyż każdy brak stabilności w tej okolicy może prowadzić do przerwania ciągłości rdzenia kręgowego przez ostry brzeg kręgu szyjnego.

Mięsień przepony niezbędny do oddychania jest unerwiany głównie przez czwarty nerw rdzeniowy, a przecięcie rdzenia kręgowego powyżej tego poziomu powoduje zgon. Gdy rozważa się miejsce przecięcia, różnice zaledwie kilku milimetrów decydują o życiu i śmierci. Dlatego niezwykle ważne jest, by na miejscu wypadku, jeśli

nie można wykluczyć urazu kręgosłupa szyjnego, nie poruszać chorego do czasu fachowej oceny i odpowiedniego zabezpieczenia.

W wyniku silnego urazu głowy może dojść do złamania zęba kręgu obrotowego (masywnego wyrostka kostnego wystającego z kręgu obrotowego), który łączy się za pomocą stawu z kręgiem szczytowym (atlasem). Dla właściwej oceny należy wykonać badanie radiologiczne, ponieważ nie przy każdym złamaniu występuje przemieszczenie fragmentu kostnego. Jeśli dojdzie do przemieszczenia się fragmentu tej kości, zwykle kończy się to zgonem. Uraz może też spowodować zwichnięcie, w miejscu gdzie szyja jest najbardziej ruchoma, czyli

pomiędzy czwartym a piątym i piątym a szóstym kręgiem.

W stawach maziówkowych kręgosłupa szyjnego tak jak we wszystkich innych stawach tego typu może rozwinąć się reumatoidalne zapalenie stawów. Jest to choroba o podłożu autoimmunologicznym, która powoduje powstanie stanu zapalnego na powierzchni stawowej i prowadzi do zniszczenia kości i zniekształcenia stawów.

Może to być bardzo niebezpieczne, jeśli dojdzie do podwichnięcia w stawie między zębem kręgu obrotowego i kręgiem szczytowym, gdy obie kości kontaktują się ze sobą, lecz nie znajdują się w jednej linii zęba. Ząb może uciskać na rdzeń przedłużony, w którym znajdują się ważne dla życia ośrodki.

# Badanie kręgosłupa szyjnego

Pierwszy, drugi i trzeci
kręg szyjny różnią się
budową od innych,
co jest związane z ich
wyjątkową funkcją.

### PIERWSZY KRĘG SZYJNY

Pierwszy kręg szyjny (kręg
szczytowy lub atlas) łączy się za
pomocą stawów z kośćmi czaszki.
W odróżnieniu od innych kręgów
nie ma on trzonu, który włączony
jest do drugiego kręgu szyjnego
w postaci tzw. zęba. Ponieważ nie
ma wyrostków, przyjmuje postać
cienkiego pierścienia, w którym
występują przedni i tylny łuk. Na
powierzchni tego pierścienia
znajdują się rowki, przez które
przechodzą tętnice kręgowe,
by potem wniknąć przez otwór
wielki do czaszki.

### DRUGI KRĘG SZYJNY

Drugim kręgiem szyjnym jest kręg
obrotowy. Od innych kręgów
szyjnych odróżnia go obecność
wyrostka kostnego, tzw. zęba,
który łączy się za pomocą stawu
z powierzchnią stawową znajdującą
się z przodu, na dolnej powierzchni
kręgu szczytowego. W tym stawie
odbywa się obrót głowy na boki.
  Trzon kręgu obrotowego
przypomina kształtem trzony
innych kręgów.

### SIÓDMY KRĘG SZYJNY

Ten kręg ma największy ze
wszystkich kręgów wyrostek
kolczysty i jest pierwszym kręgiem,
który można łatwo wyczuć.
Nazywany jest kręgiem wystającym.
  Wyrostki poprzeczne są również
większe niż w pozostałych kręgach
szyjnych, a przez otwór owalny
wyrostka poprzecznego przechodzi
żyła kręgowa dodatkowa.

## Pierwszy kręg szyjny (kręg szczytowy, atlas)

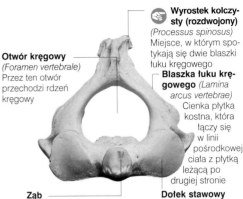

**Bruzda tętnicy kręgowej**
*(Sulcus arteriae vertebralis)*
W bruździe tej
znajduje się
tętnica kręgowa
i pierwszy nerw
szyjny

**Guzek tylny**
*(Tuberculum posterius)*
Nie ma wyrostka kolczystego

**Dołek zębowy**
*(Fovea dentis)*
Miejsce, w którym
łączą się ze sobą
pierwszy i drugi
kręg szyjny za
pomocą stawu

**Wyrostek poprzeczny**
*(Processus transversus)*
Wystająca część kości,
do której przyczepione
są mięśnie

## Drugi kręg szyjny (kręg obrotowy, axis)

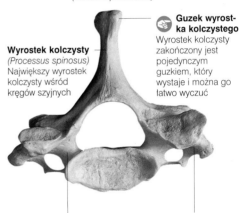

**Wyrostek kolczysty (rozdwojony)**
*(Processus spinosus)*
Miejsce, w którym spotykają się dwie blaszki łuku kręgowego

**Otwór kręgowy**
*(Foramen vertebrale)*
Przez ten otwór
przechodzi rdzeń
kręgowy

**Blaszka łuku kręgowego** *(Lamina arcus vertebrae)*
Cienka płytka
kostna, która
łączy się
w linii
pośrodkowej
ciała z płytką
leżącą po
drugiej stronie

**Ząb**
*(Dens)*
Wystaje do góry
z przedniej powierzchni
trzonu kręgu i pełni
funkcję trzonu
pierwszego kręgu

**Dołek stawowy górny**
*(Fovea articularis superior)*
Łączy się za pomocą
stawu z boczną
powierzchnią kręgu
szczytowego

## Piąty (typowy) kręg szyjny

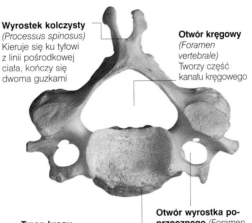

**Wyrostek kolczysty**
*(Processus spinosus)*
Kieruje się ku tyłowi
z linii pośrodkowej
ciała, kończy się
dwoma guzkami

**Otwór kręgowy**
*(Foramen vertebrale)*
Tworzy część
kanału kręgowego

**Trzon kręgu**
*(Corpus vertebrae)*
Mniejszy niż trzony kręgów
w innych odcinkach
kręgosłupa

**Otwór wyrostka poprzecznego** *(Foramen processus transversus)*
Przez otwór wyrostka
poprzecznego przechodzą
naczynia krwionośne

## Siódmy kręg szyjny (kręg wystający)
*(Vertebra prominens)*

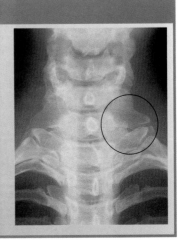

**Guzek wyrostka kolczystego**
Wyrostek kolczysty
zakończony jest
pojedynczym
guzkiem, który
wystaje i można go
łatwo wyczuć

**Wyrostek kolczysty**
*(Processus spinosus)*
Największy wyrostek
kolczysty wśród
kręgów szyjnych

**Nasada łuku kręgowego**
*(Pediculus arcus vertebrae)*
Wgłębiona powierzchnia,
przez którą przechodzą
nerwy kręgowe

**Wyrostek poprzeczny**
*(Processus transversus)*
Większy niż w pozostałych
kręgach

## Zaburzenia rozwojowe w szyi

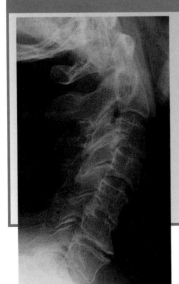

Wyrośla kostne lub osteofity
występujące w kręgach w miejscach
przechodzenia nerwów rdzeniowych
mogą uciskać na nerwy. Może to
powodować ból i cierpnięcia
w okolicy unerwianej przez określony
nerw. Ponieważ dolne szyjne nerwy
rdzeniowe tworzą splot ramienny,
objawy te mogą występować
w obrębie ręki.

*Osteofity powstają zwykle
w przebiegu zmian
zwyrodnieniowych kości
i stawów. Powodują ból
i upośledzenie ruchów szyi.*

U około 0,5% osób stwierdza się
małe żebro szyjne, zwykle w okolicy
siódmego kręgu szyjnego. Choć na
ogół nie powoduje ono żadnych
objawów, jednak czasami zaburza
przepływ krwi przez tętnicę podobojczykową. Tętnica ta doprowadza
krew do kończyny górnej, a w razie
nieodpowiedniego przepływu krwi
może dochodzić do bólu kończyny.

*Żebro szyjne spowodowane jest
nadmiernym wydłużeniem
wyrostka poprzecznego kręgu
szyjnego w kierunku żeber
piersiowych.*

# Mięśnie szyi

Mięśnie położone z przodu szyi dzielą się na dwie grupy: mięśnie zlokalizowane nad i pod kością gnykową. Łączą się one z kością gnykową i podnoszą ją oraz opuszczają podczas połykania.

Dwie grupy mięśni biegną równolegle wzdłuż przedniego odcinka szyi od żuchwy do mostka. Mięśnie te biorą udział w ruchach żuchwy, kości gnykowej oraz krtani i mają szczególne znaczenie podczas połykania. Kość gnykowa dzieli te mięśnie na dwie grupy – jedną położoną powyżej kości gnykowej, a drugą poniżej.

## MIĘŚNIE NADGNYKOWE

Jest to grupa mięśni występujących parzyście, które leżą pomiędzy żuchwą a kością gnykową. Mięśnie dwubrzuścowe mają dwa brzuśce wrzecionowatego kształtu łączące się w połowie za pomocą ścięgna. Brzusiec przedni łączy się z żuchwą w pobliżu linii pośrodkowej, a brzusiec tylny z podstawą czaszki. Łączące je ścięgno przesuwa się wolno przez włóknistą „pętlę", która łączy się z kością gnykową.

Mały mięsień rylcowo-gnykowy, który łączy wyrostek rylcowaty czaszki z kością gnykową, biegnie do przodu i w dół. Wyrastające z tyłu żuchwy po obu jej stronach mięśnie żuchwowo-gnykowe łączą się w linii środkowej ciała i tworzą dno jamy ustnej, a od tyłu łączą się z kością gnykową. Mięsień bródkowo-gnykowy jest wąskim mięśniem, który biegnie w linii pośrodkowej wzdłuż dna jamy ustnej od tyłu żuchwy do kości gnykowej.

## Mięśnie podgnykowe i nadgnykowe

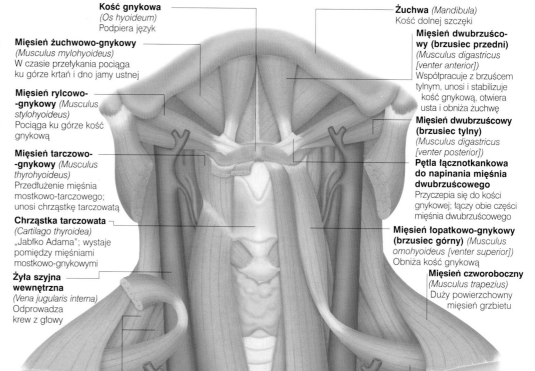

**Kość gnykowa**
*(Os hyoideum)*
Podpiera język

**Mięsień żuchwowo-gnykowy**
*(Musculus mylohyoideus)*
W czasie przełykania pociąga ku górze krtań i dno jamy ustnej

**Mięsień rylcowo--gnykowy** *(Musculus stylohyoideus)*
Pociąga ku górze kość gnykową

**Mięsień tarczowo--gnykowy** *(Musculus thyrohyoideus)*
Przedłużenie mięśnia mostkowo-tarczowego; unosi chrząstkę tarczowatą

**Chrząstka tarczowata**
*(Cartilago thyroidea)*
„Jabłko Adama"; wystaje pomiędzy mięśniami mostkowo-gnykowymi

**Żyła szyjna wewnętrzna**
*(Vena jugularis interna)*
Odprowadza krew z głowy

**Obojczyk**
*Clavicula*

**Mięsień pochyły**
*(Musculus scalenus)*
Unosi pierwsze dwa żebra podczas wdechu

**Mięsień mostkowo-gnykowy (odcięty)** *(Musculus sternohyoideus)*

**Musculus mostkowo-tarczowy**
*(Musculus sternothyroideus)*
Obniża chrząstkę tarczowatą

**Mięsień mostkowo--gnykowy**
*(Musculus sternohyoideus)*
Obniża krtań

**Żuchwa** *(Mandibula)*
Kość dolnej szczęki

**Mięsień dwubrzuśco--wy (brzusiec przedni)**
*(Musculus digastricus [venter anterior])*
Współpracuje z brzuścem tylnym, unosi i stabilizuje kość gnykową, otwiera usta i obniża żuchwę

**Mięsień dwubrzuścowy (brzusiec tylny)**
*(Musculus digastricus [venter posterior])*

**Pętla łącznotkankowa do napinania mięśnia dwubrzuścowego**
Przyczepia się do kości gnykowej; łączy obie części mięśnia dwubrzuścowego

**Mięsień łopatkowo-gnykowy (brzusiec górny)** *(Musculus omohyoideus [venter superior])*
Obniża kość gnykową

**Mięsień czworoboczny**
*(Musculus trapezius)*
Duży powierzchowny mięsień grzbietu

**Mięsień łopatkowo-gnykowy (brzusiec dolny)**
*(Musculus omohyoideus [venter inferior])*
Obniża kość gnykową

## Mięśnie podgnykowe i mięsień szeroki szyi

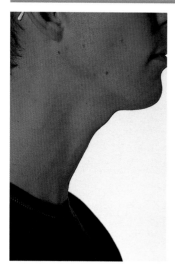
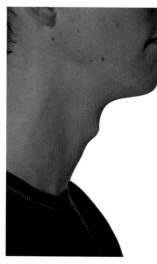

Grupa mięśni podgnykowych rozciąga się od kości gnykowej do mostka. W jej skład wchodzą mięśnie mostkowo-gnykowy i mięsień łopatkowo-gnykowy oraz leżące obok siebie nieco głębiej, ale w tej samej płaszczyźnie mięśnie tarczowo--gnykowe i mostkowo-gnykowe. Ze względu na ich płaski kształt nazywa się je „mięśniami paskowymi". Po połknięciu mięśnie podgnykowe przywracają kość gnykową i krtań do wcześniejszej pozycji.

*Krtań i kość gnykowa w czasie połykania pociągane są ku górze przez mięśnie nadgnykowe (fot. pierwsza z lewej). Mięśnie podgnykowe sprowadzają te struktury do ich wyjściowej pozycji (fot. obok).*

Mięsień szeroki szyi jest cienkim, płaskim mięśniem, który leży tuż pod skórą z przodu szyi, w tkance łącznej podskórnej. Rozciąga się on od warstwy powięzi głębokiej pokrywającej mięsień górnego odcinka klatki piersiowej do żuchwy, a niektóre włókna biegną aż do kącików ust. W dolnym odcinku dwie części mięśnia leżą oddzielnie, w miarę wznoszenia się stopniowo zbliżają się i na podbródku nachodzą na siebie.

Ponieważ włókna mięśnia szerokiego szyi przyczepione są do podbródka i ust, jego rola jako mięśnia mimicznego twarzy jest niewielka. Skurcz mięśnia umożliwia obniżenie wargi dolnej, by pokazać zęby.

# Czynność mięśni szyi

Grupy mięśni nadgnykowych i podgnykowych działają przeciwstawnie na krtań i kość gnykową. Umożliwiają one wykonanie aktu połykania.

Mięsień żuchwowo-gnykowy, bródkowo-gnykowy i brzusiec przedni mięśnia dwubrzuścowego współdziałają podczas połykania oraz pociągają do góry i do przodu krtań wraz z kością gnykową. Umożliwiają one również otwarcie jamy ustnej w razie oporu z zewnątrz.

Mięsień rylcowo-gnykowy oraz tylny brzusiec mięśnia dwubrzuścowego podnoszą i przesuwają ku tyłowi kość gnykową i krtań. Mięśnie nadgnykowe można zbadać, gdy pacjent otworzy szeroko usta, a my temu przeciwdziałamy.

### DZIAŁANIE PRZECIWSTAWNE

Po zakończeniu połykania grupa mięśni położonych poniżej kości gnykowej wspólnie przesuwa kość gnykową i krtań w tył i do dołu do jej pozycji wyjściowej. Podczas skurczu mięśnie podgnykowe obniżają i ustalają położenie kości gnykowej, tak aby mięśnie nadgnykowe, kurcząc się, otworzyły usta.

Mięśnie podgnykowe można zbadać, gdy pacjent otwiera usta, podczas gdy lekarz delikatnie przytrzymuje kość gnykową. Kość gnykowa powinna przesunąć się ku dołowi, gdyż opuszczają ją i ustalają w tym położeniu mięśnie leżące poniżej. W razie wystąpienia osłabienia mięśni podgnykowych kość gnykowa unosi się, ponieważ brak jest przeciwdziałania mięśni położonych poniżej.

## Czynność mięśni podgnykowych i nadgnykowych

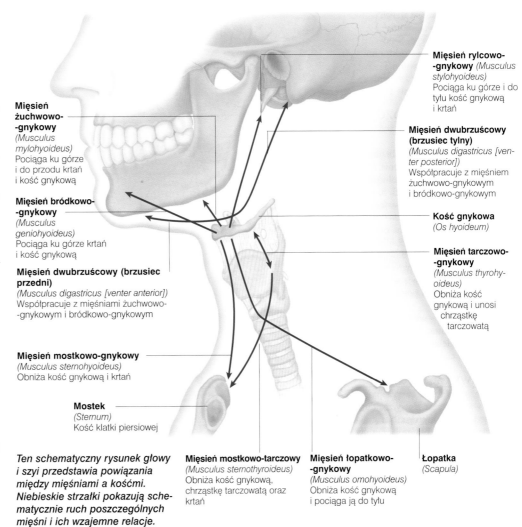

**Mięsień rylcowo--gnykowy** *(Musculus stylohyoideus)* Pociąga ku górze i do tyłu kość gnykową i krtań

**Mięsień dwubrzuścowy (brzusiec tylny)** *(Musculus digastricus [venter posterior])* Współpracuje z mięśniem żuchwowo-gnykowym i bródkowo-gnykowym

**Kość gnykowa** *(Os hyoideum)*

**Mięsień tarczowo--gnykowy** *(Musculus thyrohyoideus)* Obniża kość gnykową i unosi chrząstkę tarczowatą

**Mięsień żuchwowo--gnykowy** *(Musculus mylohyoideus)* Pociąga ku górze i do przodu krtań i kość gnykową

**Mięsień bródkowo--gnykowy** *(Musculus geniohyoideus)* Pociąga ku górze krtań i kość gnykową

**Mięsień dwubrzuścowy (brzusiec przedni)** *(Musculus digastricus [venter anterior])* Współpracuje z mięśniami żuchwowo--gnykowym i bródkowo-gnykowym

**Mięsień mostkowo-gnykowy** *(Musculus sternohyoideus)* Obniża kość gnykową i krtań

**Mostek** *(Sternum)* Kość klatki piersiowej

*Ten schematyczny rysunek głowy i szyi przedstawia powiązania między mięśniami a kośćmi. Niebieskie strzałki pokazują schematycznie ruch poszczególnych mięśni i ich wzajemne relacje.*

**Mięsień mostkowo-tarczowy** *(Musculus sternothyroideus)* Obniża kość gnykową, chrząstkę tarczowatą oraz krtań

**Mięsień łopatkowo--gnykowy** *(Musculus omohyoideus)* Obniża kość gnykową i pociąga ją do tyłu

**Łopatka** *(Scapula)*

## Kość gnykowa

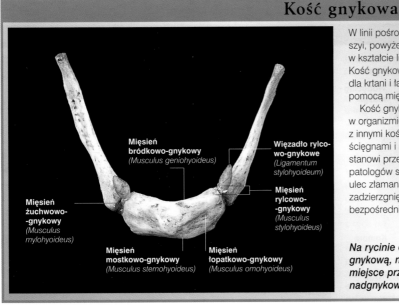

**Mięsień bródkowo-gnykowy** *(Musculus geniohyoideus)*

**Więzadło rylcowo-wo-gnykowe** *(Ligamentum stylohyoideum)*

**Mięsień żuchwowo--gnykowy** *(Musculus mylohyoideus)*

**Mięsień rylcowo--gnykowy** *(Musculus stylohyoideus)*

**Mięsień mostkowo-gnykowy** *(Musculus sternohyoideus)*

**Mięsień łopatkowo-gnykowy** *(Musculus omohyoideus)*

W linii pośrodkowej ciała z przodu szyi, powyżej krtani, leży mała kość w kształcie litery U – kość gnykowa. Kość gnykowa jest od góry podporą dla krtani i łączy się z żuchwą za pomocą mięśni oraz ścięgien.

Kość gnykowa jest jedyną kością w organizmie, która nie łączy się z innymi kośćmi, lecz tylko ze ścięgnami i mięśniami. Kość ta stanowi przedmiot zainteresowania patologów sądowych, gdyż może ulec złamaniu podczas zadzierzgnięcia, co stanowi bezpośrednią przyczynę zgonu.

*Na rycinie obok widać kość gnykową, na której zaznaczono miejsce przyczepu mięśni nadgnykowych i podgnykowych.*

W czasie połykania obserwuje się wiele szybko następujących po sobie ruchów tylnego odcinka jamy ustnej, części krtaniowej gardła i szyi. Na początku połykania mięśnie nadgnykowe pociągają kość gnykową do góry i ku przodowi w kierunku żuchwy.

Kość gnykowa jest połączona z krtanią za pomocą mięśni i więzadeł, tak że krtań jest również pociągana do góry i ku przodowi. Można to zaobserwować, patrząc na unoszące się na szyi „jabłko Adama".

Ruch krtani poszerza część krtaniową gardła położoną tuż za krtanią, przez co umożliwia przejście kęsa pokarmu. Ważne jest również to, że pomaga zamknąć wejście do dróg oddechowych, co zapobiega przedostaniu się tam pokarmu.

# Krtań

Krtań znajduje się w obrębie szyi poniżej i z przodu gardła. Chroni ona wejście do płuc.
Znajdują się w niej fałdy głosowe zwane potocznie strunami głosowymi.
U mężczyzn krtań jest widoczna na szyi w postaci jabłka Adama.

W krtani można wyróżnić pięć chrząstek (trzy pojedyncze i jedną parzystą), które połączone są za pomocą błon, więzadeł i mięśni. U dorosłego mężczyzny krtań leży na wysokości od trzeciego do szóstego kręgu szyjnego (nieco wyżej u kobiet i dzieci), pomiędzy podstawą języka a tchawicą.

Krtań jest początkowym odcinkiem dolnych dróg oddechowych i przewodzi powietrze z nosa i ust do tchawicy. Ponieważ pokarm i powietrze wykorzystują tę samą drogę, pierwotną funkcją krtani jest ochrona dróg oddechowych przed wniknięciem do nich pokarmów stałych i płynnych. Pomagają w tym trzy mięśnie zwieracze oraz unoszenie krtani. Krtań jest również narządem fonacji – wytwarzania dźwięków umożliwiającym mówienie (narząd głosowy).

### CHRZĄSTKI KRTANI

U większości mężczyzn łatwo jest dostrzec chrząstkę tarczowatą (tzw. jabłko Adama). U mężczyzn chrząstka ta wystaje do przodu bardziej niż u kobiet, co jest spowodowane działaniem testosteronu.

Chrząstka tarczowata ma z tyłu po dwa wystające rogi – róg górny i dolny. Chrząstka pierścieniowata jest jedyną, która tworzy pełen pierścień chrzęstny w drogach oddechowych. Od góry nachodzi na nią częściowo chrząstka tarczowata.

**Przekrój w płaszczyźnie strzałkowej**

**Widok od przodu**

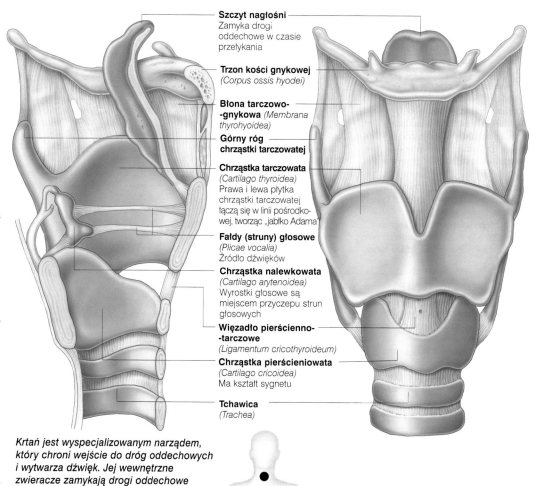

**Szczyt nagłośni**
Zamyka drogi oddechowe w czasie przełykania

**Trzon kości gnykowej**
*(Corpus ossis hyodei)*

**Błona tarczowo-gnykowa** *(Membrana thyrohyoidea)*

**Górny róg chrząstki tarczowatej**

**Chrząstka tarczowata** *(Cartilago thyroidea)*
Prawa i lewa płytka chrząstki tarczowatej łączą się w linii pośrodkowej, tworząc „jabłko Adama"

**Fałdy (struny) głosowe** *(Plicae vocalia)*
Źródło dźwięków

**Chrząstka nalewkowata** *(Cartilago arytenoidea)*
Wyrostki głosowe są miejscem przyczepu strun głosowych

**Więzadło pierścienno-tarczowe** *(Ligamentum cricothyroideum)*

**Chrząstka pierścieniowata** *(Cartilago cricoidea)*
Ma kształt sygnetu

**Tchawica** *(Trachea)*

*Krtań jest wyspecjalizowanym narządem, który chroni wejście do dróg oddechowych i wytwarza dźwięk. Jej wewnętrzne zwieracze zamykają drogi oddechowe w czasie przełykania.*

---

## Wnętrze krtani

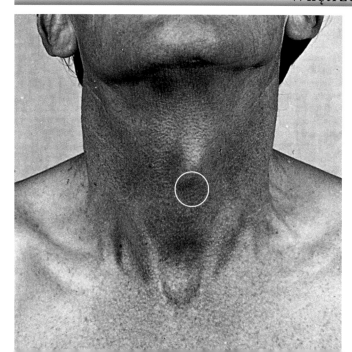

*Okolica zaznaczona kółkiem, tuż poniżej tzw. jabłka Adama, jest miejscem, w którym w nagłych sytuacjach wykonuje się nacięcie więzadła pierścienno-tarczowego.*

Struny głosowe biegną od nalewek do wewnętrznej powierzchni chrząstki tarczowatej. Można je zobaczyć, umieszczając lusterko lub giętki laryngoskop w gardle. Są one koloru białego.

Wnętrze krtani jest wysłane błoną śluzową, która rozciąga się od wolnego brzegu nagłośni fałdów nalewkowo-nagłośniowych (obejmuje mięśnie nalewkowo-nagłośniowe), wyściela wejście do krtani, schodzi w dół nad dwoma więzadłami przedsionkowymi i tworzy dwa fałdy błony śluzowej (fałdy

przedsionkowe). Następnie rozciąga się bocznie, wnika w zachyłki położone obustronnie i pokrywa więzadła głosowe odpowiednich strun głosowych. Głośnia jest szczeliną położoną pomiędzy strunami głosowymi z przodu a chrząstką nalewkową z tyłu.

W razie „zatkania" przez ciało obce oddychanie staje się bardzo utrudnione. W takiej sytuacji może być konieczne niezwłoczne wykonanie zabiegu przywracającego drożność dróg oddechowych: w więzadle pierścienno-tarczowym robi się mały otwór, aby umożliwić przedostanie się powietrza do krtani położonej poniżej przeszkody. Zabieg ten nazywa się laryngostomią i jest zabiegiem ratującym życie.

# Mięśnie krtani

Mięśnie krtani zamykają wejście do dróg oddechowych w czasie przełykania i poruszają strunami głosowymi, wytwarzając dźwięki.

Podczas połykania nagłośnia unosi się wraz z resztą krtani. Przednia powierzchnia uderza w tylną część języka, który przesuwa się nad wejście do krtani.

### FAŁDY NALEWKOWO-NAGŁOŚNIOWE

Fałdy nalewkowo-nagłośniowe stanowią górny wolny brzeg błon, które rozciągają się pomiędzy nagłośnią a chrząstkami nalewkowymi. Zawierają parę przebiegających poprzecznie i skośnie mięśni nalewkowo-nagłośniowych. Biegną one od wyrostków mięśniowych przeciwległych chrząstek nalewkowych i łączą się z bokiem nagłośni. Działają jak zacisk, zamykając wejście do krtani. Dolne odcinki każdej z błon czworokątnych tworzą fałdy przedsionka, tzw. fałszywe struny głosowe.

### GRUCZOŁY ŚLUZOWE

Błony czworokątne są pokryte błoną śluzową i błoną podśluzową, w której znajduje się dużo gruczołów śluzowych. Łączą się one z wewnętrzną powierzchnią chrząstek tarczowatej i pierścieniowatej. Gruczoły te stale nawilżają struny głosowe, które nie mają własnych gruczołów. Zachyłek gruszkowaty opada do tyłu i służy jako kanał dla płynnych pokarmów, kierując je w stronę przełyku.

**Widok od tyłu**

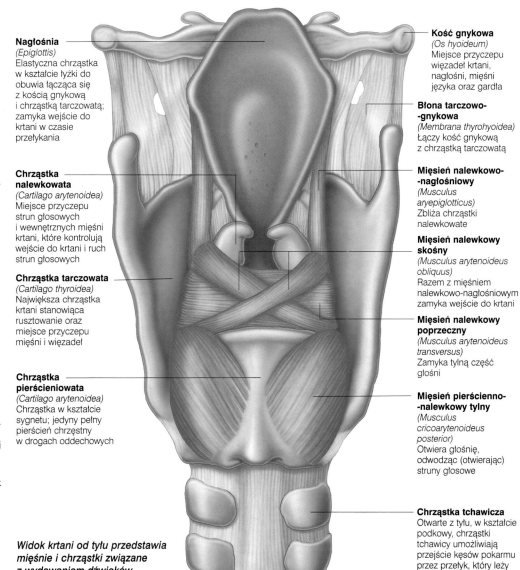

**Nagłośnia**
*(Epiglottis)*
Elastyczna chrząstka w kształcie łyżki do obuwia łącząca się z kością gnykową i chrząstką tarczowatą; zamyka wejście do krtani w czasie przełykania

**Chrząstka nalewkowata**
*(Cartilago arytenoidea)*
Miejsce przyczepu strun głosowych i wewnętrznych mięśni krtani, które kontrolują wejście do krtani i ruch strun głosowych

**Chrząstka tarczowata**
*(Cartilago thyroidea)*
Największa chrząstka krtani stanowiąca rusztowanie oraz miejsce przyczepu mięśni i więzadeł

**Chrząstka pierścieniowata**
*(Cartilago arytenoidea)*
Chrząstka w kształcie sygnetu; jedyny pełny pierścień chrzęstny w drogach oddechowych

**Kość gnykowa**
*(Os hyoideum)*
Miejsce przyczepu więzadeł krtani, nagłośni, mięśni języka oraz gardła

**Błona tarczowo-gnykowa**
*(Membrana thyrohyoidea)*
Łączy kość gnykową z chrząstką tarczowatą

**Mięsień nalewkowo-nagłośniowy**
*(Musculus aryepiglotticus)*
Zbliża chrząstki nalewkowate

**Mięsień nalewkowy skośny**
*(Musculus arytenoideus obliquus)*
Razem z mięśniem nalewkowo-nagłośniowym zamyka wejście do krtani

**Mięsień nalewkowy poprzeczny**
*(Musculus arytenoideus transversus)*
Zamyka tylną część głośni

**Mięsień pierścienno-nalewkowy tylny**
*(Musculus cricoarytenoideus posterior)*
Otwiera głośnię, odwodząc (otwierając) struny głosowe

**Chrząstka tchawicza**
Otwarte z tyłu, w kształcie podkowy, chrząstki tchawicy umożliwiają przejście kęsów pokarmu przez przełyk, który leży bezpośrednio za tchawicą

*Widok krtani od tyłu przedstawia mięśnie i chrząstki związane z wydawaniem dźwięków i ruchami nagłośni.*

## Działanie strun głosowych

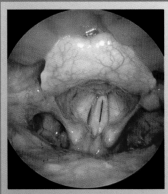

*Obraz w laryngoskopie ukazuje struny głosowe podczas mówienia. Kiedy struny głosowe są blisko siebie, przepływające powietrze powoduje ich wibracje i powstawanie dźwięków.*

Wielkość szczeliny pomiędzy strunami głosowymi aparatu głosowego krtani – szpary głośni – jest zmienna. Nasilony wydech wymaga szerokiej szpary głośni, a zwykłe mówienie – wąskiej. Do całkowitego zamknięcia szpary głośni dochodzi podczas defekacji lub porodu. Wielkość szpary głośni jest kontrolowana przez ruch chrząstek nalewkowatych, ponieważ struny głosowe są z nimi związane.

Chrząstki te mogą oddalać się od siebie lub zbliżać, a także skręcać dzięki mięśniom pierścienno-nalewkowym i nalewkowym unerwianym przez nerw krtaniowy wsteczny. Najważniejszy z tej grupy mięśni jest mięsień pierścienno-nalewkowy tylny, który otwiera głośnię (rozchyla struny głosowe). Porażenie jednego z mięśni pierścienno-nalewkowych tylnych może nie dawać żadnych objawów, gdyż druga struna głosowa kompensuje brak czynności porażonego mięśnia. Porażenie obu mięśni powoduje ostre zaburzenia oddychania.

Dźwięki powstają w czasie przechodzenia powietrza przez struny głosowe, a od ich napięcia zależy wysokość głosu. Przechylenie łuku chrząstki pierścieniowatej do tyłu zwiększa napięcie, a zbliżenie do siebie chrząstki tarczowatej i nalewkowatej powoduje rozluźnienie strun głosowych. Delikatne dostrojenie zależy od mięśni. Dźwięki, jakie mogą powstawać w krtani, są złożone i trzeba się ich nauczyć. Akcent jest cechą nabytą.

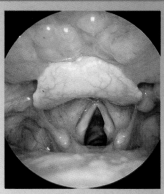

*W spoczynku głośnia jest szeroka, a struny głosowe są oddalone od siebie. Nagłośnia – widoczna jako biała klapka powyżej głośni i strun głosowych – zamyka wejście do krtani podczas jedzenia.*

# Tarczyca i gruczoły przytarczyczne

Gruczoł tarczowy (tarczyca) i gruczoły przytarczyczne (przytarczyce) leżą w obrębie szyi. Produkują one ważne hormony regulujące wzrost, metabolizm i stężenia wapnia we krwi.

Tarczyca jest gruczołem wydzielania wewnętrznego (endokrynnym) położonym w obrębie szyi, z przodu i z boku krtani oraz tchawicy. Ma ona kształt zbliżony do kokardy i wytwarza dwa hormony zawierające jod: trijodotyroninę (T3) i tyroksynę (T4). Hormony te są odpowiedzialne za kontrolę metabolizmu poprzez pobudzanie wytwarzania enzymów biorących udział w metabolizmie.

Ponadto tarczyca wytwarza kalcytoninę, która bierze udział w regulacji stężenia wapnia we krwi. Hormony tarczycy wpływają na rozwój i wzrost dzieci, gdyż pobudzają metabolizm węglowodanów, białek i tłuszczów.

## PŁAT PIRAMIDOWY

Gruczoł tarczowy składa się z dwóch stożkowych płatów połączonych cieśnią (pasmo tkanki łączące oba płaty), która zwykle znajduje się przed drugą i trzecią chrząstką tchawicy. Cały gruczoł otacza torebka zbudowana z cienkiej tkanki łącznej i warstwa głębokiej powięzi szyi. Często spotyka się mały trzeci płat tarczycy, który wystaje ku górze z okolicy cieśni i leży na więzadle pierścienno-tarczowym.

**WIDOK OD PRZODU**

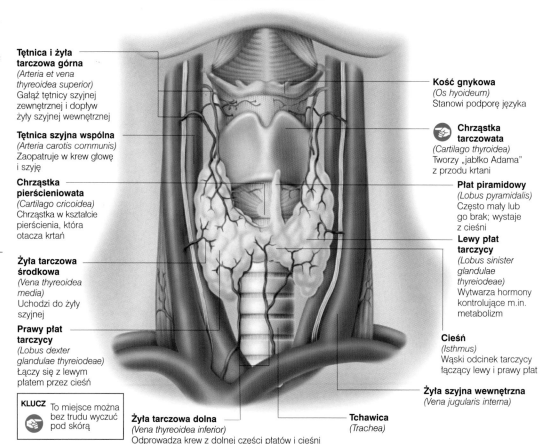

**Tętnica i żyła tarczowa górna**
(*Arteria et vena thyreoidea superior*)
Gałąź tętnicy szyjnej zewnętrznej i dopływ żyły szyjnej wewnętrznej

**Tętnica szyjna wspólna**
(*Arteria carotis communis*)
Zaopatruje w krew głowę i szyję

**Chrząstka pierścieniowata**
(*Cartilago cricoidea*)
Chrząstka w kształcie pierścienia, która otacza krtań

**Żyła tarczowa środkowa**
(*Vena thyreoidea media*)
Uchodzi do żyły szyjnej

**Prawy płat tarczycy**
(*Lobus dexter glandulae thyreoideae*)
Łączy się z lewym płatem przez cieśń

**KLUCZ** To miejsce można bez trudu wyczuć pod skórą

**Żyła tarczowa dolna**
(*Vena thyreoidea inferior*)
Odprowadza krew z dolnej części płatów i cieśni

**Kość gnykowa**
(*Os hyoideum*)
Stanowi podporę języka

**Chrząstka tarczowata**
(*Cartilago thyroidea*)
Tworzy „jabłko Adama" z przodu krtani

**Płat piramidowy**
(*Lobus pyramidalis*)
Często mały lub go brak; wystaje z cieśni

**Lewy płat tarczycy**
(*Lobus sinister glandulae thyreioideae*)
Wytwarza hormony kontrolujące m.in. metabolizm

**Cieśń**
(*Isthmus*)
Wąski odcinek tarczycy łączący lewy i prawy płat

**Żyła szyjna wewnętrzna**
(*Vena jugularis interna*)

**Tchawica**
(*Trachea*)

## Wygląd zewnętrzny

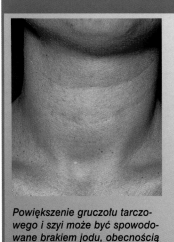

*Powiększenie gruczołu tarczowego i szyi może być spowodowane brakiem jodu, obecnością guzów lub tyreotoksykozą (nadprodukcją hormonów).*

Tarczycę utrzymuje w miejscu warstwa tkanki łącznej, która łączy się również ze skośną linią na chrząstce tarczowatej. W warunkach prawidłowych tarczycy nie można wyczuć palcami, gdyż jest ona w większości pokryta pasmami mięśni szyi.

Jednak gdy tarczyca jest powiększona, można zauważyć obrzmienie, które w czasie połykania przemieszcza się do góry, co spowodowane jest połączeniem gruczołu z powięzią szyi. Jest to objaw charakterystyczny, który nie występuje przy innych wyczuwalnych zgrubieniach na szyi, np. wywołanych powiększeniem przedtchawiczych węzłów chłonnych (które nie mają takiego samego połączenia jak tarczyca).

Górny brzeg płatów tarczycy ograniczają od góry przedtchawicze pasma mięśni. Dlatego gruczoł powiększa się zawsze w dolnym odcinku szyi, poniżej poziomu tych mięśni. Powiększenie gruczołu tarczowego nazywamy „wolem".

Wole może upośledzać oddychanie, powodować duszność (*dyspnoe*) przez ucisk na tchawicę oraz utrudniać połykanie lub wywoływać ból podczas połykania (*dysfagia*) z powodu ucisku na przełyk.

Powiększenie tarczycy może wiązać się albo z niewystarczającym wytwarzaniem hormonów tarczycy (wole niedoczynne), albo nadmierną ich produkcją (wole nadczynne).

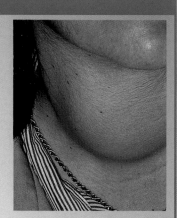

*Wole – powiększenie gruczołu tarczowego – może mieć różne rozmiary, od małego guzka do ogromnego guza tarczycy.*

# Tarczyca widziana od tyłu

Na ilustracji przedstawiającej tarczycę od tyłu widać małe gruczoły przytarczyczne znajdujące się wewnątrz płatów tarczycy. Są one bardzo dobrze ukrwione.

Tarczyca jest gruczołem dobrze zaopatrzonym w naczynia krwionośne. Bieguny górne otrzymują krew tętniczą z tętnicy tarczowej górnej będącej gałęzią tętnicy szyjnej zewnętrznej. Biegun dolny zaopatrywany jest w krew pochodzącą z tętnicy tarczowej dolnej stanowiącej odgałęzienie pnia tarczowo-szyjnego. Płaty tarczycy znajdują się w pobliżu tętnic szyjnych wspólnych. Hormony przedostają się do krwi poprzez sieć (splot) żył znajdujących się wewnątrz i na zewnątrz gruczołu, z których krew spływa do żyły szyjnej wewnętrznej i żyły ramienno-głowowej.

## POWIĄZANIA Z NERWAMI

Poza naczyniami krwionośnymi gruczoł jest zaopatrywany w gałązki nerwowe. Z tyłu najważniejszym nerwem jest parzysty nerw krtaniowy wsteczny – gałązka nerwu błędnego. Wspina się on w zagłębieniu między przełykiem a tchawicą, kieruje się w stronę krtani, gdzie zaopatruje we włókna ruchowe wszystkie mięśnie krtani (poza mięśniem pierścienno--tarczowym) oraz we włókna czuciowe okolicę podgłośniową krtani. Powiększona tarczyca może uciskać na te nerwy i powodować chrypkę.

## WIDOK Z TYŁU

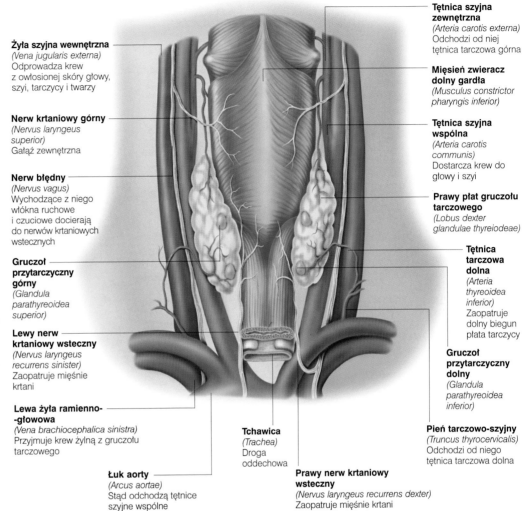

**Żyła szyjna wewnętrzna**
*(Vena jugularis externa)*
Odprowadza krew z owłosionej skóry głowy, szyi, tarczycy i twarzy

**Nerw krtaniowy górny**
*(Nervus laryngeus superior)*
Gałąź zewnętrzna

**Nerw błędny**
*(Nervus vagus)*
Wychodzące z niego włókna ruchowe i czuciowe docierają do nerwów krtaniowych wstecznych

**Gruczoł przytarczyczny górny**
*(Glandula parathyreoidea superior)*

**Lewy nerw krtaniowy wsteczny**
*(Nervus laryngeus recurrens sinister)*
Zaopatruje mięśnie krtani

**Lewa żyła ramienno--głowowa**
*(Vena brachiocephalica sinistra)*
Przyjmuje krew żylną z gruczołu tarczowego

**Łuk aorty**
*(Arcus aortae)*
Stąd odchodzą tętnice szyjne wspólne

**Tchawica**
*(Trachea)*
Droga oddechowa

**Prawy nerw krtaniowy wsteczny**
*(Nervus laryngeus recurrens dexter)*
Zaopatruje mięśnie krtani

**Tętnica szyjna zewnętrzna**
*(Arteria carotis externa)*
Odchodzi od niej tętnica tarczowa górna

**Mięsień zwieracz dolny gardła**
*(Musculus constrictor pharyngis inferior)*

**Tętnica szyjna wspólna**
*(Arteria carotis communis)*
Dostarcza krew do głowy i szyi

**Prawy płat gruczołu tarczowego**
*(Lobus dexter glandulae thyreiodeae)*

**Tętnica tarczowa dolna**
*(Arteria thyreoidea inferior)*
Zaopatruje dolny biegun płata tarczycy

**Gruczoł przytarczyczny dolny**
*(Glandula parathyreoidea inferior)*

**Pień tarczowo-szyjny**
*(Truncus thyrocervicalis)*
Odchodzi od niego tętnica tarczowa dolna

## Gruczoły przytarczyczne (przytarczyce)

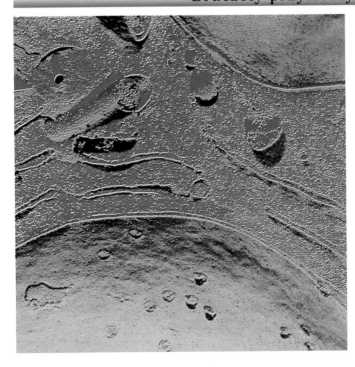

Gruczoły przytarczyczne mają wielkość ziarna grochu (górne i dolne) i są położone z tyłu tarczycy. Wydzielają one parathormon, który wraz z kalcytoniną i witaminą D kontroluje metabolizm wapnia.

Choroby przytarczyc wywołują zaburzenia ze strony nerwów, mięśni i kości, gdyż tkanki te zużywają wapń. Obniżenie stężenia parathormonu powoduje zmniejszenie stężenia wapnia we krwi, co jest przyczyną nadmiernej wrażliwości nerwów i mięśni. Może to doprowadzić do skurczu mięśni lub drgawek.

Nadczynność przytarczyc (nadmierne wytwarzanie parathormonu) prowadzi do odwapnienia kości, zwiększając ryzyko wystąpienia złamań.

*To zdjęcie z mikroskopu elektronowego pokazuje część komórki przytarczyc. Gruczoły te wydzielają substancje niezbędne do metabolizmu wapnia.*

Powoduje ona również zwiększenie wydalania wapnia przez nerki, co sprzyja powstawaniu kamieni nerkowych.

Przytarczyce mogą czasem znajdować się poza tarczycą. Dzieje się tak, ponieważ podobnie jak tarczyca rozwijają się one z tkanek położonych w dnie gardła zarodka i przesuwają się w dół. Torbiele zawierające utkanie tarczycy można znaleźć na drodze przemieszczania się gruczołu tarczowego w okresie embrionalnym. Przytarczyce znajdują się zwykle za tarczycą, jednak można je spotkać wszędzie pomiędzy kością gnykową a górnym odcinkiem klatki piersiowej za mostkiem.

Takie ektopowe przytarczyce rzadko wywołuje dolegliwości, podczas gdy ektopowa tarczyca w górnym odcinku klatki piersiowej może blokować wejście do klatki piersiowej, powodując trudności lub ból w czasie połykania (*dysfagia*), zaburzenia oddychania (*dyspnoe*) i obrzęk górnej połowy ciała.

# Kręgosłup piersiowy

Żebra przyczepione są do dwunastu kręgów piersiowych. Kręgi piersiowe położone są między kręgami szyjnymi a lędźwiowymi.

Każdy kręg piersiowy składa się z dwóch części, leżącego z przodu trzonu w kształcie cylindra i łuku kręgowego z tyłu. Pomiędzy trzonem a łukiem kręgu znajduje się okrągły otwór kręgowy. Gdy wszystkie kręgi są połączone, przestrzeń powstająca z połączonych otworów kręgowych tworzy kanał kręgowy. W kanale tym znajduje się otoczony trzema ochronnymi warstwami (oponami) rdzeń kręgowy.

## WYROSTKI KOSTNE

Łuk kręgowy łączy się z trzonem poprzez nasadę, która przechodzi w blaszkę łuku kręgowego. Dwie blaszki stykają się w linii pośrodkowej i tworzą wyrostek kolczysty, który schodzi w dół jak dachówka. Wyrostek ósmego kręgu jest najdłuższy i biegnie prawie pionowo w dół. W miejscu połączenia nasad i blaszek łuku kręgowego znajdują się wyrostki poprzeczne. Ich wielkość zmniejsza się do dołu.

## PRZYCZEPY MIĘŚNI

Do wyrostków kolczystych i poprzecznych kręgów przyczepione są więzadła i mięśnie. Kręgi piersiowe łączą się ze sobą za pomocą stawów międzykręgowych. Pomiędzy trzonami kręgów znajdują się krążki międzykręgowe, które amortyzują wstrząsy.

Każde żebro ma cztery wyrostki stawowe (powierzchnie stawowe), które tworzą ruchome stawy maziówkowe z sąsiednimi kręgami. Jedna para wyrostków stawowych łączy się z kręgiem położonym powyżej, a druga z kręgiem poniżej. Wszystkie stawy wzmacniają więzadła.

**Widok z przodu**

**Widok z boku**

**Pierwszy kręg piersiowy**
Łączy się za pomocą stawów z siódmym kręgiem szyjnym. Pierwsze żebro łączy się za pomocą stawu tylko z pierwszym kręgiem piersiowym. Palcami można wyczuć wyrostek kolczysty pierwszego kręgu piersiowego (T1)

**Przestrzeń dla krążków międzykręgowych**

**Wyrostek kolczysty**
*(Processus spinosus)*
Ósmy kręg piersiowy ma największy wyrostek kolczysty

**Otwór międzykręgowy**
*(Foramen intervertebrale)*
Otwory te są wyraźnie widoczne, gdy patrzymy na kręgosłup z boku; znajdują się pomiędzy nasadami sąsiadujących łuków. Przez te przestrzenie przechodzą nerwy rdzeniowe, które wnikają do rdzenia kręgowego i opuszczają go

**10. 11. i 12. kręg piersiowy**
Te kręgi mają tylko jedną powierzchnię stawową, którą łączą się z własnymi, odpowiadającymi im numerycznie żebrami

**KLUCZ** To miejsce można bez trudu wyczuć pod skórą

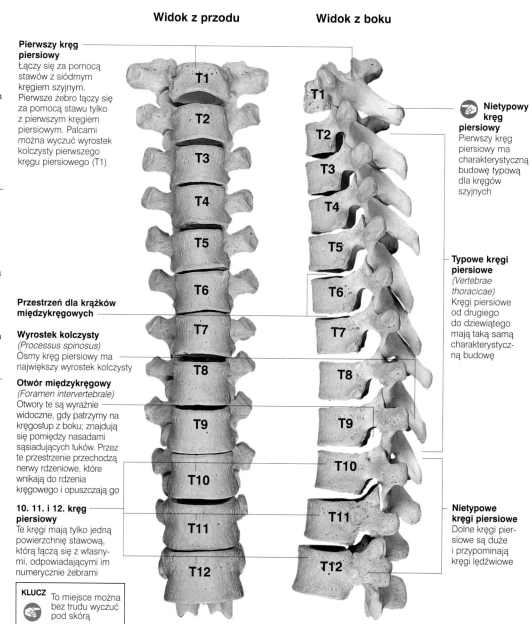

**Nietypowy kręg piersiowy**
Pierwszy kręg piersiowy ma charakterystyczną budowę typową dla kręgów szyjnych

**Typowe kręgi piersiowe**
*(Vertebrae thoracicae)*
Kręgi piersiowe od drugiego do dziewiątego mają taką samą charakterystyczną budowę

**Nietypowe kręgi piersiowe**
Dolne kręgi piersiowe są duże i przypominają kręgi lędźwiowe

## Patologiczne zmiany w kręgosłupie

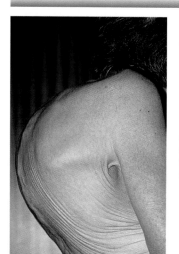

Nieleczona osteoporoza powoduje stopniową utratę tkanki kostnej. Występuje u kobiet szczególnie po menopauzie i może być związana z brakiem żeńskich hormonów płciowych.

Osteoporoza sprawia, że kości stają się słabsze i podatne na

*Kifoza jest nieprawidłowym skrzywieniem kręgosłupa ku tyłowi i prowadzi do rozwoju charakterystycznego „garbu".*

złamania. W takich sytuacjach w kręgosłupie piersiowym, który pomaga przenosić ciężar ciała, może dojść do kompresyjnych złamań trzonów kręgów. Klinowy kształt trzonów kręgów może spowodować powstanie nadmiernego wygięcia kręgosłupa do tyłu (kifoza) i powstanie tzw. wdowiego garbu.

Gruźlica jest chorobą zakaźną wywołaną przez prątki *Mycobacterium tuberculosis*. Choć częściej atakuje płuca, może

rozwinąć się w każdym narządzie lub tkance, w tym i w kościach. Zajęcie kości (jak w chorobie Potta, czyli gruźliczym zapaleniu kręgu) może być przyczyną bólów. Ponadto mogą występować ogólnoustrojowe objawy gruźlicy, takie jak gorączka i chudnięcie. W kości, wokół niej oraz w krążku międzykręgowym może powstać ropień powodujący zniszczenie dużej części kręgu i doprowadzić do zniekształcenia postawy ciała.

# Badanie kręgów piersiowych

Kręgi piersiowe można łatwo odróżnić od typowych kręgów szyjnych.

Kręgi piersiowe różnią się od kręgów szyjnych kilkoma cechami:
■ Brakiem otworów w wyrostkach poprzecznych (przez które przechodzą nerwy i naczynia w kręgach szyjnych).
■ Pojedynczym, a nie rozdwojonym na końcu, wyrostkiem kolczystym.
■ Kanał kręgowy, przez który przechodzi rdzeń kręgowy, jest mniejszy i bardziej okrągły.
■ Najważniejszą cechą odróżniającą kręgi piersiowe od innych jest obecność powierzchni stawowych na wyrostkach stawowych kręgu, dzięki którym możliwe jest połączenie stawowe kręgu z żebrami. Każdy typowy kręg piersiowy ma sześć powierzchni stawowych, którymi łączy się z żebrami – trzy po każdej jego stronie.

Głowa żebra leży z tyłu kręgu w okolicy krążka międzykręgowego. Ma dwie powierzchnie stawowe, które łączą się za pomocą stawów z kręgami. Górna powierzchnia stawowa głowy żebra łączy się z kręgiem o tym samym numerze co żebro, a dolna z kręgiem leżącym poniżej.

## NIETYPOWE KRĘGI

Wyjątkiem od tej reguły są kręgi piersiowe: 1., 10., 11. i 12. W pierwszym kręgu piersiowym powierzchnia stawowa jest pełna, gdyż pierwsze żebro łączy się tylko z jednym własnym kręgiem.

Kręgi 10., 11. i 12. mają tylko po jednej pełnej powierzchni stawowej, którą łączą się z własnym, odpowiadającym mu numerycznie żebrem. Kręg 11. i 12. nie ma połączenia stawowego w obrębie guzka odpowiadającego mu numerycznie żebra. Te dwa końcowe żebra nazywane są żebrami wolnymi, gdyż nie łączą się z żebrami położonymi powyżej.

### Piąty (typowy) kręg piersiowy (widziany od przodu)

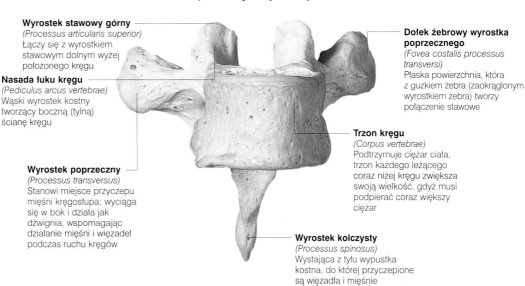

**Wyrostek stawowy górny**
*(Processus articularis superior)*
Łączy się z wyrostkiem stawowym dolnym wyżej położonego kręgu

**Nasada łuku kręgu**
*(Pediculus arcus vertebrae)*
Wąski wyrostek kostny tworzący boczną (tylną) ścianę kręgu

**Wyrostek poprzeczny**
*(Processus transversus)*
Stanowi miejsce przyczepu mięśni kręgosłupa; wyciąga się w bok i działa jak dźwignia, wspomagając działanie mięśni i więzadeł podczas ruchu kręgów

**Dołek żebrowy wyrostka poprzecznego**
*(Fovea costalis processus transversi)*
Płaska powierzchnia, która z guzkiem żebra (zaokrąglonym wyrostkiem żebra) tworzy połączenie stawowe

**Trzon kręgu**
*(Corpus vertebrae)*
Podtrzymuje ciężar ciała, trzon każdego leżącego coraz niżej kręgu zwiększa swoją wielkość, gdyż musi podpierać coraz większy ciężar

**Wyrostek kolczysty**
*(Processus spinosus)*
Wystająca z tyłu wypustka kostna, do której przyczepione są więzadła i mięśnie

### Pierwszy (nietypowy) kręg piersiowy (widziany z boku)

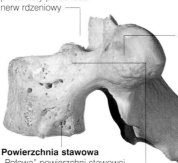

**Wcięcie kręgowe górne**
*(Incisura vertebralis superior)*
Razem z wcięciem kręgowym dolnym sąsiedniego kręgu tworzy otwór, przez który przechodzi nerw rdzeniowy

**Dołek żebrowy wyrostka poprzecznego**
*(Fovea costalis processus transversi)*
Okrągła powierzchnia stawowa, która łączy się z pierwszym żebrem, znajdująca się na wyrostku poprzecznym

**Powierzchnia stawowa**
„Połowa" powierzchni stawowej służąca do połączenia stawowego z drugim żebrem

**Dołek żebrowy wyrostka poprzecznego**
*(Fovea costalis processus transversi)*
Okrągła powierzchnia stawowa, która łączy się z głową pierwszego żebra

**Wyrostek kolczysty**
*(Processus spinosus)*
Długa wypustka kostna, skierowana do dołu pod kątem ostrym

### Dwunasty (nietypowy) kręg piersiowy (widok z boku)

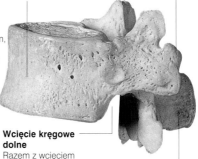

**Trzon kręgu**
*(Corpus vertebrae)*
Budowa trzonów dolnych kręgów piersiowych zaczyna przypominać budowę kręgów lędźwiowych; po obu stronach występuje tylko jedna okrągła powierzchnia stawowa

**Wyrostek poprzeczny**
*(Processus transversus)*
11. i 12. kręg piersiowy nie mają powierzchni stawowych na wyrostkach poprzecznych

**Wcięcie kręgowe dolne**
Razem z wcięciem kręgowym górnym sąsiedniego kręgu tworzy otwór międzykręgowy, przez który przechodzi nerw rdzeniowy

**Wyrostek kolczysty**
*(Processus spinosus)*
W dolnym odcinku kręgosłupa piersiowego wyrostki kolczyste są małe i zaokrąglone i przypominają te występujące w kręgach lędźwiowych

## Rak kości

W kości może rozwinąć się rak pierwotny lub wtórny, czyli przerzuty nowotworów o innej lokalizacji. Do raków, które dają przerzuty do kości, należą: rak piersi, płuca, nerki, gruczołu tarczowego i gruczołu krokowego. W przypadku przerzutów do kręgosłupa występuje ból, któremu może towarzyszyć osłabienie lub porażenie kończyn dolnych wywołane uciskiem na rdzeń kręgowy. Zmiany nowotworowe można dostrzec w czasie badania izotopowego kości.

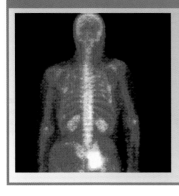

*W badaniu scyntygraficznym widać „gorące punkty" (jasne obszary) odpowiadające przerzutowi raka.*

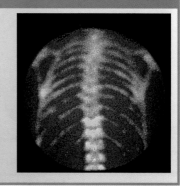

*W tym badaniu scyntygraficznym uwidoczniono przerzuty raka do odcinków piersiowego i lędźwiowego kręgosłupa.*

# Kości krzyżowa i guziczna

Kości krzyżowa i guziczna tworzą końcowy odcinek kręgosłupa. Obie są utworzone ze zrośniętych ze sobą kręgów, dzięki czemu mogą się do nich przyczepiać więzadła i mięśnie odpowiedzialne za dźwiganie ciężaru ciała. Ponadto ochraniają one narządy leżące w miednicy.

Kość krzyżowa powstaje ze zrośnięcia się ze sobą pięciu kręgów krzyżowych, między okresem pokwitania a 30. rokiem życia. Pełni ona wiele funkcji: łączy kręgosłup z obręczą kończyny dolnej, podpiera ciężar ciała i przenosi go na kończyny dolne, chroni narządy położone w miednicy, jak macicę i pęcherz moczowy, jest miejscem przyczepu mięśni, które poruszają udem.

Kość krzyżowa ma kształt trójkąta odwróconego wierzchołkiem do dołu. Pięć złączonych ze sobą kręgów zmniejsza swoje wymiary od najszerszego leżącego na górze (pierwszy kręg krzyżowy) do dołu w kierunku wierzchołka, do którego przyczepiona jest kość guziczna.

Położone w środku i biegnące poziomo wystające kostne kresy poprzeczne wskazują na miejsce łączenia poszczególnych kręgów; są one pozostałościami po krążkach międzykręgowych. Po obu stronach kości krzyżowej znajdują się cztery pary otworów krzyżowych, przez które przechodzą gałęzie przednie nerwów krzyżowych.

### KOŚĆ GUZICZNA

Kość guziczna łączy się z podstawą kości krzyżowej i stanowi pozostałość po ogonie występującym u naszych przodków. Utworzona jest ona z małej kości w kształcie piramidy, na którą składają się zrośnięte ze sobą cztery kręgi. Kość guziczna jest miejscem przyczepu więzadeł i mięśni tworzących zwieracz odbytu.

## Miedniczna (wewnętrzna) powierzchnia kości krzyżowej (po wyłuszczeniu ze stawu)

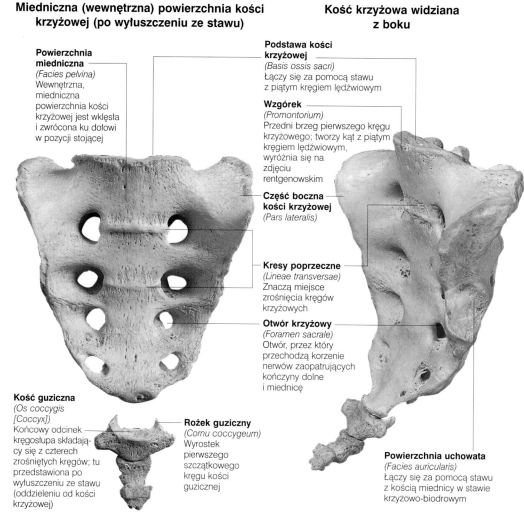

**Powierzchnia miedniczna**
*(Facies pelvina)*
Wewnętrzna, miedniczna powierzchnia kości krzyżowej jest wklęsła i zwrócona ku dołowi w pozycji stojącej

**Kość guziczna**
*(Os coccygis [Coccyx])*
Końcowy odcinek kręgosłupa składający się z czterech zrośniętych kręgów; tu przedstawiona po wyłuszczeniu ze stawu (oddzieleniu od kości krzyżowej)

**Rożek guziczny**
*(Cornu coccygeum)*
Wyrostek pierwszego szczątkowego kręgu kości guzicznej

## Kość krzyżowa widziana z boku

**Podstawa kości krzyżowej**
*(Basis ossis sacri)*
Łączy się za pomocą stawu z piątym kręgiem lędźwiowym

**Wzgórek**
*(Promontorium)*
Przedni brzeg pierwszego kręgu krzyżowego; tworzy kąt z piątym kręgiem lędźwiowym, wyróżnia się na zdjęciu rentgenowskim

**Część boczna kości krzyżowej**
*(Pars lateralis)*

**Kresy poprzeczne**
*(Lineae transversae)*
Znaczą miejsce zrośnięcia kręgów krzyżowych

**Otwór krzyżowy**
*(Foramen sacrale)*
Otwór, przez który przechodzą korzenie nerwów zaopatrujących kończyny dolne i miednicę

**Powierzchnia uchowata**
*(Facies auricularis)*
Łączy się za pomocą stawu z kością miednicy w stawie krzyżowo-biodrowym

## Staw krzyżowo-biodrowy

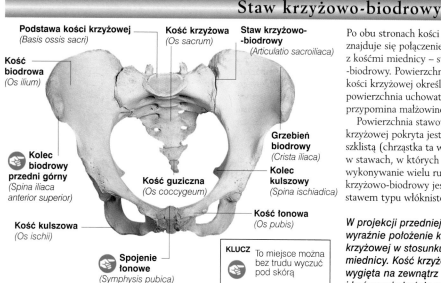

**Podstawa kości krzyżowej**
*(Basis ossis sacri)*

**Kość biodrowa**
*(Os ilium)*

**Kolec biodrowy przedni górny**
*(Spina iliaca anterior superior)*

**Kość kulszowa**
*(Os ischii)*

**Spojenie łonowe**
*(Symphysis pubica)*

**Kość krzyżowa**
*(Os sacrum)*

**Staw krzyżowo-biodrowy**
*(Articulatio sacroiliaca)*

**Kość guziczna**
*(Os coccygeum)*

**Grzebień biodrowy**
*(Crista iliaca)*

**Kolec kulszowy**
*(Spina ischiadica)*

**Kość łonowa**
*(Os pubis)*

**KLUCZ** To miejsce można bez trudu wyczuć pod skórą

Po obu stronach kości krzyżowej znajduje się połączenie stawowe z kośćmi miednicy – staw krzyżowo-biodrowy. Powierzchnia stawowa kości krzyżowej określana jest jako powierzchnia uchowata (kształtem przypomina małżowinę ucha).

Powierzchnia stawowa kości krzyżowej pokryta jest chrząstką szklistą (chrząstka ta występuje w stawach, w których możliwe jest wykonywanie wielu ruchów), a staw krzyżowo-biodrowy jest wąskim stawem typu włóknisto-chrzęstnego.

*W projekcji przedniej widać wyraźnie położenie kości krzyżowej w stosunku do miednicy. Kość krzyżowa jest wygięta na zewnątrz (wklęsła) i kończy się kością guziczną.*

We wczesnych latach życia staw ten jest dość ruchomy. Wraz ze starzeniem się organizmu jego ruchomość maleje. W czasie porodu staw ten się przesuwa, powiększając wyjście z miednicy.

U kobiet i mężczyzn występują różnice w budowie kości krzyżowej, na podstawie których można określić płeć. Kość krzyżowa kobiety jest szersza i krótsza, co sprzyja przechodzeniu płodu przez miednicę w czasie porodu. Średnica miednicy podczas porodu powiększa się dzięki ruchomości kości guzicznej, która przesuwa się do tyłu, gdy płód przechodzi przez miednicę. U mężczyzn krzywizna kości krzyżowej jest większa niż u kobiet.

# Korzenie nerwów rdzeniowych

Narządy płciowe, pośladki i kończyny dolne nerwiają korzenie nerwowe, które wychodzą z odcinka kręgosłupa lędźwiowego i krzyżowego.

Nerwy czuciowe i ruchowe unerwiające miednicę i kończyny dolne unerwiają korzenie nerwowe splotu krzyżowego. Znajduje się on na tylnej ścianie jamy miednicy z przodu przed mięśniem gruszkowatym. Splot krzyżowy tworzą gałęzie brzuszne nerwów krzyżowych. Dochodzą do niego również gałązki z pnia lędźwiowo-krzyżowego, który tworzy gałąź 4. i 5. kręgosłupa lędźwiowego.

W splocie krzyżowym korzenie nerwowe wymieniają między sobą włókna i ponownie tworzą nerwy. Są to nerw pośladkowy górny i dolny, które zaopatrują pośladki, oraz nerw kulszowy, który unerwia mięśnie kończyny dolnej. Przywspółczulne nerwy trzewne (S1, S2, S3) regulują oddawanie moczu i defekację przez kontrolę mięśni zwieraczy wewnętrznych, a także nadzorują erekcję przez rozszerzanie tętniczek prącia.

## OTWORY KRZYŻOWE

Na zewnętrznej powierzchni kości krzyżowej leży grzebień krzyżowy pośrodkowy. Jest on miejsce zespolenia wyrostków kolczystych kręgów. Przez cztery tylne otwory krzyżowe przechodzą korzenie grzbietowe. Nerwy przechodzą w dół kości krzyżowej przez kanał krzyżowy.

Fizjologiczny ubytek kostny w okolicy piątego kręgu krzyżowego z tyłu wykorzystują lekarze do znieczulenia dolnych nerwów rdzeniowych.

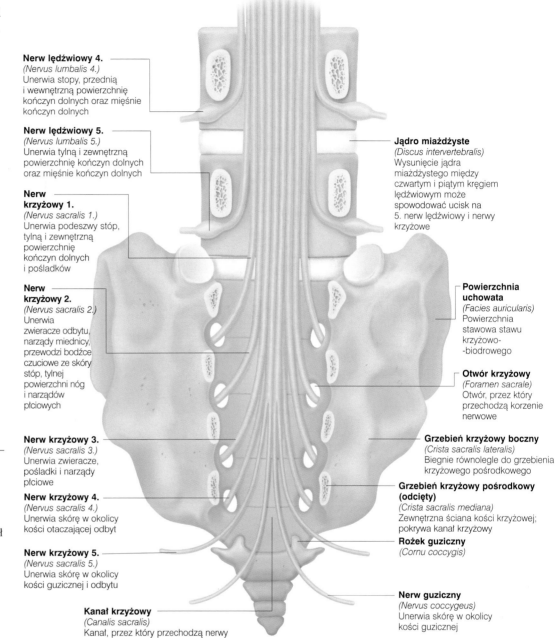

**Nerw lędźwiowy 4.**
*(Nervus lumbalis 4.)*
Unerwia stopy, przednią i wewnętrzną powierzchnię kończyn dolnych oraz mięśnie kończyn dolnych

**Nerw lędźwiowy 5.**
*(Nervus lumbalis 5.)*
Unerwia tylną i zewnętrzną powierzchnię kończyn dolnych oraz mięśnie kończyn dolnych

**Nerw krzyżowy 1.**
*(Nervus sacralis 1.)*
Unerwia podeszwy stóp, tylną i zewnętrzną powierzchnię kończyn dolnych i pośladków

**Nerw krzyżowy 2.**
*(Nervus sacralis 2.)*
Unerwia zwieracze odbytu, narządy miednicy, przewodzi bodźce czuciowe ze skóry stóp, tylnej powierzchni nóg i narządów płciowych

**Nerw krzyżowy 3.**
*(Nervus sacralis 3.)*
Unerwia zwieracze, pośladki i narządy płciowe

**Nerw krzyżowy 4.**
*(Nervus sacralis 4.)*
Unerwia skórę w okolicy kości otaczającej odbyt

**Nerw krzyżowy 5.**
*(Nervus sacralis 5.)*
Unerwia skórę w okolicy kości guzicznej i odbytu

**Kanał krzyżowy**
*(Canalis sacralis)*
Kanał, przez który przechodzą nerwy

**Jądro miażdżyste**
*(Discus intervertebralis)*
Wysunięcie jądra miażdżystego między czwartym i piątym kręgiem lędźwiowym może spowodować ucisk na 5. nerw lędźwiowy i nerwy krzyżowe

**Powierzchnia uchowata**
*(Facies auricularis)*
Powierzchnia stawowa stawu krzyżowo-biodrowego

**Otwór krzyżowy**
*(Foramen sacrale)*
Otwór, przez który przechodzą korzenie nerwowe

**Grzebień krzyżowy boczny**
*(Crista sacralis lateralis)*
Biegnie równolegle do grzebienia krzyżowego pośrodkowego

**Grzebień krzyżowy pośrodkowy (odcięty)**
*(Crista sacralis mediana)*
Zewnętrzna ściana kości krzyżowej; pokrywa kanał krzyżowy

**Rożek guziczny**
*(Cornu coccygis)*

**Nerw guziczny**
*(Nervus coccygeus)*
Unerwia skórę w okolicy kości guzicznej

---

## Kliniczne znaczenie kości krzyżowej i guzicznej

Coccydynia (*coccyalgia* – dosłownie ból kości guzicznej) jest bolesnym zespołem obejmującym podstawę kręgosłupa, odbyt, pośladki i dolny odcinek pleców. Ból nasila się podczas siedzenia i zmniejsza się podczas stania i leżenia na boku.

Przyczyną tego stanu może być uraz lub złamanie kości guzicznej, zwłóknienie i choroby krążków międzykręgowych czy zakażenie. Coccydynia może też występować samoistnie.

Zapalenie stawów krzyżowo-biodrowych (*sacroilitis*) występuje najczęściej w tak zwanych spondyloartrpatiach.

Najczęstszą z nich jest zesztywniające zapalenie stawów kręgosłupa (ZZSK), które występuje zwykle u mężczyzn pomiędzy 20. a 40. rokiem życia. Choroba ta powoduje bóle pleców i usztywnienie stawów kręgosłupa, a w ciężkich przypadkach trwałe wygięcie kręgosłupa. W badaniu rentgenowskim obserwuje się obecność nieregularnych nadżerek, zwężenie i pogrubienie stawu krzyżowo-biodrowego oraz stawów kręgosłupa. Innymi przyczynami zapalenia stawów krzyżowo-biodrowych są choroba Crohna, zespół Reitera i zapalenie stawów w przebiegu wrzodziejącego zapalenia jelita grubego.

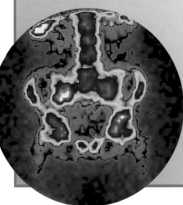

*Na tym obrazie scyntygraficznym pokazano zapalenie stawów krzyżowo-biodrowych miednicy. Obszary objęte zapaleniem przedstawiają czerwone i białe plamy.*

*Badanie za pomocą rezonansu magnetycznego ukazuje obecność złamania w talerzu prawej kości biodrowej (w kółku). Złamanie tego typu często jest skutkiem upadku na twarde podłoże.*

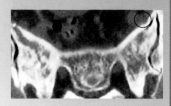

# Rdzeń kręgowy

Rdzeń kręgowy jest drogą łączącą mózg z resztą ciała. Dzięki niemu możliwe jest przechodzenie sygnałów z mózgu w dół w celu kontroli funkcjonowania organizmu oraz przekazywanie informacji ze wszystkich narządów i układów do mózgu.

Rdzeń kręgowy jest nieznacznie spłaszczoną cylindryczną strukturą, u ludzi dorosłych ma długość 42–45 cm i średnicę około 2,5 cm. Wychodzi z rdzenia przedłużonego, najniżej położonego odcinka pnia mózgu, na wysokości otworu wielkiego znajdującego się w podstawie czaszki. Następnie biegnie w dół w kanale kręgowym przez całą długość szyi i pleców, gdzie chroniony jest przez kostne kręgi kręgosłupa.

## ROZWÓJ

Do trzeciego miesiąca życia płodowego rdzeń kręgowy biegnie na całej długości kręgosłupa. Później kręgosłup „wyprzedza" rdzeń kręgowy, który w momencie porodu sięga do wysokości trzeciego kręgu lędźwiowego. Ten szybszy wzrost kręgosłupa trwa dalej i u osoby dorosłej rdzeń kręgowy kończy się na wysokości krążka międzykręgowego pomiędzy pierwszym a drugim kręgiem lędźwiowym.

## ANATOMIA RDZENIA

Rdzeń kręgowy jest szerszy w obrębie szyi oraz w dolnym odcinku tułowia. Dolny koniec rdzenia zwęża się i przyjmuje kształt stożka, tworząc tzw. stożek rdzeniowy. Od tego miejsca rozciąga się nić końcowa, cienkie pasmo zmodyfikowanej opony miękkiej (jednej z błon otaczających mózg i rdzeń kręgowy), które biegnie w dół i jest przyczepione z tyłu kości guzicznej, kotwicząc rdzeń kręgowy.

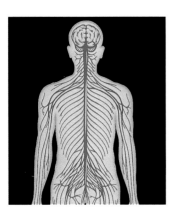

*31 par nerwów rdzeniowych wychodzących od rdzenia kręgowego przenosi impulsy nerwowe między mózgiem a resztą ciała.*

**Rdzeń kręgowy widziany od tyłu**

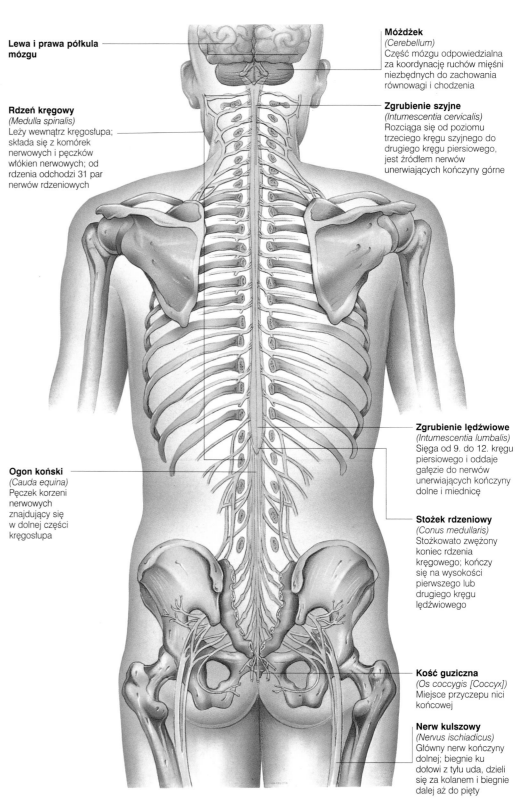

**Lewa i prawa półkula mózgu**

**Rdzeń kręgowy**
*(Medulla spinalis)*
Leży wewnątrz kręgosłupa; składa się z komórek nerwowych i pęczków włókien nerwowych; od rdzenia odchodzi 31 par nerwów rdzeniowych

**Ogon koński**
*(Cauda equina)*
Pęczek korzeni nerwowych znajdujący się w dolnej części kręgosłupa

**Móżdżek**
*(Cerebellum)*
Część mózgu odpowiedzialna za koordynację ruchów mięśni niezbędnych do zachowania równowagi i chodzenia

**Zgrubienie szyjne**
*(Intumescentia cervicalis)*
Rozciąga się od poziomu trzeciego kręgu szyjnego do drugiego kręgu piersiowego, jest źródłem nerwów unerwiających kończyny górne

**Zgrubienie lędźwiowe**
*(Intumescentia lumbalis)*
Sięga od 9. do 12. kręgu piersiowego i oddaje gałęzie do nerwów unerwiających kończyny dolne i miednicę

**Stożek rdzeniowy**
*(Conus medullaris)*
Stożkowato zwężony koniec rdzenia kręgowego; kończy się na wysokości pierwszego lub drugiego kręgu lędźwiowego

**Kość guziczna**
*(Os coccygis [Coccyx])*
Miejsce przyczepu nici końcowej

**Nerw kulszowy**
*(Nervus ischiadicus)*
Główny nerw kończyny dolnej; biegnie ku dołowi z tyłu uda, dzieli się za kolanem i biegnie dalej aż do pięty

# Przekrój poprzeczny rdzenia kręgowego

Wygląd rdzenia kręgowego jest różny na poszczególnych poziomach, co spowodowane jest liczbą mięśni, do których muszą dotrzeć nerwy wywodzące się z rdzenia kręgowego.

Rdzeń kręgowy składa się z położonej wewnątrz istoty szarej, która utworzona jest głównie z komórek nerwowych i komórek podporowych, otoczonej przez istotę białą, zbudowaną z włókien nerwowych pokrytych bogatą w tłuszcze osłonką mielinową.

Na przekroju poprzecznym istota szara ma typowy kształt litery H lub motyla. Wyróżnia się w niej dwa słupy przednie lub rogi, dwa słupy tylne i cienką warstwę istoty szarej pośredniej, która łączy obie połowy. Pośrodku znajduje się wąski kanał, przez który przepływa płyn mózgowo-rdzeniowy do IV komory mózgu położonej w pniu mózgu.

Na różnych poziomach rdzenia kręgowego wygląd i przekroje poprzeczne są inne. Ilość substancji szarej zależy od ilości masy mięśniowej, do której dochodzą nerwy.

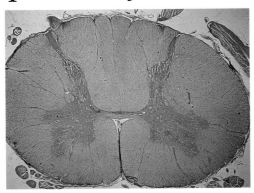

*Szyjny: rdzeń jest stosunkowo szeroki i ma kształt owalny. Wyraźnie widać istotę szarą (ciemnoczerwona). Odpowiada ona zgrubieniu szyjnemu, które zaopatruje w nerwy kończynę górną.*

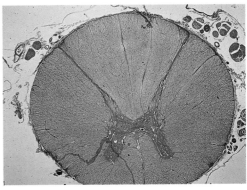

*Piersiowy: rdzeń na przekroju jest prawie okrągły i ma mniejszą średnicę. Niewiele jest istoty białej, a istota szara nie jest tak dobrze widoczna.*

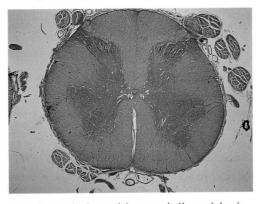

*Lędźwiowy: rdzeń ma większy przekrój, co wiąże się z większą ilością istoty szarej w zgrubieniu lędźwiowym zaopatrującym kończyny dolne. Istota biała występuje tu w mniejszej ilości.*

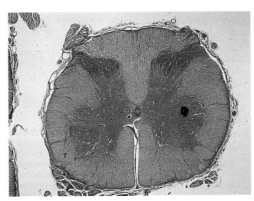

*Krzyżowy: w rejonie stożka rdzeniowego istota szara przybiera kształt dwóch owalnych tworów, które zajmują większość rdzenia; istoty białej jest niewiele.*

## Drogi nerwowe w rdzeniu kręgowym

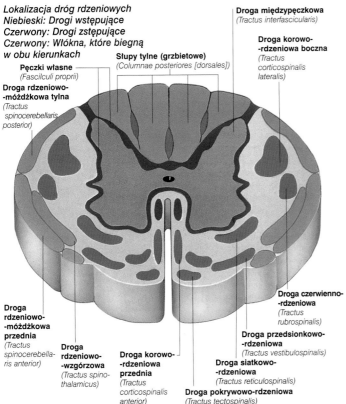

*Lokalizacja dróg rdzeniowych*
Niebieski: Drogi wstępujące
Czerwony: Drogi zstępujące
Czerwony: Włókna, które biegną w obu kierunkach

**Pęczki własne**
*(Fascilculi proprii)*
**Droga rdzeniowo- -móżdżkowa tylna**
*(Tractus spinocerebellaris posterior)*

**Słupy tylne (grzbietowe)**
*(Columnae posteriores [dorsales])*

**Droga międzypęczkowa**
*(Tractus interfascicularis)*

**Droga korowo- -rdzeniowa boczna**
*(Tractus corticospinalis lateralis)*

**Droga rdzeniowo- -móżdżkowa przednia**
*(Tractus spinocerebella- ris anterior)*

**Droga rdzeniowo- -wzgórzowa**
*(Tractus spino- thalamicus)*

**Droga korowo- -rdzeniowa przednia**
*(Tractus corticospinalis anterior)*

**Droga siatkowo- -rdzeniowa**
*(Tractus reticulospinalis)*

**Droga pokrywowo-rdzeniowa**
*(Tractus tectospinalis)*

**Droga przedsionkowo- -rdzeniowa**
*(Tractus vestibulospinalis)*

**Droga czerwienno- -rdzeniowa**
*(Tractus rubrospinalis)*

Droga nerwowa jest zbiorem wypustek (aksonów) komórek nerwowych, które mają jednakowe pochodzenie, przeznaczenie i funkcje.

### DROGI WSTĘPUJĄCE

Przenoszą bodźce czuciowe z organizmu do mózgu.
■ Słupy tylne przenoszą do rdzenia przedłużonego w mózgu informacje o delikatnym dotyku i ucisku z receptorów znajdujących się w skórze. Odpowiedzialne są one również za odczuwanie pozycji ciała (proprioceptory) i odbierają bodźce z receptorów znajdujących się w stawach, ścięgnach i mięśniach.
■ Przednia i boczne drogi rdzeniowo-wzgórzowe przenoszą informacje o trudnym do umiejscowienia dotyku, ucisku, bólu i temperaturze.
■ Przednie i tylne drogi rdzeniowo- -móżdżkowe przenoszą informacje o dotyku i ucisku do móżdżku, aby umożliwić mu udział w wykonywaniu świadomych ruchów.

### DROGI ZSTĘPUJĄCE

Przenoszą sygnały z mózgu do reszty organizmu. Uczestniczą w kontroli ruchów.

Komórki drogi piramidowej lub inaczej korowo-rdzeniowej leżą w korze mózgu i są odpowiedzialne za zainicjowanie świadomego ruchu. Droga biegnie w dół do rdzenia kręgowego i przewodzi impulsy przez brzuszne korzenie rdzenia kręgowego do mięśni szkieletowych.

### DROGI POZAPIRAMIDOWE

■ Droga pokrywowo-rdzeniowa zaczyna się w śródmózgowiu i biegnie w dół w słupach przednich. Uczestniczy w kontroli równowagi i koordynacji.
■ Droga czerwienno-rdzeniowa rozpoczyna się w jądrze czerwiennym śródmózgowia i schodzi do słupów bocznych, pomagając w kontroli postawy i napięcia mięśniowego.
■ Droga siatkowo-rdzeniowa rozpoczyna się w pniu mózgu, w tworze siatkowatym, i schodzi w słupach bocznych i przednich. Jest odpowiedzialna za napięcie mięśni.
■ Droga przedsionkowo-rdzeniowa rozpoczyna się jądrami przedsionkowymi w rdzeniu i schodzi w przednich i bocznych słupach. Również uczestniczy w kontroli napięcia mięśni.

# Mięśnie grzbietu

Mięśnie grzbietu umożliwiają utrzymanie wyprostowanej pozycji ciała oraz wykonywanie ruchów kręgosłupa. Mięśnie powierzchowne pleców współdziałają z innymi mięśniami w wykonywaniu ruchów ramion i barków.

Mięśnie głębokie pleców podpierają i umożliwiają wykonywanie ruchów w obrębie kręgosłupa. Mięśnie powierzchowne wspierają ruchy ramion i barku.

## MIĘŚNIE POWIERZCHOWNE

Mięsień czworoboczny jest dużym mięśniem w kształcie wachlarza, a jego górny brzeg tworzy widoczne wzniesienie ciągnące się od szyi do barku. Jest on przyczepiony do kości czaszki i podtrzymuje, skręca głowę oraz umożliwia odciągnięcie barków ku tyłowi. Mięsień najszerszy grzbietu jest największym i najsilniejszym mięśniem grzbietu. Łączy się z kręgosłupem powyżej dolnego brzegu mięśnia czworobocznego i biegnie ku dołowi do tylnej powierzchni miednicy. Mięsień najszerszy grzbietu pozwala przenieść uniesione ramię ku tyłowi do linii tułowia, nawet pokonywać duży opór.

Do grupy mięśni powierzchownych należy również warstwa małych mięśni. Mięsień dźwigacz łopatki, mięsień równoległoboczny większy i mniejszy przebiegają pomiędzy kręgosłupem a łopatką i poruszają łopatką do góry i do środka.

Stożek rotatorów barku stanowią mięśnie, które biegną pomiędzy łopatką a głową kości ramiennej w stawie barkowym. Mięśnie te wspólnie utrzymują głowę kości ramiennej ściśle w stawie barkowym. Mięsień zębaty tylny biegnie od kręgosłupa do żeber i porusza klatką piersiową podczas oddychania.

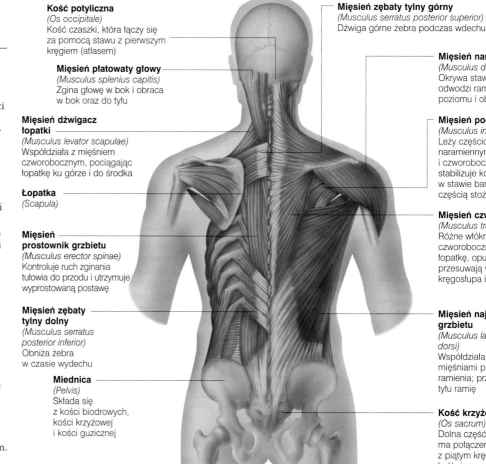

**Kość potyliczna**
*(Os occipitale)*
Kość czaszki, która łączy się za pomocą stawu z pierwszym kręgiem (atlasem)

**Mięsień płatowaty głowy**
*(Musculus splenius capitis)*
Zgina głowę w bok i obraca w bok oraz do tyłu

**Mięsień dźwigacz łopatki**
*(Musculus levator scapulae)*
Współdziała z mięśniem czworobocznym, pociągając łopatkę ku górze i do środka

**Łopatka**
*(Scapula)*

**Mięsień prostownik grzbietu**
*(Musculus erector spinae)*
Kontroluje ruch zginania tułowia do przodu i utrzymuje wyprostowaną postawę

**Mięsień zębaty tylny dolny**
*(Musculus serratus posterior inferior)*
Obniża żebra w czasie wydechu

**Miednica**
*(Pelvis)*
Składa się z kości biodrowych, kości krzyżowej i kości guzicznej

**Mięsień zębaty tylny górny**
*(Musculus serratus posterior superior)*
Dźwiga górne żebra podczas wdechu

**Mięsień naramienny**
*(Musculus deltoideus)*
Okrywa staw barkowy; odwodzi ramię do poziomu i obraca je

**Mięsień podgrzebieniowy**
*(Musculus infraspinatus)*
Leży częściowo za mięśniem naramiennym i czworobocznym grzbietu; stabilizuje kość ramienną w stawie barkowym i jest częścią stożka rotatorów

**Mięsień czworoboczny**
*(Musculus trapezius)*
Różne włókna mięśnia czworobocznego unoszą łopatkę, opuszczają ją, przesuwają w stronę kręgosłupa i z powrotem

**Mięsień najszerszy grzbietu**
*(Musculus latissimus dorsi)*
Współdziała z innymi mięśniami przy ruchach ramienia; przywodzi do tyłu ramię

**Kość krzyżowa**
*(Os sacrum)*
Dolna część kręgosłupa; ma połączenie stawowe z piątym kręgiem lędźwiowym i kością guziczną

## Ruchy kręgosłupa

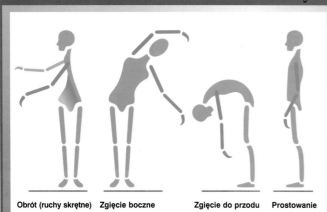

**Obrót (ruchy skrętne)**  **Zgięcie boczne**  **Zgięcie do przodu**  **Prostowanie**

**Obrót**
Skurcz krótkich mięśni międzykręgowych oraz innych mięśni głębokich umożliwia wykonanie ruchu skrętnego, jednak największy skręt pleców odbywa się w obrębie bioder.

**Zgięcie boczne**
Skurcz mięśni głębokich po jednej stronie umożliwia wykonanie zgięcia bocznego kręgosłupa.

*Te cztery rysunki pokazują zakres ruchów (włącznie ze zwyczajnym staniem), w którym biorą udział mięśnie grzbietu.*

**Zgięcie do przodu**
Zgięcie do przodu możliwe jest dzięki zmniejszeniu napięcia mięśni głębokich i zadziałaniu siły ciężkości, która zgina ciało do przodu.

**Prostowanie**
Skurcz długich głębokich mięśni grzbietu powoduje wyprostowanie kręgosłupa. Podczas stania grupa tych mięśni jest stale aktywna, aby przeciwdziałać sile ciężkości, która zgina kręgosłup do przodu.

# Mięśnie głębokie grzbietu

Mięśnie głębokie grzbietu są przyczepione do leżących poniżej kręgów, miednicy i żeber. Współdziałają one ze sobą, umożliwiając wykonywanie płynnych ruchów kręgosłupa.

Mięśnie muszą łączyć się z kośćmi, aby zyskać punkt podparcia (ramię dźwigni), potrzebny im do pełnienia swoich funkcji. Mięśnie głębokie grzbietu są przyczepione do kręgów, żeber, podstawy czaszki i miednicy.

### WARSTWA MIĘŚNI GŁĘBOKICH

Mięśnie głębokie grzbietu tworzą kilka warstw; najgłębiej leżą najkrótsze mięśnie biegnące skośnie, które łączą sąsiednie kręgi. Nad nimi znajdują się mięśnie dłuższe, które biegną pionowo i łączą ze sobą kręgi oraz żebra. Bliżej powierzchni mięśnie stają się dłuższe, niektóre łączą się z miednicą i potylicą (z tyłu podstawy czaszki), jak również z kręgami.

W tej warstwie znajduje się wiele mięśni. Chociaż każdy mięsień ma swoją nazwę, która odpowiada jego umiejscowieniu, to praktycznie współdziałają one w różnych „zespołach", a nie pojedynczo. Wspólnie tworzą dużą grupę mięśni głębokich leżącą po obu stronach kręgosłupa i razem sprawiają, że kręgosłup przyjmuje kształt litery S, umożliwiając przepływ płynu w rdzeniu.

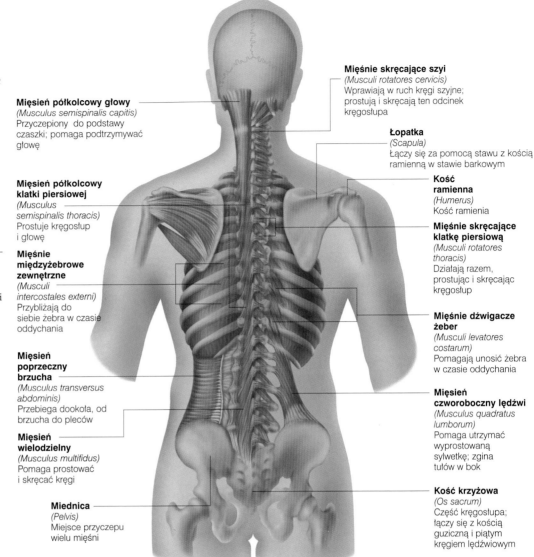

**Mięsień półkolcowy głowy**
*(Musculus semispinalis capitis)*
Przyczepiony do podstawy czaszki; pomaga podtrzymywać głowę

**Mięsień półkolcowy klatki piersiowej**
*(Musculus semispinalis thoracis)*
Prostuje kręgosłup i głowę

**Mięśnie międzyżebrowe zewnętrzne**
*(Musculi intercostales externi)*
Przybliżają do siebie żebra w czasie oddychania

**Mięsień poprzeczny brzucha**
*(Musculus transversus abdominis)*
Przebiega dookoła, od brzucha do pleców

**Mięsień wielodzielny**
*(Musculus multifidus)*
Pomaga prostować i skręcać kręgi

**Miednica**
*(Pelvis)*
Miejsce przyczepu wielu mięśni

**Mięśnie skręcające szyi**
*(Musculi rotatores cervicis)*
Wprawiają w ruch kręgi szyjne; prostują i skręcają ten odcinek kręgosłupa

**Łopatka**
*(Scapula)*
Łączy się za pomocą stawu z kością ramienną w stawie barkowym

**Kość ramienna**
*(Humerus)*
Kość ramienia

**Mięśnie skręcające klatkę piersiową**
*(Musculi rotatores thoracis)*
Działają razem, prostują i skręcając kręgosłup

**Mięśnie dźwigacze żeber**
*(Musculi levatores costarum)*
Pomagają unosić żebra w czasie oddychania

**Mięsień czworoboczny lędźwi**
*(Musculus quadratus lumborum)*
Pomaga utrzymać wyprostowaną sylwetkę; zgina tułów w bok

**Kość krzyżowa**
*(Os sacrum)*
Część kręgosłupa; łączy się z kością guziczną i piątym kręgiem lędźwiowym

## Podtrzymywanie głowy i szyi

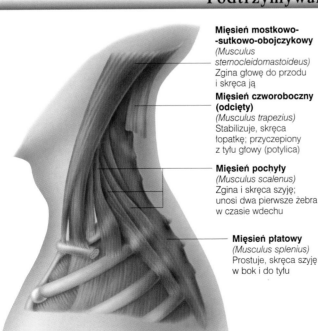

**Mięsień mostkowo-sutkowo-obojczykowy**
*(Musculus sternocleidomastoideus)*
Zgina głowę do przodu i skręca ją

**Mięsień czworoboczny (odcięty)**
*(Musculus trapezius)*
Stabilizuje, skręca łopatkę; przyczepiony z tyłu głowy (potylica)

**Mięsień pochyły**
*(Musculus scalenus)*
Zgina i skręca szyję; unosi dwa pierwsze żebra w czasie wdechu

**Mięsień płatowy**
*(Musculus splenius)*
Prostuje, skręca szyję w bok i do tyłu

Mięśnie głębokie, przymocowane w górnym odcinku kręgosłupa szyjnego, łączą się również z czaszką i utrzymują szyję oraz głowę w wyproście. Środek ciężkości głowy znajduje się przed kręgosłupem, konieczny jest więc stały skurcz mięśni z tyłu szyi, aby zapobiec opadaniu głowy do przodu – stąd bierze się „kiwanie" głowy do przodu, kiedy mięśnie się rozluźniają i zasypiamy.

Mięśnie mostkowo-sutkowo-obojczykowe są dużymi mięśniami znajdującymi się po obu stronach szyi. Są najsilniejszymi mięśniami zginającymi głowę i mogą też się napinać, aby podtrzymywać wyprostowaną głowę, jak ma to miejsce przy podnoszeniu się z pozycji leżącej.

Mięśnie płatowe są szerokimi płaszczyznami utworzonymi z włókien mięśniowych, które otaczają z zewnątrz mięśnie głębokie szyi. Mięśnie płatowe jednym końcem są przyczepione do kręgów szyjnych, a drugim do kości potylicznej z tyłu czaszki. Kiedy działają mięśnie tylko z jednej strony szyi, głowa obraca się w stronę przeciwległą i skręca się; działając obustronnie i razem z innymi mięśniami, odchylają głowę i szyję do tyłu.

Prostowanie szyi wspomaga również mięsień czworoboczny, który łączy się z kością potyliczną, kręgosłupem piersiowym i łopatką.

*Widok z boku mięśni szyi przedstawia kilka głównych mięśni podtrzymujących i zginających głowę oraz szyję.*

# Obręcz kończyny górnej

Obręcz kończyny górnej jest strukturą kostną, która łączy się za pomocą stawów i stanowi punkt podparcia dla mięśni kończyn górnych. W jej skład wchodzą z przodu klatki piersiowej obojczyki, a z tyłu łopatki.

Kończyna górna łączy się ze szkieletem za pomocą obręczy kończyny górnej, która składa się z obojczyka i łopatki. Obręcz kończyny górnej ma tylko jeden staw, którym łączy się z pozostałą częścią szkieletu. Jest nim staw mostkowo-obojczykowy, połączenie mostka z przyśrodkowym końcem obojczyka. Stabilność obręczy kończyny górnej zapewniają mięśnie i więzadła łączące się z czaszką, żebrami, mostkiem i kręgami.

### OBOJCZYK

Obojczyk jest kością w kształcie litery S, która leży poziomo w górnym odcinku klatki piersiowej. Przednia i górna powierzchnia obojczyka są gładkie, podczas gdy dolne powierzchnie są szorstkie i wyżłobione przez przyczepione więzadła i mięśnie.

Koniec przyśrodkowy (mostkowy) obojczyka ma dużą owalną powierzchnię, którą styka się z mostkiem w stawie mostkowo-obojczykowym. Mniejsza powierzchnia stawowa znajduje się po drugiej stronie, w miejscu gdzie obojczyk tworzy staw barkowo-obojczykowy z wyrostkiem barkowym łopatki.

Obojczyk działa jak rozpórka odciągająca kończynę górną od ciała, co umożliwia wykonywanie szerokich ruchów w wielu płaszczyznach. Wraz z łopatką i przyłączającymi się mięśniami przenosi również siłę uderzenia działającą na kończyny górne.

## Obręcz kończyny górnej widziana z góry

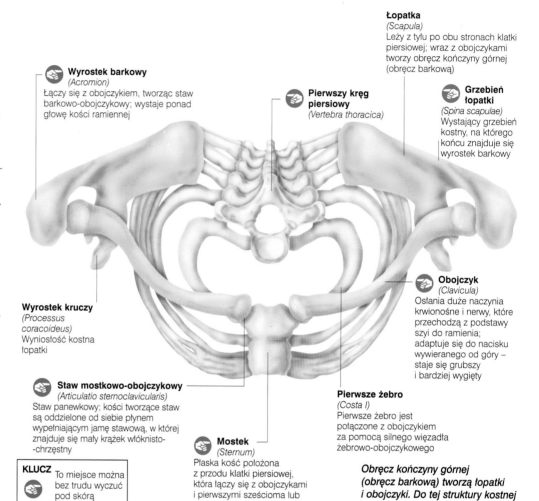

**Łopatka**
(Scapula)
Leży z tyłu po obu stronach klatki piersiowej; wraz z obojczykami tworzy obręcz kończyny górnej (obręcz barkową)

**Wyrostek barkowy**
(Acromion)
Łączy się z obojczykiem, tworząc staw barkowo-obojczykowy; wystaje ponad głowę kości ramiennej

**Pierwszy kręg piersiowy**
(Vertebra thoracica)

**Grzebień łopatki**
(Spina scapulae)
Wystający grzebień kostny, na którego końcu znajduje się wyrostek barkowy

**Obojczyk**
(Clavicula)
Osłania duże naczynia krwionośne i nerwy, które przechodzą z podstawy szyi do ramienia; adaptuje się do nacisku wywieranego od góry – staje się grubszy i bardziej wygięty

**Wyrostek kruczy**
(Processus coracoideus)
Wyniosłość kostna łopatki

**Staw mostkowo-obojczykowy**
(Articulatio sternoclavicularis)
Staw panewkowy; kości tworzące staw są oddzielone od siebie płynem wypełniającym jamę stawową, w której znajduje się mały krążek włóknisto-chrzęstny

**Mostek**
(Sternum)
Płaska kość położona z przodu klatki piersiowej, która łączy się z obojczykami i pierwszymi sześcioma lub siedmioma żebrami

**Pierwsze żebro**
(Costa I)
Pierwsze żebro jest połączone z obojczykiem za pomocą silnego więzadła żebrowo-obojczykowego

**KLUCZ** To miejsce można bez trudu wyczuć pod skórą

*Obręcz kończyny górnej (obręcz barkową) tworzą łopatki i obojczyki. Do tej struktury kostnej przymocowane są kończyny górne.*

---

## Stawy obojczyka

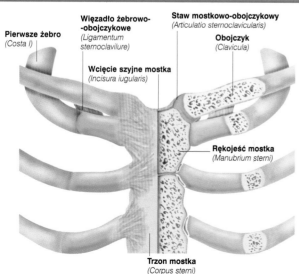

**Pierwsze żebro**
(Costa I)

**Więzadło żebrowo-obojczykowe**
(Ligamentum sternoclavilure)

**Wcięcie szyjne mostka**
(Incisura iugularis)

**Staw mostkowo-obojczykowy**
(Articulatio sternoclavicularis)

**Obojczyk**
(Clavicula)

**Rękojeść mostka**
(Manubrium sterni)

**Trzon mostka**
(Corpus sterni)

Staw mostkowo-obojczykowy jest jedynym kostnym połączeniem pomiędzy obręczą barkową a resztą szkieletu. Można go wyczuć pod skórą przy mostkowym końcu obojczyka, jest on dość duży i wystaje ponad rękojeść mostka (górny odcinek mostka); po obu stronach tworzy dobrze widoczne wybrzuszenie u podstawy szyi.

Jama stawowa jest podzielona na dwie części poprzez krążek śródstawowy zbudowany z chrząstki włóknistej, który sprawia, że końce są lepiej dopasowane, a staw jest stabilny.

*Staw mostkowo-obojczykowy stabilizuje twarda torebka włóknista oraz otaczające go mocne więzadła.*

Do stabilizacji stawu przyczynia się również więzadło żebrowo-obojczykowe, które wiąże go z leżącym od spodu pierwszym żebrem.

W stawie mostkowo-obojczykowym możliwe są tylko niewielkie ruchy; zewnętrzny koniec obojczyka może przesuwać się do góry, w czasie np. wzruszania ramionami, lub do przodu, gdy ramię się wyciąga, by chwycić coś znajdującego się z przodu ciała.

Staw barkowo-obojczykowy stanowi połączenie zewnętrznego końca obojczyka z wyrostkiem barkowym. Staw barkowo-obojczykowy obraca łopatkę na obojczyku pod wpływem działania mięśni, które łączą łopatkę z resztą szkieletu.

# Łopatka

Łopatka jest płaską, trójkątną kością położoną z tyłu pleców. Wraz z obojczykiem tworzy obręcz kończyny górnej (obręcz barkową).

Łopatka (łac. *scapula*) znajduje się z tyłu klatki piersiowej po obu stronach i pokrywa obszar od drugiego do siódmego żebra. Łopatka ma kształt trójkąta – występują w niej boki – przyśrodkowy, zewnętrzny i górny oraz trzy kąty pomiędzy nimi.

### POWIERZCHNIE

Łopatka ma dwie powierzchnie: przednią i tylną. Powierzchnia przednia lub inaczej żebrowa znajduje się naprzeciw żeber tworzących tył klatki piersiowej. Jest ona wklęsła i ma duże zagłębienie, tzw. dół podłopatkowy, który stanowi rozległą powierzchnię dla przyczepu mięśni.

Tylna powierzchnia jest podzielona przez wystający grzebień łopatki. Dół nadgrzebieniowy jest małym obszarem położonym nad grzebieniem łopatki, a dół podgrzebieniowy znajduje się poniżej. Do tych wgłębień są przyczepione mięśnie o tych samych nazwach.

### WYROSTKI KOSTNE

Grzebień łopatki jest grubą wyniosłością kostną przechodzącą w kostny wyrostek barkowy – spłaszczoną wyniosłość kostną, która stanowi wierzchołek barku. Kąt boczny, najgrubsza część łopatki, zawiera wydrążenie stawowe łopatki (panewkę stawową), w którą wchodzi głowa kości ramiennej w stawie ramiennym. Wyrostek kruczy jest ważnym miejscem, do którego przyczepione są mięśnie i więzadła; można go również wyczuć w tej okolicy.

## Łopatka widziana od tyłu

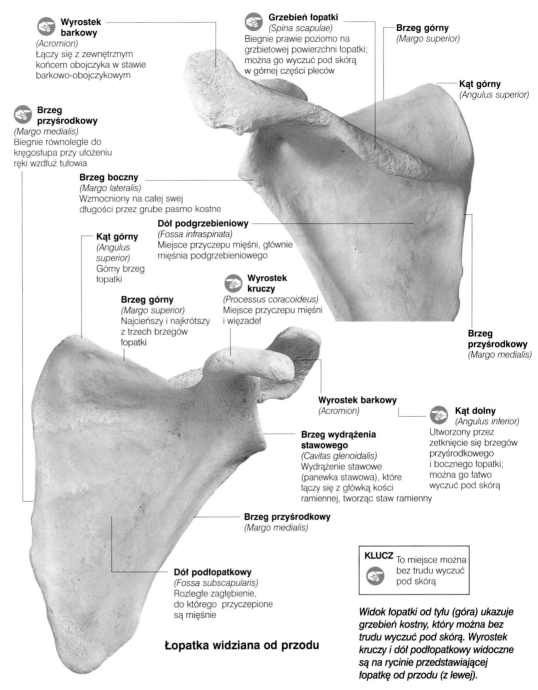

**Wyrostek barkowy**
*(Acromion)*
Łączy się z zewnętrznym końcem obojczyka w stawie barkowo-obojczykowym

**Grzebień łopatki**
*(Spina scapulae)*
Biegnie prawie poziomo na grzbietowej powierzchni łopatki; można go wyczuć pod skórą w górnej części pleców

**Brzeg górny**
*(Margo superior)*

**Kąt górny**
*(Angulus superior)*

**Brzeg przyśrodkowy**
*(Margo medialis)*
Biegnie równolegle do kręgosłupa przy ułożeniu ręki wzdłuż tułowia

**Brzeg boczny**
*(Margo lateralis)*
Wzmocniony na całej swej długości przez grube pasmo kostne

**Dół podgrzebieniowy**
*(Fossa infraspinata)*
Miejsce przyczepu mięśni, głównie mięśnia podgrzebieniowego

**Kąt górny**
*(Angulus superior)*
Górny brzeg łopatki

**Wyrostek kruczy**
*(Processus coracoideus)*
Miejsce przyczepu mięśni i więzadeł

**Brzeg górny**
*(Margo superior)*
Najcieńszy i najkrótszy z trzech brzegów łopatki

**Brzeg przyśrodkowy**
*(Margo medialis)*

**Wyrostek barkowy**
*(Acromion)*

**Brzeg wydrążenia stawowego**
*(Cavitas glenoidalis)*
Wydrążenie stawowe (panewka stawowa), które łączy się z główką kości ramiennej, tworząc staw ramienny

**Kąt dolny**
*(Angulus inferior)*
Utworzony przez zetknięcie się brzegów przyśrodkowego i bocznego łopatki; można go łatwo wyczuć pod skórą

**Brzeg przyśrodkowy**
*(Margo medialis)*

**Dół podłopatkowy**
*(Fossa subscapularis)*
Rozległe zagłębienie, do którego przyczepione są mięśnie

## Łopatka widziana od przodu

| | |
|---|---|
| **KLUCZ** | To miejsce można bez trudu wyczuć pod skórą |

*Widok łopatki od tyłu (góra) ukazuje grzebień kostny, który można bez trudu wyczuć pod skórą. Wyrostek kruczy i dół podłopatkowy widoczne są na rycinie przedstawiającej łopatkę od przodu (z lewej).*

## Łopatka odstająca

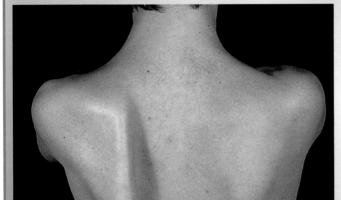

Łopatka, pomimo że nie ma połączenia kostnego z kręgosłupem i żebrami, przylega ściśle do tylnej ściany klatki piersiowej dzięki działaniu mięśni, głównie mięśnia zębatego przedniego.

Mięsień zębaty przedni unerwiany jest przez nerw piersiowy długi, który schodzi

*Ustawienie lewej łopatki tego chorego jest spowodowane uszkodzeniem nerwu piersiowego długiego. Nerw ten zaopatruje mięsień zębaty przedni, który obniża i przyciąga łopatkę do klatki piersiowej.*

z pachy po powierzchni mięśnia pod skórą i w związku z tym jest narażony na urazy. Uszkodzenie tego nerwu, np. w wyniku głębokiej rany, prowadzi do porażenia mięśnia zębatego, przez co ustępuje skurcz mięśnia, który przytrzymywał łopatkę płasko przy żebrach.

W takiej sytuacji przyśrodkowy brzeg i dolny kąt łopatki odsuwa się od linii pośrodkowej ciała, a łopatka może ostawać od klatki piersiowej jak skrzydło. Dlatego też stan ten, który się jeszcze bardziej nasila, określany jest jako łopatka odstająca (*scapula alata; ala* po łacinie znaczy skrzydło).

# Mięśnie obręczy barkowej

Obręcz barkowa, czyli obręcz kończyny górnej, składa się z łopatki i obojczyka.
Jest ona odpowiedzialna za łączenie kończyn górnych ze szkieletem. Mięśnie obręczy
barkowej zapewniają stabilność łopatkom i obojczykom.

Zgodnie z definicją obręcz kończyny górnej jest to struktura łącząca kończyny górne z kośćcem tułowia, łopatkami i obojczykami, do których przyłączają się mięśnie obręczy barkowej. Jest jednak kilka mięśni, które bezpośrednio łączą kończynę górną ze szkieletem i pośrednio wpływają na ruchy obręczy barkowej. Grupa tych mięśni należy do zewnętrznych mięśni tułowia – np. mięsień piersiowy większy z przodu i mięsień najszerszy grzbietu z tyłu.

## MIĘSIEŃ PIERSIOWY WIĘKSZY

Mięsień piersiowy większy ma dwa miejsca przyczepu – do mostka i przyległych chrząstek żebrowych oraz do przyśrodkowej jednej trzeciej obojczyka. Jego ścięgno owija się w kierunku przeciwnym do ruchu wskazówek zegara, na bruździe międzyguzkowej w górnym końcu kości ramiennej. Nadaje to głowie obojczyka większą wytrzymałość mechaniczną podczas zginania ramienia.

Mięsień piersiowy większy jest unerwiany i unaczyniany z wielu źródeł. Przyczep mostkowo-żebrowy mięśnia piersiowego większego jest silnym przywodzicielem ramienia (przyciąga ramię do ciała) i jest dobrze rozwinięty u osób uprawiających wspinaczkę oraz dźwigających ciężary. Jeśli ramię jest unieruchomione, mięsień ten może unosić żebra i działać jak dodatkowy mięsień oddechowy podczas wdechu.

## Mięśnie obręczy kończyny górnej widziane od przodu

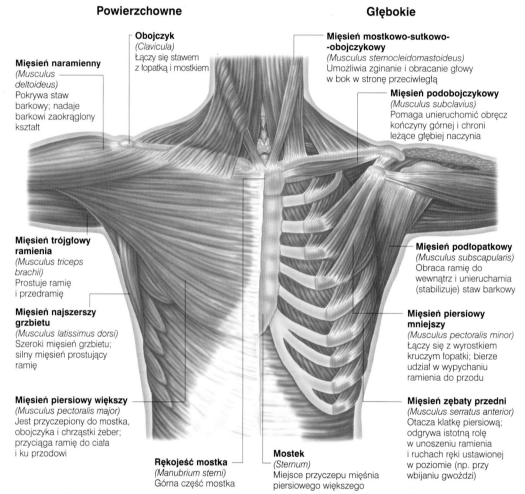

### Powierzchowne

**Obojczyk**
*(Clavicula)*
Łączy się stawem
z łopatką i mostkiem

**Mięsień naramienny**
*(Musculus deltoideus)*
Pokrywa staw barkowy; nadaje barkowi zaokrąglony kształt

**Mięsień trójgłowy ramienia**
*(Musculus triceps brachii)*
Prostuje ramię i przedramię

**Mięsień najszerszy grzbietu**
*(Musculus latissimus dorsi)*
Szeroki mięsień grzbietu; silny mięsień prostujący ramię

**Mięsień piersiowy większy**
*(Musculus pectoralis major)*
Jest przyczepiony do mostka, obojczyka i chrząstki żeber; przyciąga ramię do ciała i ku przodowi

**Rękojeść mostka**
*(Manubrium sterni)*
Górna część mostka

### Głębokie

**Mięsień mostkowo-sutkowo-obojczykowy**
*(Musculus sternocleidomastoideus)*
Umożliwia zginanie i obracanie głowy w bok w stronę przeciwległą

**Mięsień podobojczykowy**
*(Musculus subclavius)*
Pomaga unieruchomić obręcz kończyny górnej i chroni leżące głębiej naczynia

**Mięsień podłopatkowy**
*(Musculus subscapularis)*
Obraca ramię do wewnątrz i unieruchamia (stabilizuje) staw barkowy

**Mięsień piersiowy mniejszy**
*(Musculus pectoralis minor)*
Łączy się z wyrostkiem kruczym łopatki; bierze udział w wypychaniu ramienia do przodu

**Mięsień zębaty przedni**
*(Musculus serratus anterior)*
Otacza klatkę piersiową; odgrywa istotną rolę w unoszeniu ramienia i ruchach ręki ustawionej w poziomie (np. przy wbijaniu gwoździ)

**Mostek**
*(Sternum)*
Miejsce przyczepu mięśnia piersiowego większego

---

## Pod mięśniem piersiowym większym

*Jeśli ramię jest unieruchomione, mięsień piersiowy większy może unosić żebra, przez co działa jak dodatkowy mięsień oddechowy (wdechowy). Wyczerpany sprinter z rękami wspartymi o kolana wykorzystuje jego działanie.*

Poniżej mięśnia piersiowego większym i pod nim leżą mięśnie piersiowy mniejszy i podobojczykowy. Mięsień podobojczykowy ma niewielkie znaczenie – unieruchamia on obojczyk podczas wykonywania ruchów obręczy barkowej. Przy złamaniu obojczyka mięsień podobojczykowy razem z mięśniem naramiennym i działaniem siły ciężkości przemieszcza zewnętrzny fragment obojczyka w dół, natomiast odcinek przyśrodkowy jest przesuwany do góry przez mięsień mostkowo-sutkowo-obojczykowy. Przesunięcie tych fragmentów kostnych jest niebezpieczne dla leżących pod obojczykiem naczyń.

Mięsień mostkowo-sutkowo-obojczykowy jest przyczepiony do przyśrodkowej jednej trzeciej obojczyka i trzonu mostka, bierze udział głównie w wykonywaniu ruchów głową i szyją. Mięsień piersiowy mniejszy jest przyczepiony do drugiego, trzeciego, czwartego i piątego żebra oraz do wyrostka kruczego łopatki. Współuczestniczy on w przesuwaniu łopatki wzdłuż ściany klatki piersiowej. Ruch ten jest potrzebny np. przy zadawaniu ciosu pięścią.

Głównym mięśniem, który pociąga łopatkę ku przodowi, jest mięsień zębaty przedni. Mięsień ten otacza dookoła ścianę klatki piersiowej i łączy się z wewnętrznym brzegiem łopatki. Mięsień wspomaga czworoboczny obrót łopatki.

# Obręcz barkowa widok z tyłu

Duży mięsień czworoboczny i najszerszy grzbietu są mięśniami powierzchownymi grzbietu, które łączą się i wpływają na ruchy obręczy barkowej.

Mięsień najszerszy grzbietu jest przyczepiony do dolnych kręgów piersiowych, lędźwiowych i krzyżowych oraz do powięzi piersiowo-lędźwiowej i tylnego odcinka grzebienia biodrowego, a kilka włókien mięśniowych łączy się z czterema dolnymi żebrami. Z tak szerokiej podstawy włókna mięśnia zbiegają się na bruździe międzyguzkowej kości ramiennej.

Mięsień najszerszy grzbietu wspomaga mięsień piersiowy większy w przyciąganiu (przywodzeniu) ramienia do tułowia. Ponieważ mięsień ten otacza również dolne żebra, wspomaga on nasilony wydech, np. podczas kaszlu.

## MIĘSIEŃ CZWOROBOCZNY

Mięsień czworoboczny jest mięśniem, który częściowo pokrywa mięsień najszerszy grzbietu. Mięsień czworoboczny ma wiele miejsc przyczepu, począwszy od podstawy czaszki (guzowatości potylicznej) do wyrostków kolczystych dwunastu kręgów piersiowych. Dolne włókna mięśniowe są przyczepione do grzebienia łopatki; włókna pośrednie do wyrostka barkowego, a położone najwyżej włókna do zewnętrznej jednej trzeciej obojczyka. Górna część zbliża łopatki do siebie, a środkowa i dolna obraca łopatkę w stosunku do klatki piersiowej.

**Mięśnie obręczy barkowej widziane od tyłu**

**Powierzchowne**

**Głębokie**

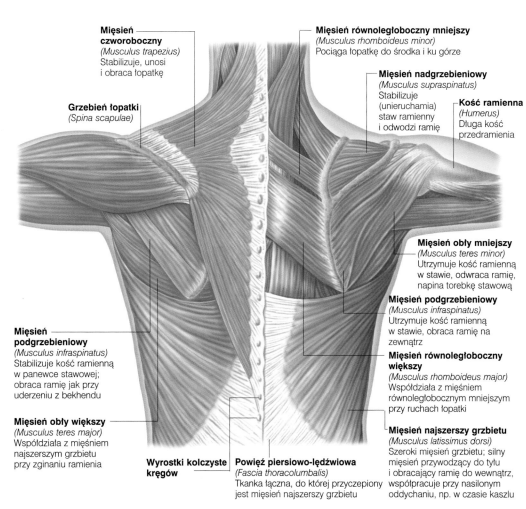

**Mięsień czworoboczny** (Musculus trapezius) Stabilizuje, unosi i obraca łopatkę

**Grzebień łopatki** (Spina scapulae)

**Mięsień podgrzebieniowy** (Musculus infraspinatus) Stabilizuje kość ramienną w panewce stawowej; obraca ramię jak przy uderzeniu z bekhendu

**Mięsień obły większy** (Musculus teres major) Współdziała z mięśniem najszerszym grzbietu przy zginaniu ramienia

**Wyrostki kolczyste kręgów**

**Powięź piersiowo-lędźwiowa** (Fascia thoracolumbalis) Tkanka łączna, do której przyczepiony jest mięsień najszerszy grzbietu

**Mięsień równległoboczny mniejszy** (Musculus rhomboideus minor) Pociąga łopatkę do środka i ku górze

**Mięsień nadgrzebieniowy** (Musculus supraspinatus) Stabilizuje (unieruchamia) staw ramienny i odwodzi ramię

**Kość ramienna** (Humerus) Długa kość przedramienia

**Mięsień obły mniejszy** (Musculus teres minor) Utrzymuje kość ramienną w stawie, odwraca ramię, napina torebkę stawową

**Mięsień podgrzebieniowy** (Musculus infraspinatus) Utrzymuje kość ramienną w stawie, obraca ramię na zewnątrz

**Mięsień równoległoboczny większy** (Musculus rhomboideus major) Współdziała z mięśniem równoległobocznym mniejszym przy ruchach łopatki

**Mięsień najszerszy grzbietu** (Musculus latissimus dorsi) Szeroki mięsień grzbietu; silny mięsień przywodzący do tyłu i obracający ramię do wewnątrz, współpracuje przy nasilonym oddychaniu, np. w czasie kaszlu

## Mięśnie głębokie

Skurcz mięśni równoległobocznego większego i mniejszego cofa łopatkę. Mięśnie te łączą przyśrodkowy brzeg łopatki z kręgosłupem i umożliwiają cofnięcie łopatki przed zadaniem ciosu pięścią lub przed wykonaniem silnego pchnięcia. Pokryte są mięśniem czworobocznym, trudno je zobaczyć i wyczuć. Przy porażeniu po jednej stronie łopatka po tej stronie odstaje od linii pośrodkowej ciała.

Mięsień równoległoboczny mniejszy i większy wraz z dźwigaczem łopatki obracają

*Mięśnie równoległoboczne współdziałają w odciąganiu łopatki, która ma umożliwić silne pchnięcie. Działanie to można zobaczyć w momencie poprzedzającym wyprowadzenie silnego ciosu przez boksera.*

łopatkę przyśrodkowo, przeciwdziałając mięśniowi czworobocznemu i zębatemu przedniemu.

## RUCHY ŁOPATKI

Ruchy łopatki są niezbędne, by można było wykonywać szeroki zakres ruchów w stawie ramiennym. Choć nie ma anatomicznego połączenia łopatki z tułowiem, klinicyści często używają sformułowania „staw łopatkowo-piersiowy", gdyż struktury te stanowią anatomiczny układ umożliwiający wykonywanie ruchów.

Ruchy te są również przenoszone do stawu mostkowo-obojczykowego poprzez obojczyk. Staw mostkowo-obojczykowy jest jedynym połączeniem pomiędzy obręczą barkową a tułowiem.

# Klatka piersiowa

Klatka piersiowa chroni ważne narządy znajdujące się wewnątrz, jak również jest miejscem, do którego przyczepione są mięśnie grzbietu, klatki piersiowej i barków. Jest ona też wystarczająco lekka, aby ruszać się podczas oddychania.

Klatkę piersiową od tyłu wzmacnia 12 kręgów piersiowych i 12 par żeber, a od przodu chrząstki żebrowe i mostek.

## ŻEBRA

Każda z 12 par żeber łączy się z tyłu z odpowiednimi kręgami kręgosłupa piersiowego. Żebra następnie zaginają się ku dołowi i kierują się w stronę przedniej powierzchni ciała.

Dwanaście par żeber można podzielić na dwie grupy. Przyjmując za kryteria podziału miejsce ich przyczepu z przodu do mostka, są to:

■ **Żebra prawdziwe** – siedem górnych par żeber łączących się bezpośrednio z mostkiem za pomocą własnych chrząstek.

■ **Żebra rzekome** – pięć dolnych par żeber, które nie łączą się bezpośrednio z mostkiem, lecz połączenie odbywa się za pomocą wspólnej chrząstki żebrowej. Żebra 11. i 12. pary nazywane są żebrami „wolnymi", gdyż nie łączą się z chrząstką żebrową, a ich przednie końce leżą wolno wewnątrz mięśni tworzących boczną ścianę brzucha.

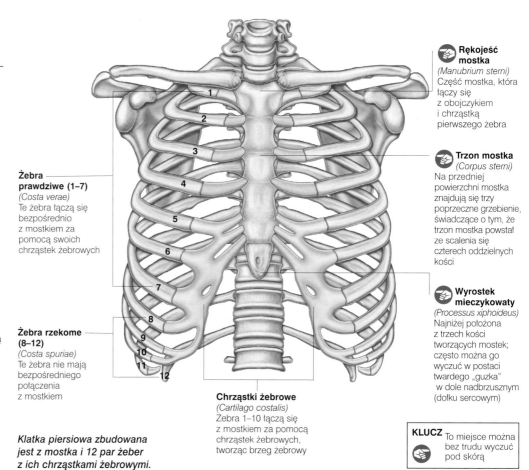

**Żebra prawdziwe (1–7)**
*(Costa verae)*
Te żebra łączą się bezpośrednio z mostkiem za pomocą swoich chrząstek żebrowych

**Żebra rzekome (8–12)**
*(Costa spuriae)*
Te żebra nie mają bezpośredniego połączenia z mostkiem

**Rękojeść mostka**
*(Manubrium sterni)*
Część mostka, która łączy się z obojczykiem i chrząstką pierwszego żebra

**Trzon mostka**
*(Corpus sterni)*
Na przedniej powierzchni mostka znajdują się trzy poprzeczne grzebienie, świadczące o tym, że trzon mostka powstał ze scalenia się czterech oddzielnych kości

**Wyrostek mieczykowaty**
*(Processus xiphoideus)*
Najniżej położona z trzech kości tworzących mostek; często można go wyczuć w postaci twardego „guzka" w dole nadbrzusznym (dołku sercowym)

**Chrząstki żebrowe**
*(Cartilago costalis)*
Żebra 1–10 łączą się z mostkiem za pomocą chrząstek żebrowych, tworząc brzeg żebrowy

*Klatka piersiowa zbudowana jest z mostka i 12 par żeber z ich chrząstkami żebrowymi.*

**KLUCZ** To miejsce można bez trudu wyczuć pod skórą

## Budowa żebra

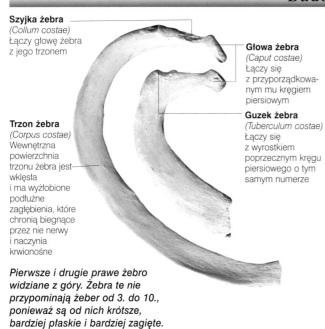

**Szyjka żebra**
*(Collum costae)*
Łączy głowę żebra z jego trzonem

**Głowa żebra**
*(Caput costae)*
Łączy się z przyporządkowanym mu kręgiem piersiowym

**Guzek żebra**
*(Tuberculum costae)*
Łączy się z wyrostkiem poprzecznym kręgu piersiowego o tym samym numerze

**Trzon żebra**
*(Corpus costae)*
Wewnętrzna powierzchnia trzonu żebra jest wklęsła i ma wyżłobione podłużne zagłębienia, które chronią biegnące przez nie nerwy i naczynia krwionośne

*Pierwsze i drugie prawe żebro widziane z góry. Żebra te nie przypominają żeber od 3. do 10., ponieważ są od nich krótsze, bardziej płaskie i bardziej zagięte.*

Żebra od 3. do 10. są do siebie bardzo podobne, a różnice w ich budowie na tyle małe, że można je określić jako „typowe". Składają się one z następujących części:

■ **Głowa żebra.** Łączy się z kręgiem piersiowym o tym samym numerze i jednocześnie z kręgiem położonym powyżej (np. czwarte żebro łączy się zarówno z trzecim, jak i czwartym kręgiem piersiowym).

■ **Szyja żebra.** Ta zwężona część żebra łączy głowę żebra z trzonem.

■ **Guzek żebra.** Guzkowata szorstka wyniosłość stanowi połączenie pomiędzy szyją a trzonem. Znajduje się na niej powierzchnia stawowa, która łączy się z wyrostkiem poprzecznym kręgu piersiowego.

■ **Trzon żebra.** Utworzony jest ze spłaszczonej, zakrzywionej kości, która otacza klatkę piersiową.

### INNE ŻEBRA

■ **Pierwsze żebro.** Jest najszersze, najkrótsze i najbardziej spłaszczone; ma tylko jedną powierzchnię stawową w obrębie głowy, którą łączy się z pierwszym kręgiem piersiowym. Na górnej powierzchni ma wystający guzek, tzw. guzek mięśnia pochyłego przedniego.

■ **Drugie żebro.** Jest cieńsze niż żebro pierwsze, a trzon jest bardzo podobny do „typowego żebra". W połowie długości znajduje się na nim wyniosłość, do której przyczepiony jest mięsień zębaty przedni.

■ **Żebra 11. i 12. (tzw. żebra wolne).** Mają one jedną powierzchnię stawową znajdującą się na głowie żebra i nie mają powierzchni stawowej na guzku, którą żebro łączyłoby się z wyrostkiem poprzecznym przyporządkowanego mu kręgu piersiowego. Zakończone są chrząstką i nie łączą się z innymi żebrami.

# Mostek

Mostek jest długą płaską kością, która leży pionowo na środku przedniej ściany klatki piersiowej.

Mostek składa się z trzech części:
■ **Rękojeść.** Ta kość tworzy górną część mostka; ma kształt zbliżony do trójkąta z wystającym i łatwo wyczuwalnym wcięciem położonym na środku jego górnego brzegu, tzw. wcięciem szyjnym.
■ **Trzon.** Rękojeść i trzon mostka nie znajdują się w jednej płaszczyźnie, tak więc ich ruchome połączenie (chrząstkozrost) tworzy kąt rozwarty ku tyłowi, tzw. kąt mostka lub inaczej kąt Ludwiga. Trzon jest dłuższy od rękojeści i stanowi najdłuższy element mostka.
■ **Wyrostek mieczykowaty.** Jest to mała spiczasta kość, położona poniżej i nieco do tyłu od dolnego końca trzonu mostka. U młodych osób wyrostek mieczykowaty może być strukturą chrzęstną, jednak w wieku 40–50 lat ulega zwykle całkowitemu skostnieniu.

*Mostek składa się z trzech części: rękojeści, trzonu i wyrostka mieczykowatego.*

**Wcięcie obojczykowe**
*(Incisura clavicularis)*
W tym miejscu obojczyk łączy się z rękojeścią mostka za pomocą ruchomego stawu maziówkowego

**Rękojeść mostka**
*(Manubrium sterni)*
Pierwsza z trzech kości mostka

**Kąt mostka, tzw. kąt Ludwiga**
*(Angulus sterni)*
Rękojeść i trzon mostka łączą się za pomocą chrząstkozrostu, tworząc rozwarty ku tyłowi kąt; połączenie to pozwala na ruchy mostka w czasie oddychania

**Trzon mostka**
*(Corpus sterni)*
Na bokach trzonu mostka widać zagłębienia (wcięcia żebrowe), miejsca przyczepów chrząstek żebrowych, które łączą się z mostkiem za pomocą małych stawów maziówkowych

**Wyrostek mieczykowaty**
*(Processus xiphoideus)*
Miejsce przyczepu niektórych mięśni brzucha

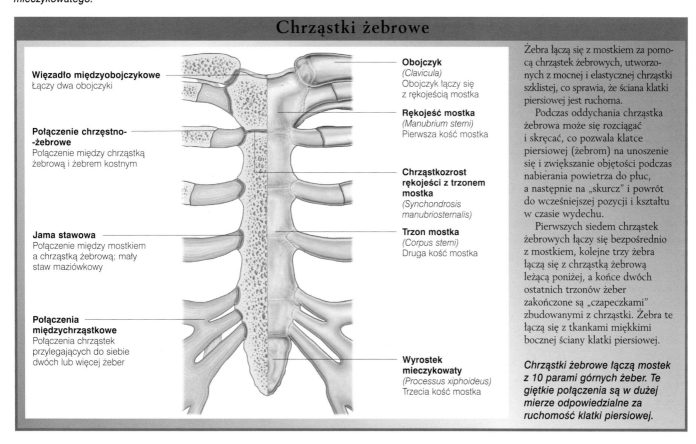

## Chrząstki żebrowe

**Więzadło międzyobojczykowe**
Łączy dwa obojczyki

**Połączenie chrzęstno-żebrowe**
Połączenie między chrząstką żebrową i żebrem kostnym

**Jama stawowa**
Połączenie między mostkiem a chrząstką żebrową; mały staw maziówkowy

**Połączenia międzychrząstkowe**
Połączenia chrząstek przylegających do siebie dwóch lub więcej żeber

**Obojczyk**
*(Clavicula)*
Obojczyk łączy się z rękojeścią mostka

**Rękojeść mostka**
*(Manubrium sterni)*
Pierwsza kość mostka

**Chrząstkozrost rękojeści z trzonem mostka**
*(Synchondrosis manubriosternalis)*

**Trzon mostka**
*(Corpus sterni)*
Druga kość mostka

**Wyrostek mieczykowaty**
*(Processus xiphoideus)*
Trzecia kość mostka

Żebra łączą się z mostkiem za pomocą chrząstek żebrowych, utworzonych z mocnej i elastycznej chrząstki szklistej, co sprawia, że ściana klatki piersiowej jest ruchoma.

Podczas oddychania chrząstka żebrowa może się rozciągać i skręcać, co pozwala klatce piersiowej (żebrom) na unoszenie się i zwiększanie objętości podczas nabierania powietrza do płuc, a następnie na „skurcz" i powrót do wcześniejszej pozycji i kształtu w czasie wydechu.

Pierwszych siedem chrząstek żebrowych łączy się bezpośrednio z mostkiem, kolejne trzy żebra łączą się z chrząstką żebrową leżącą poniżej, a końce dwóch ostatnich trzonów żeber zakończone są „czapeczkami" zbudowanymi z chrząstki. Żebra te łączą się z tkankami miękkimi bocznej ściany klatki piersiowej.

*Chrząstki żebrowe łączą mostek z 10 parami górnych żeber. Te giętkie połączenia są w dużej mierze odpowiedzialne za ruchomość klatki piersiowej.*

# Mięśnie i ruchy klatki piersiowej

Szkielet kostny klatki piersiowej pokryty jest kilkoma warstwami mięśni, do których należą bardzo silne mięśnie kończyny górnej i grzbietu, jak również mięśnie głębokie, czyli właściwe mięśnie klatki piersiowej.

Mięśnie właściwe klatki piersiowej wykonują ruchy oddechowe. Łączą się one tylko z żebrami i kręgosłupem piersiowym. Mięśnie te wzmacniają ścianę klatki piersiowej, zamykając i chroniąc ważne dla życia narządy klatki piersiowej.

## MIĘŚNIE MIĘDZYŻEBROWE

Mięśnie międzyżebrowe wypełniają 11 przestrzeni międzyżebrowych znajdujących się pomiędzy żebrami. Tworzą one trzy warstwy: mięśnie międzyżebrowe zewnętrzne położone powierzchownie, leżące pod nimi mięśnie międzyżebrowe wewnętrzne oraz mięśnie międzyżebrowe najgłębsze.

■ **Mięśnie międzyżebrowe zewnętrzne.** Włókna każdego mięśnia międzyżebrowego zewnętrznego biegną skośnie ku przodowi w dół i łączą się z żebrem leżącym niżej, a ich skurcz podczas wdechu powoduje uniesienie żeber.

■ **Mięśnie międzyżebrowe wewnętrzne.** Włókna tych mięśni leżą pod włóknami mięśni międzyżebrowych zewnętrznych i biegną skośnie ku tyłowi do dołu, od górnego do dolnego żebra. Podobnie jak mięśnie międzyżebrowe zewnętrzne wspomagają wdech.

■ **Mięśnie międzyżebrowe najgłębsze.** Leżą pod mięśniami międzyżebrowymi wewnętrznymi i ich włókna mają taki sam przebieg. Od mięśni międzyżebrowych wewnętrznych oddziela je tkanka łączna, w której znajdują się nerwy i naczynia krwionośne.

## Ściana klatki piersiowej widziana od wewnątrz

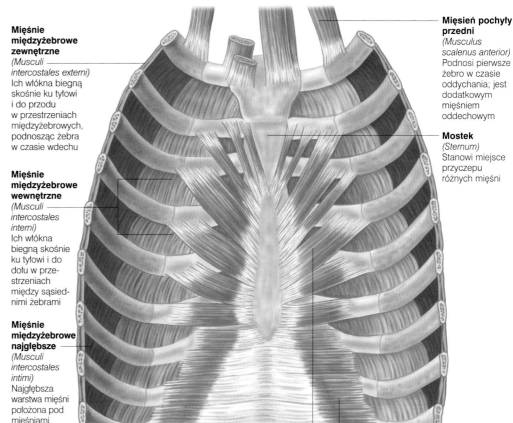

**Mięśnie międzyżebrowe zewnętrzne**
*(Musculi intercostales externi)*
Ich włókna biegną skośnie ku tyłowi i do przodu w przestrzeniach międzyżebrowych, podnosząc żebra w czasie wdechu

**Mięśnie międzyżebrowe wewnętrzne**
*(Musculi intercostales interni)*
Ich włókna biegną skośnie ku tyłowi i do dołu w prze-strzeniach między sąsied-nimi żebrami

**Mięśnie międzyżebrowe najgłębsze**
*(Musculi intercostales intimi)*
Najgłębsza warstwa mięśni położona pod mięśniami międzyżebrowymi wewnętrznymi

**Mięsień pochyły przedni**
*(Musculus scalenus anterior)*
Podnosi pierwsze żebro w czasie oddychania; jest dodatkowym mięśniem oddechowym

**Mostek**
*(Sternum)*
Stanowi miejsce przyczepu różnych mięśni

**Mięsień poprzeczny klatki piersiowej**
*(Musculus transversus thoracis)*
Biegnie wachlarzowato od miejsca połączenia trzonu żebra kostnego z chrząstką żebrową

**Mięsień poprzeczny brzucha**
*(Musculus transversus abdominis)*
Włókna mięśnia biegną poziomo

*Widok klatki piersiowej od wewnątrz ukazuje mięsień poprzeczny klatki piersiowej, który jest przyczepiony do mostka oraz warstwy mięśni międzyżebrowych.*

## Właściwe mięśnie klatki piersiowej

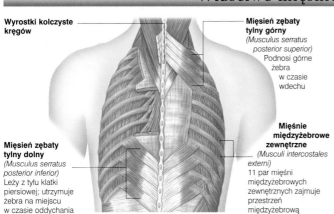

**Wyrostki kolczyste kręgów**

**Mięsień zębaty tylny górny**
*(Musculus serratus posterior superior)*
Podnosi górne żebra w czasie wdechu

**Mięśnie międzyżebrowe zewnętrzne**
*(Musculi intercostales externi)*
11 par mięśni międzyżebrowych zewnętrznych zajmuje przestrzeń międzyżebrową

**Mięsień zębaty tylny dolny**
*(Musculus serratus posterior inferior)*
Leży z tyłu klatki piersiowej; utrzymuje żebra na miejscu w czasie oddychania

Do mięśni właściwych klatki piersiowej należą:

■ **Mięśnie międzyżebrowe.** Tworzą trzy warstwy, wypełniając przestrzeń międzyżebrową.

■ **Mięśnie podżebrowe.** Są to małe mięśnie, które biegną w dół po wewnętrznej powierzchni tylnej ściany klatki piersiowej pomiędzy dolnymi żebrami. Ich włókna przebiegają w tym samym kierunku

co włókna mięśnia międzyżebrowego wewnętrznego i wspomagają unoszenie żeber.

■ **Mięsień poprzeczny klatki piersiowej.** Jest małym mięśniem, którego wielkość i kształt może się zmieniać; leży z przodu klatki piersiowej.

■ **Mięsień zębaty tylny.** Położony jest z tyłu ściany klatki piersiowej i składa się z dwóch części: górnej, która w czasie wdechu unosi górne żebra, i dolnej, która utrzymuje żebra na miejscu w czasie oddychania.

*Widok klatki piersiowej od tyłu ukazuje mięśnie międzyżebrowe zewnętrzne oraz mięsień zębaty dolny i górny.*

# Ruchy klatki piersiowej

Podczas oddychania jama klatki piersiowej rozszerza się i zwęża, co powoduje, że powietrze dostaje się do środka i wychodzi na zewnątrz. Zwiększanie objętości klatki piersiowej osiąga się poprzez skurcz przepony oraz ruchy żeber.

Podczas spokojnego oddychania ruchy żeber spowodowane są działaniem mięśni oddechowych, z których najważniejsze są mięśnie międzyżebrowe. Skurcz mięśni międzyżebrowych powoduje rozszerzanie się klatki piersiowej w kierunku przednio-tylnym oraz na boki.

### POWIĘKSZANIE KLATKI PIERSIOWEJ

Dolne żebra są unoszone i rozsuwają się na boki ruchem podobnym do tego, jaki wykonuje rączka przy wiadrze. Ruch ten rozszerza klatkę piersiową. Kiedy górne żebra są uniesione, mostek przesuwa się również do góry i nieznacznie obraca, tak że jego dolny koniec przesuwa się do przodu. Ruch ten powoduje zwiększenie głębokości klatki piersiowej.

Oba te ruchy zwiększają objętość klatki piersiowej, co z kolei powoduje rozprężenie znajdujących się w niej płuc i nabranie powietrza. Kiedy mięśnie międzyżebrowe rozluźniają się pod koniec wdechu, klatka piersiowa zapada się pod wpływem działania siły ciężkości i naturalnej elastyczności płuc.

## Klatka piersiowa podczas wdechu

**Dolne żebra**
Dolne żebra poruszają się ruchem „rączki od wiadra"

**Górne żebra**
Pierwsze i drugie żebra mogą być unoszone przez dodatkowe mięśnie oddechowe, gdy w płuca trzeba nabrać więcej powietrza

**Mostek**
W czasie wdechu dolny odcinek mostka przesuwa się ku przodowi, zwiększając objętość klatki piersiowej ruchem „dźwigni pompy"

*W czasie wdechu żebra unoszą się i klatka piersiowa się rozszerza. Mostek również się unosi, dodatkowo zwiększając objętość klatki piersiowej.*

# Mięśnie oddechowe dodatkowe

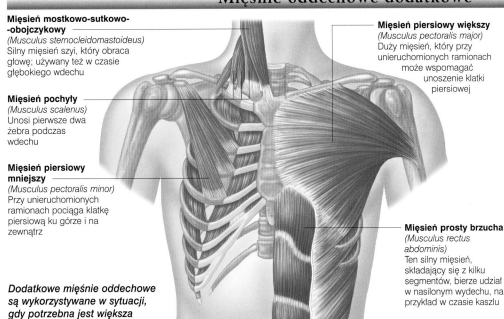

**Mięsień mostkowo-sutkowo--obojczykowy**
*(Musculus sternocleidomastoideus)*
Silny mięsień szyi, który obraca głowę; używany też w czasie głębokiego wdechu

**Mięsień pochyły**
*(Musculus scalenus)*
Unosi pierwsze dwa żebra podczas wdechu

**Mięsień piersiowy mniejszy**
*(Musculus pectoralis minor)*
Przy unieruchomionych ramionach pociąga klatkę piersiową ku górze i na zewnątrz

**Mięsień piersiowy większy**
*(Musculus pectoralis major)*
Duży mięsień, który przy unieruchomionych ramionach może wspomagać unoszenie klatki piersiowej

**Mięsień prosty brzucha**
*(Musculus rectus abdominis)*
Ten silny mięsień, składający się z kilku segmentów, bierze udział w nasilonym wydechu, na przykład w czasie kaszlu

*Dodatkowe mięśnie oddechowe są wykorzystywane w sytuacji, gdy potrzebna jest większa ilość powietrza, na przykład po wysiłku.*

W pewnych sytuacjach uruchamiają się dodatkowe mięśnie oddechowe, np. gdy do płuc musi dotrzeć dużo więcej powietrza niż zwykle lub gdy w wyniku chorób płuc wdychane powietrze napotyka opór.

Dodatkowe mięśnie oddechowe łączą się zarówno z klatką piersiową, jak i z innymi częściami górnego szkieletu. Ich podstawowym zadaniem jest poruszanie głową, szyją i kończynami górnymi. Jeśli jeden koniec tych silnych mięśni jest unieruchomiony, ich skurcz powoduje uniesienie żeber i rozszerzenie klatki piersiowej.

Działanie tych mięśni można zaobserwować u lekkoatletów po biegu, kiedy trzymają głowę pochyloną do przodu, a napięte ręce wspierają na biodrach lub kolanach. W tej pozycji mięśnie szyi i obręczy barkowej mogą znacząco zwiększyć objętość klatki piersiowej.

# Gruczoł sutkowy

W różnych okresach życia kobiety w jej gruczołach sutkowych zachodzą zmiany strukturalne. Najbardziej widoczne zmiany występują w czasie ciąży, gdy gruczoł sutkowy przygotowuje się do wytwarzania pokarmu dla dziecka.

Zarówno u mężczyzn, jak i u kobiet występują gruczoły sutkowe, lecz tylko u kobiet są one dobrze rozwinięte. Dwie piersi mają w przybliżeniu kształt półkul, które zbudowane są z tkanek tłuszczowej i gruczołowej. Leżą one po obu stronach mostka na warstwie mięśni pokrywającej przednią ścianę klatki piersiowej.

## BUDOWA GRUCZOŁU SUTKOWEGO

Podstawa piersi ma kształt prawie okrągły i rozciąga się od poziomu 2. żebra u góry do 6. żebra na dole. Ponadto tkanka tłuszczowa gruczołu sutkowego może rozciągać się w kierunku pachy jako ogon pachowy lub ogon Spence'a.

Wielkość piersi może się znacznie różnić; spowodowane jest to głównie ilością tkanki tłuszczowej, gdyż ilość tkanki gruczołowej u poszczególnych kobiet jest taka sama.

Gruczoł piersiowy (sutkowy) zbudowany jest z 15–20 płatów zawierających tkankę wydzielniczą, w której wytwarzany jest pokarm kobiecy. Z każdego płata pokarm przepływa w kierunku powierzchni przez przewód mleczny, który uchodzi na brodawce sutkowej.

Brodawka sutkowa jest wystającą strukturą, którą otacza przebarwiona okrągła otoczka. Skóra na brodawce jest bardzo cienka i delikatna. Jest ona pozbawiona włosów i gruczołów potowych.

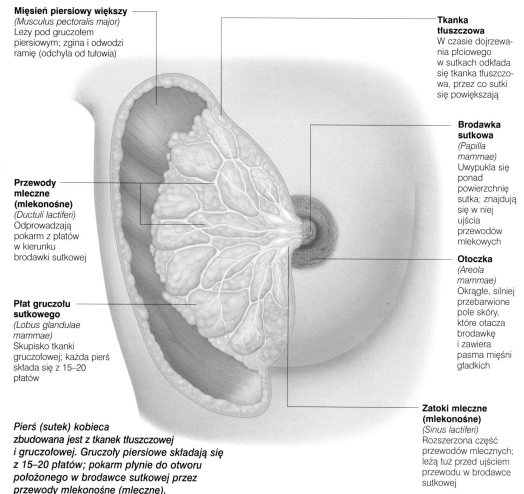

**Mięsień piersiowy większy**
*(Musculus pectoralis major)*
Leży pod gruczołem piersiowym; zgina i odwodzi ramię (odchyla od tułowia)

**Przewody mleczne (mlekonośne)**
*(Ductuli lactiferi)*
Odprowadzają pokarm z płatów w kierunku brodawki sutkowej

**Płat gruczołu sutkowego**
*(Lobus glandulae mammae)*
Skupisko tkanki gruczołowej; każda pierś składa się z 15–20 płatów

**Tkanka tłuszczowa**
W czasie dojrzewania płciowego w sutkach odkłada się tkanka tłuszczowa, przez co sutki się powiększają

**Brodawka sutkowa**
*(Papilla mammae)*
Uwypukla się ponad powierzchnię sutka; znajdują się w niej ujścia przewodów mlekowych

**Otoczka**
*(Areola mammae)*
Okrągłe, silniej przebarwione pole skóry, które otacza brodawkę i zawiera pasma mięśni gładkich

**Zatoki mleczne (mlekonośne)**
*(Sinus lactiferi)*
Rozszerzona część przewodów mlecznych; leżą tuż przed ujściem przewodu w brodawce sutkowej

*Pierś (sutek) kobieca zbudowana jest z tkanek tłuszczowej i gruczołowej. Gruczoły piersiowe składają się z 15–20 płatów; pokarm płynie do otworu położonego w brodawce sutkowej przez przewody mlekonośne (mleczne).*

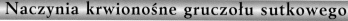

## Naczynia krwionośne gruczołu sutkowego

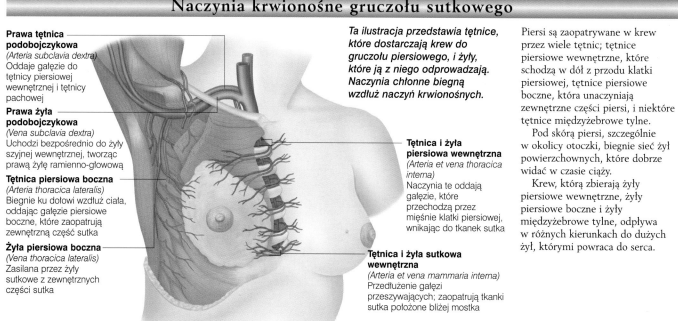

**Prawa tętnica podobojczykowa**
*(Arteria subclavia dextra)*
Oddaje gałęzie do tętnicy piersiowej wewnętrznej i tętnicy pachowej

**Prawa żyła podobojczykowa**
*(Vena subclavia dextra)*
Uchodzi bezpośrednio do żyły szyjnej wewnętrznej, tworząc prawą żyłę ramienno-głowową

**Tętnica piersiowa boczna**
*(Arteria thoracica lateralis)*
Biegnie ku dołowi wzdłuż ciała, oddając gałęzie piersiowe boczne, które zaopatrują zewnętrzną część sutka

**Żyła piersiowa boczna**
*(Vena thoracica lateralis)*
Zasilana przez żyły sutkowe z zewnętrznych części sutka

*Ta ilustracja przedstawia tętnice, które dostarczają krew do gruczołu piersiowego, i żyły, które ją z niego odprowadzają. Naczynia chłonne biegną wzdłuż naczyń krwionośnych.*

**Tętnica i żyła piersiowa wewnętrzna**
*(Arteria et vena thoracica interna)*
Naczynia te oddają gałęzie, które przechodzą przez mięśnie klatki piersiowej, wnikając do tkanek sutka

**Tętnica i żyła sutkowa wewnętrzna**
*(Arteria et vena mammaria interna)*
Przedłużenie gałęzi przeszywających; zaopatrują tkanki sutka położone bliżej mostka

Piersi są zaopatrywane w krew przez wiele tętnic; tętnice piersiowe wewnętrzne, które schodzą w dół z przodu klatki piersiowej, tętnice piersiowe boczne, które unaczyniają zewnętrzne części piersi, i niektóre tętnice międzyżebrowe tylne.

Pod skórą piersi, szczególnie w okolicy otoczki, biegnie sieć żył powierzchownych, które dobrze widać w czasie ciąży.

Krew, którą zbierają żyły piersiowe wewnętrzne, żyły piersiowe boczne i żyły międzyżebrowe tylne, odpływa w różnych kierunkach do dużych żył, którymi powraca do serca.

# Drenaż limfatyczny piersi

Chłonka, płyn, który wycieka z naczyń krwionośnych do przestrzeni międzykomórkowej, powraca do krwiobiegu przez układ chłonny. Chłonka przechodzi przez wiele węzłów chłonnych, pełniących funkcję filtrów, na których osadzają się bakterie, komórki i inne cząsteczki.

Naczynia chłonne powstają w przestrzeniach tkankowych, łączą się ze sobą i tworzą naczynia o większej średnicy, którymi zwykle przezroczysta chłonka płynie do układu żylnego.

Chłonka odpływa z brodawki, otoczki i płatów gruczołu sutkowego do sieci małych naczyń chłonnych, splotu chłonnego otoczki brodawki sutkowej. Z niego chłonka może płynąć w wielu kierunkach.

## SCHEMAT DRENAŻU

Około 75% chłonki pochodzącej ze splotu otoczki brodawki sutkowej, głównie z kwadrantów zewnętrznych, odpływa w kierunku węzłów chłonnych pachowych. Po drodze chłonka przepływa przez wiele węzłów chłonnych w okolicy pachy i dochodzi do pnia podobojczykowego, aby trafić do przewodu chłonnego prawego, a dalej do żył położonych powyżej serca.

Większość pozostałej chłonki pochodzącej głównie z przyśrodkowych kwadrantów piersi spływa do węzłów chłonnych przymostkowych, które znajdują się w pobliżu linii pośrodkowej ciała z przodu klatki piersiowej. Niewielki procent naczyń chłonnych z gruczołu piersiowego łączy się z węzłami chłonnymi międzyżebrowymi tylnymi.

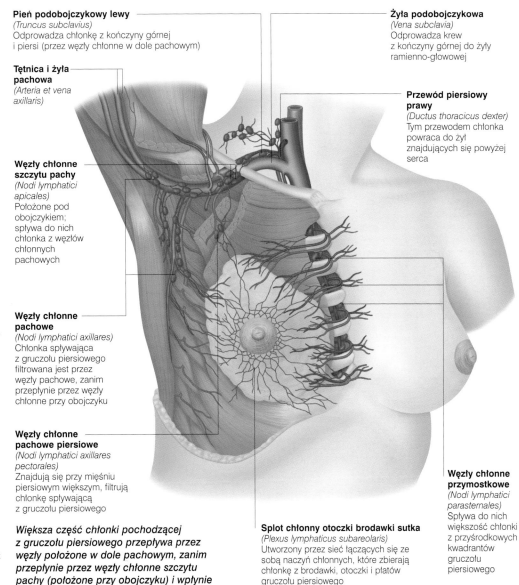

**Pień podobojczykowy lewy**
*(Truncus subclavius)*
Odprowadza chłonkę z kończyny górnej i piersi (przez węzły chłonne w dole pachowym)

**Tętnica i żyła pachowa**
*(Arteria et vena axillaris)*

**Węzły chłonne szczytu pachy**
*(Nodi lymphatici apicales)*
Położone pod obojczykiem; spływa do nich chłonka z węzłów chłonnych pachowych

**Węzły chłonne pachowe**
*(Nodi lymphatici axillares)*
Chłonka spływająca z gruczołu piersiowego filtrowana jest przez węzły pachowe, zanim przepłynie przez węzły chłonne przy obojczyku

**Węzły chłonne pachowe piersiowe**
*(Nodi lymphatici axillares pectorales)*
Znajdują się przy mięśniu piersiowym większym, filtrują chłonkę spływającą z gruczołu piersiowego

**Żyła podobojczykowa**
*(Vena subclavia)*
Odprowadza krew z kończyny górnej do żyły ramienno-głowowej

**Przewód piersiowy prawy**
*(Ductus thoracicus dexter)*
Tym przewodem chłonka powraca do żył znajdujących się powyżej serca

**Węzły chłonne przymostkowe**
*(Nodi lymphatici parasternales)*
Spływa do nich większość chłonki z przyśrodkowych kwadrantów gruczołu piersiowego

**Splot chłonny otoczki brodawki sutka**
*(Plexus lymphaticus subareolaris)*
Utworzony przez sieć łączących się ze sobą naczyń chłonnych, które zbierają chłonkę z brodawki, otoczki i płatów gruczołu piersiowego

*Większa część chłonki pochodzącej z gruczołu piersiowego przepływa przez węzły położone w dole pachowym, zanim przepłynie przez węzły chłonne szczytu pachy (położone przy obojczyku) i wpłynie do układu żylnego.*

## Drenaż chłonny a rak piersi

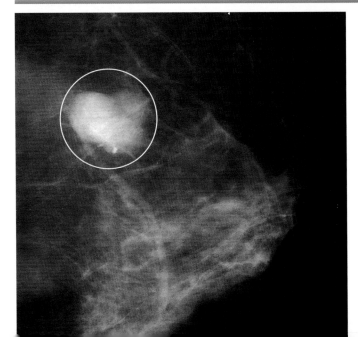

*To zdjęcie mammograficzne ukazuje złośliwy guz piersi. Guz widoczny jest jako obszar o wzmożonej gęstości (w kółku) w tkance piersi.*

W chłonce często znajdują się różne cząsteczki, np. komórki, które oddzieliły się z tkanek. Jeśli chłonka pochodzi z obszarów, gdzie znajduje się rosnący rak, mogą znaleźć się w niej komórki, które oddzieliły się od nowotworu. Komórki te mogą zatrzymać się w filtrze, jakim jest węzeł chłonny, i osiąść w nim, tworząc przerzut.

Dlatego też lekarze muszą znać drogi odpływu chłonki z różnych okolic ciała, a szczególnie z obszarów podatnych na rozwój nowotworów, jak np. pierś. Z chwilą wykrycia guza lekarz powinien zbadać odpowiednie węzły chłonne w poszukiwaniu przerzutowych ognisk nowotworu.

### MAMMOGRAFIA

Do badań profilaktycznych wykonywanych w celu wczesnego wykrywania raka należy badanie piersi przez lekarza, samodzielne badanie piersi przez kobietę, a także mammografia (badanie radiologiczne piersi).

Mammogramy pomagają wykryć obecność raka w piersi we wczesnym, a dzięki temu łatwym do leczenia stadium.

105

# Przepona

Przepona jest płaskim szerokim mięśniem, który oddziela jamę klatki piersiowej od jamy brzusznej. Jest ona bardzo ważnym mięśniem oddechowym, gdyż jej skurcz zwiększa objętość klatki piersiowej, co pozwala na wnikanie powietrza do środka.

Przepona jest najważniejszym mięśniem biorącym udział w oddychaniu. Znajduje się w niej wiele otworów, przez które przechodzi dużo ważnych struktur łączących narządy klatki piersiowej z narządami jamy brzusznej. Przepona zbudowana jest z włókien mięśniowych leżących na obwodzie, łączących się z położoną centralnie warstwą ścięgnistą, która w odróżnieniu do innych ścięgien nie ma połączenia z kością.

## MIĘŚNIE PRZEPONY

Mięsień przepony łączy się w trzech miejscach ze ścianą klatki piersiowej. Jego trzy części zlewają się ze sobą i tworzą jednolitą warstwę, która zbiega się na środku ścięgnistym stanowiącym miejsce ich przyczepu.

Zależnie od przyczepów przeponę dzieli się na: część mostkową, żebrową i lędźwiową lub kręgową, od których odchodzą odnogi i więzadła łukowate.

## ŚRODEK ŚCIĘGNISTY

Włókna mięśniowe przepony łączą się ze środkiem ścięgnistym, który ma kształt trójpłatowego listka koniczyny. Środkowa część znajduje się pod spodem i jest uciskana przez serce. Łączy się ona za pomocą więzadeł z osierdziem, błoną otaczającą serce. Dwa boczne liście leżą z tyłu i tworzą lewą i prawą kopułę przepony.

## Brzuszna powierzchnia przepony

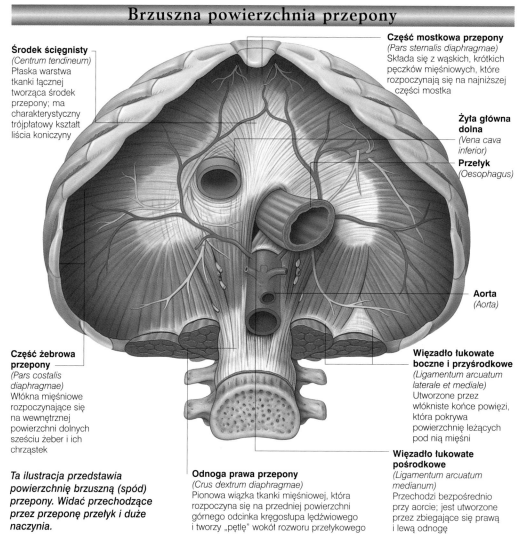

**Środek ścięgnisty**
*(Centrum tendineum)*
Płaska warstwa tkanki łącznej tworząca środek przepony; ma charakterystyczny trójpłatowy kształt liścia koniczyny

**Część mostkowa przepony**
*(Pars sternalis diaphragmae)*
Składa się z wąskich, krótkich pęczków mięśniowych, które rozpoczynają się na najniższej części mostka

**Żyła główna dolna**
*(Vena cava inferior)*

**Przełyk**
*(Oesophagus)*

**Aorta**
*(Aorta)*

**Część żebrowa przepony**
*(Pars costalis diaphragmae)*
Włókna mięśniowe rozpoczynające się na wewnętrznej powierzchni dolnych sześciu żeber i ich chrząstek

**Więzadło łukowate boczne i przyśrodkowe**
*(Ligamentum arcuatum laterale et mediale)*
Utworzone przez włókniste końce powięzi, która pokrywa powierzchnię leżących pod nią mięśni

**Więzadło łukowate pośrodkowe**
*(Ligamentum arcuatum medianum)*
Przechodzi bezpośrednio przy aorcie; jest utworzone przez zbiegające się prawą i lewą odnogę

*Ta ilustracja przedstawia powierzchnię brzuszną (spód) przepony. Widać przechodzące przez przeponę przełyk i duże naczynia.*

**Odnoga prawa przepony**
*(Crus dextrum diaphragmae)*
Pionowa wiązka tkanki mięśniowej, która rozpoczyna się na przedniej powierzchni górnego odcinka kręgosłupa lędźwiowego i tworzy „pętlę" wokół rozworu przełykowego

## Unerwienie przepony

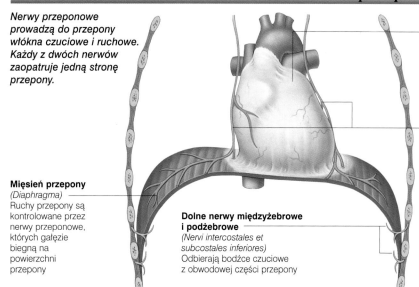

*Nerwy przeponowe prowadzą do przepony włókna czuciowe i ruchowe. Każdy z dwóch nerwów zaopatruje jedną stronę przepony.*

**Serce**
*(Cor)*
Zamknięte we włóknistym worku osierdziowym serce leży na środkowej części przepony, lekko ją uciskając

**Nerwy przeponowe**
*(Nervi phrenici)*
Powstają w obrębie szyi; dochodzą do przepony wzdłuż osierdzia

**Mięsień przepony**
*(Diaphragma)*
Ruchy przepony są kontrolowane przez nerwy przeponowe, których gałęzie biegną na powierzchni przepony

**Dolne nerwy międzyżebrowe i podżebrowe**
*(Nervi intercostales et subcostales inferiores)*
Odbierają bodźce czuciowe z obwodowej części przepony

Unerwienie ruchowe przepony (które powoduje skurcze przepony) pochodzi w całości z dwóch nerwów przeponowych leżących po obu jej stronach. Nerwy te zaczynają się w odcinku szyjnym rdzenia kręgowego na wysokości trzeciego, czwartego i piątego kręgu szyjnego.

## UNERWIENIE CZUCIOWE

Nerw przeponowy zawiera również włókna czuciowe, które przewodzą bodźce bólowe oraz informacje dotyczące pozycji środkowej części przepony. Obwodowa część przepony jest unerwiana czuciowo poprzez gałązki dolnych nerwów międzyżebrowych i podżebrowych.

# Powierzchnia piersiowa przepony

Górna powierzchnia przepony jest wypukła i stanowi dno jamy klatki piersiowej. Znajdują się w niej otwory, przez które przechodzą duże naczynia i struktury anatomiczne zmierzające do jamy brzusznej.

Środkowa część przepony styka się z osierdziem, błoną, która otacza serce. Po obu stronach górną powierzchnię przepony pokrywa przeponowy odcinek opłucnej ściennej (cienka błona, która wyściela całą jamę klatki piersiowej). Błona ta biegnie dookoła brzegów przepony i łączy się z opłucną żebrową, która przylega do wewnętrznej powierzchni ściany klatki piersiowej.

### OTWORY PRZEPONY

Chociaż przepona oddziela jamę klatki piersiowej od jamy brzusznej, pewne struktury anatomiczne przechodzą przez otwory przepony. Trzy najważniejsze otwory to:

■ **Otwór żyły głównej.** Jest to otwór mieszczący się w środku ścięgnistym, przez który przechodzi żyła główna dolna – główna żyła jamy brzusznej i kończyn dolnych. Ponieważ otwór znajduje się środku ścięgnistym, a nie w mięśniach, nie zamyka się podczas skurczu przepony w czasie wdechu; w rzeczywistości poszerza się i zwiększa przepływ krwi. Przez otwór ten przechodzą również gałązki prawego nerwu przeponowego i naczynia limfatyczne.

## Widok przepony z góry

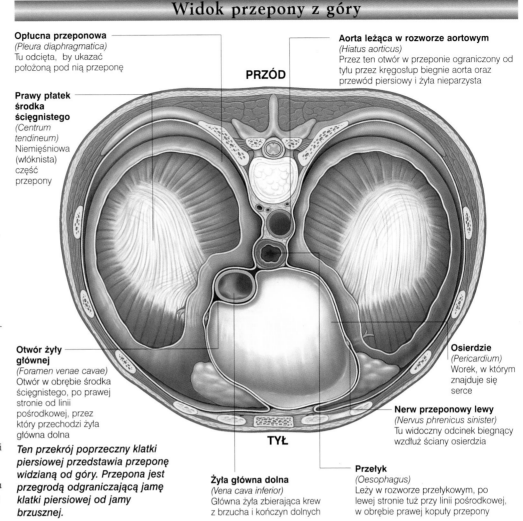

**Opłucna przeponowa**
*(Pleura diaphragmatica)*
Tu odcięta, by ukazać położoną pod nią przeponę

**Prawy płatek środka ścięgnistego**
*(Centrum tendineum)*
Niemięśniowa (włóknista) część przepony

**PRZÓD**

**Aorta leżąca w rozworze aortowym**
*(Hiatus aorticus)*
Przez ten otwór w przeponie ograniczony od tyłu przez kręgosłup biegnie aorta oraz przewód piersiowy i żyła nieparzysta

**Otwór żyły głównej**
*(Foramen venae cavae)*
Otwór w obrębie środka ścięgnistego, po prawej stronie od linii pośrodkowej, przez który przechodzi żyła główna dolna

**Osierdzie**
*(Pericardium)*
Worek, w którym znajduje się serce

**Nerw przeponowy lewy**
*(Nervus phrenicus sinister)*
Tu widoczny odcinek biegnący wzdłuż ściany osierdzia

**TYŁ**

**Żyła główna dolna**
*(Vena cava inferior)*
Główna żyła zbierająca krew z brzucha i kończyn dolnych

**Przełyk**
*(Oesophagus)*
Leży w rozworze przełykowym, po lewej stronie tuż przy linii pośrodkowej, w obrębie prawej kopuły przepony

*Ten przekrój poprzeczny klatki piersiowej przedstawia przeponę widzianą od góry. Przepona jest przegrodą odgraniczającą jamę klatki piersiowej od jamy brzusznej.*

■ **Rozwór przełykowy.** Otwór ten pozwala na przejście przełyku przez przeponę i dotarcie do żołądka. Włókna mięśniowe prawej odnogi przepony działają jak zwieracz, zamykając przełyk w czasie skurczu przepony podczas wdechu. Poza przełykiem przez otwór ten przechodzą nerwy (nerw błędny), tętnice i naczynia chłonne.
■ **Rozwór aortowy.** Otwór ten jest położony za przeponą, a nie w niej. Aorta nie „przekłuwa" przepony, a przepływ krwi przez aortę nie ulega zmianie pod wpływem skurczu przepony podczas oddychania. Aorta wychodzi pod więzadłem łukowatym pośrednim na wysokości dwunastego kręgu piersiowego. Przez rozwór aortowy przechodzi również przewód piersiowy (główny kanał spływu chłonki) oraz żyła

## Położenie i funkcja przepony

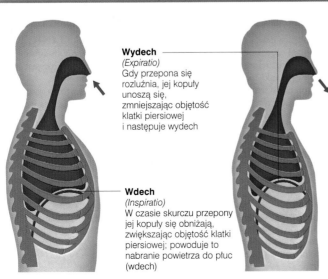

**Wydech**
*(Expiratio)*
Gdy przepona się rozluźnia, jej kopuły unoszą się, zmniejszając objętość klatki piersiowej i następuje wydech

**Wdech**
*(Inspiratio)*
W czasie skurczu przepony jej kopuły się obniżają, zwiększając objętość klatki piersiowej; powoduje to nabranie powietrza do płuc (wdech)

Przepona leży w poprzek ciała i oddziela jamę klatki piersiowej od jamy brzusznej. Uwypukla się do góry, tworząc dwie kopuły lewą i prawą, oddzielone centralnie położonym zagłębieniem, w którym znajduje się serce. Prawa kopuła przepony jest położona wyżej niż lewa, gdyż pod nią znajduje się wątroba.

Obwodowe odcinki przepony biegną na tej samej wysokości i są złączone ze ścianą klatki piersiowej, lecz wysokość kopuł przepony jest różna i zależy od

*Przepona jest głównym mięśniem oddechowym. Praca przepony w połączeniu ze zmianą kształtu klatki piersiowej umożliwia wdychanie i wydychanie powietrza.*

tego, które mięśnie są skurczone. Prawa kopuła może dochodzić do wysokości piątego żebra, lewa znajduje się nieco niżej.

### DZIAŁANIE PRZEPONY

Skurcz włókien mięśniowych powoduje, że kopuły przepony obniżają się, co wpływa na powiększenie objętości położonej nad nią jamy klatki piersiowej i następuje wdech. Rozluźnienie mięśni przepony umożliwia uniesienie się kopuł przepony i wydech.

Skurcz przepony powoduje również zmniejszenie się objętości jamy brzusznej i wzrost w niej ciśnienia. Skurcze te pomagają usunąć zawartość brzucha, jak ma to miejsce podczas defekacji.

# Naczynia płuc

Najważniejszą funkcją płuc jest ponowne utlenowanie krwi, która oddała tlen tkankom organizmu, i usunięcie zgromadzonego we krwi dwutlenku węgla. Proces ten zachodzi dzięki płucnemu krążeniu krwi.

Krew z organizmu powraca do prawej połowy serca, z której płynie bezpośrednio do płuc przez tętnice płucne.

Po przejściu przez płuca utlenowana krew wraca przez żyły płucne do lewej połowy serca. Bogata w tlen krew jest następnie rozprowadzana po całym organizmie. Tętnice i żyły płucne są odpowiedzialne za krążenie płucne krwi.

### NACZYNIA PŁUCNE

Z prawej komory wychodzi duża tętnica, nazywana pniem płucnym, którą płynie z całego ustroju do płuc ciemnoczerwona odtlenowana krew.

Pień płucny dzieli się na dwie mniejsze gałęzie – prawą i lewą tętnicę płucną, które biegną poziomo i wnikają przez wnękę do płuc. Przechodzą one wzdłuż dużych oskrzeli głównych.

Wewnątrz płuc tętnice dzielą się na gałęzie zaopatrujące każdy płat, dwie po stronie lewej i trzy po prawej. Tętnica płatowa dzieli się dalej na tętnice segmentowe, które zaopatrują w krew segmenty oskrzelowo-płucne (strukturalne jednostki budowy płuc). Każda tętnica segmentowa kończy się siecią naczyń włosowatych.

Utlenowana krew powraca do lewej połowy serca przez układ naczyń żylnych przebiegających wzdłuż tętnic.

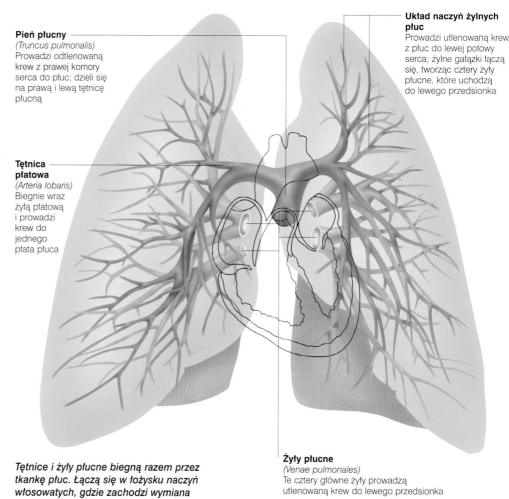

**Pień płucny**
*(Truncus pulmonalis)*
Prowadzi odtlenowaną krew z prawej komory serca do płuc; dzieli się na prawą i lewą tętnicę płucną

**Układ naczyń żylnych płuc**
Prowadzi utlenowaną krew z płuc do lewej połowy serca; żylne gałązki łączą się, tworząc cztery żyły płucne, które uchodzą do lewego przedsionka

**Tętnica płatowa**
*(Arteria lobaris)*
Biegnie wraz żyłą płatową i prowadzi krew do jednego płata płuca

**Żyły płucne**
*(Venae pulmonales)*
Te cztery główne żyły prowadzą utlenowaną krew do lewego przedsionka

*Tętnice i żyły płucne biegną razem przez tkankę płuc. Łączą się w łożysku naczyń włosowatych, gdzie zachodzi wymiana gazowa.*

## Naczynia włosowate pęcherzyków płucnych

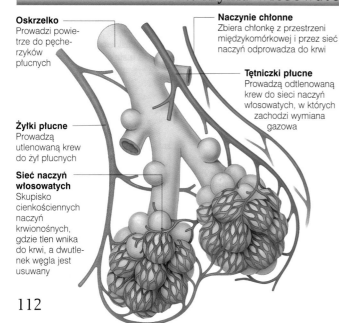

**Oskrzelko**
Prowadzi powietrze do pęcherzyków płucnych

**Naczynie chłonne**
Zbiera chłonkę z przestrzeni międzykomórkowej i przez sieć naczyń odprowadza do krwi

**Tętniczki płucne**
Prowadzą odtlenowaną krew do sieci naczyń włosowatych, w których zachodzi wymiana gazowa

**Żyłki płucne**
Prowadzą utlenowaną krew do żył płucnych

**Sieć naczyń włosowatych**
Skupisko cienkościennych naczyń krwionośnych, gdzie tlen wnika do krwi, a dwutlenek węgla jest usuwany

Wielokrotne podziały tętnic płucnych prowadzą w końcu do powstania sieci bardzo wąskich naczyń krwionośnych, tzw. naczyń włosowatych lub inaczej włośniczek, które oplatają każdy z milionów pęcherzyków płucnych. Ściany włośniczek są bardzo cienkie i płynąca w nich krew kontaktuje się ze ścianą pęcherzyków płucnych, przez które odbywa się wymiana gazowa.

Gdy tlen wnika do krwi w naczyniach płucnych, a dwutlenek węgla jest z niej usuwany, barwa krwi zmienia się z ciemnoczerwonej na jasnoczerwoną. Świeżo utlenowana krew zbiera się w małych żyłkach, do których spływa krew ze splotów kapilarnych. Żyłki te łączą się, tworząc żyły płucne, które „zamykają" krążenie płucne, odprowadzając krew z powrotem do serca.

### UNACZYNIENIE WEWNĘTRZNE

Tkanki najmniejszych fragmentów dróg oddechowych mogą pobierać tlen bezpośrednio z powietrza, jednak nie dotyczy to dużych dróg oddechowych, podporowej tkanki łącznej płuc i opłucnej pokrywającej płuca. Struktury te otrzymują krew z małych tętniczek oskrzelowych odchodzących bezpośrednio z aorty.

*Każdy pęcherzyk płucny opleciony jest siecią naczyń włosowatych. Odtlenowana krew zostaje w nim utlenowana na drodze wymiany gazowej, która odbywa się przez ścianę pęcherzyków.*

# Drenaż chłonny płuc

Chłonka spływająca z płuc pochodzi z dwóch splotów, które łączą się ze sobą: splotu powierzchownego (znajdującego się pod opłucną) oraz ze splotu głębokiego.

Chłonka jest płynem, który zbiera się w przestrzeniach pomiędzy komórkami i płynie naczyniami chłonnymi łączącymi się z układem żylnym. Po drodze przechodzi przez wiele węzłów chłonnych, których zadaniem jest jej filtrowanie i zatrzymywanie różnych drobin i mikroorganizmów.

## SPLOT POWIERZCHOWNY

Sieć drobnych naczyń limfatycznych obejmuje całą powierzchnię płuc i rozciąga się tuż pod opłucną trzewną (płucną). Splot powierzchowny przewodzi chłonkę z płuc w kierunku oskrzeli i tchawicy, gdzie znajdują się główne grupy węzłów chłonnych.

Chłonka ze splotu powierzchownego spływa najpierw do grupy węzłów chłonnych oskrzelowo-płucnych położonych we wnęce płuca.

## SPLOT GŁĘBOKI

Naczynia chłonne splotu głębokiego zaczynają się w tkance łącznej otaczającej drogi oddechowe małej średnicy, oskrzelka i oskrzelka oddechowe (pęcherzyki płucne nie mają naczyń chłonnych). Małe naczynia chłonne znajdują się również w obrębie większych dróg oddechowych.

Naczynia chłonne łączą się i przebiegają wzdłuż oskrzeli i naczyń krwionośnych, przechodząc przez węzły chłonne położone wewnątrz płuca. Z tych

**Tchawica**
*(Trachea)*
Droga oddechowa, która łączy oba płuca i zapewnia dopływ powietrza atmosferycznego z nosa i jamy ustnej do płuc

**Prawy pień podobojczykowy**
*(Truncus subclavius dexter)*
Odprowadza chłonkę z kończyny górnej i łączy się z naczyniami zbierającymi chłonkę z prawego płuca

**Szczelina (pozioma) płuca prawego**
*(Fissura (horizontalis) pulmonis dextri)*
Oddziela płat górny od środkowego

**Żyła ramienno-głowowa**
*(Vena brachiocephalica)*
Uchodzi do lewej żyły podobojczykowej

**Przewód piersiowy**
*(Ductus thoracicus)*
Zbiera chłonkę z lewej połowy klatki piersiowej i większej części ciała poniżej przepony i odprowadza do lewej żyły ramienno-głowowej

**Węzły chłonne tchawicze**
*(Nodulus lymphaticus trachealis)*
Zbiera chłonkę z płuc przez węzły chłonne ostrogi tchawicy i wnęki płuc

**Węzły chłonne tchawiczo-oskrzelowe (ostrogi tchawicy)**
*(Noduli lymphatici tracheobronchiales)*
Zbierają chłonkę z węzłów chłonnych wnęki płuc

**Naczynia chłonne głębokie**
*(Vasa lymphatica profunda)*
Zbierają chłonkę z miąższu płucnego

**Węzeł chłonny płucny**
*(Nodulus lymphaticus pulmonalis)*
Filtruje chłonkę w splocie naczyń chłonnych głębokich

**Węzły chłonne oskrzelowo-płucne**
*(Noduli lymphatici bronchopulmonales)*
Węzły chłonne we wnęce płuc

węzłów chłonnych chłonka płynie w kierunku wnęki płuc do węzłów chłonnych oskrzelowo-płucnych.

Do węzłów chłonnych oskrzelowo-płucnych spływa chłonka pochodząca zarówno ze splotu powierzchownego, jak i głębokiego.

## WĘZŁY CHŁONNE OSKRZELI I TCHAWICY

Z węzłów oskrzelowo-płucnych chłonka spływa do węzłów chłonnych tchawiczo-oskrzelowych (zlokalizowanych w okolicy ostrogi tchawicy). Z tych węzłów chłonka płynie do

góry, do położonych wzdłuż tchawicy węzłów chłonnych tchawiczych, do parzystego pnia oskrzelowo-śródpiersiowego, z którego uchodzi do szyjnego układu żylnego.

---

## „Cętkowane" płuca

Żyjąc w mieście, w którym powietrze jest bardzo zanieczyszczone, lub paląc papierosy, wdychamy powietrze, które zawiera wiele zanieczyszczeń w postaci kurzu i węgla.

Wyspecjalizowane komórki znajdujące się w płucach, zwane fagocytami, są w stanie wchłonąć je i ochronić delikatną tkankę płuc przed potencjalnie drażniącymi substancjami. Proces wchłaniania zwany jest fagocytozą.

*Ten wypreparowany fragment płuca ukazuje czarne przebarwienia typowe dla płuca palacza. Widać nadmiernie poszerzone przestrzenie powietrzne w przebiegu rozedmy.*

Fagocyty zawierające wchłonięte substancje mogą przenosić się drogami limfatycznymi i zatrzymywać w limfatycznym splocie powierzchownym, tuż pod powierzchnią płuc. Powoduje to powstanie widocznego ciemnego cętkowania i nadaje powierzchni płuc wygląd plastra miodu. To ciemne zabarwienie może również pojawić się w różnych grupach węzłów chłonnych rozsianych w płucach.

Poznanie przebiegu naczyń i lokalizacji węzłów chłonnych w płucach ma istotne znaczenie kliniczne w ocenie zaawansowania raka płuca, który może rozprzestrzeniać się na drodze naczyń układu limfatycznego.

# Serce

Serce dorosłego człowieka ma wielkość zaciśniętej pięści i znajduje się
w śródpiersiu w jamie klatki piersiowej. Leży na środku ścięgnistym
przepony i jest otoczone z obu stron przez płuca.

Serce jest zamknięte w osierdziu –
worku ochronnym zbudowanym
z tkanki włóknistej.

Serce jest prawie w całości
zbudowane z wydrążonego mięśnia.
Waży zwykle 250–350 gramów,
lecz obdarzone jest niewyobrażalną
siłą i wytrzymałością. Kurczy się
około 70 razy na minutę, pompując
krew do całego organizmu.

### POWIERZCHNIE SERCA

Serce jest kształtem zbliżone do
piramidy, ma podstawę, trzy ściany
oraz koniuszek.

■ Podstawa serca skierowana jest
ku tyłowi i tworzy ją głównie lewy
przedsionek, jama serca, która
otrzymuje utlenowaną krew z płuc.

■ Powierzchnia dolna, lub
przeponowa, znajduje się na
spodzie i tworzą ją lewa i prawa
komora, które są oddzielone bruzdą
międzykomorową. Komory serca są
dużymi jamami, komora lewa
przepompowuje krew na obwód –
do całego ciała, a prawa do płuc.

■ Powierzchnia przednia lub
mostkowo-żebrowa położona jest
z przodu serca tuż za mostkiem
i żebrami i tworzy ją głównie prawa
komora.

■ Powierzchnię lewą, lub inaczej
płucną, tworzy głównie duża lewa
komora, która położona jest
w zagłębieniu lewego płuca.

**Położenie serca**

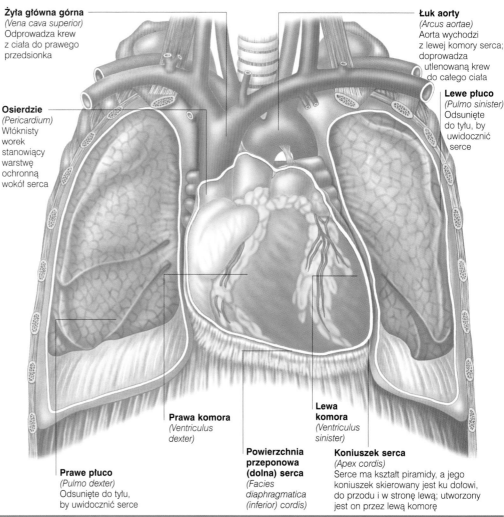

**Żyła główna górna**
*(Vena cava superior)*
Odprowadza krew
z ciała do prawego
przedsionka

**Osierdzie**
*(Pericardium)*
Włóknisty
worek
stanowiący
warstwę
ochronną
wokół serca

**Łuk aorty**
*(Arcus aortae)*
Aorta wychodzi
z lewej komory serca;
doprowadza
utlenowaną krew
do całego ciała

**Lewe płuco**
*(Pulmo sinister)*
Odsunięte
do tyłu, by
uwidocznić
serce

**Prawe płuco**
*(Pulmo dexter)*
Odsunięte do tyłu,
by uwidocznić serce

**Prawa komora**
*(Ventriculus dexter)*

**Powierzchnia
przeponowa
(dolna) serca**
*(Facies
diaphragmatica
(inferior) cordis)*

**Lewa
komora**
*(Ventriculus
sinister)*

**Koniuszek serca**
*(Apex cordis)*
Serce ma kształt piramidy, a jego
koniuszek skierowany jest ku dołowi,
do przodu i w stronę lewą; utworzony
jest on przez lewą komorę

## Położenie serca

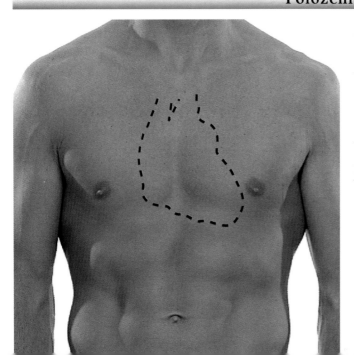

Serce leży za mostkiem (za trzonem
mostka) i obejmuje obszar od
drugiego żebra do piątej przestrzeni
międzyżebrowej. Mniej więcej dwie
trzecie serca leży na lewo od linii
pośrodkowej klatki piersiowej,
a pozostała jedna trzecia na prawo
od niej.

### GRANICE

Serce ma cztery granice. Prawą
granicę tworzy prawy przedsionek;
jest ona nieco wypukła. Granicę
lewą tworzy głównie lewa komora.

*Serce z koniuszkiem skierowanym
w lewą stronę wypełnia środkową
część klatki piersiowej. Jego
kształt i położenie zmieniają się
i zależą od fazy pracy serca oraz
od oddychania.*

Granica ta biegnie do góry oraz do
środka i łączy się z górną granicą
utworzoną przez przedsionki i duże
naczynia. Granica dolna, która
przebiega prawie poziomo,
utworzona jest głównie przez prawą
komorę.

### KONIUSZEK SERCA

Koniuszek serca zwykle leży za
piątą przestrzenią międzyżebrową,
w odległości odpowiadającej szerokości dłoni od linii pośrodkowej
ciała. W tym miejscu można
wyczuć i zobaczyć uderzenie
koniuszkowe.

Ponieważ serce łączy się z innymi
tkankami miękkimi, może się przemieszczać wewnątrz klatki piersiowej
podczas skurczów i rozkurczów
przepony, na której leży.

# Osierdzie

Serce położone jest wewnątrz ochronnego worka zwanego osierdziem, zbudowanego z trzech warstw. Osierdzie składa się dwóch części – osierdzia surowiczego oraz osierdzia włóknistego.

### OSIERDZIE WŁÓKNISTE

Osierdzie włókniste tworzy warstwę zewnętrzną i składa się włóknistej zbitej tkanki łącznej. Spełnia ono trzy ważne funkcje:
■ **Ochronną.** Osierdzie włókniste jest wystarczająco mocne, aby zapewnić sercu – ważnemu narządowi – pewien rodzaj ochrony w razie urazu.
■ **Połączenia.** Istnieją włókniste połączenia pomiędzy obszarami osierdzia a mostkiem i przeponą. Ponadto osierdzie włókniste łączy się z mocnymi ścianami tętnic, które przechodzą przez nie, kierując się do serca. Połączenia te pozwalają zakotwiczyć serce w otaczających tkankach.
■ **Zapobieganie przepełnieniu serca.** Ponieważ osierdzie włókniste nie jest elastyczne, nie dopuszcza do tego, by serce rozszerzyło się ponad bezpieczne granice pod wpływem napływającej krwi.

### OSIERDZIE SUROWICZE

Osierdzie surowicze pokrywa i otacza serce w taki sam sposób jak opłucna płuca. Ta część osierdzia jest utworzona z cienkiej błony, która składa się z dwóch blaszek przechodzących jedna w drugą, osierdzia trzewnego i ściennego.

Osierdzie ścienne (tzw. blaszka ścienna) wyściela wewnętrzną powierzchnię osierdzia

**Worek osierdziowy po usunięciu serca**

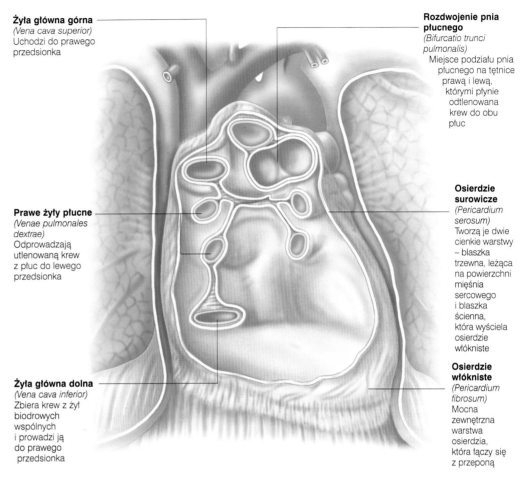

**Żyła główna górna**
*(Vena cava superior)*
Uchodzi do prawego przedsionka

**Prawe żyły płucne**
*(Venae pulmonales dextrae)*
Odprowadzają utlenowaną krew z płuc do lewego przedsionka

**Żyła główna dolna**
*(Vena cava inferior)*
Zbiera krew z żył biodrowych wspólnych i prowadzi ją do prawego przedsionka

**Rozdwojenie pnia płucnego**
*(Bifurcatio trunci pulmonalis)*
Miejsce podziału pnia płucnego na tętnice prawą i lewą, którymi płynie odtlenowana krew do obu płuc

**Osierdzie surowicze**
*(Pericardium serosum)*
Tworzą je dwie cienkie warstwy – blaszka trzewna, leżąca na powierzchni mięśnia sercowego i blaszka ścienna, która wyściela osierdzie włókniste

**Osierdzie włókniste**
*(Pericardium fibrosum)*
Mocna zewnętrzna warstwa osierdzia, która łączy się z przeponą

włóknistego, zawraca i w okolicy dużych naczyń krwionośnych przechodzi na powierzchnię serca, tworząc osierdzie trzewne (tzw. blaszka trzewna), zwana inaczej nasierdziem.

Pomiędzy tymi dwiema blaszkami osierdzia surowiczego znajduje się wąska przestrzeń, tzw. jama osierdzia, która jest wypełniona niewielką ilością płynu. Obecność płynu oraz śliskość obu warstw osierdzia surowiczego umożliwiają swobodne przesuwanie się komór serca w osierdziu w czasie ich skurczów.

Jeśli jama osierdzia wypełnia się dużą ilością płynu, np. w czasie infekcji lub zapalenia, serce zostaje uciśnięte we włóknistym worku osierdziowym, przez co nie może prawidłowo funkcjonować. Skrajne przypadki określane jako „tamponada serca" są stanem bezpośrednio zagrażającym życiu pacjenta.

## Warstwy ściany serca

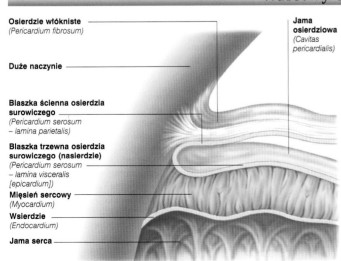

**Osierdzie włókniste**
*(Pericardium fibrosum)*

**Duże naczynie**

**Blaszka ścienna osierdzia surowiczego**
*(Pericardium serosum – lamina parietalis)*

**Blaszka trzewna osierdzia surowiczego (nasierdzie)**
*(Pericardium serosum – lamina visceralis [epicardium])*

**Mięsień sercowy**
*(Myocardium)*

**Wsierdzie**
*(Endocardium)*

**Jama serca**

**Jama osierdziowa**
*(Cavitas pericardialis)*

Wewnątrz jamy osierdzia leży serce, a jego ściana utworzona jest z trzech warstw: nasierdzia, mięśniówki serca i wsierdzia.
■ Nasierdzie jest to blaszka trzewna osierdzia, która pokrywa zewnętrzną powierzchnię serca i jest z nią ściśle związana.
■ Mięsień sercowy stanowi główną masę serca i utworzony jest ze specjalnych włókien mięśniowych. Mięsień tego typu występuje tylko w sercu i jest przystosowany do wykonywania właściwej pracy serca. Włókna

mięśnia sercowego wspierają się i utrzymują na rusztowaniu utworzonym z przeplatających się włókien tkanki łącznej.
■ Wsierdzie jest gładką delikatną błoną utworzoną z cienkiej warstwy komórek. Wsierdzie wyściela wewnętrzną powierzchnię jam serca oraz zastawki. Wnętrze naczyń krwionośnych wnikających i opuszczających serce jest pokryte podobną warstwą komórek śródbłonka, które stanowią przedłużenie wsierdzia.

*Przekrój przez serce w miejscu styku z typowym dużym naczyniem przedstawia różne warstwy osierdzia i ścianę serca.*

# Zastawki serca

Serce jest silną pompą mięśniową, przez którą krew przepływa tylko w jednym kierunku. Przepływowi wstecznemu przeciwdziałają cztery zastawki serca, które mają olbrzymie znaczenie w utrzymaniu przepływu krwi.

Każda z dwóch połów serca ma po dwie zastawki. W prawej połowie serca zastawka przedsionkowo--komorowa (zastawka trójdzielna) oddziela przedsionek i komorę, a zastawka tętnicy płucnej leży w miejscu połączenia prawej komory z pniem płucnym. W lewej połowie serca zastawka przedsionkowo-komorowa, mitralna (zastawka dwudzielna), oddziela przedsionek i komorę, a zastawka aorty położona jest w miejscu połączenia komory z aortą.

## ZASTAWKI TRÓJDZIELNA I DWUDZIELNA

Zastawki te znane są również pod nazwą zastawek przedsionkowo--komorowych, gdyż leżą po obu stronach serca pomiędzy przedsionkami a komorami. Zbudowane są one z mocnej tkanki włóknistej pokrytej przez komórki wsierdzia, które wyściela całą wewnętrzną powierzchnię serca. Górna powierzchnia zastawek jest gładka, podczas gdy do dolnej przyczepione są struny ścięgniste.

Zastawka trójdzielna ma trzy płatki. Zastawka dwudzielna ma tylko dwa płatki i dlatego nazywana jest również zastawką mitralną, gdyż przypomina wyglądem mitrę, nakrycie głowy biskupa.

## SKURCZ SERCA

W zdrowym sercu podczas skurczu słychać dźwięk składający się z dwóch składowych (dwóch tonów często opisywanych jako „lub-dup"), które można wysłuchać za pomocą stetoskopu. Pierwszy z nich jest wynikiem zamknięcia zastawek przedsionkowo-komorowych, a drugi zamknięcia zastawek aorty i pnia płucnego.

**Serce w rozkurczu po usunięciu przedsionków**

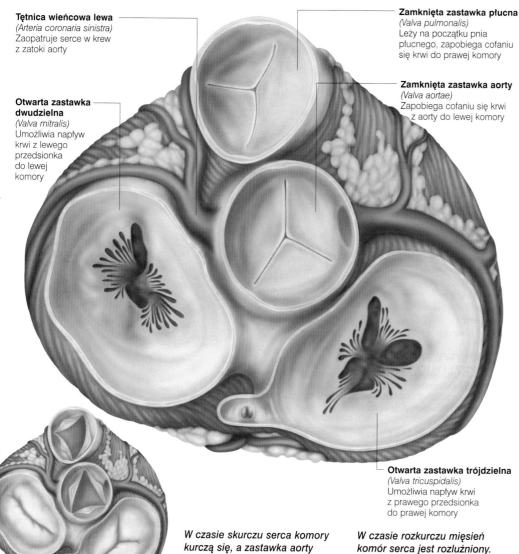

**Tętnica wieńcowa lewa**
*(Arteria coronaria sinistra)*
Zaopatruje serce w krew z zatoki aorty

**Otwarta zastawka dwudzielna**
*(Valva mitralis)*
Umożliwia napływ krwi z lewego przedsionka do lewej komory

**Zamknięta zastawka płucna**
*(Valva pulmonalis)*
Leży na początku pnia płucnego, zapobiega cofaniu się krwi do prawej komory

**Zamknięta zastawka aorty**
*(Valva aortae)*
Zapobiega cofaniu się krwi z aorty do lewej komory

**Otwarta zastawka trójdzielna**
*(Valva tricuspidalis)*
Umożliwia napływ krwi z prawego przedsionka do prawej komory

*W czasie skurczu serca komory kurczą się, a zastawka aorty i zastawka płucna są otwarte, umożliwiając tłoczenie krwi z serca do płuc i na obwód.*

*W czasie rozkurczu mięsień komór serca jest rozluźniony. Zastawka trójdzielna i dwudzielna są otwarte, umożliwiając napływ krwi z przedsionków do komór.*

## Struny ścięgniste

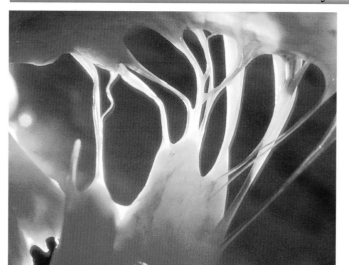

Z brzegami oraz dolnymi powierzchniami zastawek dwudzielnej i trójdzielnej łączy się wiele cienkich strun ścięgnistych zbudowanych z kolagenu. Struny ścięgniste schodzą do leżących poniżej mięśni brodawkowatych, wyniosłości mięśniowych wystających do światła komory.

*Struny ścięgniste zastawki dwudzielnej łączą płatki zastawki z mięśniami brodawkowatymi, które z kolei łączą się ze ścianą komory.*

### DZIAŁANIE STRUN

Struny ścięgniste działają podobnie do naciągu namiotu, kotwiczą zastawki i zapobiegają wywinięciu się ich (jak parasol na wietrze) lub wepchnięciu do środka przedsionka przez wysokie ciśnienie krwi panujące w komorze podczas jej skurczu. Struny łączące sąsiednie płatki uszczelniają je również, tak by podczas skurczu komór krew nie przeciekała przez nie.

# Zastawki aortalna i płucna

Zastawki aorty i tętnicy płucnej nazywane są również zastawkami półksiężycowatymi. Zamykają one drogę wyjścia krwi z serca, zapobiegając cofaniu się krwi do komór podczas rozkurczu, który następuje po skurczu.

Każda z dwóch zastawek składa się z trzech kieszonek w kształcie półksiężyców zbudowanych z tkanki łącznej pokrytej śródbłonkiem. Śródbłonek sprawia, że powierzchnia, po której przepływa krew, jest gładka.

## ZASTAWKA AORTY

Zastawka aorty znajduje się pomiędzy lewą komorą a aortą – tętnicą główną, którą przepływa do organizmu utlenowana krew. Jest ona mocniejsza i bardziej odporna niż tętnica płucna, gdyż musi wytrzymać napór wyższego ciśnienia krwi panującego w tętnicach (ciśnienie systemowe).

Powyżej każdego płatka stanowiącego wybrzuszenie ściany aorty znajdują się zatoki aorty. Z dwóch zatok wychodzą tętnice wieńcowe, które prowadzą krew do mięśnia serca i jego powierzchni.

## ZASTAWKA PŁUCNA

Zastawka płucna oddziela komorę od pnia płucnego, dużej tętnicy, którą płynie krew z serca do płuc. Tuż powyżej każdego płatka zastawki pień płucny nieznacznie się poszerza, tworząc zatokę pnia płucnego, przestrzeń, która zapobiega przyleganiu otwartych płatków zastawki do ściany tętnicy.

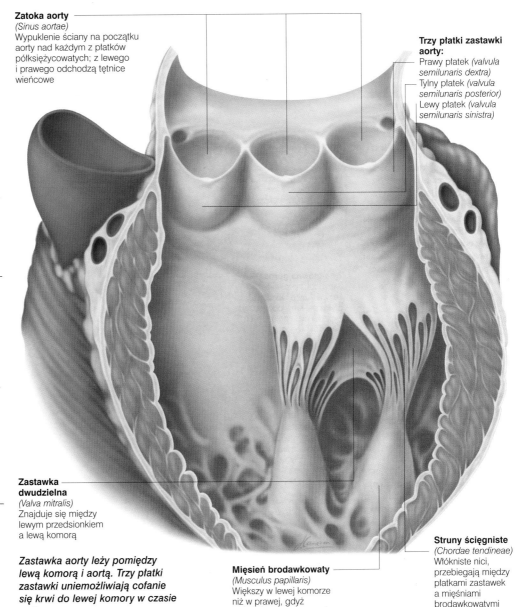

**Lewa komora po otwarciu**

**Zatoka aorty**
*(Sinus aortae)*
Wypuklenie ściany na początku aorty nad każdym z płatków półksiężycowatych; z lewego i prawego odchodzą tętnice wieńcowe

**Trzy płatki zastawki aorty:**
Prawy płatek *(valvula semilunaris dextra)*
Tylny płatek *(valvula semilunaris posterior)*
Lewy płatek *(valvula semilunaris sinistra)*

**Zastawka dwudzielna**
*(Valva mitralis)*
Znajduje się między lewym przedsionkiem a lewą komorą

**Struny ścięgniste**
*(Chordae tendineae)*
Włókniste nici, przebiegają między płatkami zastawek a mięśniami brodawkowatymi

**Mięsień brodawkowaty**
*(Musculus papillaris)*
Większy w lewej komorze niż w prawej, gdyż pokonuje tu większy opór

*Zastawka aorty leży pomiędzy lewą komorą i aortą. Trzy płatki zastawki uniemożliwiają cofanie się krwi do lewej komory w czasie rozkurczu.*

## Działanie zastawek

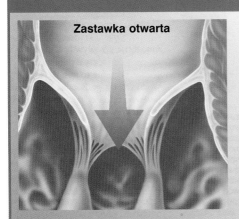

**Zastawka otwarta**

*Gdy zastawka przedsionkowo-komorowa jest otwarta, mięsień brodawkowaty jest rozluźniony i płatki opadają. Krew z przedsionka może wpłynąć do komory.*

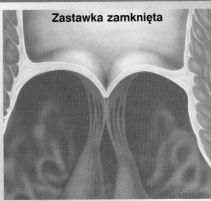

**Zastawka zamknięta**

*Gdy komora jest wypełniona krwią, zastawka zamyka się, napinając struny ścięgniste. Gdy komora się kurczy, krew tłoczona jest do przodu.*

Kiedy przedsionki się kurczą, krew przepływa przez rozluźnione zastawki trójdzielną i dwudzielną do komór.

Z kolei gdy komory się kurczą, nagły wzrost ciśnienia w każdej komorze powoduje zamknięcie zastawek, co zapobiega cofaniu się krwi do przedsionków. Pociąganie za struny ścięgniste unieruchamia zastawki i pozwala im przeciwstawić się ciśnieniu krwi wewnątrz komory.

Z chwilą zamknięcia się zastawek przedsionkowo-komorowych krew musi płynąć ku górze przez zastawki półksiężycowate do pnia płucnego i aorty. Zastawki półksiężycowate otwierają się pod wpływem wysokiego ciśnienia krwi wypływającej z komór i zamykają się ponownie z trzaskiem, w chwili gdy tylko komory przestają się kurczyć i następuje ich rozkurcz.

# Układ przewodzący serca (przedsionkowo-komorowy)

W spoczynku serce kurczy się z częstością od 70 do 80 razy na minutę. Wewnątrz ściany mięśniowej znajduje się układ przewodzący serca, który uruchamia serce i sprawia, że mięsień serca kurczy się w skoordynowany sposób.

### WĘZEŁ ZATOKOWO- -PRZEDSIONKOWY

Jest skupiskiem komórek, które leżą w ścianie prawego przedsionka.

Każdy skurcz komórek węzła generuje impuls elektryczny, który rozprzestrzenia się do innych komórek mięśniowych prawego i lewego przedsionka i węzła przedsionkowo-komorowego.

### WĘZEŁ PRZEDSIONKOWO- -KOMOROWY

Komórki węzła przedsionkowo- -komorowego mogą same inicjować skurcz komór i przewodzić impulsy, ale z mniejszą częstością.

### PĘCZEK PRZEDSIONKOWO- -KOMOROWY

Pęczki przedsionkowo-komorowe przechodzą z przedsionków do komór przez izolującą warstwę tkanki włóknistej. Następnie dzielą się na dwie odnogi prawą i lewą, które docierają do prawej i lewej komory serca.

*Wewnętrzny układ przewodzący przesyła fale impulsów nerwowych, które synchronizują skurcze komórek mięśnia sercowego.*

## Wewnętrzny układ przewodzący serca

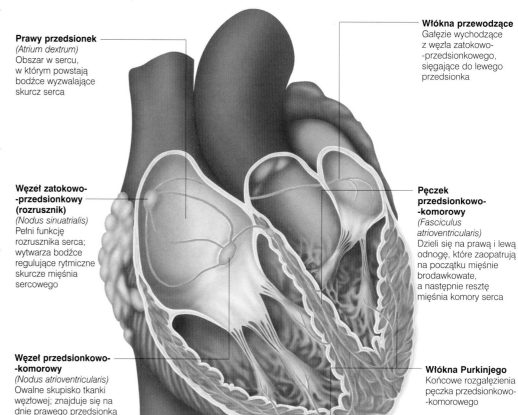

**Prawy przedsionek**
*(Atrium dextrum)*
Obszar w sercu, w którym powstają bodźce wyzwalające skurcz serca

**Węzeł zatokowo- -przedsionkowy (rozrusznik)**
*(Nodus sinuatrialis)*
Pełni funkcję rozrusznika serca; wytwarza bodźce regulujące rytmiczne skurcze mięśnia sercowego

**Węzeł przedsionkowo- -komorowy**
*(Nodus atrioventricularis)*
Owalne skupisko tkanki węzłowej; znajduje się na dnie prawego przedsionka

**Włókna przewodzące**
Gałęzie wychodzące z węzła zatokowo- -przedsionkowego, sięgające do lewego przedsionka

**Pęczek przedsionkowo- -komorowy**
*(Fasciculus atrioventricularis)*
Dzieli się na prawą i lewą odnogę, które zaopatrują na początku mięśnie brodawkowate, a następnie resztę mięśnia komory serca

**Włókna Purkinjego**
Końcowe rozgałęzienia pęczka przedsionkowo- -komorowego

## Unerwienie serca

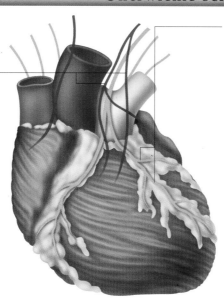

**Nerwy współczulne**
*(Nervi symphatyci)*
Bodźce z tych nerwów zwiększają zarówno siłę skurczu, jak i częstość pracy serca

*Nerwy zaopatrujące serce należą do wegetatywnego (autonomicznego) układu nerwowego. Układ ten reguluje pracę narządów wewnętrznych, która nie podlega naszej woli.*

**Nerwy przywspółczulne**
*(Nervi parasympathyci)*
Nerwy te działają jak „hamulec" i zwalniają pracę serca

Bez zewnętrznej stymulacji serce kurczy się miarowo; dochodzące do serca nerwy wpływają na częstość i siłę skurczu serca.

### UNERWIENIE SERCA

Unerwienie autonomiczne serca pochodzi ze splotu sercowego, skupiska tkanki nerwowej, które zlokalizowane jest powyżej serca, za aortą wstępującą.

Nerwy autonomiczne dzielą się na dwa rodzaje – włókna współczulne, które pochodzą z pnia współczulnego położonego wzdłuż kręgosłupa szyjnego i górnych odcinków kręgosłupa piersiowego; oraz włókna przywspółczulne, które pochodzą z nerwu błędnego (X nerwu czaszkowego).

# Cykl pracy serca

Cykl pracy serca (ewolucja serca) jest ciągiem zmian zachodzących w sercu, w wyniku których odbywa się rozprowadzanie krwi po organizmie. Ewolucja serca dzieli się na okres, w którym mięsień serca się kurczy – skurcz serca, i okres, w którym się rozkurcza – rozkurcz.

### WYPEŁNIANIE KOMÓR
Podczas rozkurczu zastawki trójdzielna i dwudzielna są otwarte. Krew napływa z dużych naczyń żylnych do przedsionków i następnie przez otwarte zastawki do komór.

### SKURCZ PRZEDSIONKÓW
Pod koniec okresu rozkurczu komór rozpoczyna się skurcz przedsionków. Węzeł zatokowo-przedsionkowy wysyła impuls, pod wpływem którego następuje skurcz przedsionków i krew z przedsionków napływa do komór.

### SKURCZ KOMÓR
Bodziec elektryczny inicjujący skurcz dochodzi do komór przez pęczki przedsionkowo-komorowe i włókna Purkinjego. Gdy w komorach wzrasta ciśnienie krwi, zastawki trójdzielna i dwudzielna zamykają się z trzaskiem. Krew napiera na zamknięte zastawki tętnicy płucnej oraz aorty i powoduje ich otwarcie.

*Wraz z zanikiem fali skurczu komory się rozkurczają. Po chwili wraz z nowym impulsem pochodzącym z węzła zatokowo-przedsionkowego rozpoczyna się kolejna ewolucja serca.*

## Fazy cyklu pracy serca

**1 Napełnianie komór**
Mięsień serca jest rozluźniony, co umożliwia napełnienie się jam serca

**2 Skurcz przedsionków**
Powoduje napływ dodatkowej ilości krwi do komór aż do całkowitego ich wypełnienia

**3 Skurcz komór**
Zastawki płucna i aortalna otwierają się, umożliwiając wyrzut krwi z komory do pnia płucnego i aorty

**4 Napełnianie komór**
Gdy fala skurczu zamiera, komory rozluźniają się i umożliwiają ponowny napływ krwi

## Włókniste rusztowanie serca

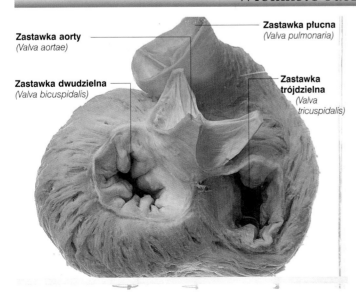

**Zastawka aorty**
*(Valva aortae)*

**Zastawka dwudzielna**
*(Valva bicuspidalis)*

**Zastawka płucna**
*(Valva pulmonaria)*

**Zastawka trójdzielna**
*(Valva tricuspidalis)*

Podobnie jak mięśnie szkieletowe, mięśnie ściany serca potrzebują jakiegoś podparcia, które umożliwiłoby im skuteczny skurcz. W sercu nie ma kości ani stałych struktur, lecz ich funkcję pełni szkielet utworzony z mocnej włóknistej tkanki łącznej, do której przyczepione są włókna mięśnia sercowego.

### SZKIELET PODPOROWY
Włóknisty szkielet serca pomaga również podtrzymać zastawki i zapobiega ich odkształcaniu się

*Rusztowanie serca utworzone jest z mocnej włóknistej tkanki łącznej. Tworzy ono sztywny szkielet, który podczas skurczu wykorzystuje mięsień serca.*

pod wpływem panującego podczas skurczu wysokiego ciśnienia krwi. Stanowi on również podstawę, do której przyczepione są płatki zastawek.

### IZOLACJA
Inną ważną funkcją szkieletu włóknistego jest oddzielenie i odizolowanie od siebie mięśnia przedsionków od mięśnia komór, tak by fala pobudzenia elektrycznego podczas skurczu serca przechodziła tylko przez pęczki przedsionkowo-komorowe.

Dzięki temu skurcz mięśni komór serca odbywa się nieco później, po skurczu przedsionków, co daje im czas do wypełnienia się krwią napływającą podczas skurczu przedsionków.

# Ruchy w stawie ramiennym

Staw ramienny jest stawem kulistym wolnym, który umożliwia wykonywanie ruchów o zasięgu 360 stopni. Poza tym tak szerokie ruchy możliwe są dzięki mięśniom obręczy barkowej, które stabilizują staw.

Ruchy w stawie ramiennym odbywają się w trzech osiach: osi poziomej przebiegającej przez środek zagłębienia panewki, osi prostopadłej do niej przebiegającej od przodu do tyłu przez głowę kości ramiennej, oraz trzeciej osi pionowej przechodzącej przez trzon kości ramiennej. W tych osiach odbywa się zginanie i prostowanie, przywodzenie (ruchy w kierunku do siebie) i odwodzenie (ruchy w kierunku od siebie) oraz rotacja do środka (wewnętrzna) i boczna (zewnętrzna). Połączenie tych ruchów umożliwia wykonanie ruchu okrężnego kończyny górnej.

### MIĘŚNIE STAWU RAMIENNEGO

Wiele mięśni biorących udział w wykonywaniu ruchów łączy się z obręczą barkową (obojczyki i łopatki). Na łopatce mięśnie są przyczepione do jej tylnej i przedniej powierzchni oraz do wyrostka kruczego łopatki. Niektóre mięśnie przyczepione są bezpośrednio do tułowia (mięsień piersiowy większy i najszerszy grzbietu). Inne mięśnie mają wpływ na ruchy kości ramiennej, nawet jeśli nie łączą się z nią bezpośrednio (np. mięsień czworoboczny) – poruszają łopatką, a przez to i stawem ramiennym.

## Mięśnie ramienia widziane od przodu

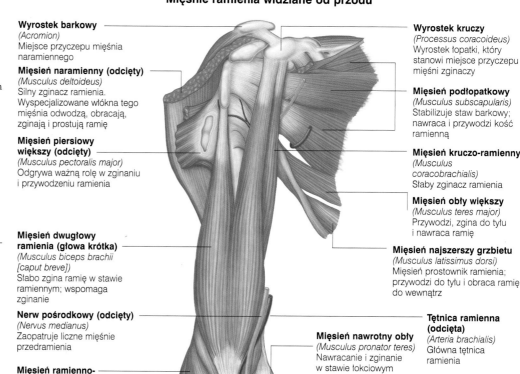

**Wyrostek barkowy**
*(Acromion)*
Miejsce przyczepu mięśnia naramiennego

**Mięsień naramienny (odcięty)**
*(Musculus deltoideus)*
Silny zginacz ramienia. Wyspecjalizowane włókna tego mięśnia odwodzą, obracają, zginają i prostują ramię

**Mięsień piersiowy większy (odcięty)**
*(Musculus pectoralis major)*
Odgrywa ważną rolę w zginaniu i przywodzeniu ramienia

**Mięsień dwugłowy ramienia (głowa krótka)**
*(Musculus biceps brachii [caput breve])*
Słabo zgina ramię w stawie ramiennym; wspomaga zginanie

**Nerw pośrodkowy (odcięty)**
*(Nervus medianus)*
Zaopatruje liczne mięśnie przedramienia

**Mięsień ramienno-promieniowy**
*(Musculus brachioradialis)*
Zgina przedramię, szczególnie gdy jest już częściowo zgięte w stawie łokciowym

**Wyrostek kruczy**
*(Processus coracoideus)*
Wyrostek łopatki, który stanowi miejsce przyczepu mięśni zginaczy

**Mięsień podłopatkowy**
*(Musculus subscapularis)*
Stabilizuje staw barkowy; nawraca i przywodzi kość ramienną

**Mięsień kruczo-ramienny**
*(Musculus coracobrachialis)*
Słaby zginacz ramienia

**Mięsień obły większy**
*(Musculus teres major)*
Przywodzi, zgina do tyłu i nawraca ramię

**Mięsień najszerszy grzbietu**
*(Musculus latissimus dorsi)*
Mięsień prostownik ramienia; przywodzi do tyłu i obraca ramię do wewnątrz

**Tętnica ramienna (odcięta)**
*(Arteria brachialis)*
Główna tętnica ramienia

**Mięsień nawrotny obły**
*(Musculus pronator teres)*
Nawracanie i zginanie w stawie łokciowym

*Na rysunku przedstawiono wiele mięśni zginaczy ramienia i miejsca ich przyczepów w obrębie stawu ramiennego oraz mięsień naramienny odciągnięty do tyłu.*

## Ruchy w stawie ramiennym

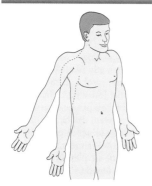

*Przywodzenie ręki (ruch w kierunku ciała) nadzorują mięśnie piersiowy większy i najszerszy grzbietu; odwodzenie (ruch w kierunku od ciała) – mięśnie naramienny i nadgrzebieniowy.*

*Obrót (rotację) boczną w stawie ramiennym powodują mięśnie podgrzebieniowy, obły mniejszy i tylne włókna mięśnia naramiennego. Rotację przyśrodkową powodują mięśnie stożka rotatorów.*

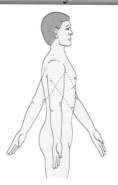

*Zgięcie (ruch do przodu) powodują mięśnie dwugłowy ramienia, kruczo-ramienny, naramienny i piersiowy większy. Wyprostowanie powodują mięśnie naramienny, najszerszy grzbietu i obły większy.*

*Ruch okrężny w stawie ramiennym jest kombinacją opisanych ruchów. Zależy od obojczyka, który przytrzymuje staw ramienny w panewce stawowej, oraz skurczów różnych grup mięśniowych.*

# Rotacja ramienia i stożek rotatorów

W skład stożka rotatorów wchodzą mięśnie podłopatkowy, nadgrzebieniowy, podgrzebieniowy
i mięsień obły mniejszy. Mięśnie te wzmacniają i zwiększają stabilność stawu barkowego.
Działają one również indywidualnie, poruszając kością ramienną i ramieniem.

Mięsień piersiowy większy, przednie
włókna mięśnia naramiennego,
mięsień obły większy i najszerszy
grzbietu powodują również obrót
(rotację) przyśrodkową kości
ramiennej. Najsilniejszym rotatorem
przyśrodkowym jest jednak mięsień
podłopatkowy. Mięsień ten zajmuje
całą przednią powierzchnię łopatki
i łączy się z torebką stawową wokół
guzka mniejszego kości ramiennej.

### STOŻEK ROTATORÓW

Mięsień podłopatkowy jest jednym
z czterech krótkich mięśni
określanych wspólnym mianem
stożka rotatorów, które łączą się
i wzmacniają torebkę stawową.
Ponadto wpychają one główkę kości
ramiennej w panewkę stawową,
zwiększając kontakt elementów
kostnych między sobą. Jest to jeden
z najważniejszych czynników
zapewniających stabilność stawu.

Inne mięśnie z tej grupy to mięśnie
nadgrzebieniowy, podgrzebieniowy
i obły mniejszy. Mięśnie te są
przyczepione z trzech stron na guzku
większym kości ramiennej. Mięsień
podgrzebieniowy i obły mniejszy wraz
z tylnymi włóknami mięśnia
naramiennego obracają ramię w bok
w stawie ramiennym.

Uraz stożka rotatorów prowadzi
do inwalidztwa, ponieważ dochodzi
do utraty stabilności kości ramiennej
w stawie ramiennym. Inne mięśnie
ramienia tracą zdolność prawidłowego
poruszania kością ramienną, co
prowadzi do zwichnięcia stawu.

**Mięśnie poruszające barkiem (od przodu)**

**Mięśnie poruszające barkiem (od tyłu)**

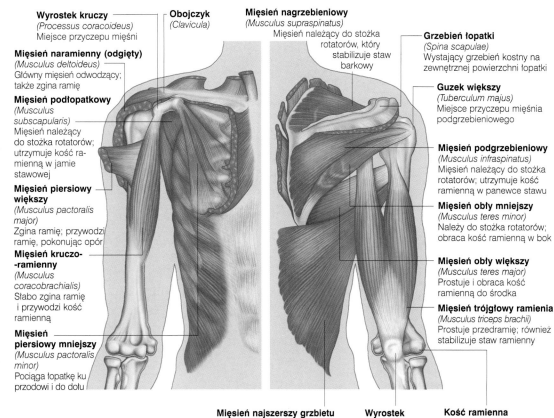

**Wyrostek kruczy**
*(Processus coracoideus)*
Miejsce przyczepu mięśni

**Obojczyk**
*(Clavicula)*

**Mięsień naramienny (odgięty)**
*(Musculus deltoideus)*
Główny mięsień odwodzący;
także zgina ramię

**Mięsień podłopatkowy**
*(Musculus subscapularis)*
Mięsień należący
do stożka rotatorów;
utrzymuje kość ramienną w jamie
stawowej

**Mięsień piersiowy większy**
*(Musculus pactoralis major)*
Zgina ramię; przywodzi
ramię, pokonując opór

**Mięsień kruczo--ramienny**
*(Musculus coracobrachialis)*
Słabo zgina ramię
i przywodzi kość
ramienną

**Mięsień piersiowy mniejszy**
*(Musculus pactoralis minor)*
Pociąga łopatkę ku
przodowi i do dołu

**Mięsień nagrzebieniowy**
*(Musculus supraspinatus)*
Mięsień należący do stożka
rotatorów, który
stabilizuje staw
barkowy

**Grzebień łopatki**
*(Spina scapulae)*
Wystający grzebień kostny na
zewnętrznej powierzchni łopatki

**Guzek większy**
*(Tuberculum majus)*
Miejsce przyczepu mięśnia
podgrzebieniowego

**Mięsień podgrzebieniowy**
*(Musculus infraspinatus)*
Mięsień należący do stożka
rotatorów; utrzymuje kość
ramienną w panewce stawu

**Mięsień obły mniejszy**
*(Musculus teres minor)*
Należy do stożka rotatorów;
obraca kość ramienną w bok

**Mięsień obły większy**
*(Musculus teres major)*
Prostuje i obraca kość
ramienną do środka

**Mięsień trójgłowy ramienia**
*(Musculus triceps brachii)*
Prostuje przedramię; również
stabilizuje staw ramienny

**Mięsień najszerszy grzbietu**
*(Musculus latissimus dorsi)*
Ważny mięsień biorący udział
w prostowaniu i przywodzeniu;
wykorzystywany do wykonywania
ruchów podczas uderzania
młotkiem lub pływania

**Wyrostek łokciowy**
*(Olecranon)*
Miejsce przyczepu
ścięgien mięśnia
trójgłowego
ramienia

**Kość ramienna**
*(Humerus)*
Kość ramienia

*Stożek rotatorów i wchodzące
w jego skład mięśnie, które
poruszają barkiem i ramieniem,
widziane od przodu (strona lewa)
i od tyłu (strona prawa).*

## Odwodzenie ramienia

**Obojczyk**
*(Clavicula)*

**Panewka stawowa**
*(Cavitas glenoidalis)*

**Guzek większy**
*(Tuberculum majus)*

**Kość ramienna**
*(Humerus)*

**Łopatka**
*(Scapula)*

**Odwodzenie (ruch w kierunku od siebie)** jest wynikiem działania mięśnia
nadgrzebieniowego (S) i części środkowej mięśnia naramiennego w okolicy wyrostka barkowego łopatki (D).

| KLUCZ | S | = m. nadgrzebieniowy |
|-------|---|----------------------|
| | D | = m. naramienny |
| | T | = m. czworoboczny |
| | SA | = m. zębaty przedni |

Z pozycji spoczynkowej mięsień naramienny może unieść
kość ramienną, ale nie może
przesunąć jej na zewnątrz.
Mięsień nadgrzebieniowy ma
znacznie dogodniejszą pozycję
i może zainicjować ruch odwodzenia. Gdy tylko ruch zostanie
zainicjowany, działanie przejmuje mięsień naramienny.

Następnym dużym utrudnieniem
w odwodzeniu jest stykanie się
guzka większego kości
ramiennej z wyrostkiem
barkowym łopatki. Można temu
zapobiec, unosząc ramię wyżej
niż do pozycji poziomej (na
przykład gdy ramię jest
wyprostowane na zewnątrz na
wysokości barku).

Możemy unieść ręce powyżej głowy dzięki obrotowi łopatki za pomocą mięśnia czworobocznego
(T). Obrót łopatki sprawia, że panewka stawowa wraz z wyrostkiem barkowym łopatki skierowana jest do góry. Dochodzi również
do obrotu kości ramiennej, dzięki
czemu zachowany jest kontakt
kości w stawie barkowym.

# Pacha

Pacha, lub dół pachowy, ma kształt zbliżony do piramidy i obejmuje przestrzeń, w której
kończyna górna łączy się z klatką piersiową. W dole pachowym znajduje się
wiele ważnych struktur, np. naczynia krwionośne i nerwy.

Przez pachę przechodzą naczynia
chłonne oraz naczynia krwionośne
i nerwy zaopatrujące kończynę
górną. Struktury te położone są
w tkance tłuszczowej znajdującej
się w dole pachowym.

### TĘTNICA PACHOWA
Tętnicą pachową i jej gałęziami
płynie utlenowana krew do
kończyny górnej.

Po przejściu przez pachę od
tętnicy odchodzi wiele gałęzi, które
zaopatrują struktury otaczające
staw ramienny i okolicę piersi.

### ŻYŁA PACHOWA
Żyła pachowa przechodzi przez
pachę po przyśrodkowej stronie
tętnicy pachowej.

Odpływ krwi żylnej i przebieg
żył bywa różny, jednak ogólnie
żyła pachowa otrzymuje krew
z dopływających żył, które
przebiegają podobnie jak gałęzie
tętnicy pachowej.

### NERWY PACHY
Nerwy, które przebiegają przez
pachę, są częścią złożonej sieci
nerwowej określanej mianem
splotu ramiennego.

### NACZYNIA CHŁONNE
Wewnątrz tkanki tłuszczowej pachy
znajduje się wiele grup węzłów
chłonnych, które są połączone
naczyniami chłonnymi. Węzły te
leżą w różnych miejscach tkanki
tłuszczowej.

**Widok z przodu na okolicę barku – widoczne są struktury pachy**

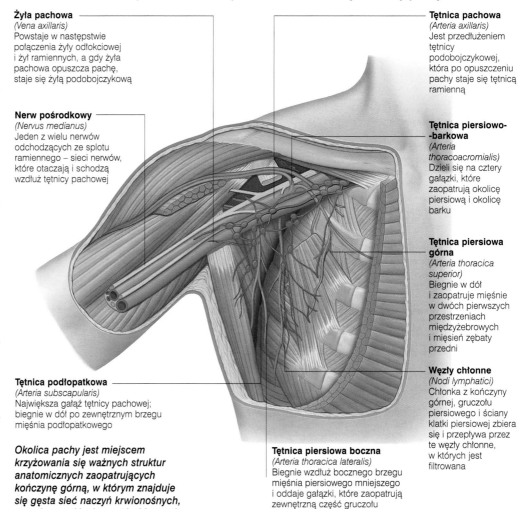

**Żyła pachowa**
*(Vena axillaris)*
Powstaje w następstwie
połączenia żyły odłokciowej
i żył ramiennych, a gdy żyła
pachowa opuszcza pachę,
staje się żyłą podobojczykową

**Nerw pośrodkowy**
*(Nervus medianus)*
Jeden z wielu nerwów
odchodzących ze splotu
ramiennego – sieci nerwów,
które otaczają i schodzą
wzdłuż tętnicy pachowej

**Tętnica podłopatkowa**
*(Arteria subscapularis)*
Największa gałąź tętnicy pachowej;
biegnie w dół po zewnętrznym brzegu
mięśnia podłopatkowego

*Okolica pachy jest miejscem
krzyżowania się ważnych struktur
anatomicznych zaopatrujących
kończynę górną, w którym znajduje
się gęsta sieć naczyń krwionośnych,
nerwów, węzłów i naczyń chłonnych.*

**Tętnica pachowa**
*(Arteria axillaris)*
Jest przedłużeniem
tętnicy
podobojczykowej,
która po opuszczeniu
pachy staje się tętnicą
ramienną

**Tętnica piersiowo-
-barkowa**
*(Arteria
thoracoacromialis)*
Dzieli się na cztery
gałązki, które
zaopatrują okolicę
piersiową i okolicę
barku

**Tętnica piersiowa
górna**
*(Arteria thoracica
superior)*
Biegnie w dół
i zaopatruje mięśnie
w dwóch pierwszych
przestrzeniach
międzyżebrowych
i mięsień zębaty
przedni

**Węzły chłonne**
*(Nodi lymphatici)*
Chłonka z kończyny
górnej, gruczołu
piersiowego i ściany
klatki piersiowej zbiera
się i przepływa przez
te węzły chłonne,
w których jest
filtrowana

**Tętnica piersiowa boczna**
*(Arteria thoracica lateralis)*
Biegnie wzdłuż bocznego brzegu
mięśnia piersiowego mniejszego
i oddaje gałązki, które zaopatrują
zewnętrzną część gruczołu
piersiowego

## Lokalizacja nerwów i naczyń

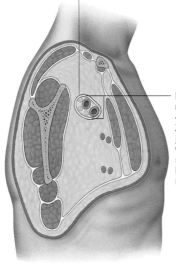

**Pochewka pachowa**
Utworzona przez
powięź głęboką szyi,
która obejmuje ważne
struktury pachy

**Pęczek
nerwowo-
-naczyniowy**
Żyła położona
jest po
wewnętrznej
stronie tętnicy,
którą otaczają
nerwy

Sąsiadujące ze sobą naczynia i nerwy
często tworzą pęczki nerwowo-
-naczyniowe. W dole pachowym
naczynia i nerwy znajdują się
w takim pęczku i kierują się
wspólnie do kończyny górnej.

### POCHEWKA PACHOWA
W dole pachowym (który jest
szczególnie narażony na urazy
skierowane od dołu) te ważne
struktury są chronione i zamknięte
w pochewce pachowej – rurze
utworzonej z mocnej tkanki
łącznej. Wewnątrz pochewki

*Przekrój przez pachę ukazuje
mięśnie, naczynia, kości i węzły
chłonne. Można zobaczyć nerwy
i naczynia przechodzące przez
pochewkę pachową.*

pachowej żyła leży przyśrodkowo
od tętnicy pachowej, którą otaczają
nerwy (gałązki splotu ramiennego).
Tętnica, żyła i nerwy zaopatrujące
kończynę górną leżą wewnątrz
ochronnej pochewki pachowej.

Ze względu na swoje położenie
pochewka jest ważnym miejscem
podawania środków znieczulających.
Jeśli dolny odcinek pochewki
zostanie zamknięty w wyniku
uciśnięcia palcami, środki
znieczulające wstrzyknięte do
odcinka bliższego pochewki
powodują blokadę nerwów splotu
barkowego.

# Powięź obojczykowo-piersiowa

Jest to warstwa utworzona z mocnej tkanki łącznej, która łączy się z górnym brzegiem wyrostka kruczego łopatki i obojczykiem.

Powięź obojczykowo-piersiowa zstępuje ku dołowi i obejmuje mięsień podobojczykowy oraz mięsień piersiowy mniejszy, a następnie, u podstawy pachy, łączy się z leżącą poniżej powięzią pachową.

Część górna powięzi obojczykowo-piersiowej leżąca powyżej mięśnia piersiowego mniejszego, przez którą przechodzą nerwy unerwiające mięsień piersiowy mniejszy, nazywana jest błoną żebrowo-szyjną.

Część dolna powięzi obojczykowo-piersiowej leżąca poniżej mięśnia piersiowego mniejszego nosi nazwę więzadła wieszadłowego pachy. Łączy się ono ze skórą dołu pachowego i jest odpowiedzialne za pociąganie skóry ku górze przy podnoszeniu kończyny górnej.

Powięź obojczykowo-piersiowa stanowi przedłużenie powięzi ramiennej, która otacza ramię podobnie jak rękaw.

Przez powięź przechodzi wiele żył, tętnic i nerwów, np. żyła odpromieniowa, tętnica piersiowo--barkowa (gałąź tętnicy pachowej) i nerw piersiowy boczny.

**Powięź obojczykowo-piersiowa, widok z przodu**

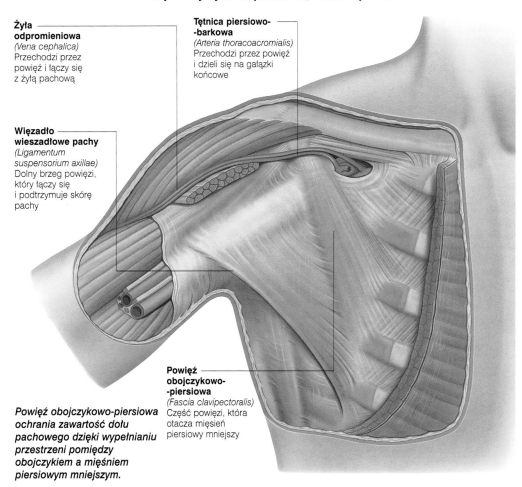

**Żyła odpromieniowa**
(Vena cephalica)
Przechodzi przez powięź i łączy się z żyłą pachową

**Więzadło wieszadłowe pachy**
(Ligamentum suspensorium axillae)
Dolny brzeg powięzi, który łączy się i podtrzymuje skórę pachy

**Tętnica piersiowo--barkowa**
(Arteria thoracoacromialis)
Przechodzi przez powięź i dzieli się na gałązki końcowe

**Powięź obojczykowo--piersiowa**
(Fascia clavipectoralis)
Część powięzi, która otacza mięsień piersiowy mniejszy

*Powięź obojczykowo-piersiowa ochrania zawartość dołu pachowego dzięki wypełnianiu przestrzeni pomiędzy obojczykiem a mięśniem piersiowym mniejszym.*

## Granice dołu pachowego

*Kształty dołu pachowego zmieniają się w zależności od pozycji ramienia. Gdy ramię jest uniesione, dół pachowy przyjmuje kształt piramidy o szerokiej podstawie, a gdy ramię jest opuszczone, stanowi wąską przestrzeń.*

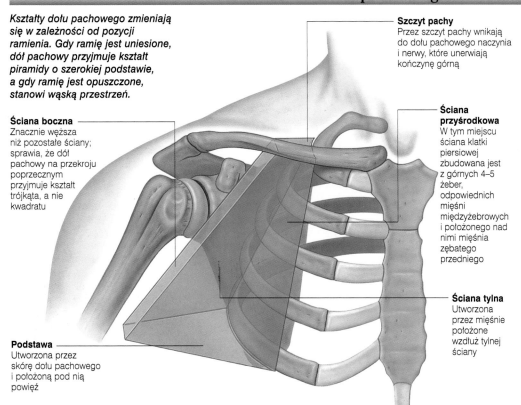

**Ściana boczna**
Znacznie węższa niż pozostałe ściany; sprawia, że dół pachowy na przekroju poprzecznym przyjmuje kształt trójkąta, a nie kwadratu

**Podstawa**
Utworzona przez skórę dołu pachowego i położoną pod nią powięź

**Szczyt pachy**
Przez szczyt pachy wnikają do dołu pachowego naczynia i nerwy, które unerwiają kończynę górną

**Ściana przyśrodkowa**
W tym miejscu ściana klatki piersiowej zbudowana jest z górnych 4–5 żeber, odpowiednich mięśni międzyżebrowych i położonego nad nimi mięśnia zębatego przedniego

**Ściana tylna**
Utworzona przez mięśnie położone wzdłuż tylnej ściany

W dole pachowym można wyróżnić szczyt pachy, podstawę oraz cztery ściany.

■ Szczyt pachy jest przestrzenią zawartą pomiędzy obojczykiem (z przodu), pierwszym żebrem (od wewnątrz) i szczytem łopatki (z tyłu).

■ Podstawę tworzy skóra dołu pachy i warstwa mocnej powięzi pachowej.

■ Przednią ścianę tworzą mięśnie piersiowy i podobojczykowy oraz powięź obojczykowo-piersiowa.

■ Tylną ścianę tworzy mięsień podłopatkowy leżący na łopatce, a niżej mięsień najszerszy grzbietu i mięsień obły większy.

■ Ścianę przyśrodkową tworzy ściana klatki piersiowej.

■ Ścianę boczną (zewnętrzną) tworzą mięśnie przyczepione do kości ramiennej. Mięśnie te to mięsień kruczo-ramienny i mięsień dwugłowy ramienia.

# Budowa kości ramiennej

Kość ramienna (*humerus*), jest typową kością długą, która znajduje się w ramieniu. Składa się ona z długiego trzonu, którego końce rozszerzają się, i łączy się z łopatką w stawie barkowym oraz z kością promieniową i łokciową w stawie łokciowym.

Na górnym (proksymalnym) końcu kości ramiennej znajduje się gładka półkolista głowa, która pasuje do panewki stawowej łopatki w stawie ramiennym. Za głową kości ramiennej leży płytkie przewężenie zwane „szyjką anatomiczną", które oddziela głowę kości ramiennej od dwóch wyniosłości, guzka większego i mniejszego. Miejsca te stanowią punkty przyczepu mięśni i są oddzielone bruzdą międzyguzkową.

### TRZON

Górny koniec trzonu kości ramiennej jest nieco przewężony i nosi nazwę „szyjki chirurgicznej". Jest to miejsce, w którym często dochodzi do złamań. Na względnie gładkim trzonie znajdują się dwie wyraźnie zaznaczone struktury. Mniej więcej w połowie trzonu po stronie zewnętrznej mieści się guzowatość naramienna, miejsce przyczepu mięśnia naramiennego. Drugą jest bruzda nerwu promieniowego, która przebiega z tyłu kości, skośnie i poprzecznie przez środkowy jego odcinek. W tym rowku znajdują się nerw promieniowy i tętnica głęboka ramienia.

Brzegi boczny i przyśrodkowy, znajdujące się po obu stronach dolnego odcinka trzonu, biegną w dół i kończą się dwiema wyniosłościami kostnymi – nadkłykciem przyśrodkowym i bocznym. Na powierzchni stawowej mieszczą się dwie ważne struktury: bloczek kości ramiennej, który tworzy staw z kością łokciową, oraz główka, która tworzy staw z kością promieniową.

**Kość ramienna od tyłu**     **Kość ramienna od przodu**

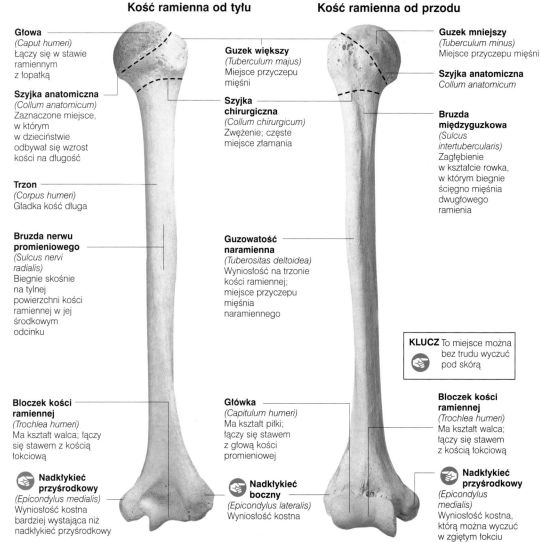

**Głowa**
*(Caput humeri)*
Łączy się w stawie ramiennym
z łopatką

**Szyjka anatomiczna**
*(Collum anatomicum)*
Zaznaczone miejsce, w którym w dzieciństwie odbywał się wzrost kości na długość

**Trzon**
*(Corpus humeri)*
Gładka kość długa

**Bruzda nerwu promieniowego**
*(Sulcus nervi radialis)*
Biegnie skośnie na tylnej powierzchni kości ramiennej w jej środkowym odcinku

**Bloczek kości ramiennej**
*(Trochlea humeri)*
Ma kształt walca; łączy się stawem z kością łokciową

**Nadkłykieć przyśrodkowy**
*(Epicondylus medialis)*
Wyniosłość kostna bardziej wystająca niż nadkłykieć przyśrodkowy

**Guzek większy**
*(Tuberculum majus)*
Miejsce przyczepu mięśni

**Szyjka chirurgiczna**
*(Collum chirurgicum)*
Zwężenie; częste miejsce złamania

**Guzowatość naramienna**
*(Tuberositas deltoidea)*
Wyniosłość na trzonie kości ramiennej; miejsce przyczepu mięśnia naramiennego

**Główka**
*(Capitulum humeri)*
Ma kształt piłki; łączy się stawem z głową kości promieniowej

**Nadkłykieć boczny**
*(Epicondylus lateralis)*
Wyniosłość kostna

**Guzek mniejszy**
*(Tuberculum minus)*
Miejsce przyczepu mięśni

**Szyjka anatomiczna**
*Collum anatomicum*

**Bruzda międzyguzkowa**
*(Sulcus intertubercularis)*
Zagłębienie w kształcie rowka, w którym biegnie ścięgno mięśnia dwugłowego ramienia

**KLUCZ** To miejsce można bez trudu wyczuć pod skórą

**Bloczek kości ramiennej**
*(Trochlea humeri)*
Ma kształt walca; łączy się stawem z kością łokciową

**Nadkłykieć przyśrodkowy**
*(Epicondylus medialis)*
Wyniosłość kostna, którą można wyczuć w zgiętym łokciu

## Złamania kości ramiennej

Większość złamań górnego końca kości ramiennej ma miejsce w obrębie szyjki chirurgicznej, często na skutek upadku na wyprostowaną rękę. Złamania trzonu kości ramiennej mogą spowodować uszkodzenie nerwu promieniowego, przebiegającego w bruździe nerwu promieniowego. Objawia się ono opadaniem ręki,

w następstwie porażenia mięśni położonych z tyłu przedramienia, unerwianych przez ten nerw.

U dzieci często dochodzi do złamania nadkłykciowego kości ramiennej, gdy dziecko upada na zgiętą w łokciu rękę. Może wtedy dojść do uszkodzenia przebiegających w pobliżu nerwów i tętnic.

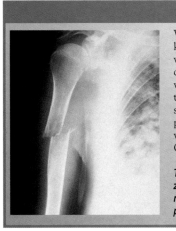

*To zdjęcie rentgenowskie ukazuje złamanie górnego odcinka kości ramiennej. Może do niego dojść po upadku na wyprostowaną rękę.*

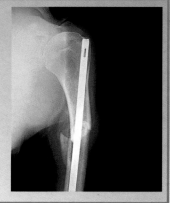

*Niektóre złamania kości ramiennej wymagają stabilizacji metalowym gwoździem. Zespala on złamane końce kości.*

# Wnętrze kości ramiennej

Kość ramienna ma typową budowę kości długiej. W kości tej można wyróżnić trzon (*diaphysis*) oraz dwie nasady (*epiphysis*) znajdujące się na obu końcach.

Kości długie są dłuższe niż szersze. Większość kości kończyn należy do kości długich, nawet małe kości palców, ponieważ mają wiele cech wspólnych z kością ramienną.

Kość ramienna składa się z trzonu oraz z poszerzonych nasad na obu jego końcach. Trzon kości ma kształt walca. Jego zewnętrzna część zbudowana jest z grubej kości zbitej otaczającej położoną w środku część centralną – jamę szpikową, w której znajdują się komórki tłuszczowe. Nasada kości ramiennej tworzy u góry głowę kości, a u dołu kłykcie. Nasady zbudowane są z cienkiej kości zbitej pokrywającej kość gąbczastą, która stanowi większą część kości.

## POWIERZCHNIA KOŚCI

Powierzchnia kości ramiennej (i wszystkich kości długich) pokryta jest cienką błoną, okostną. Jedynie powierzchnie stawowe nie są pokryte okostną. Powierzchnie te pokrywa mocna chrząstka szklista, dzięki której kości w stawach ślizgają się po sobie.

Zewnętrzną kość zbitą zaopatrują w krew tętnice wnikające w nią z okostnej. W razie odwarstwienia okostnej kość obumiera. Wewnętrzne części kości zaopatrują w krew tętnice odżywcze, które przechodzą przez kość zbitą.

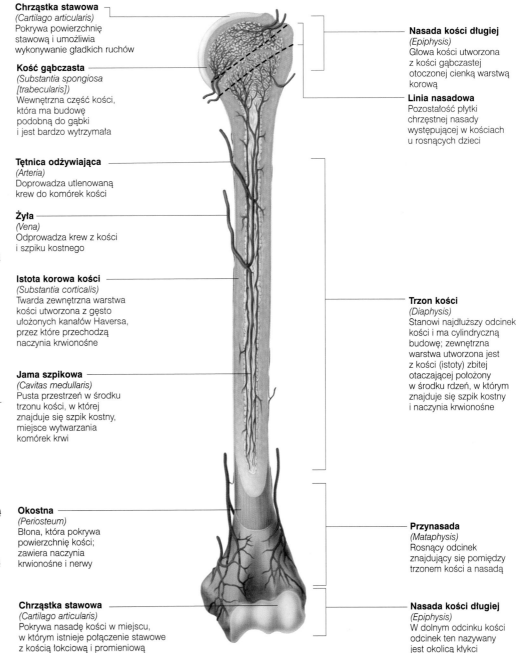

**Chrząstka stawowa**
*(Cartilago articularis)*
Pokrywa powierzchnię stawową i umożliwia wykonywanie gładkich ruchów

**Kość gąbczasta**
*(Substantia spongiosa [trabecularis])*
Wewnętrzna część kości, która ma budowę podobną do gąbki i jest bardzo wytrzymała

**Tętnica odżywiająca**
*(Arteria)*
Doprowadza utlenowaną krew do komórek kości

**Żyła**
*(Vena)*
Odprowadza krew z kości i szpiku kostnego

**Istota korowa kości**
*(Substantia corticalis)*
Twarda zewnętrzna warstwa kości utworzona z gęsto ułożonych kanałów Haversa, przez które przechodzą naczynia krwionośne

**Jama szpikowa**
*(Cavitas medullaris)*
Pusta przestrzeń w środku trzonu kości, w której znajduje się szpik kostny, miejsce wytwarzania komórek krwi

**Okostna**
*(Periosteum)*
Błona, która pokrywa powierzchnię kości; zawiera naczynia krwionośne i nerwy

**Chrząstka stawowa**
*(Cartilago articularis)*
Pokrywa nasadę kości w miejscu, w którym istnieje połączenie stawowe z kością łokciową i promieniową

**Nasada kości długiej**
*(Epiphysis)*
Głowa kości utworzona z kości gąbczastej otoczonej cienką warstwą korową

**Linia nasadowa**
Pozostałość płytki chrzęstnej nasady występującej w kościach u rosnących dzieci

**Trzon kości**
*(Diaphysis)*
Stanowi najdłuższy odcinek kości i ma cylindryczną budowę; zewnętrzna warstwa utworzona jest z kości (istoty) zbitej otaczającej położony w środku rdzeń, w którym znajduje się szpik kostny i naczynia krwionośne

**Przynasada**
*(Mataphysis)*
Rosnący odcinek znajdujący się pomiędzy trzonem kości a nasadą

**Nasada kości długiej**
*(Epiphysis)*
W dolnym odcinku kości odcinek ten nazywany jest okolicą kłykci

## Rodzaje tkanki kostnej występujące w organizmie

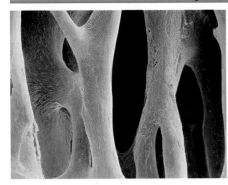

**Kość gąbczasta.** Ten rodzaj kości, pokazany na zdjęciu z mikroskopu elektronowego, wypełnia wnętrza kości. Kość gąbczasta ma budowę kratownicy i ma małą gęstość.

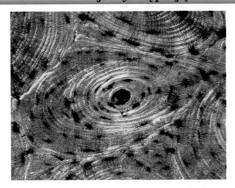

**Istota korowa.** Utworzona jest z równolegle biegnących kanałów Haversa, zbudowanych z koncentrycznych warstw, w których leżą naczynia krwionośne i nerwy.

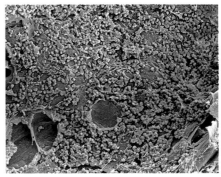

**Szpik kostny.** Wypełnia przestrzeń pomiędzy beleczkami kości gąbczastej. W szpiku kostnym znajdują się komórki macierzyste, które wytwarzają wiele rodzajów komórek.

# Kości łokciowa i promieniowa

Kości łokciowa i promieniowa są długimi kośćmi przedramienia. Łączą się za pomocą stawu z kością ramienną oraz z kośćmi nadgarstka. Umożliwiają one obrót ręki i przedramienia.

Kości łokciowa i promieniowa są dwiema parzystymi kośćmi przedramienia, które znajdują się pomiędzy stawem łokciowym a stawem nadgarstka. Kość łokciowa leży po stronie małego palca, a kość promieniowa po stronie kciuka.

Stawy łokciowo-promieniowe pozwalają na obrót kości łokciowej i promieniowej względem siebie podczas ruchu przedramienia zwanego nawracaniem lub pronacją (obrót przedramienia prowadzący do zwrócenia powierzchni dłoniowej ręki do dołu) i odwracania, czyli supinacji (obrotu przedramienia prowadzącego do zwrócenia powierzchni dłoniowej ręki do góry).

## KOŚĆ ŁOKCIOWA

Kość łokciowa jest dłuższa od kości promieniowej. Jest ona główną kością stabilizującą przedramię. Składa się z długiego trzonu, który jest zakończony dwoma poszerzonymi końcami. Koniec górny ma dwa widoczne występy kostne – wyrostek łokciowy i wyrostek dziobiasty, oddzielone głębokim wcięciem bloczkowym, które tworzy połączenie stawowe z bloczkiem kości ramiennej.

Na zewnętrznej (bocznej) powierzchni wyrostka dziobiastego znajduje się małe okrągłe wgłębienie – wcięcie promieniowe. W tym miejscu kość łokciowa i głowa kości promieniowej łączą się za pomocą stawu. Głowa kości łokciowej oddzielona jest od kości nadgarstka za pomocą krążka stawowego i nie odgrywa znaczącej roli w tworzeniu stawu nadgarstka.

## Kość łokciowa (od przodu)

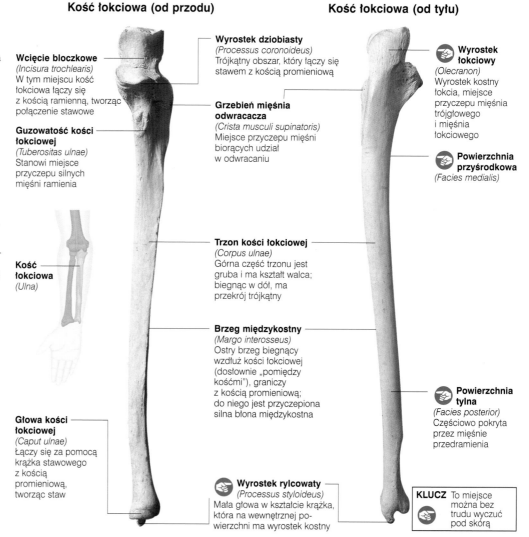

**Wcięcie bloczkowe**
*(Incisura trochlearis)*
W tym miejscu kość łokciowa łączy się z kością ramienną, tworząc połączenie stawowe

**Guzowatość kości łokciowej**
*(Tuberositas ulnae)*
Stanowi miejsce przyczepu silnych mięśni ramienia

**Kość łokciowa**
*(Ulna)*

**Głowa kości łokciowej**
*(Caput ulnae)*
Łączy się za pomocą krążka stawowego z kością promieniową, tworząc staw

**Wyrostek dziobiasty**
*(Processus coronoideus)*
Trójkątny obszar, który łączy się stawem z kością promieniową

**Grzebień mięśnia odwracacza**
*(Crista musculi supinatoris)*
Miejsce przyczepu mięśni biorących udział w odwracaniu

**Trzon kości łokciowej**
*(Corpus ulnae)*
Górna część trzonu jest gruba i ma kształt walca; biegnąc w dół, ma przekrój trójkątny

**Brzeg międzykostny**
*(Margo interosseus)*
Ostry brzeg biegnący wzdłuż kości łokciowej (dosłownie „pomiędzy kośćmi"), graniczy z kością promieniową; do niego jest przyczepiona silna błona międzykostna

**Wyrostek rylcowaty**
*(Processus styloideus)*
Mała głowa w kształcie krążka, która na wewnętrznej powierzchni ma wyrostek kostny

## Kość łokciowa (od tyłu)

**Wyrostek łokciowy**
*(Olecranon)*
Wyrostek kostny łokcia, miejsce przyczepu mięśnia trójgłowego i mięśnia łokciowego

**Powierzchnia przyśrodkowa**
*(Facies medialis)*

**Powierzchnia tylna**
*(Facies posterior)*
Częściowo pokryta przez mięśnie przedramienia

**KLUCZ** To miejsce można bez trudu wyczuć pod skórą

---

## Błona międzykostna

### Przekrój przez kości przedramienia

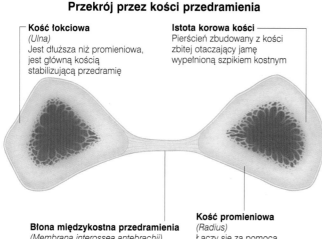

**Kość łokciowa**
*(Ulna)*
Jest dłuższa niż promieniowa, jest główną kością stabilizującą przedramię

**Istota korowa kości**
Pierścień zbudowany z kości zbitej otaczający jamę wypełnioną szpikiem kostnym

**Błona międzykostna przedramienia**
*(Membrana interossea antebrachii)*
Mocna tkanka łączna, która łączy kość łokciową z kością promieniową

**Kość promieniowa**
*(Radius)*
Łączy się za pomocą stawów z kością łokciową i nadgarstkiem

Kości łokciowa i promieniowa są połączone przez cienką włóknistą tkankę łączną, która mocno je ze sobą wiąże. Błona międzykostna jest wystarczająco szeroka, aby zapewnić odpowiedni zakres ruchów pomiędzy kośćmi podczas supinacji i pronacji (odwracania i nawracania dłoni). Błona ta jest również bardzo mocna i stanowi miejsce przyczepu niektórych głębokich mięśni przedramienia.

Błona międzykostna pełni ważną funkcję w przenoszeniu sił w obrębie przedramienia. Jeśli siła

*Błona międzykostna zbudowana jest z mocnej tkanki łącznej i łączy kość promieniową z kością łokciową. Dzieli ona również przedramię na dwa przedziały.*

zadziała na nadgarstek, np. podczas upadku na wyprostowaną rękę, zadziała najpierw na koniec kości promieniowej, gdyż tworzy on większą część stawu nadgarstka.

Mocne włókna błony międzykostnej są tak ułożone, że siła ta jest skutecznie przenoszona na kość łokciową, która tworzy większą część stawu łokciowego. Przenoszenie siły przez błonę międzykostną na kość łokciową powoduje, że część energii jest pochłaniana przez kość ramienną.

# Kość promieniowa

Kość promieniowa jest krótszą z dwóch kości przedramienia i łączy się za pomocą stawu z kośćmi nadgarstka. Jest ona ściśle połączona z kością łokciową przez mocne pasmo tkanki łącznej.

Kość promieniowa ma długi trzon oraz rozszerzone górny i dolny koniec. Kość łokciowa tworzy głównie staw łokciowy, a kość promieniowa tworzy główne połączenie stawowe z kośćmi nadgarstka.

## GŁOWA KOŚCI PROMIENIOWEJ

Głowa kości promieniowej ma kształt wklęsłego krążka, który łączy się z główką w stawie łokciowym kości ramiennej. Chrząstka pokrywająca wklęsłą powierzchnię głowy kości promieniowej schodzi w dół na jej boczną powierzchnię, co zapewnia gładkie połączenie stawowe pomiędzy głową kości promieniowej a górnym końcem kości łokciowej.

## TRZON

W okolicy nadgarstka trzon kości promieniowej staje się coraz grubszy. Do ostrego brzegu międzykostnego jest przyczepiona błona międzykostna. Na wewnętrznej powierzchni dystalnego końca kości promieniowej od strony kości łokciowej leży wcięcie łokciowe, miejsce połączenia stawowego kości łokciowej z promieniową. Po przeciwnej stronie leży wyrostek rylcowaty kości promieniowej, bardziej wysunięty niż wyrostek rylcowaty kości łokciowej. W dolnym końcu kości promieniowej z tyłu nadgarstka leży łatwo wyczuwalny guzek grzbietowy.

**Kość promieniowa – widok od przodu**

**Kość promieniowa – widok od tyłu**

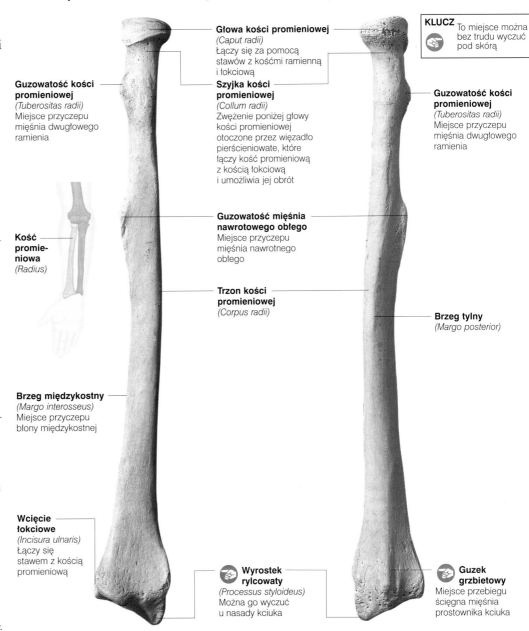

**KLUCZ** To miejsce można bez trudu wyczuć pod skórą

**Głowa kości promieniowej**
*(Caput radii)*
Łączy się za pomocą stawów z kośćmi ramienną i łokciową

**Szyjka kości promieniowej**
*(Collum radii)*
Zwężenie poniżej głowy kości promieniowej otoczone przez więzadło pierścieniowate, które łączy kość promieniową z kością łokciową i umożliwia jej obrót

**Guzowatość kości promieniowej**
*(Tuberositas radii)*
Miejsce przyczepu mięśnia dwugłowego ramienia

**Kość promieniowa**
*(Radius)*

**Guzowatość mięśnia nawrotowego obłego**
Miejsce przyczepu mięśnia nawrotnego obłego

**Trzon kości promieniowej**
*(Corpus radii)*

**Brzeg tylny**
*(Margo posterior)*

**Guzowatość kości promieniowej**
*(Tuberositas radii)*
Miejsce przyczepu mięśnia dwugłowego ramienia

**Brzeg międzykostny**
*(Margo interosseus)*
Miejsce przyczepu błony międzykostnej

**Wcięcie łokciowe**
*(Incisura ulnaris)*
Łączy się stawem z kością promieniową

**Wyrostek rylcowaty**
*(Processus styloideus)*
Można go wyczuć u nasady kciuka

**Guzek grzbietowy**
Miejsce przebiegu ścięgna mięśnia prostownika kciuka

## Złamanie Collesa

U osób dorosłych po 50. roku życia, a szczególnie u kobiet, u których z powodu osteoporozy kości mają mniejszą gęstość, najczęstszym złamaniem kości przedramienia jest złamanie Collesa.

Jest to złamanie dolnego końca kości promieniowej w pobliżu stawu promieniowo-nadgarstkowego.

Dochodzi do niego zwykle w następstwie upadku na wyciągniętą rękę, która pierwsza styka się z podłożem. Złamany dystalny odcinek kości promieniowej wraz z nadgarstkiem i dłonią przemieszcza się w stronę grzbietową, powodując charakterystyczne ułożenie dłoni i przedramienia – w kształcie „widelca".

W 40% przypadków złamań Collesa ulega również złamaniu wyrostek rylcowaty kości łokciowej. Ponieważ koniec kości promieniowej jest dobrze ukrwiony, proces gojenia po złamaniu przebiega szybko.

*Do złamania Collesa dochodzi w wyniku upadku na wyciągniętą rękę. Charakterystyczne jest złamanie dolnego końca kości promieniowej (w kółku) powyżej stawu nadgarstka.*

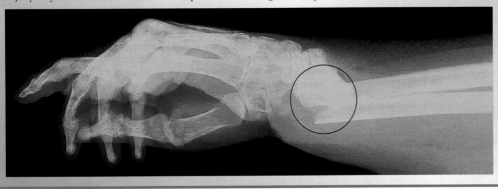

133

# Nerwy kończyny górnej

Nerwy ramienia unerwiają skórę i mięśnie przedramienia oraz dłoni. W obrębie ramienia znajdują się cztery ważne nerwy: nerw promieniowy, mięśniowo-skórny, pośrodkowy i łokciowy.

Kończynę górną unerwiają cztery główne nerwy oraz ich gałązki. Przewodzą one bodźce czuciowe z ręki i ramienia oraz unerwiają ruchowo wiele mięśni kończyny górnej. Nerwy mięśniowo-skórny i promieniowy unerwiają mięśnie i skórę wszystkich części kończyny górnej, a nerwy pośrodkowy i łokciowy struktury położone poniżej łokcia.

### NERW PROMIENIOWY

Nerw promieniowy ma duże znaczenie, gdyż jest głównym nerwem unerwiającym mięśnie prostowniki, które prostują rękę w stawie łokciowym, nadgarstek i palce. Jest on największą gałęzią splotu ramiennego utworzonego przez szyjne nerwy rdzeniowe. W pobliżu nadkłykcia bocznego kości ramiennej nerw promieniowy dzieli się na dwie gałązki końcowe:
■ gałąź powierzchowną – która przewodzi bodźce czuciowe ze skóry położonej na grzbiecie dłoni, kciuka oraz ze skóry sąsiednich 2 palców, a także z połowy palca serdecznego;
■ gałąź głęboką – która unerwia ruchowo wszystkie mięśnie prostowniki przedramienia.

### NERW MIĘŚNIOWO--SKÓRNY

Unerwia zarówno mięśnie, jak i skórę z przodu ramienia. Poniżej łokcia kończy się jako nerw skórny boczny przedramienia, unerwiający czuciowo dużą powierzchnię skóry przedramienia.

---

#### Uszkodzenie nerwu promieniowego

Nerw promieniowy jest nerwem najbardziej narażonym na uszkodzenie, gdyż biegnie wzdłuż tylnej powierzchni kości ramiennej w bruździe nerwu promieniowego. Do jego uszkodzenia może dojść podczas złamania trzonu kości ramiennej. Może też ulec zgnieceniu o kość w razie bezpośredniego uderzenia w ramię od tyłu.

Uszkodzenie może spowodować porażenie wszystkich mięśni prostowników nadgarstka i palców, co daje charakterystyczny obraz kliniczny „ręki opadającej".

---

## Nerwy kończyny górnej widziane od tyłu

**Mięsień naramienny**
*(Musculus deltoideus)*
Odwodzi ramię (odsuwa od tułowia)

*Ta rycina przestawiająca kończynę górną widzianą od tyłu ukazuje przebieg nerwu promieniowego i jego gałęzi. Zaznaczono obrysy ramiennej, promieniowej i łokciowej.*

**Kość ramienna**
*(Humerus)*
Kość ramienia; styka się z kością promieniową i łokciową w stawie łokciowym

**Nerw pachowy**
*(Nervus axillaris)*
Unerwia mięsień naramienny i mięsień obły mniejszy oraz część skóry w okolicy barku

**Nerw promieniowy**
*(Nervus radialis)*
Biegnie do dołu i na zewnątrz za kością ramienną, gdzie położony jest w bruździe nerwu promieniowego; unerwia mięśnie i skórę tylnej powierzchni ramienia i przedramienia

**Końcowa gałąź powierzchowna (nerwu promieniowego)**
Unerwia czuciowo skórę kilku palców, kciuk i grzbiet dłoni

**Końcowa gałąź głęboka (nerwu promieniowego)**
Unerwia mięśnie prostowniki przedramienia

**Kość łokciowa**
*(Ulna)*
Kość przedramienia, która łączy się za pomocą stawów z kośćmi promieniową i ramienną

**Kość promieniowa**
*(Radius)*
Kość przedramienia stanowiąca główny element stawu nadgarstkowego

**KLUCZ** To miejsce można bez trudu wyczuć pod skórą

*Ponieważ nerw promieniowy unerwia mięśnie kończyny górnej, które prostują nadgarstek, palce i dłoń, jego uszkodzenie może spowodować „zwisanie" dłoni. Stan ten określa się jako „ręka opadająca".*

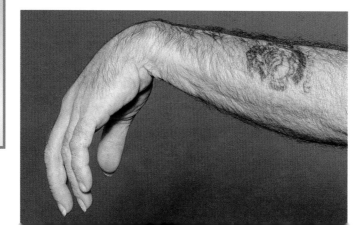

# Nerwy pośrodkowy i łokciowy

Nerw pośrodkowy unerwia mięśnie przedramienia, które wykonują ruchy zginania i nawracania – pronacji (obracania grzbietem do góry). Nerw łokciowy biegnie za stawem łokciowym, gdzie przy uderzeniu można go poczuć „jako przebiegający w łokciu prąd" – unerwia niektóre małe mięśnie dłoni.

Nerw pośrodkowy kończyny górnej powstaje w splocie barkowym i schodzi do środka łokcia. Jest on głównym nerwem przedniego odcinka przedramienia, który unerwia mięśnie odpowiedzialne za zginanie i pronację.

W nadgarstku nerw pośrodkowy przechodzi przez kanał nadgarstka. Oddaje on wiele gałązek, które unerwiają niektóre małe mięśnie dłoni, skórę kciuka i kilku sąsiednich palców.

## NERW ŁOKCIOWY

Nerw łokciowy biegnie w dół wzdłuż kości ramiennej do łokcia, gdzie zawija się dookoła nadkłykcia przyśrodkowego pod skórą, i tu można go łatwo wyczuć. Oddaje gałązki, które unerwiają łokieć, dwa mięśnie przedramienia i pewien obszar położonej nad nimi skóry, a potem dzieli się na gałęzie końcowe unerwiające rękę. Na ręce nerw łokciowy dzieli się na gałązki głębokie i powierzchowne.

## USZKODZENIE NERWU POŚRODKOWEGO

Nerw pośrodkowy może ulec uszkodzeniu w razie złamania dalszego odcinka kości ramiennej lub w wyniku ucisku spowodowanego obrzękiem ścięgien mięśni biegnących przez kanał nadgarstka (zespół cieśni nadgarstka). Nerw pośrodkowy unerwia małe mięśnie kłębu kciuka i dlatego uszkodzenie tego nerwu utrudnia „chwyt pęsetowy", czyli trzymanie przedmiotu pomiędzy kciukiem a pozostałymi palcami.

Nerw łokciowy jest najbardziej narażony na urazy, gdyż biegnie tuż za nadkłykciem przyśrodkowym kości ramiennej. Uczucie mrowienia towarzyszące uderzeniu w łokieć powstaje w wyniku przyciśnięcia nerwu do leżącej poniżej kości. Ciężkie uszkodzenie może prowadzić do utraty czucia, porażenia i zaniku mięśni unerwianych przez ten nerw.

*Uszkodzenie nerwu łokciowego może spowodować zanik pierwszego mięśnia międzykostnego grzbietowego. Zanik tego mięśnia zaznaczono kółkiem na zdjęciu poniżej.*

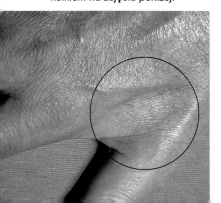

## Nerwy kończyny górnej widziane od przodu

*Na tym rysunku przedstawiającym kończynę górną widać przebieg nerwów łokciowego, pośrodkowego i mięśniowo-skórnego.*

**KLUCZ** To miejsce można bez trudu wyczuć pod skórą

**Kość ramienna**
*(Humerus)*
Kość ramienia

**Nerw mięśniowo-skórny**
*(Nervus musculocutaneus)*
Unerwia zarówno mięśnie, jak i skórę kończyny górnej; jest osłonięty przez mięśnie biegnące równolegle do niego i rzadko ulega uszkodzeniu

**Nerw pośrodkowy**
*(Nervus medianus)*
Unerwia zarówno mięśnie zginacze z przodu przedramienia, jak i mięśnie zewnętrznej części nadgarstka i pierwszych dwóch palców; również unerwia czuciowo skórę kłębu i dwóch i pół palca po stronie grzbietowej

**Nerw łokciowy**
*(Nervus ulnaris)*
Unerwia łokieć i niektóre mięśnie zginacze przedramienia; leży blisko powierzchni łokcia, a uderzony, powoduje uczucie „przebiegającego prądu"; można go wyczuć tuż za kłykciem przyśrodkowym

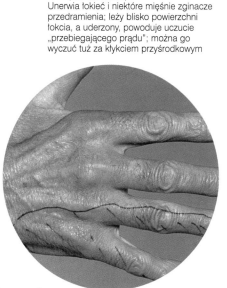

**Gałąź nerwu łokciowego**
Unerwia liczne mięśnie wewnętrzne dłoni oraz czuciowo skórę półtora palca na ich powierzchniach grzbietowej i dłoniowej

*Zaznaczona strefa ręki odpowiada obszarowi unerwienia nerwu łokciowego. Mięśnie promieniowy i pośrodkowy unerwiają inne części ręki.*

# Kości nadgarstka

Nadgarstek znajduje się pomiędzy kośćmi promieniową i łokciową przedramienia a kośćmi palców. Tworzy go osiem kości wielkości kostki do gry, które wspólnie zapewniają elastyczność i ruchomość stawu nadgarstka i śródręcznej części ręki.

Zwyczajowo nadgarstkiem określamy koniec kości promieniowej i łokciowej. Nadgarstek w rzeczywistości leży u podstawy środkowej części ręki i tworzy go osiem kości łączących się za pomocą więzadeł. Są one ruchome względem siebie, co sprawia, że nadgarstek jest elastyczny.

Kości nadgarstka ułożone są w dwóch rzędach, po cztery kości w rzędzie bliższym (bliżej kości przedramienia) i rzędzie dalszym (bliżej kości palców). Najważniejszy staw nadgarstka znajduje się pomiędzy dolnym odcinkiem kości promieniowej a kośćmi pierwszego rzędu.

### RZĄD BLIŻSZY

Rząd bliższy kości nadgarstka składa się z następujących kości:
- **Kość łódeczkowata** – na kształt łódki, dużą powierzchnią stawową łączy się z dolnym odcinkiem kości promieniowej; tworzy połączenie stawowe z trzema kośćmi leżącymi w rzędzie dalszym.
- **Kość księżycowata** – ma kształt księżyca i łączy się z dolnym odcinkiem kości promieniowej.
- **Kość trójgraniasta** – ta kość ma kształt piramidy łączy się przez krążek stawowy z dolnym stawem promieniowo-łokciowym i kością grochowatą.
- **Kość grochowata** – choć zalicza się ją do bliższego rzędu, to jednak nie uczestniczy ona w tworzeniu stawu nadgarstka. Ma ona wielkość małego groszku i jest trzeszczką, czyli kością, która leży wewnątrz ścięgna mięśnia.

*Na tym zdjęciu ukazane są stosunki anatomiczne kości nadgarstka i ich położenie względem siebie. Górny dalszy (dystalny) rząd kości – najbliższy palców – pomalowany jest na pomarańczowo; dolny bliższy (proksymalny) rząd kości – najbliższy przedramienia jest fioletowy.*

**Kości nadgarstka**

**KLUCZ** To miejsce można bez trudu wyczuć pod skórą

## Kości lewego nadgarstka widziane od tyłu

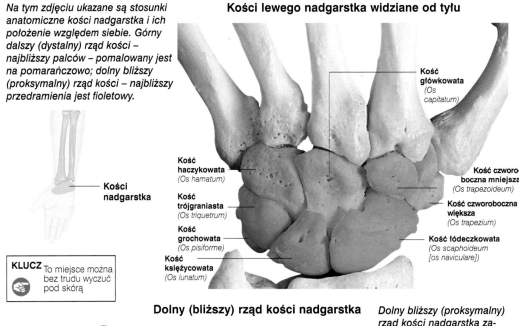

**Kość główkowata** (Os capitatum)

**Kość haczykowata** (Os hamatum)

**Kość trójgraniasta** (Os triquetrum)

**Kość grochowata** (Os pisiforme)

**Kość księżycowata** (Os lunatum)

**Kość czworoboczna mniejsza** (Os trapezoideum)

**Kość czworoboczna większa** (Os trapezium)

**Kość łódeczkowata** (Os scaphoideum [os naviculare])

### Dolny (bliższy) rząd kości nadgarstka

**Kość trójgraniasta** (Os triquetrum)

**Kość grochowata** (Os pisiforme)

**Kość księżycowata** (Os lunatum)

*Dolny bliższy (proksymalny) rząd kości nadgarstka zawiera dwie kości, które można łatwo wyczuć: kość grochowatą i kość łódeczkowatą.*

**Kość łódeczkowata** (Os scaphoideum [os naviculare]) Ma wąską „talię", która ma duże znaczenie kliniczne, gdyż w miejscu tym może ona ulec złamaniu

## Górny rząd kości nadgarstka

### Górny (dystalny) rząd kości nadgarstka

**Kość haczykowata** (Os hamatum) Łączy się za pomocą stawu z kośćmi księżycowatą i trójgraniastą

**Kość główkowata** (Os capitatum) Największa z kości nadgarstka

**Kość czworoboczna mniejsza** (Os trapezoideum) Leży między dalszym końcem kości łódeczkowatej i drugą kością śródręcza

**Kość czworoboczna większa** (Os trapezium) Ma dużą, siodłowatą powierzchnię, która służy do połączenia stawowego z pierwszą kością śródręcza

Dystalny (dalszy) rząd kości nadgarstka obejmuje następujące kości:
- **Kość czworoboczna większa** – znajduje się pomiędzy I kością śródręcza (najniżej położona kość kciuka) a kością łódeczkowatą. Ma dużą, podobną do siodła powierzchnię stawową, którą łączy się z pierwszą kością śródręcza i ma wyraźnie wyczuwalny guzek na stronie dłoniowej.
- **Kość czworoboczna mniejsza** – jest małą kością w kształcie klina

*Górny (dystalny) rząd kości nadgarstka leży między kośćmi śródręcza a dolnym (proksymalnym) rzędem. Oba rzędy kości są połączone więzadłami.*

położoną pomiędzy dalszym końcem kości łódeczkowatej a drugą kością śródręcza; znajduje się u podstawy palca wskazującego.
- **Kość główkowata** – największa z kości nadgarstka. Nazwę zawdzięcza dużej okrągłej głowie, która leży w zagłębieniu w kształcie miseczki utworzonym przez kości łódeczkowatą i księżycowatą. Dalszym końcem łączy się z trzecią kością, a także z drugą i czwartą kością śródręcza.
- **Kość haczykowata** – jest trójkątna, szersza na dalszym niż na bliższym końcu. Tworzy połączenie stawowe z kośćmi księżycowatą i trójgraniastą. Na jej powierzchni dłoniowej znajduje się wyrostek w kształcie haczyka.

# Stawy nadgarstka

Kości nadgarstka pokrywa chrząstka i otacza błona maziowa. Błona maziowa wydziela lepki płyn, który smaruje kości, dzięki czemu mogą się one względem siebie przesuwać przy minimalnym tarciu.

Tak zwany popularnie nadgarstek, czyli staw promieniowo-nadgarstkowy, jest stawem maziówkowym. Po jednej stronie znajduje się dolny odcinek kości promieniowej i krążek stawowy stawu promieniowo--łokciowego dalszego. Po drugiej znajdują się trzy kości z pierwszego rzędu kości nadgarstka: kości łódeczkowata, księżycowata i trójgraniasta. Czwartą kością w tym rzędzie jest kość grochowata, która nie należy do stawu nadgarstka.

### STAW PROMIENIOWO--NADGARSTKOWY

Staw promieniowo-nadgarstkowy utworzony jest przez trzy obszary oddzielone od siebie dwoma wzniesieniami.

■ Obszar boczny (zewnętrzny, położony po tej samej stronie co kciuk) tworzy boczna połowa końcowego odcinka kości promieniowej połączona stawem z kością łódeczkowatą.

■ Obszar środkowy, w którym przyśrodkowa (wewnętrzna) połowa końca kości promieniowej łączy się za pomocą stawu z kością księżycowatą.

■ Obszar przyśrodkowy (położony po stronie małego palca), gdzie krążek stawowy, który oddziela staw nadgarstka od stawu promieniowo-łokciowego dalszego, łączy się za pomocą stawu z kością trójgraniastą.

Wszystkie powierzchnie stawowe pokrywa gładka chrząstka szklista, która zmniejsza tarcie podczas ruchów. Staw promieniowo-nad-

garstkowy wyściela błona maziowa, która wydziela gęsty pełniący funkcję smaru płyn. Staw ten otoczony jest torebką włóknistą wzmocnioną przez więzadła.

Powierzchnia stawowa ma w całości kształt elipsy, której długa oś przebiega w poprzek nadgarstka. Taki kształt powierzchni stawowej wyznacza zakres ruchów; kształt

eliptyczny nie pozwala na rotację w tym stawie. Powierzchnia stawowa jest wypukła, wypukłością skierowana w stronę grzbietu ręki.

### STAWY MIĘDZYNADGARSTKOWE

Tak jak dolny koniec kości przedramienia łączy się z pierwszym rzędem kości nadgarstka, tak i poszczególne

kości nadgarstka łączą się ze sobą za pomocą stawów. Pomiędzy dwoma rzędami kości nadgarstka znajduje się duży, nieregularny staw śródnadgarstkowy. Jest to staw maziówkowy z jamą stawową, która obejmuje szczeliny wnikające pomiędzy osiem kości. Umożliwia on ślizganie się jednych kości po drugich, co sprawia, że nadgarstek jest giętki.

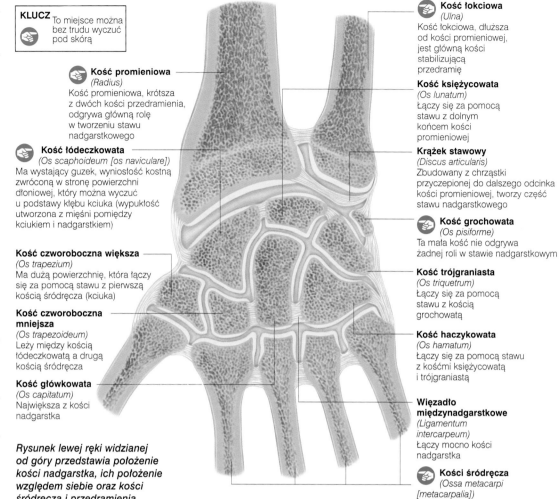

**KLUCZ** To miejsce można bez trudu wyczuć pod skórą

**Kość promieniowa**
*(Radius)*
Kość promieniowa, krótsza z dwóch kości przedramienia, odgrywa główną rolę w tworzeniu stawu nadgarstkowego

**Kość łódeczkowata**
*(Os scaphoideum [os naviculare])*
Ma wystający guzek, wyniosłość kostną zwróconą w stronę powierzchni dłoniowej, który można wyczuć u podstawy kłębu kciuka (wypukłość utworzona z mięśni pomiędzy kciukiem i nadgarstkiem)

**Kość czworoboczna większa**
*(Os trapezium)*
Ma dużą powierzchnię, która łączy się za pomocą stawu z pierwszą kością śródręcza (kciuka)

**Kość czworoboczna mniejsza**
*(Os trapezoideum)*
Leży między kością łódeczkowatą a drugą kością śródręcza

**Kość główkowata**
*(Os capitatum)*
Największa z kości nadgarstka

**Kość łokciowa**
*(Ulna)*
Kość łokciowa, dłuższa od kości promieniowej, jest główną kości stabilizującą przedramię

**Kość księżycowata**
*(Os lunatum)*
Łączy się za pomocą stawu z dolnym końcem kości promieniowej

**Krążek stawowy**
*(Discus articularis)*
Zbudowany z chrząstki przyczepionej do dalszego odcinka kości promieniowej, tworzy część stawu nadgarstkowego

**Kość grochowata**
*(Os pisiforme)*
Ta mała kość nie odgrywa żadnej roli w stawie nadgarstkowym

**Kość trójgraniasta**
*(Os triquetrum)*
Łączy się za pomocą stawu z kością grochowatą

**Kość haczykowata**
*(Os hamatum)*
Łączy się za pomocą stawu z kośćmi księżycowatą i trójgraniastą

**Więzadło międzynadgarstkowe**
*(Ligamentum intercarpeum)*
Łączy mocno kości nadgarstka

**Kości śródręcza**
*(Ossa metacarpi [metacarpalia])*
Kości ręki

*Rysunek lewej ręki widzianej od góry przedstawia położenie kości nadgarstka, ich położenie względem siebie oraz kości śródręcza i przedramienia.*

## Złamanie kości łódeczkowatej

Złamanie kość łódeczkowatej jest najczęstszym uszkodzeniem kości nadgarstka. Do złamania dochodzi w wyniku upadku na wyciągniętą rękę. Linia złamania przebiega zwykle w poprzek najwęższego miejsca kości.

Złamanie kości łódeczkowatej może mieć poważne następstwa kliniczne. Układ tętnic wokół

*Kość łódeczkowata jest narażona na złamania ze względu na znajdującą się w środkowej części kości cienką "talię". Zdjęcie rentgenowskie ukazuje złamanie (w kółku), które jednak nie zawsze bywa widoczne.*

kości łódeczkowatej jest taki, że złamanie środkowego odcinka może odciąć dopływ krwi do część kości i doprowadzić do martwicy z niedokrwienia. W końcowym efekcie może to spowodować utratę funkcji całego nadgarstka.

Złamanie kości łódeczkowatej można podejrzewać wtedy, gdy podczas uciskania tzw. tabakierki anatomicznej (zagłębienia z tyłu nadgarstka u podstawy kciuka – u podstawy tego zagłębienia leży kość łódkowata) występuje ból. Rozpoznanie może być trudne, gdyż w badaniu radiologicznym nie zawsze widać wyraźne zmiany.

# Kanał nadgarstka

Mocne więzadła nadgarstka łączą ze sobą kości nadgarstka, zapewniając im stabilność i elastyczność. Wewnątrz nadgarstka znajduje się kanał nadgarstka – włóknisty tunel, przez który przechodzą ważne ścięgna i nerwy.

Osiem kości nadgarstka łączy się ze sobą, tworząc łuk. Grzbietowa powierzchnia nadgarstka wypukłością skierowana jest ku górze, podczas gdy powierzchnia dłoniowa jest wklęsła. Łuk jest dodatkowo pogłębiony po stronie dłoniowej przez wystające guzki kości łódeczkowatej i kości czworobocznej po jednej stronie, a haczyk kości haczykowatej oraz kość grochowatą po drugiej.

### BUDOWA NADGARSTKA
Ten łuk kostny przekształca się w kanał dzięki mocnemu pasmu tkanki włóknistej (troczek zginaczy), które rozciąga się w poprzek ręki na jej powierzchni dłoniowej i łączy leżące po obu stronach nadgarstka wyniosłości kostne. Przez kanał nadgarstka biegną długie ścięgna mięśni zginających palce. Obecność pasma włóknistego sprawia, że ścięgna znajdują się blisko kości nadgarstka, nawet wtedy gdy nadgarstek jest zgięty, przez co zgięcie palców jest możliwe w każdej pozycji nadgarstka.

*Troczek zginaczy utrzymuje w miejscu wszystkie ścięgna, umożliwiając zginanie w każdej pozycji. Kanał ten zwany jest kanałem nadgarstka.*

## Ścięgna nadgarstka

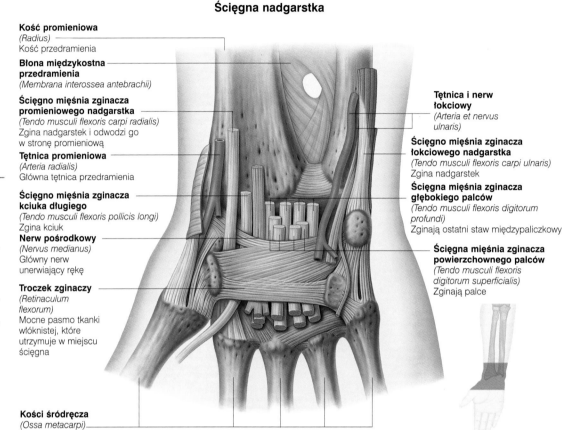

**Kość promieniowa**
*(Radius)*
Kość przedramienia

**Błona międzykostna przedramienia**
*(Membrana interossea antebrachii)*

**Ścięgno mięśnia zginacza promieniowego nadgarstka**
*(Tendo musculi flexoris carpi radialis)*
Zgina nadgarstek i odwodzi go w stronę promieniową

**Tętnica promieniowa**
*(Arteria radialis)*
Główna tętnica przedramienia

**Ścięgno mięśnia zginacza kciuka długiego**
*(Tendo musculi flexoris pollicis longi)*
Zgina kciuk

**Nerw pośrodkowy**
*(Nervus medianus)*
Główny nerw unerwiający rękę

**Troczek zginaczy**
*(Retinaculum flexorum)*
Mocne pasmo tkanki włóknistej, które utrzymuje w miejscu ścięgna

**Kości śródręcza**
*(Ossa metacarpi)*
Kości palców

**Tętnica i nerw łokciowy**
*(Arteria et nervus ulnaris)*

**Ścięgno mięśnia zginacza łokciowego nadgarstka**
*(Tendo musculi flexoris carpi ulnaris)*
Zgina nadgarstek

**Ścięgna mięśnia zginacza głębokiego palców**
*(Tendo musculi flexoris digitorum profundi)*
Zginają ostatni staw międzypaliczkowy

**Ścięgna mięśnia zginacza powierzchownego palców**
*(Tendo musculi flexoris digitorum superficialis)*
Zginają palce

## Przekrój poprzeczny przez prawy nadgarstek

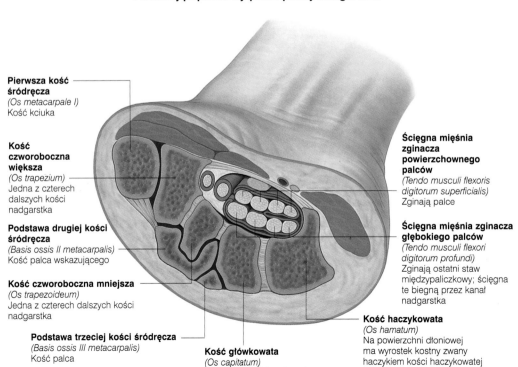

**Pierwsza kość śródręcza**
*(Os metacarpale I)*
Kość kciuka

**Kość czworoboczna większa**
*(Os trapezium)*
Jedna z czterech dalszych kości nadgarstka

**Podstawa drugiej kości śródręcza**
*(Basis ossis II metacarpalis)*
Kość palca wskazującego

**Kość czworoboczna mniejsza**
*(Os trapezoideum)*
Jedna z czterech dalszych kości nadgarstka

**Podstawa trzeciej kości śródręcza**
*(Basis ossis III metacarpalis)*
Kość palca

**Kość główkowata**
*(Os capitatum)*
Największa kość nadgarstka

**Kość haczykowata**
*(Os hamatum)*
Na powierzchni dłoniowej ma wyrostek kostny zwany haczykiem kości haczykowatej

**Ścięgna mięśnia zginacza powierzchownego palców**
*(Tendo musculi flexoris digitorum superficialis)*
Zginają palce

**Ścięgna mięśnia zginacza głębokiego palców**
*(Tendo musculi flexori digitorum profundi)*
Zginają ostatni staw międzypaliczkowy; ścięgna te biegną przez kanał nadgarstka

### UNERWIENIE
W kanale nadgarstka, poza ścięgnami zginaczy długich, biegnie nerw pośrodkowy – jeden z głównych nerwów unerwiających rękę. Jeśli w zamkniętym obszarze, jakim jest kanał nadgarstka, nastąpi obrzęk, spowoduje on ucisk na nerw pośrodkowy. Przyczyną obrzęku może być zapalenie ścięgien zginaczy długich w następstwie powtarzających się urazów z przeciążenia lub zatrzymanie płynów w ustroju, jakie pojawia się czasami w ciąży.

Wszystko to prowadzi do rozwoju zespołu cieśni nadgarstka, w którym ucisk na nerw pośrodkowy powoduje wystąpienie uczucia mrowienia lub pieczenia skóry bocznej powierzchni dłoni. Może również wystąpić osłabienie mięśni kłębu kciuka, który unerwia nerw pośrodkowy.

*Ucisk w obrębie kanału nadgarstka (niebieski) może uszkodzić nerw pośrodkowy, a przez to upośledzać funkcję palców.*

# Więzadła nadgarstka

Więzadła stawów
nadgarstka wzmacniają
torebki stawowe i mocno
łączą nadgarstek
z dolnymi końcami kości
promieniowej i łokciowej.

W samym stawie nadgarstkowym nie
można wykonywać ruchów obrotowych (rotacji). Rotacja ręki możliwa
jest dzięki pronacji (nawracaniu) i supinacji (odwracaniu) przedramienia.
Duże znaczenie w wykonywaniu tych
ruchów mają mocne więzadła łączące
kości nadgarstka z kością promieniową, gdyż dzięki nim ręka może
poruszać się jednocześnie z przedramieniem. Więzadłami tymi są:
■ Więzadło promieniowo-
-nadgarstkowe dłoniowe.
Łączy kość promieniową z kośćmi
nadgarstka po stronie dłoniowej
ręki. Włókna przebiegają
promieniście, tak więc ręka będzie
podążać za przedramieniem.
■ Więzadło promieniowo-
-nadgarstkowe grzbietowe.
Znajduje się z tyłu nadgarstka biegnie wachlarzowato od kości promieniowej do kości nadgarstka;
przesuwa rękę do tyłu podczas
nawracania.

### WIĘZADŁA POBOCZNE

Mocne więzadła poboczne biegną
do dołu po obu stronach nadgarstka,
wzmacniają torebkę stawową
i zapewniają stabilność nadgarstka.
Ograniczają one ruchy w stawie
nadgarstkowym, gdy jest on zgięty.
Więzadła te to:
■ więzadło poboczne promieniowe,
■ więzadło poboczne łokciowe.

## Więzadła nadgarstka od strony grzbietowej

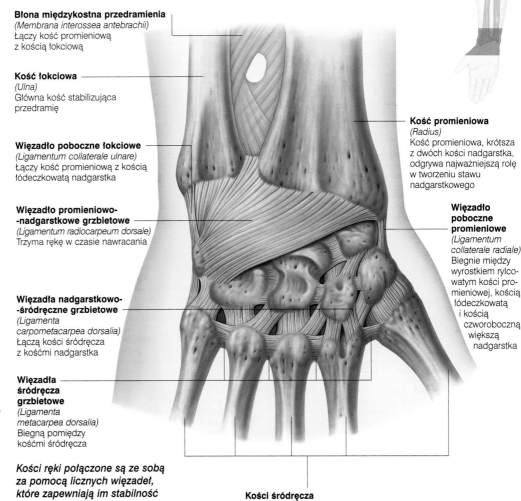

**Błona międzykostna przedramienia**
*(Membrana interossea antebrachii)*
Łączy kość promieniową
z kością łokciową

**Kość łokciowa**
*(Ulna)*
Główna kość stabilizująca
przedramię

**Więzadło poboczne łokciowe**
*(Ligamentum collaterale ulnare)*
Łączy kość promieniową z kością
łódeczkowatą nadgarstka

**Więzadło promieniowo-
-nadgarstkowe grzbietowe**
*(Ligamentum radiocarpeum dorsale)*
Trzyma rękę w czasie nawracania

**Więzadła nadgarstkowo-
-śródręczne grzbietowe**
*(Ligamenta
carpometacarpea dorsalia)*
Łączą kości śródręcza
z kośćmi nadgarstka

**Więzadła
śródręcza
grzbietowe**
*(Ligamenta
metacarpea dorsalia)*
Biegną pomiędzy
kośćmi śródręcza

**Kość promieniowa**
*(Radius)*
Kość promieniowa, krótsza
z dwóch kości nadgarstka,
odgrywa najważniejszą rolę
w tworzeniu stawu
nadgarstkowego

**Więzadło
poboczne
promieniowe**
*(Ligamentum
collaterale radiale)*
Biegnie między
wyrostkiem rylco-
watym kości pro-
mieniowej, kością
łódeczkowatą
i kością
czworoboczną
większą
nadgarstka

**Kości śródręcza**
*(Ossa metacarpi)*
Kości ręki

*Kości ręki połączone są ze sobą
za pomocą licznych więzadeł,
które zapewniają im stabilność
i umożliwiają wykonywanie
płynnych ruchów w nadgarstku.*

## Ruchy nadgarstka

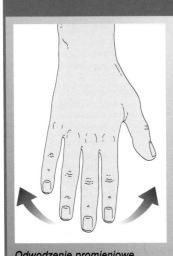

*Odwodzenie promieniowe
polega na zginaniu nadgarstka
w stronę kciuka. Zasięg jego
wynosi około 15 stopni.
Odwodzenie łokciowe polega
na zginaniu nadgarstka
w kierunku małego palca ręki.*

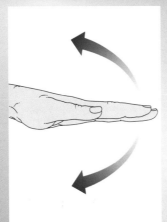

*Zgięcie dłoniowe nadgarstka
ograniczone jest pociąganiem
ścięgien grzbietu dłoni. Zasięg
zgięcia dłoniowego nadgarstka
w warunkach prawidłowych
wynosi 80 stopni, a zgięcia
grzbietowego tylko 60 stopni.*

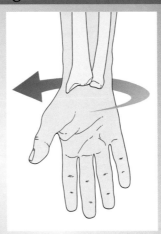

*Nadgarstek obraca się dzięki
ruchom przedramienia – pronacji
(nawracaniu powierzchnią dło-
niową do dołu) i supinacji (odwracaniu powierzchni dłoniowej
do góry). Jest to możliwe dzięki
silnym więzadłom nadgarstka.*

Ruchy stawu nadgarstkowego
nakładają się na małe ruchy
pomiędzy kośćmi nadgarstka.
Ruchy, które można wykonać
w stawie nadgarstkowym, to
zginanie grzbietowe i dłoniowe,
odwodzenie promieniowe
(zginanie w kierunku kciuka)
i odwodzenie łokciowe (zginanie
w stronę małego palca). Złożenie
tych ruchów umożliwia
wykonanie ruchu okrężnego dłoni
w nadgarstku.
Nadgarstek jest najbardziej
stabilny, kiedy kości są mocno
złączone ze sobą w pełnym
wyproście i zgięciu grzbietowym
ręki. W tej pozycji silne więzadło
promieniowo-nadgarstkowe jest
rozciągnięte i napięte. Jest to
pozycja nadgarstka, którą
przyjmujemy odruchowo, pchając
ciężki ładunek lub chcąc
zamortyzować upadek.

# Kości ręki

Kościec ręki składa się z kości śródręcza, które stanowią szkielet i podparcie dla dłoni,
oraz kości palców ręki. Stawy umożliwiają wykonywanie szerokich
ruchów palców i kciuka.

Szkielet ręki tworzy osiem kości nadgarstka, pięć kości śródręcza, które stanowią podporę dłoni, i 14 paliczków, inaczej kości palców.

### ŚRÓDRĘCZE

Pięć smukłych kości stanowiących kostny szkielet dłoni promieniście odchodzi od kości nadgarstka w kierunku palców ręki. Oznaczone są one numerami od 1 do 5, a numeracja ich rozpoczyna się od kciuka.

Każda z kości śródręcza składa się z trzonu i dwóch nieco poszerzonych końców. Koniec bliższy (bliżej nadgarstka), lub podstawa, łączy się za pomocą stawu z jedną z kości nadgarstka. Koniec dystalny (położony dalej od nadgarstka), lub głowa kości, łączy się za pomocą stawu z pierwszym paliczkiem odpowiadającego mu palca. W zaciśniętej pięści głowy kości śródręcza stają się jej kostkami.

### KCIUK

Pierwsza kość śródręcza, leżąca u podstawy kciuka, jest najkrótsza i najgrubsza z pięciu kości i lekko odchylona wzdłuż osi długiej. Jest ona bardzo ruchoma, co sprawia, że kciuk ma szerszy zakres ruchów niż pozostałe palce. Dzięki ruchowi przeciwstawiania ma możliwość stykania się z opuszką każdego palca z osobna.

## Kości śródręcza

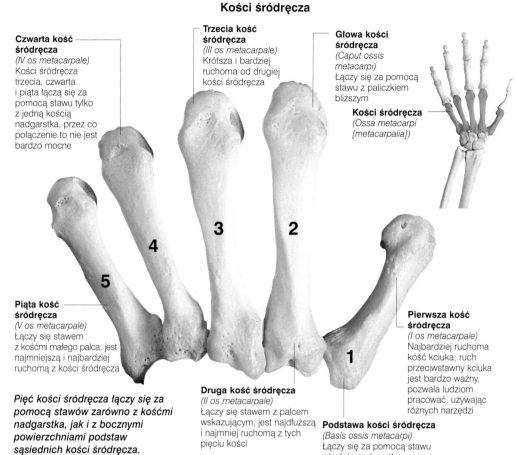

**Czwarta kość śródręcza**
*(IV os metacarpale)*
Kości śródręcza trzecia, czwarta i piąta łączą się za pomocą stawu tylko z jedną kością nadgarstka, przez co połączenie to nie jest bardzo mocne

**Trzecia kość śródręcza**
*(III os metacarpale)*
Krótsza i bardziej ruchoma od drugiej kości śródręcza

**Głowa kości śródręcza**
*(Caput ossis metacarpi)*
Łączy się za pomocą stawu z paliczkiem bliższym

**Kości śródręcza**
*(Ossa metacarpi [metacarpalia])*

**Piąta kość śródręcza**
*(V os metacarpale)*
Łączy się stawem z kośćmi małego palca; jest najmniejszą i najbardziej ruchomą z kości śródręcza

**Pierwsza kość śródręcza**
*(I os metacarpale)*
Najbardziej ruchoma kość kciuka; ruch przeciwstawny kciuka jest bardzo ważny, pozwala ludziom pracować, używając różnych narzędzi

*Pięć kości śródręcza łączy się za pomocą stawów zarówno z kośćmi nadgarstka, jak i z bocznymi powierzchniami podstaw sąsiednich kości śródręcza.*

**Druga kość śródręcza**
*(II os metacarpale)*
Łączy się stawem z palcem wskazującym, jest najdłuższą i najmniej ruchomą z tych pięciu kości

**Podstawa kości śródręcza**
*(Basis ossis metacarpi)*
Łączy się za pomocą stawu z kością nadgarstka

## Paliczki

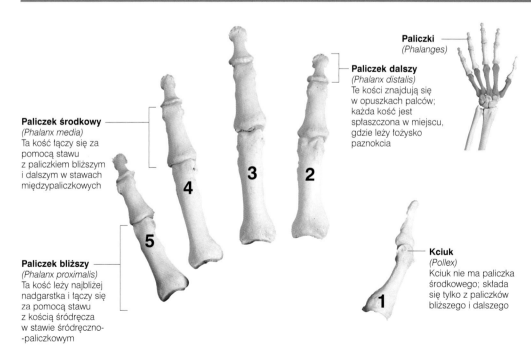

**Paliczek środkowy**
*(Phalanx media)*
Ta kość łączy się za pomocą stawu z paliczkiem bliższym i dalszym w stawach międzypaliczkowych

**Paliczek bliższy**
*(Phalanx proximalis)*
Ta kość leży najbliżej nadgarstka i łączy się za pomocą stawu z kością śródręcza w stawie śródręczno--paliczkowym

**Paliczki**
*(Phalanges)*

**Paliczek dalszy**
*(Phalanx distalis)*
Te kości znajdują się w opuszkach palców; każda kość jest spłaszczona w miejscu, gdzie leży łożysko paznokcia

**Kciuk**
*(Pollex)*
Kciuk nie ma paliczka środkowego; składa się tylko z paliczków bliższego i dalszego

Paliczki są kośćmi palców. Palce są numerowane, od jednego do pięciu, przy czym kciuk ma numer 1. Pierwszy palec, kciuk, ma tylko dwa paliczki, pozostałe cztery mają po trzy.

Każdy paliczek jest kością długą w miniaturze z wąskim trzonem i dwoma poszerzonymi końcami. W każdym palcu paliczek pierwszy lub bliższy (proksymalny) jest największy, a ostatni – dalszy (dystalny) najmniejszy. Paliczki kciuka są krótsze i grubsze niż paliczki pozostałych palców.

Każdy z małych dystalnych paliczków jest charakterystycznie spłaszczony na końcu, tworząc kostne podparcie dla paznokcia.

*Każdy z palców, z wyjątkiem kciuka, składa się z trzech kości. Kości te łączą się ze sobą oraz z kośćmi śródręcza za pomocą stawów.*

# Stawy palców

Stawy pomiędzy paliczkami otoczone są torebkami włóknistymi, które wyściela błona maziowa. Wzmacniają je mocne więzadła poboczne.

Połączenia pomiędzy kośćmi śródręcza a kośćmi nadgarstka, tzw. stawy nadgarstkowo-śródręczne, są stawami maziówkowymi (wypełnionymi płynem). Połączenie stawowe kciuka z kością czworoboczną większą ma kształt siodła, co umożliwia wykonywanie ruchów o szerokim zakresie. Pozostałe połączenia stawowe mają powierzchnie stawowe płaskie; dlatego mają one ograniczony zakres ruchów.

Stawy nadgarstkowo-śródręczne otacza torebka włóknista wysłana błoną maziową. Wytwarza ona treść płynną, która wypełnia jamę stawową i smaruje staw. U większości ludzi jest to jedna wspólna jama stawowa obejmująca stawy nadgarstkowo-śródręczne od drugiej do piątej kości śródręcza. Staw między pierwszą kością śródręcza a kością czworoboczną większą ma własną oddzielną jamę stawową.

### STAWY ŚRÓDRĘCZNO-
### -PALICZKOWE

Połączenia stawowe pomiędzy kośćmi śródręcza a paliczkami bliższymi są stawami maziówkowymi typu ograniczonego stawu kulistego. Kształt ich umożliwia wykonywanie ruchów w dwóch płaszczyznach. Palce mogą się zginać i prostować lub (rozszerzać i łączyć). Sprawność ruchowa dłoni jest duża, gdyż palce mogą przybierać różne pozycje.

### STAWY
### MIĘDZYPALICZKOWE

Stawy pomiędzy poszczególnymi paliczkami są prostymi stawami zawiasowymi, w których można wykonywać tylko ruchy zginania i prostowania.

**Staw śródręczno-paliczkowy**
*(Articulatio metacarpophalangea)*
Staw maziówkowy, który łączy kość śródręcza ręki z paliczkiem bliższym

**Błona maziowa**
*(Membrana synovialis)*
Wydziela gęstą maź stawową, która wypełnia jamę stawową

**Kość śródręcza**
*(Os metacarpale)*
Pięć kości śródręcza podtrzymuje dłoń; głowa każdej z nich łączy się stawem z pierwszym paliczkiem odpowiedniego palca, tworząc „kostki"

**Torebka stawowa**
*(Capsula articularis)*
Każdy staw jest otoczony włóknistą torebką stawową wysłaną od wewnątrz błoną maziową i wzmocnioną po bokach przez mocne więzadło poboczne

**Paliczek środkowy**
*(Phalanx media)*
Występuje tylko w palcach od drugiego do piątego, nie występuje w kciuku

**Staw międzypaliczkowy ręki**
*(Articulatio interphalangea manus)*
Staw zawiasowy łączący poszczególne paliczki; stawy te umożliwiają wykonywanie ruchów zginania i prostowania

**Paliczek dalszy**
*(Phalanx distalis)*
Kość w opuszce palca, która jest spłaszczona w miejscu łożyska paznokcia

*Każdy palec ma dwa stawy międzypaliczkowe, które łączą ze sobą poszczególne paliczki. Stawy te umożliwiają zginanie i prostowanie palców.*

*Przypominające zawiasy stawy palców – stawy międzypaliczkowe – pozwalają na zginanie i prostowanie. Palce można zginać bez zginania ręki.*

## Zwichnięcie palca

Zwichnięcie jest wynikiem urazu stawu, który powoduje przemieszczenie się względem siebie kości tworzących staw. Zwichnięciu może towarzyszyć uszkodzenie tkanek miękkich otaczających staw, błony maziowej wyścielającej jamę stawową, więzadeł, mięśni, nerwów i naczyń krwionośnych.

Stosunkowo często dochodzi do zwichnięcia stawów między

paliczkowych. Zwykle wtedy palec wygina się do góry tak silnie, że otaczające staw więzadła nie mogą utrzymać kości razem. Inną przyczyną zwichnięcia palców jest reumatoidalne zapalenie stawów, w którym otaczające staw tkanki są osłabione przez proces zapalny.

Zwichnięty palec może być siny, obrzęknięty; boli przy próbie zgięcia. Może być widoczne wyraźne zniekształcenie zarysów palca z utratą jego funkcji.

Niezbędne jest wtedy nastawienie, w którym przywraca się prawidłowe położenie kości względem siebie. Uszkodzenie otaczających tkanek może wymagać interwencji chirurgicznej.

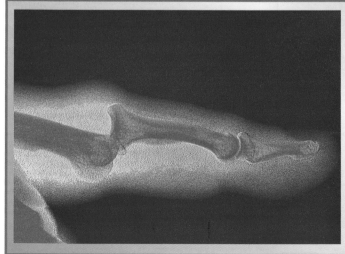

*To zdjęcie rentgenowskie ukazuje zwichnięcie palca w stawie międzypaliczkowym bliższym. Leczenie polega na repozycji, tzw. nastawieniu (ręcznym odprowadzeniu kości na pierwotną pozycję).*

# Żołądek

Żołądek jest rozszerzoną częścią przewodu pokarmowego, do której trafia połknięty pokarm z przełyku. Pokarm zbiera się w żołądku do czasu, aż zostanie przesunięty do jelita cienkiego, w którym zachodzą dalsze procesy trawienia.

Żołądek jest rozszerzalnym workiem mięśniowym, który od środka pokrywa błona śluzowa. Umocowany jest w dwóch miejscach: na górze w okolicy wpustu, oraz na dole przy odźwierniku, gdzie rozpoczyna się jelito cienkie. Pomiędzy punktami zamocowania jest on ruchomy i może zmieniać swoją pozycję.

## WYŚCIÓŁKA ŻOŁĄDKA

W pustym żołądku jego wyściółka (błona śluzowa) tworzy wiele podłużnych fałdów ciągnących się od wpustu do odźwiernika.

Ściana żołądka przypomina budową inne odcinki jelit, jednak wykazuje pewne różnice:
■ Błona śluzowa żołądka – jest to warstwa komórek wyścielających żołądek; znajduje się w nim wiele gruczołów wydzielających ochronny śluz oraz inne komórki, które wytwarzają enzymy i kwas solny rozpoczynające procesy trawienia.
■ Warstwa mięśniowa żołądka – włókna warstwy wewnętrznej biegną skośnie, inne biegną podłużnie i okrężnie. Taki układ pomaga w dokładnym mieszaniu pokarmu, zanim zostanie on przesunięty w kierunku jelita cienkiego.

## OKOLICE ŻOŁĄDKA

W żołądku można wyróżnić cztery części i dwie krzywizny:
■ wpust,
■ dno,
■ trzon,
■ część odźwiernikową – odcinek, w którym pokarm opuszcza żołądek,
■ krzywiznę mniejszą,
■ krzywiznę większą.

### Lokalizacja i budowa żołądka

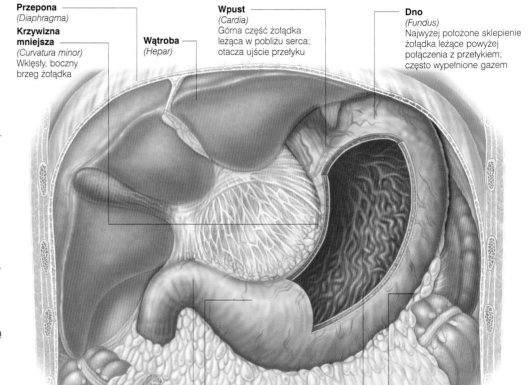

**Przepona**
*(Diaphragma)*

**Krzywizna mniejsza**
*(Curvatura minor)*
Wklęsły, boczny brzeg żołądka

**Wątroba**
*(Hepar)*

**Wpust**
*(Cardia)*
Górna część żołądka leżąca w pobliżu serca; otacza ujście przełyku

**Dno**
*(Fundus)*
Najwyżej położone sklepienie żołądka leżące powyżej połączenia z przełykiem; często wypełnione gazem

**Odźwiernik**
*(Pylorus)*
Końcowy odcinek żołądka; ma mięśniową zastawkę, mięsień zwieracz odźwiernika, który reguluje napływ treści żołądkowej do jelita cienkiego

**Część odźwiernikowa**
*(Pars pylorica)*
Obwodowy odcinek żołądka; jama odźwiernika w kształcie lejka prowadzi do wąskiego kanału odźwiernika; na końcu tego kanału leży odźwiernik

**Trzon**
*(Corpus)*
Duża, położona pośrodku część żołądka; od góry graniczy z wpustem i dnem żołądka, a od dołu z częścią odźwiernikową

**Krzywizna większa**
*(Curvatura major)*
Boczny brzeg żołądka wygięty jest w lewo; jest on cztery razy dłuższy niż krzywizna mniejsza

*Żołądek leży w nadbrzuszu, poniżej przepony, na prawo od śledziony, częściowo pod wątrobą.*

## Połączenie przełykowo-żołądkowe (wpust żołądka)

**Przełyk**

**Więzadła przeponowo--przełykowe**

**Przepona**

**Wpust**

Na linii ząbkowanej, w dolnym odcinku przełyku, nabłonek wyścielający zmienia swój charakter – z nabłonka wielowarstwowego płaskiego przełyku przechodzi ostro w typowy nabłonek wyścielający żołądek.

### WIĘZADŁA ŁĄCZĄCE

Przełyk i górny odcinek żołądka łączą się z przeponą poprzez więzadła przeponowo-przełykowe. Więzadła te stanowią wypustki

*Przełyk będący mięśniową rurą łączy się z żołądkiem tuż poniżej przepony. W tym miejscu zawartość przełyku przechodzi do żołądka.*

tkanki łącznej pokrywającej powierzchnię przepony.

### ZWIERACZ FIZJOLOGICZNY

W górnym odcinku żołądka nie można wyróżnić zastawki, która kontrolowałaby przejście pokarmu. Jednak otaczające ten odcinek włókna mięśniowe przepony sprawiają, że rura przełyku pozostaje zamknięta poza okresami, w których pokarm przechodzi przez przełyk. Określa się to mianem fizjologicznego zwieracza przełyku, który otacza przełyk.

# Ukrwienie żołądka

Żołądek zaopatrywany jest przez wiele gałązek odchodzących od pnia trzewnego.

Żołądek w krew zaopatrują następujące naczynia tętnicze:
- tętnica żołądkowa lewa – gałąź pnia trzewnego;
- tętnica żołądkowa prawa – zwykle odchodzi od tętnicy wątrobowej wspólnej (gałęzi pnia trzewnego);
- tętnica żołądkowo-sieciowa lewa – odchodzi od tętnicy śledzionowej;
- tętnica żołądkowo-sieciowa prawa – odchodzi od tętnicy żołądkowo-dwunastniczej, gałęzi tętnicy wątrobowej;
- tętnice żołądkowe krótkie – odchodzą od tętnicy śledzionowej.

## ŻYŁY I NACZYNIA CHŁONNE

Żyły żołądkowe biegną wraz z różnymi tętnicami doprowadzającymi krew do żołądka. Krew z żołądka spływa do układu żyły wrotnej, przepływa przez wątrobę i powraca do serca.

Chłonka zbierana z żołądka płynie przez układ naczyń chłonnych do wielu węzłów znajdujących się na krzywiznach mniejszej i większej żołądka, a następnie do węzłów chłonnych trzewnych.

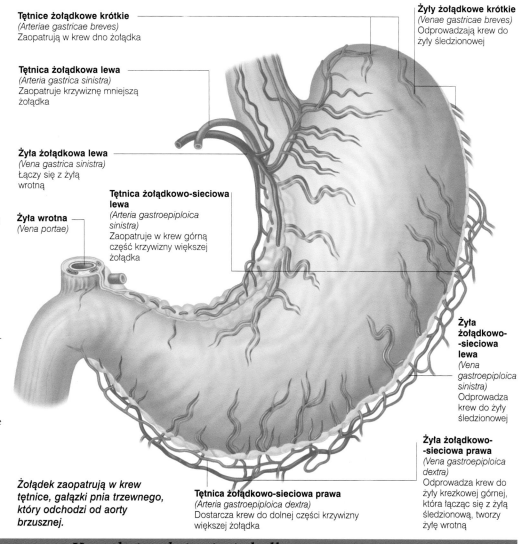

**Tętnice żołądkowe krótkie**
*(Arteriae gastricae breves)*
Zaopatrują w krew dno żołądka

**Tętnica żołądkowa lewa**
*(Arteria gastrica sinistra)*
Zaopatruje krzywiznę mniejszą żołądka

**Żyła żołądkowa lewa**
*(Vena gastrica sinistra)*
Łączy się z żyłą wrotną

**Żyła wrotna**
*(Vena portae)*

**Tętnica żołądkowo-sieciowa lewa**
*(Arteria gastroepiploica sinistra)*
Zaopatruje w krew górną część krzywizny większej żołądka

**Żyły żołądkowe krótkie**
*(Venae gastricae breves)*
Odprowadzają krew do żyły śledzionowej

**Żyła żołądkowo-sieciowa lewa**
*(Vena gastroepiploica sinistra)*
Odprowadza krew do żyły śledzionowej

**Żyła żołądkowo-sieciowa prawa**
*(Vena gastroepiploica dextra)*
Odprowadza krew do żyły krezkowej górnej, która łącząc się z żyłą śledzionową, tworzy żyłę wrotną

*Żołądek zaopatrują w krew tętnice, gałązki pnia trzewnego, który odchodzi od aorty brzusznej.*

**Tętnica żołądkowo-sieciowa prawa**
*(Arteria gastroepiploica dextra)*
Dostarcza krew do dolnej części krzywizny większej żołądka

## Kształt i położenie żołądka

Pod wpływem pokarmu żołądek może się znacznie rozszerzyć. Ponieważ jest on przymocowany w górnym i dolnym odcinku, może zmieniać swój kształt i położenie.

### Prawidłowy

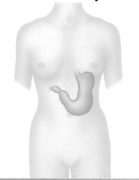

Prawidłowy żołądek jest podobny do wydłużonego worka, którego rozmiar i kształt zależą od pozycji ciała oraz stopnia wypełnienia. Na jego kształt ma wpływ zawartość jamy brzusznej, np. ciąża.

### Aktywny

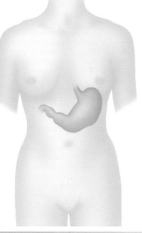

Kiedy żołądek jest aktywny, a jego mięśniówka napięta, leży on wyżej i bardziej poziomo. Takie położenie obserwuje się u niskich, korpulentnych osób. Gdy napięcie się obniża, żołądek opuszcza się i ma kształt litery J.

### Rozciągnięty

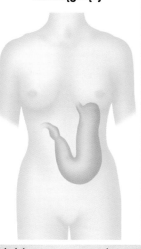

Żołądek może pomieścić do trzech litrów pokarmu; może obniżyć się aż poniżej pępka, szczególnie po bardzo obfitym posiłku. Żołądek może być stale rozciągnięty wskutek zbyt obfitego jedzenia.

### Ciąża

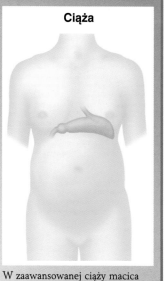

W zaawansowanej ciąży macica przemieszcza żołądek ku górze i może upośledzać jego zdolność do napełniania. Dlatego właśnie ciężarne mają skłonność do częstego jedzenia małych porcji oraz zgagi.

# Jelito cienkie

Jelito cienkie rozciąga się od żołądka do połączenia z jelitem grubym. Składa się
z trzech odcinków i jest głównym miejscem w organizmie, w którym
odbywa się trawienie i wchłanianie.

Jelito cienkie jest głównym miejscem, w którym odbywa się trawienie i wchłanianie. U osób dorosłych ma długość około 7 m, rozciąga się od żołądka do połączenia z jelitem grubym. Dzieli się na trzy odcinki: dwunastnicę (*duodenum*), jelito czcze (*jejunum*) i jelito kręte (*ileum*).

## DWUNASTNICA

Dwunastnica stanowi pierwszy i najkrótszy (długości około 25 cm) odcinek jelita cienkiego. Podczas każdej fali perystaltycznej żołądka do dwunastnicy przesuwana jest treść żołądkowa. W dwunastnicy zawartość żołądka miesza się z wydzieliną dwunastnicy, z trzustki i pęcherzyka żółciowego. Dwunastnica nie jest ruchoma. Leży umocowana w miejscu za otrzewną, warstwą tkanki łącznej, która wyściela jamę brzuszną.

## UNACZYNIENIE DWUNASTNICY

Dwunastnica otrzymuje krew tętniczą z różnych gałązek odchodzących od aorty. Te z kolei dzielą się na mniejsze, które obficie zaopatrują w krew każdy odcinek dwunastnicy. Przebieg żył jest lustrzanym odbiciem przebiegu tętnic. Krew z dwunastnicy powraca do wątrobowo-wrotnego układu żylnego.

*Dwunastnica stanowi początkowy odcinek jelita cienkiego. Jest wygięta w kształcie litery C i składa się z czterech części.*

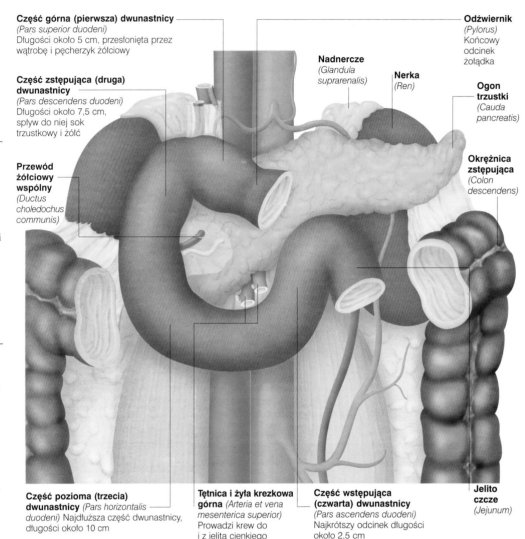

**Część górna (pierwsza) dwunastnicy**
*(Pars superior duodeni)*
Długości około 5 cm, przesłonięta przez wątrobę i pęcherzyk żółciowy

**Część zstępująca (druga) dwunastnicy**
*(Pars descendens duodeni)*
Długości około 7,5 cm, spływ do niej sok trzustkowy i żółć

**Przewód żółciowy wspólny**
*(Ductus choledochus communis)*

**Nadnercze**
*(Glandula suprarenalis)*

**Nerka**
*(Ren)*

**Odźwiernik**
*(Pylorus)*
Końcowy odcinek żołądka

**Ogon trzustki**
*(Cauda pancreatis)*

**Okrężnica zstępująca**
*(Colon descendens)*

**Część pozioma (trzecia) dwunastnicy** *(Pars horizontalis duodeni)* Najdłuższa część dwunastnicy, długości około 10 cm

**Tętnica i żyła krezkowa górna** *(Arteria et vena mesenterica superior)* Prowadzi krew do i z jelita cienkiego

**Część wstępująca (czwarta) dwunastnicy** *(Pars ascendens duodeni)* Najkrótszy odcinek długości około 2,5 cm

**Jelito czcze** *(Jejunum)*

## Budowa dwunastnicy

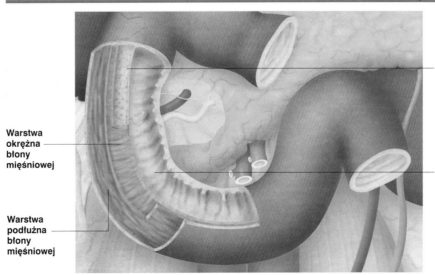

**Warstwa okrężna błony mięśniowej**

**Warstwa podłużna błony mięśniowej**

**Tkanka podśluzowa**
Znajdują się w niej gruczoły dwunastnicze (Brunnera), które wydzielają śluz o odczynie silnie zasadowym

**Fałdy dwunastnicze**
Głębokie fałdy błony śluzowej

Ściana dwunastnicy zbudowana jest z dwóch warstw mięśniówki – okrężnej i podłużnej. Błona śluzowa wyścielająca światło dwunastnicy jest szczególnie gruba. Znajduje się w niej wiele gruczołów dwunastniczych (tzw. gruczoły Brunnera). Wytwarzają one wydzielinę o odczynie zasadowym, która neutralizuje kwaśną treść spływającą z żołądka.

W początkowym odcinku dwunastnicy błona śluzowa jest gładka. W dalszych częściach pojawiają się na niej głębokie fałdy, tzw. fałdy dwunastnicze.

*Błona mięśniowa dwunastnicy składa się z dwóch warstw, które razem wytwarzają falę skurczów znanych jako perystaltyka.*

# Jelito czcze i jelito kręte

Jelita czcze i kręte tworzą
wspólnie najdłuższy
odcinek jelita cienkiego.
W przeciwieństwie
do dwunastnicy mogą się
poruszać w jamie
brzusznej.

Jelita czcze i kręte stanowią
najdłuższy odcinek jelita cienkiego.
Są one otoczone fałdami otrzewnej
i zawieszone na nich. Fałdy te mają
kształt wachlarza – jest to tzw.
krezka jelita. Długość krezki
wynosi około 15 cm. Dzięki niej
jelito może się przemieszczać
w jamie brzusznej.

### UNACZYNIENIE

Do jelit czczego i krętego
doprowadzają krew około 15–18
tętnic będących odgałęzieniami
tętnicy krezkowej górnej. Gałązki
te łączą się ze sobą przez zespolenia
(anastomozy), które tworzą łuki
(tzw. arkady). Od arkad odchodzą
proste odcinki tętnic, które
dostarczają krew do wszystkich
odcinków jelit cienkiego. Krew
żylna z jelita czczego i krętego
spływa do żyły krezkowej górnej,
która biegnie wzdłuż tętnicy
krezkowej górnej i oddaje krew
do układu żyły wrotnej.

### ZNACZENIE CHŁONKI
### W TRAWIENIU

Tłuszcz obecny w zawartości jelita
cienkiego jest wchłaniany do
wyspecjalizowanych naczyń
chłonnych, tzw. naczyń mleczowych
położonych w kosmkach błony
śluzowej. Z kosmków mlecz płynie
do splotów (sieci naczyń
chłonnych) leżących w ścianie
jelita. Następnie płyn trafia do
węzłów chłonnych krezki.

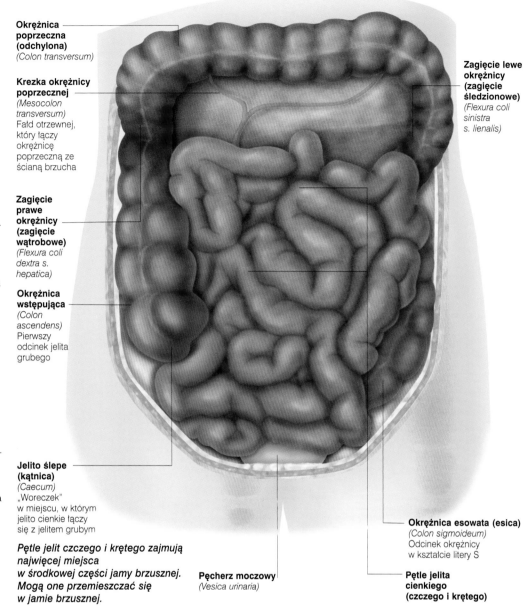

**Okrężnica
poprzeczna
(odchylona)**
*(Colon transversum)*

**Krezka okrężnicy
poprzecznej**
*(Mesocolon
transversum)*
Fałd otrzewnej,
który łączy
okrężnicę
poprzeczną ze
ścianą brzucha

**Zagięcie
prawe
okrężnicy
(zagięcie
wątrobowe)**
*(Flexura coli
dextra s.
hepatica)*

**Okrężnica
wstępująca**
*(Colon
ascendens)*
Pierwszy
odcinek jelita
grubego

**Jelito ślepe
(kątnica)**
*(Caecum)*
„Woreczek"
w miejscu, w którym
jelito cienkie łączy
się z jelitem grubym

**Zagięcie lewe
okrężnicy
(zagięcie
śledzionowe)**
*(Flexura coli
sinistra
s. lienalis)*

**Okrężnica esowata (esica)**
*(Colon sigmoideum)*
Odcinek okrężnicy
w kształcie litery S

**Pętle jelita
cienkiego
(czczego i krętego)**

**Pęcherz moczowy**
*(Vesica urinaria)*

*Pętle jelit czczego i krętego zajmują
najwięcej miejsca
w środkowej części jamy brzusznej.
Mogą one przemieszczać się
w jamie brzusznej.*

---

## Różnice między jelitem czczym i krętym

**Jelito czcze** *(Jejunum)*

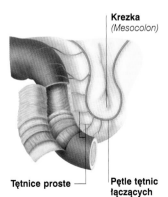

**Krezka**
*(Mesocolon)*

**Tętnice proste**

**Pętle tętnic
łączących**

**Jelito kręte** *(Ileum)*

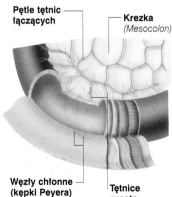

**Pętle tętnic
łączących**

**Krezka**
*(Mesocolon)*

**Węzły chłonne
(kępki Peyera)**

**Tętnice
proste**

Istnieje wiele różnic między
budową jelit krętego i czczego:
■ Fałdy – jelita czczego są grubsze
i bardziej ukrwione niż jelita
krętego. Są wyższe i grubsze, a na
ich powierzchni znajduje się wiele
wysokich kosmków. Wysokie fałdy
pokryte kosmkami wspomagają
procesy wchłaniania, gdyż
zwiększają powierzchnię jelita
i sprawiają, że jego zawartość
przesuwa się wolniej.
■ Krezka jelita – w jelicie czczym
występuje tylko kilka tętniczych
arkad i z rzadka odchodzą od nich

tętnice proste do ściany jelita.
W jelicie krętym jest wiele
krótkich pętli z dużą liczbą tętnic
prostych.
■ Tkanka tłuszczowa – w jelicie
czczym tkanka tłuszczowa leży
u podstawy krezki i jest jej
znacznie mniej niż w jelicie
krętym, w którym tkanka
tłuszczowa jest rozproszona
w całej krezce.
■ Tkanka chłonna – w końcowym
odcinku jelita krętego jest dużo
tkanki chłonnej w postaci kępek
Peyera, a w jelicie czczym spotyka
się tylko pojedyncze węzły
chłonne.

*Istnieje kilka różnic w budowie
jelit czczego i krętego. Przejście
jelita czczego w kręte następuje
stopniowo.*

# Wątroba
# i drogi żółciowe

Wątroba jest największym narządem jamy brzusznej. U dorosłego mężczyzny waży ona około 1,5 kg. Wątroba odgrywa ważną rolę w trawieniu; produkuje żółć, która jest wydzielana do dwunastnicy.

Wątroba leży po prawej stronie jamy brzusznej pod przeponą. W dużej części jest osłonięta przez żebra.

Tkanka wątroby ma kolor czerwonobrązowy i jest miękka. Jest bogato unaczyniona, gdyż przepływa przez nią krew z żyły wrotnej oraz z tętnicy wątrobowej właściwej. W razie uszkodzenia lub przecięcia krwawi bardzo obficie.

### PŁATY WĄTROBY

Wprawdzie wątroba ma cztery płaty, jednak czynnościowo dzieli się ją na dwa – prawy i lewy. Każdy z nich zaopatrywany jest w krew oddzielnie. Dwa mniejsze płaty – ogoniasty i czworoboczny – widać tylko na dolnej powierzchni wątroby.

### OTRZEWNA

Większą część wątroby pokrywa otrzewna, warstwa tkanki łącznej, która wyściela również ściany i pokrywa narządy jamy brzusznej. Fałdy otrzewnej tworzą różne więzadła wątroby.

*Ponieważ wątroba przylega do przepony, jej położenie podczas oddychania może się zmieniać. W czasie wdechu się obniża, a podczas wydechu unosi się.*

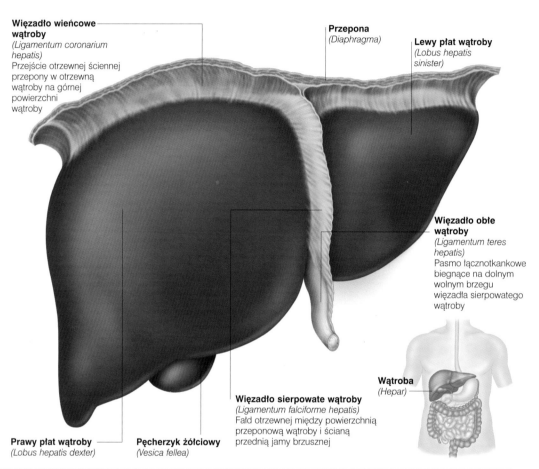

**Więzadło wieńcowe wątroby**
*(Ligamentum coronarium hepatis)*
Przejście otrzewnej ściennej przepony w otrzewną wątroby na górnej powierzchni wątroby

**Przepona**
*(Diaphragma)*

**Lewy płat wątroby**
*(Lobus hepatis sinister)*

**Więzadło obłe wątroby**
*(Ligamentum teres hepatis)*
Pasmo łącznotkankowe biegnące na dolnym wolnym brzegu więzadła sierpowatego wątroby

**Wątroba**
*(Hepar)*

**Prawy płat wątroby**
*(Lobus hepatis dexter)*

**Pęcherzyk żółciowy**
*(Vesica fellea)*

**Więzadło sierpowate wątroby**
*(Ligamentum falciforme hepatis)*
Fałd otrzewnej między powierzchnią przeponową wątroby i ścianą przednią jamy brzusznej

## Budowa mikroskopowa wątroby

*W ścianie naczyń zatokowych płacików wątrobowych znajdują się małe komórki znane jako komórki Browicza-Kupffera. Usuwają one zanieczyszczenia z krwi oraz zużyte komórki krwi, zanim krew ponownie trafi do serca.*

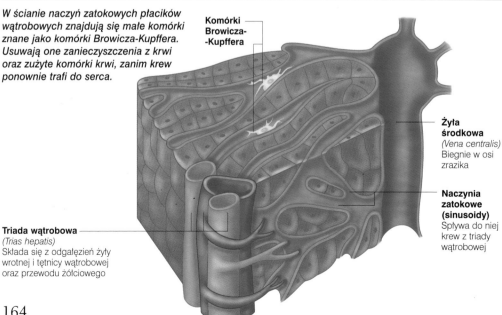

**Komórki Browicza-Kupffera**

**Żyła środkowa**
*(Vena centralis)*
Biegnie w osi zrazika

**Naczynia zatokowe (sinusoidy)**
Spływa do niej krew z triady wątrobowej

**Triada wątrobowa**
*(Trias hepatis)*
Składa się z odgałęzień żyły wrotnej i tętnicy wątrobowej oraz przewodu żółciowego

Wątroba zbudowana jest z wielu małych skupisk komórek, tzw. zrazików, które mają kształt sześciokąta. Ułożenie komórek wątrobowych (hepatocytów) w zrazikach przypomina układ szprych w kole, odchodzą one promieniście od żyły środkowej zrazika, będącej dopływem żyły wątrobowej. Krew płynie małymi naczyniami zatokowymi (sinusoidami) wzdłuż hepatocytów i trafia do żyły środkowej.

Naczynia zatokowe otrzymują krew z naczyń należących do triady wrotnej, w której skład wchodzą trzy naczynia: mała gałązka tętnicy wątrobowej właściwej, odgałęzienie żyły wrotnej i mały przewód żółciowy, zbierający żółć wytworzoną w hepatocytach. Na każdym z sześciu wierzchołków zrazika wątrobowego znajdują się naczynia należące do sześciu oddzielnych triad.

# Powierzchnia trzewna wątroby

Dolna powierzchnia wątroby określana jest również mianem trzewnej, ponieważ styka się z narządami jamy brzusznej, inaczej trzewiami. Na powierzchni tej można zobaczyć tzw. wyciski, czyli zagłębienia spowodowane przyleganiem sąsiadujących narządów, naczyń, żyły głównej dolnej i pęcherzyka żółciowego.

Wątroba leży w pobliżu wielu narządów jamy brzusznej. Ponieważ tkanka wątroby jest miękka i podatna, sąsiednie narządy mogą na jej powierzchni zostawić swoje odciski. Największe i najlepiej widoczne odciski są widoczne na powierzchni lewego i prawego płata wątroby.

## WROTA WĄTROBY

Wrota wątroby są obszarem podobnym do wnęki płuc. W nich to znajdują się duże naczynia, które wnikają do wątroby, a wychodzą z niej przewody żółciowe otoczone wspólną pochewką utworzoną z otrzewnej.

Przez wrota wątroby przechodzą: żyła wrotna, tętnica wątrobowa właściwa, przewody żółciowe, naczynia chłonne oraz nerwy.

## ZAOPATRZENIE W KREW

Wątroba jest narządem wyjątkowym, któremu krew dostarczają dwa źródła:
■ Tętnica wątrobowa właściwa. Dostarcza ona do wątroby 30% krwi, jest gałęzią tętnicy

**Lewy płat wątroby**
(Lobus hepatis sinister)

**Wycisk przełykowy**
(Impressio oesephagea)

**Płat ogoniasty**
(Lobus caudatus)

**Żyła główna dolna**
(Vena cava inferior)

**Prawy płat wątroby**
(Lobus hepatis dexter)

**Wycisk nerkowy**
(Impressio renalis)
Spowodowany sąsiedztwem prawej nerki

**Wycisk żołądkowy**
(Impressio gastrica)

**Płat czworoboczny**
(Lobus quadratus)

**Wrota wątroby**
(Porta hepatis)
Miejsce, gdzie główne naczynia wchodzą do wątroby i opuszczają ją

**Pęcherzyk żółciowy**
(Vesica fellea)

**Wycisk dwunastniczy**
(Impressio duodenalis)
Ukształtowany przez początkowy odcinek dwunastnicy

**Wycisk okrężniczy**
(Impressio colica)
Spowodowany przez zagięcie wątrobowe okrężnicy

*Powierzchnia trzewna wątroby ukształtowana jest przez inne narządy jamy brzusznej. Tutaj też znajdują się wrota wątroby, miejsce, gdzie główne naczynia wchodzą do wątroby i opuszczają ją.*

wątrobowej wspólnej i płynie nią świeża utlenowana krew z serca. Po wejściu do wątroby dzieli się na prawą i lewą gałązkę. Prawa gałąź zaopatruje płat prawy wątroby, a lewa płat lewy, ogoniasty i czworoboczny.

■ Żyła wrotna dostarcza 70% krwi. Naczyniem tym płynie do wątroby krew pochodząca z przewodu pokarmowego na odcinku od żołądka do odbytnicy. Krew ta zawiera dużo substancji odżywczych wchłoniętych w jelitach. Żyła wrotna, podobnie jak

tętnica wątrobowa właściwa, dzieli się na prawą i lewą odnogę, które dostarczają krew do obszarów wątroby takich samych jak tętnica wątrobowa. Krew żylna z wątroby powraca do serca poprzez żyłę wątrobową.

## Drogi żółciowe

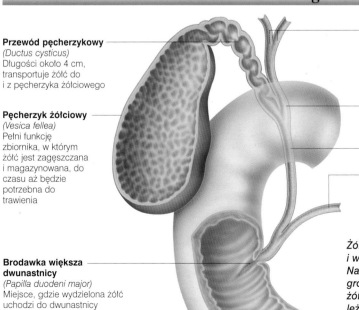

**Przewód pęcherzykowy**
(Ductus cysticus)
Długości około 4 cm, transportuje żółć do i z pęcherzyka żółciowego

**Pęcherzyk żółciowy**
(Vesica fellea)
Pełni funkcję zbiornika, w którym żółć jest zagęszczana i magazynowana, do czasu aż będzie potrzebna do trawienia

**Brodawka większa dwunastnicy**
(Papilla duodeni major)
Miejsce, gdzie wydzielona żółć uchodzi do dwunastnicy

**Przewody wątrobowe**
(Ducti hepatici)
Przez te przewody płynie wytworzona w wątrobie żółć

**Przewód wątrobowy wspólny**
(Ductus hepaticus communis)

**Przewód żółciowy wspólny**
(Ductus choledochus communis)

**Przewód trzustkowy**
(Ductus pancreaticus)
Odprowadza wydzielinę z trzustki i łączy się z przewodem żółciowym wspólnym

*Żółć wytwarzana jest w wątrobie i wydzielana do dwunastnicy. Nadmiar wytworzonej żółci gromadzi się w pęcherzyku żółciowym, małym woreczku leżącym na dolnej stronie wątroby.*

Żółć ma kolor zielony, w jelicie cienkim wspomaga proces trawienia tłuszczów. Jest ona wydzielana przez komórki wątroby.

## PASAŻ ŻÓŁCI

Żółć płynie przewodzikami, które łączą się, tworząc lewy i prawy przewód wątrobowy. Wychodzą one przez wrota wątroby i łączą się, tworząc przewód wątrobowy wspólny.

## PRZEWÓD ŻÓŁCIOWY WSPÓLNY

Przewód wątrobowy wspólny łączy się z przewodem pęcherzykowym, tworząc przewód żółciowy wspólny. Kieruje się on w dół do dwunastnicy, gdzie razem z przewodem trzustkowym, przez który płynie sok z trzustki, uchodzi na brodawce dwunastniczej większej (Vatera).

# Wyrostek robaczkowy i kątnica

Jelito ślepe (kątnica) oraz wyrostek robaczkowy leżą w miejscu połączenia jelita grubego z jelitem cienkim, w okolicy krętniczo-kątniczej. Do kątnicy, od której odchodzi wyrostek robaczkowy, dociera treść pokarmowa z jelita cienkiego.

Kątnica jest pierwszym odcinkiem jelita grubego. Pokarm z końcowego odcinka jelita cienkiego, tzw. jelita krętego, przechodzi przez zastawkę krętniczo-kątniczą do leżącej poniżej kątnicy. Kątnica jest ślepo zakończonym „workiem" długości i szerokości około 7 cm. Powyżej kątnicy rozciąga się kolejny odcinek jelita grubego – okrężnica wstępująca. Wyrostek robaczkowy ma kształt długiego cienkościennego woreczka, który odchodzi od kątnicy.

## WŁÓKNA MIĘŚNIOWE

Mięśniówka jelita cienkiego przechodzi na ścianę jelita grubego, gdzie dzieli się na trzy oddzielne pasma mięśniowe, tzw. taśmy jelita grubego. Gdy pokarm przejdzie przez jelito cienkie, kątnica może się rozszerzać pod wpływem działania gazów lub zalegających mas kałowych. Może być wtedy wyczuwalna w badaniu palpacyjnym jamy brzusznej.

## UNACZYNIENIE

Do kątnicy krew dopływa przez dwie tętnice jelita ślepego – przednią i tylną, które są gałązkami tętnicy krętniczo-okrężniczej. Krew żylna powraca przez podobny układ naczyń żylnych, które łączą się z żyłą krezkową górną.

*Okolica krętniczo-kątnicza jest miejscem, gdzie jelito cienkie łączy się z jelitem grubym. Leży w niej kątnica i wyrostek robaczkowy.*

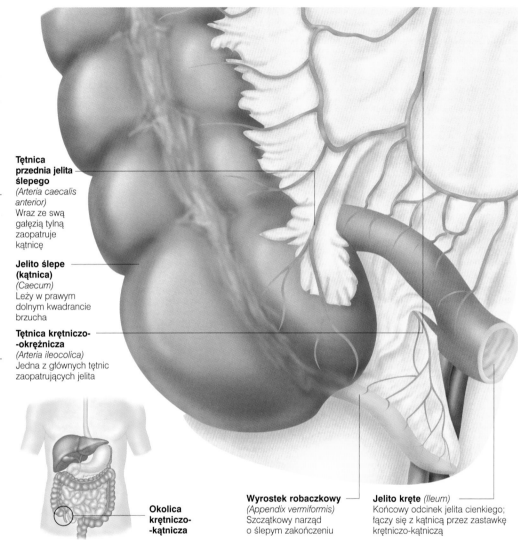

**Tętnica przednia jelita ślepego**
(Arteria caecalis anterior)
Wraz ze swą gałęzią tylną zaopatruje kątnicę

**Jelito ślepe (kątnica)**
(Caecum)
Leży w prawym dolnym kwadrancie brzucha

**Tętnica krętniczo--okrężnicza**
(Arteria ileocolica)
Jedna z głównych tętnic zaopatrujących jelita

**Okolica krętniczo--kątnicza**

**Wyrostek robaczkowy**
(Appendix vermiformis)
Szczątkowy narząd o ślepym zakończeniu

**Jelito kręte** (Ileum)
Końcowy odcinek jelita cienkiego; łączy się z kątnicą przez zastawkę krętniczo-kątniczą

---

## Zastawka krętniczo-kątnicza

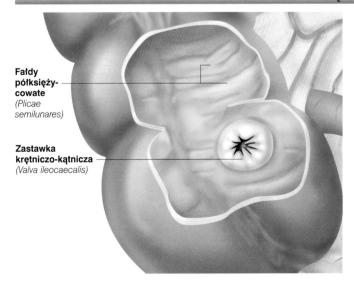

**Fałdy półksiężycowate**
(Plicae semilunares)

**Zastawka krętniczo-kątnicza**
(Valva ileocaecalis)

Zastawka krętniczo-kątnicza otacza ujście jelita krętego, przez które płynna treść z końcowego odcinka jelita cienkiego przechodzi do jelita ślepego.

### BADANIA ANATOMICZNE

Opierając się na badaniach anatomicznych zwłok, uważano niegdyś, że ujście jelita krętego leży pomiędzy fałdami ściany jelita ślepego, które, jak sądzono, miały działać na podobieństwo zastawek.

Obecnie możliwe jest badanie tej okolicy u żywych ludzi za pomocą

*Zastawka krętniczo-kątnicza otacza ujście, przez które treść jelitowa przechodzi do kątnicy. Zastawka ta nie jest w pełni skuteczna.*

endoskopu, czyli metodą wziernikowania. Okazało się, że połączenie krętniczo-kątnicze wygląda inaczej, a mianowicie jest ono uniesione ponad ścianę kątnicy i otoczone pierścieniem okrężnych mięśni, które powodują jego zamknięcie.

### BADANIA Z BARYTEM

Pomimo że zawartość jelita ślepego nie może swobodnie cofać się do jelita krętego, to jednak zastawka krętniczo-kątnicza nie jest bardzo szczelna. W badaniach radiologicznych jelita grubego z użyciem barytu wykazano cofanie się kontrastu przez zastawkę z jelita ślepego do jelita krętego.

# Wyrostek robaczkowy

Wyrostek robaczkowy jest wąskim, mięśniowym uwypukleniem ściany kątnicy. Zwykle ma długość około 6–10 cm, choć może być znacznie dłuższy lub krótszy. Wyrostek robaczkowy uchodzi na tylnej ścianie kątnicy (jelita ślepego), a jego dolny koniec jest ruchomy.

Wyrostek robaczkowy odchodzi od kątnicy w miejscu, w którym zaczyna się jelito grube. W ścianach wyrostka robaczkowego znajdują się skupiska tkanki limfatycznej. Tkanka chłonna wyrostka robaczkowego oraz tkanka chłonna ściany jelita cienkiego chronią organizm przed drobnoustrojami obecnymi w jelitach.

### WARSTWA MIĘŚNIOWA

Podczas gdy warstwa mięśni ściany jelita grubego biegnie wzdłuż w postaci trzech taśm, to w wyrostku robaczkowym mięśnie obejmują cały jego obwód. Trzy taśmy jelita grubego zbiegają się u podstawy wyrostka, a ich włókna łączą się ze sobą i pokrywają całą jego powierzchnię.

### OTRZEWNA

Wyrostek robaczkowy pokrywa otrzewna, która tworzy fałd ciągnący się od jelita krętego do jelita ślepego i początkowego odcinka wyrostka robaczkowego. Jest to krezka wyrostka robaczkowego.

### PODSTAWA WYROSTKA

Podstawa wyrostka, miejsce, w którym wyrostek łączy się z kątnicą, zwykle jest nieruchome, a rzut tego miejsca na powierzchni jamy brzusznej odpowiada punktowi McBurneya.

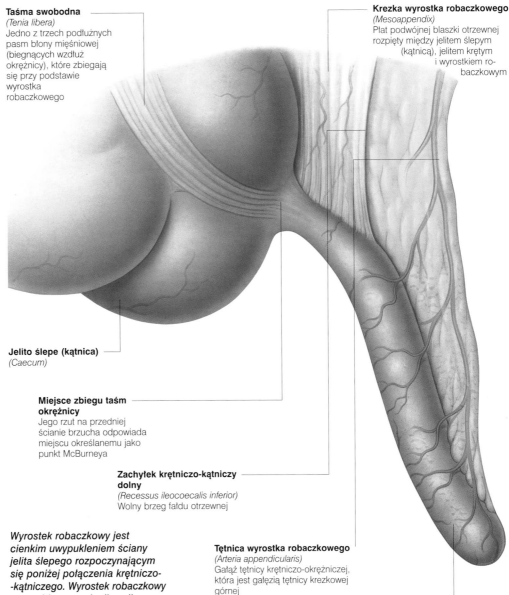

**Taśma swobodna**
*(Tenia libera)*
Jedno z trzech podłużnych pasm błony mięśniowej (biegnących wzdłuż okrężnicy), które zbiegają się przy podstawie wyrostka robaczkowego

**Krezka wyrostka robaczkowego**
*(Mesoappendix)*
Płat podwójnej blaszki otrzewnej rozpięty między jelitem ślepym (kątnicą), jelitem krętym i wyrostkiem robaczkowym

**Jelito ślepe (kątnica)**
*(Caecum)*

**Miejsce zbiegu taśm okrężnicy**
Jego rzut na przedniej ścianie brzucha odpowiada miejscu określanemu jako punkt McBurneya

**Zachyłek krętniczo-kątniczy dolny**
*(Recessus ileocoecalis inferior)*
Wolny brzeg fałdu otrzewnej

**Tętnica wyrostka robaczkowego**
*(Arteria appendicularis)*
Gałąź tętnicy krętniczo-okrężniczej, która jest gałęzią tętnicy krezkowej górnej

**Wyrostek robaczkowy**
*(Appendix vermiformis)*

*Wyrostek robaczkowy jest cienkim uwypukleniem ściany jelita ślepego rozpoczynającym się poniżej połączenia krętniczo-kątniczego. Wyrostek robaczkowy w przebiegu ewolucji zanika i staje się bezużyteczny, nie odgrywa żadnej roli w trawieniu.*

## Położenie wyrostka

**Położenie zakątnicze**
Najczęstsze położenie wyrostka robaczkowego

Mimo że podstawa wyrostka robaczkowego znajduje się stale w jednym miejscu, to jednak dalszy jego koniec jest ruchomy i może znajdować się w różnych pozycjach.

### NAJCZĘSTSZE UMIEJSCOWIENIE

Wyrostek robaczkowy najczęściej leży zakątniczo. W tej pozycji koniec wyrostka skierowany jest ku górze.

Czasem wyrostek może leżeć w pobliżu końcowego odcinka jelita krętego lub w miednicy.

*Położenie wyrostka robaczkowego bywa różne. Od położenia wyrostka zależy, w którym miejscu występuje ból i tkliwość w przebiegu zapalenia.*

### RZADKIE LOKALIZACJE

Bardzo rzadko kątnica może leżeć wyjątkowo wysoko lub bardzo nisko, przez co wyrostek może znajdować się w nietypowym miejscu.

### ZAPALENIE WYROSTKA

Umiejscowienie wyrostka robaczkowego ma ważne znaczenie w rozpoznaniu zapalenia wyrostka. Ból i tkliwość towarzyszące zapaleniu mogą wystąpić w różnych miejscach, w zależności od położenia wyrostka.

Nietypowe umiejscowienie wyrostka może czasami utrudniać rozpoznanie, np. gdy leży on w miednicy, objawy zapalenia mogą być podobne do objawów zakażenia układu moczowego.

# Okrężnica

Okrężnica jest największą częścią jelita grubego. Pomimo że okrężnica jest ciągłą rurą, anatomicznie dzieli się ją na cztery odcinki: okrężnicę wstępującą, poprzeczną i zstępującą oraz okrężnicę esowatą.

Do okrężnicy wnika płynna zawartość z jelita cienkiego. W okrężnicy zachodzi resorpcja wody i tworzą się półstałe produkty resztkowe, które następnie są wydalane przez odbytnicę i odbyt pod postacią kału. W obrębie okrężnicy występują dwa wyraźne zagięcia – prawe (wątrobowe) i lewe (śledzionowe).

## OKRĘŻNICA WSTĘPUJĄCA
Okrężnica wstępująca obejmuje obszar od zastawki krętniczo-kątniczej do prawego zagięcia wątrobowego, gdzie okrężnica wstępująca przechodzi w okrężnicę poprzeczną. Okrężnica wstępująca ma około 12 cm długości i leży przy tylnej ścianie brzucha. Od przodu i z boków otacza ją otrzewna, cienka warstwa tkanki łącznej pokrywająca narządy jamy brzusznej.

## OKRĘŻNICA POPRZECZNA
Rozpoczyna się przy prawym zagięciu wątrobowym, pod prawym płatem wątroby. Biegnie poprzez całą szerokość ciała w kierunku lewego zagięcia okrężnicy w pobliżu śledziony. Jest to najdłuższy i najbardziej ruchomy odcinek jelita grubego, którego długość wynosi około 45 cm. Zwisa on zawieszony w fałdzie otrzewnej (lub krezce).

## OKRĘŻNICA ZSTĘPUJĄCA
Okrężnica zstępująca rozciąga się od lewego zagięcia w dół do brzegu miednicy, gdzie rozpoczyna się okrężnica esowata. Ponieważ lewe zagięcie okrężnicy leży wyżej niż prawe, okrężnica zstępująca jest dłuższa niż okrężnica wstępująca.

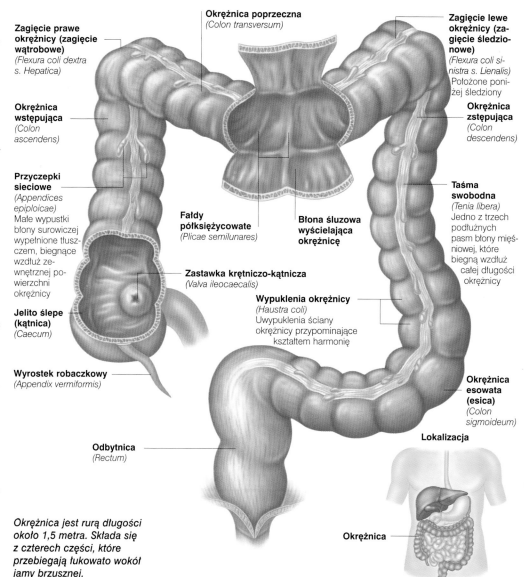

**Zagięcie prawe okrężnicy (zagięcie wątrobowe)**
*(Flexura coli dextra s. Hepatica)*

**Okrężnica poprzeczna**
*(Colon transversum)*

**Zagięcie lewe okrężnicy (zagięcie śledzionowe)**
*(Flexura coli sinistra s. Lienalis)*
Położone poniżej śledziony

**Okrężnica wstępująca**
*(Colon ascendens)*

**Okrężnica zstępująca**
*(Colon descendens)*

**Przyczepki sieciowe**
*(Appendices epiploicae)*
Małe wypustki błony surowiczej wypełnione tłuszczem, biegnące wzdłuż zewnętrznej powierzchni okrężnicy

**Fałdy półksiężycowate**
*(Plicae semilunares)*

**Błona śluzowa wyścielająca okrężnicę**

**Taśma swobodna**
*(Tenia libera)*
Jedno z trzech podłużnych pasm błony mięśniowej, które biegną wzdłuż całej długości okrężnicy

**Jelito ślepe (kątnica)**
*(Caecum)*

**Zastawka krętniczo-kątnicza**
*(Valva ileocaecalis)*

**Wypuklenia okrężnicy**
*(Haustra coli)*
Uwypuklenia ściany okrężnicy przypominające kształtem harmonię

**Wyrostek robaczkowy**
*(Appendix vermiformis)*

**Okrężnica esowata (esica)**
*(Colon sigmoideum)*

**Odbytnica**
*(Rectum)*

**Lokalizacja**

**Okrężnica**

*Okrężnica jest rurą długości około 1,5 metra. Składa się z czterech części, które przebiegają łukowato wokół jamy brzusznej.*

## Okrężnica esowata i błona wyścielająca okrężnicę

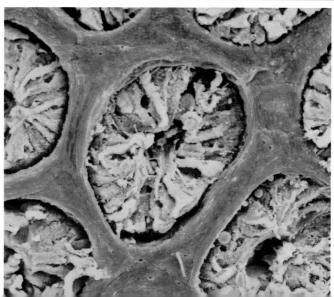

Okrężnica esowata ma kształt litery S. Jest ona przedłużeniem okrężnicy zstępującej; zaczyna się na wysokości brzegu miednicy.

### WŁAŚCIWOŚCI
Esica ma długość około 40 cm. W przeciwieństwie do okrężnicy zstępującej odznacza się znaczną ruchomością, gdyż jest zawieszona na krezce, czyli fałdzie otrzewnej.

*Wyściółka okrężnicy – błona śluzowa (zielona) – zawiera gruczoły (żółte). Komórki tych gruczołów wchłaniają wodę i wydzielają śluz.*

Na dalszym końcu esica przechodzi w prostnicę. W esicy gromadzą się masy kałowe przed defekacją, dlatego jej wielkość oraz lokalizacja zależą od składu pożywienia i od tego, czy jest ona wypełniona, czy pusta.

### WYŚCIÓŁKA OKRĘŻNICY
Od wewnątrz okrężnicę wyściela warstwa komórek, w której znajduje się wiele głębokich zagłębień lub krypt, gdzie leżą komórki wydzielające śluz. Śluz ma istotne znaczenie, gdyż nawilża masy kałowe oraz chroni ściany esicy przed działaniem kwasów i gazów wytwarzanych przez bakterie jelitowe.

# Unaczynienie tętnicze i żylne okrężnicy

Każda część okrężnicy, tak jak pozostałe odcinki jelit, otrzymuje krew z sieci naczyń tętniczych.

Krew żylna odpływa z okrężnicy, przechodząc przez układ żylny wątrobowo-wrotny, ulega oczyszczeniu w wątrobie i dopiero potem trafia do krążenia systemowego.

## UNACZYNIENIE TĘTNICZE OKRĘŻNICY

Do okrężnicy krew tętnicza dopływa z górnych i dolnych tętnic krezkowych. Odchodzą one od aorty, dużego naczynia tętniczego położonego w jamie brzusznej.

Okrężnicę wstępującą oraz początkowe dwie trzecie okrężnicy poprzecznej zaopatruje w krew tętnica krezkowa górna. Pozostałą jedną trzecią część okrężnicy poprzecznej, okrężnicę zstępującą i esicę zaopatruje w krew tętnica krezkowa dolna.

## UKŁAD TĘTNIC

W okrężnicy, tak jak i w innych odcinkach przewodu pokarmowego, występują anastomozy, połączenia tętniczo-tętnicze, pomiędzy odgałęzieniami dwóch dużych tętnic krezkowych górnej i dolnej.

Od tętnicy krezkowej górnej odchodzą tętnica krętniczo-kątnicza oraz prawa i środkowa tętnica okrężnicza, które przez anastomozy łączą się ze sobą oraz z gałęziami tętnicy krezkowej dolnej, tętnicą okrężniczą lewą i tętnicami esiczymi.

W ten sposób wokół ściany okrężnicy powstają arkady tętnicze, które zaopatrują w krew wszystkie odcinki okrężnicy.

### Układ tętniczy okrężnicy

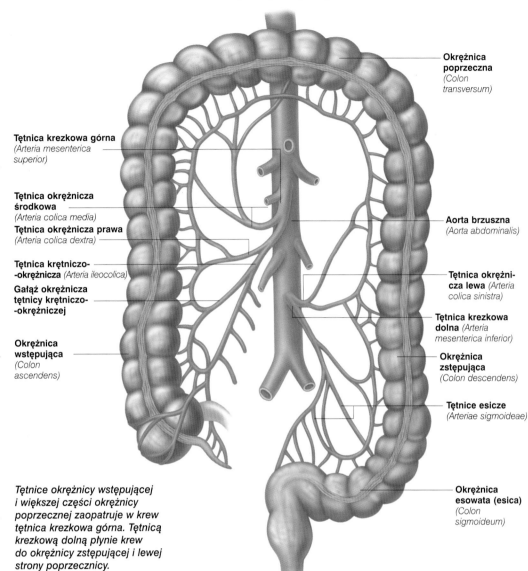

Tętnica krezkowa górna
(Arteria mesenterica superior)

Tętnica okrężnicza środkowa
(Arteria colica media)

Tętnica okrężnicza prawa
(Arteria colica dextra)

Tętnica krętniczo--okrężnicza (Arteria ileocolica)

Gałąź okrężnicza tętnicy krętniczo--okrężniczej

Okrężnica wstępująca
(Colon ascendens)

Okrężnica poprzeczna
(Colon transversum)

Aorta brzuszna
(Aorta abdominalis)

Tętnica okrężni-cza lewa (Arteria colica sinistra)

Tętnica krezkowa dolna (Arteria mesenterica inferior)

Okrężnica zstępująca
(Colon descendens)

Tętnice esicze
(Arteriae sigmoideae)

Okrężnica esowata (esica)
(Colon sigmoideum)

*Tętnice okrężnicy wstępującej i większej części okrężnicy poprzecznej zaopatruje w krew tętnica krezkowa górna. Tętnicą krezkową dolną płynie krew do okrężnicy zstępującej i lewej strony poprzecznicy.*

## Odpływ krwi żylnej z okrężnicy

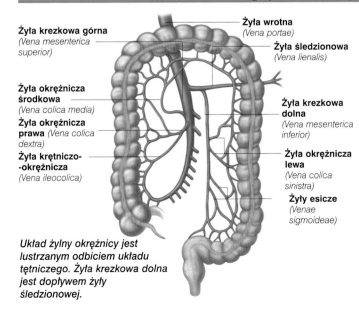

Żyła krezkowa górna
(Vena mesenterica superior)

Żyła okrężnicza środkowa
(Vena colica media)

Żyła okrężnicza prawa (Vena colica dextra)

Żyła krętniczo--okrężnicza
(Vena ileocolica)

Żyła wrotna
(Vena portae)

Żyła śledzionowa
(Vena lienalis)

Żyła krezkowa dolna
(Vena mesenterica inferior)

Żyła okrężnicza lewa
(Vena colica sinistra)

Żyły esicze
(Venae sigmoideae)

*Układ żylny okrężnicy jest lustrzanym odbiciem układu tętniczego. Żyła krezkowa dolna jest dopływem żyły śledzionowej.*

Krew żylna z okrężnicy spływa do żyły wrotnej. Krew z okrężnicy wstępującej i początkowego odcinka obejmującego dwie trzecie okrężnicy poprzecznej spływa do żyły krezkowej górnej, a krew z pozostałej części okrężnicy spływa do żyły krezkowej dolnej.

Żyła krezkowa dolna łączy się z żyłą śledzionową, a następnie obie łączą się z żyłą krezkową górną. Z tego połączenia powstaje żyła wrotna. Cała powracająca z jelit krew trafia do żyły wrotnej i przepływa przez wątrobę, zanim powróci do serca i krążenia systemowego.

### DRENAŻ CHŁONNY

Tworząca się w ścianach okrężnicy chłonka płynie naczyniami chłonnymi leżącymi wzdłuż tętnic w kierunku głównego naczynia

zbierającego chłonkę, tzw. zbiornika mleczu (cisterna chyli). Po drodze przepływa przez wiele węzłów chłonnych, gdzie jest filtrowana, zanim trafi do układu żylnego.

Chłonka przepływa przez węzły chłonne leżące przy ścianach okrężnicy, następnie przez węzły położone w pobliżu małych tętniczek zaopatrujących okrężnicę, a na końcu przez górne i dolne węzły chłonne krezkowe.

### SWOISTE CECHY OKRĘŻNICY

W przeciwieństwie do jelita cienkiego ściana okrężnicy jest pomarszczona na kształt harmonii, tworzy wypuklenia okrężnicy, czyli fałdy półksiężycowate. Widać je dobrze podczas bezpośredniego oglądania, lecz w przewlekłym zapaleniu okrężnicy mogą zanikać.

# Odbytnica i kanał odbytu

Odbytnica i kanał odbytu tworzą wspólnie końcowy odcinek przewodu pokarmowego.
Gromadzone są w nich resztki pokarmowe w postaci mas kałowych,
które wydalane są przez odbyt na zewnątrz.

Esica łączy się z odbytnicą na wysokości trzeciego kręgu krzyżowego. Łacińskie słowo *rectum* oznacza „prosty", lecz w rzeczywistości odbytnica jest nieco zakrzywiona, gdyż biegnie wzdłuż krzywizny kości krzyżowej i guzicznej tworzących tylną ścianę miednicy.

Dolny odcinek odbytnicy łączy się z kanałem odbytu pod kątem 80–90 stopni. To tzw. zagięcie kroczowe zapobiega przedostawaniu się mas kałowych z odbytnicy do kanału odbytu do czasu wypróżnienia.

Na przedniej i tylnej powierzchni odbytnicy leżą dwa biegnące w dół szerokie pasma mięśniowe. W odbytnicy występują trzy poprzecznie fałdy: górny (I), środkowy (II) i dolny (III). Poniżej dolnego fałdu odbytnica poszerza się i tworzy bańkę odbytnicy.

### KANAŁ ODBYTU

Kanał odbytu rozciąga się od zagięcia kroczowego w dół do odbytu. Poza okresem wypróżnienia kanał jest zamknięty i pusty.

Budowa kanału odbytu jest różna w poszczególnych jego odcinkach. W górnej części znajdują się podłużne uwypuklenia zwane słupami odbytniczymi, które rozpoczynają się powyżej zagięcia kroczowego, a kończą poniżej linii zazębionej.

W dolnych odcinkach słupów odbytniczych leżą zatoki odbytnicze. Wytwarzany jest w nich śluz, który nawilża masy kałowe podczas defekacji. Zastawki zapobiegają wyciekaniu śluzu poza kanał odbytu między defekacjami.

## Przekrój czołowy przez prostnicę i kanał odbytnicy

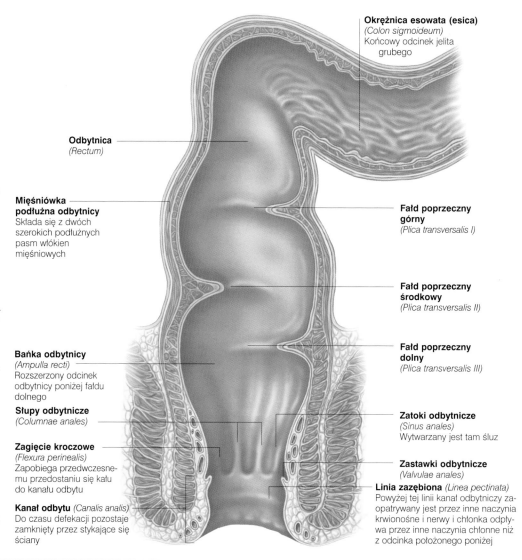

**Okrężnica esowata (esica)**
*(Colon sigmoideum)*
Końcowy odcinek jelita grubego

**Odbytnica**
*(Rectum)*

**Mięśniówka podłużna odbytnicy**
Składa się z dwóch szerokich podłużnych pasm włókien mięśniowych

**Fałd poprzeczny górny**
*(Plica transversalis I)*

**Fałd poprzeczny środkowy**
*(Plica transversalis II)*

**Fałd poprzeczny dolny**
*(Plica transversalis III)*

**Bańka odbytnicy**
*(Ampulla recti)*
Rozszerzony odcinek odbytnicy poniżej fałdu dolnego

**Słupy odbytnicze**
*(Columnae anales)*

**Zagięcie kroczowe**
*(Flexura perinealis)*
Zapobiega przedwczesnemu przedostaniu się kału do kanału odbytu

**Kanał odbytu** *(Canalis analis)*
Do czasu defekacji pozostaje zamknięty przez stykające się ściany

**Zatoki odbytnicze**
*(Sinus anales)*
Wytwarzany jest tam śluz

**Zastawki odbytnicze**
*(Valvulae anales)*

**Linia zazębiona** *(Linea pectinata)*
Powyżej tej linii kanał odbytniczy zaopatrywany jest przez inne naczynia krwionośne i nerwy i chłonka odpływa przez inne naczynia chłonne niż z odcinka położonego poniżej

## Zwieracz odbytu

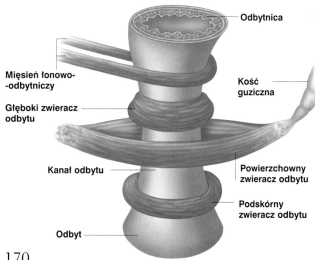

**Odbytnica**

**Mięsień łonowo-odbytniczy**

**Głęboki zwieracz odbytu**

**Kość guziczna**

**Kanał odbytu**

**Powierzchowny zwieracz odbytu**

**Podskórny zwieracz odbytu**

**Odbyt**

Zawartość jelit jest stale przesuwana do dołu, choć wcale nie zdajemy sobie z tego sprawy. Jednak bardzo ważne jest, by mieć kontrolę nad ruchem jelit w jego końcowej fazie. Sprawuje ją mięsień zwieracz odbytu, który składa się z wielu części:

■ **Zwieracz wewnętrzny odbytu.**
Zgrubienie okrężnej warstwy włókien mięśniowych w górnych dwóch trzecich kanału odbytu. Nie podlega on świadomej kontroli.

■ **Mięsień łonowo-odbytniczy.**
Ma kształt pętli. Zawija się pod pewnym kątem wokół zagięcia kroczowego odbytnicy. Zapobiega przejściu zawartości odbytnicy do kanału odbytu.

■ **Zwieracz zewnętrzny odbytu.**
Składa się z trzech części: głębokiej, powierzchownej i podskórnej. Działanie jego można świadomie kontrolować, w sprzyjających warunkach dochodzi do jego rozluźnienia.

*Zwieracz odbytu, który składa się z kilku części, sprawuje kontrolę nad wydalaniem kału z organizmu. Tylko zewnętrzny zwieracz odbytu pracuje w sposób zależny od woli.*

# Unaczynienie odbytnicy i odbytu

Odbytnica i kanał
odbytu są obficie
zaopatrzone w krew.
Krew z tego obszaru
odpływa siecią naczyń
żylnych.

Pod błoną wyścielającą odbytnicę
leży sieć małych naczyń żylnych
tzw. splot odbytniczy, który składa
się z dwóch części:
■ splotu żylnego wewnętrznego
– leżącego w tkance podśluzowej,
■ splotu żylnego zewnętrznego
– leżącego na zewnętrznej
powierzchni mięśni.

Krew z tkanek spływa
do splotów i odprowadzana jest
z tego obszaru dużymi żyłami: żyłą
odbytniczą górną, środkową
i dolną, które zbierają krew
z odpowiadających im odcinków
odbytnicy.

Splot żylny wewnętrzny
odprowadza krew z kanału odbytu
w dwóch kierunkach od linii
zazębionej. Z okolic leżących
powyżej krew spływa głównie
do żyły odbytniczej górnej,
a z obszaru położonego poniżej
do żyły odbytniczej dolnej.

## ZAOPATRZENIE W KREW TĘTNICZĄ

Do odbytnicy dopływa krew
z trzech źródeł. Odcinek górny
zaopatruje tętnica odbytnicza
górna, dolny tętnica odbytnicza
środkowa, a zagięcie kroczowe
tętnica odbytnicza dolna.

W kanale odbytu tętnica
odbytnicza górna kieruje się w dół
i dostarcza krew do obszaru
powyżej linii zazębionej. Dwie
tętnice odbytnicze dolne,
odchodzące od tętnicy sromowej,
zaopatrują w krew okolicę położoną
poniżej linii zazębionej.

**Układ żył zbierających krew z odbytnicy i odbytu**

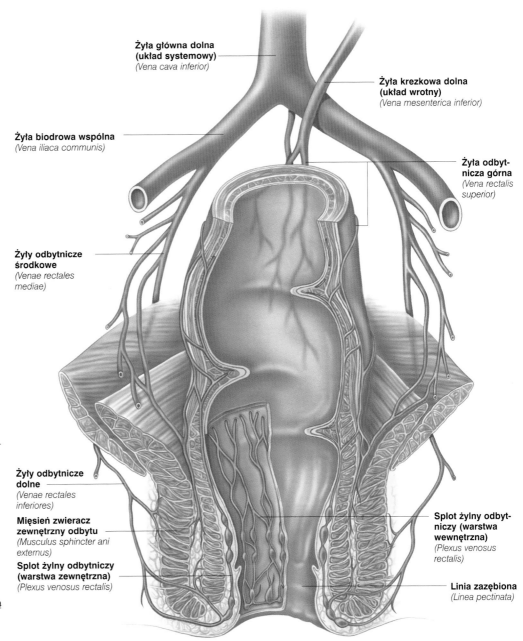

- Żyła główna dolna (układ systemowy) (*Vena cava inferior*)
- Żyła krezkowa dolna (układ wrotny) (*Vena mesenterica inferior*)
- Żyła biodrowa wspólna (*Vena iliaca communis*)
- Żyła odbytnicza górna (*Vena rectalis superior*)
- Żyły odbytnicze środkowe (*Venae rectales mediae*)
- Żyły odbytnicze dolne (*Venae rectales inferiores*)
- Mięsień zwieracz zewnętrzny odbytu (*Musculus sphincter ani externus*)
- Splot żylny odbytniczy (warstwa zewnętrzna) (*Plexus venosus rectalis*)
- Splot żylny odbytniczy (warstwa wewnętrzna) (*Plexus venosus rectalis*)
- Linia zazębiona (*Linea pectinata*)

## Unerwienie odbytnicy i kanału odbytu

**Unerwienie**

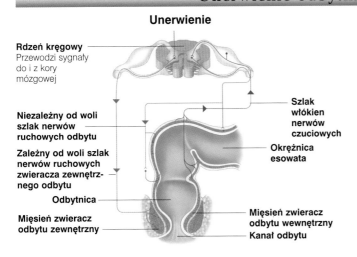

- Rdzeń kręgowy
  Przewodzi sygnały
  do i z kory
  mózgowej
- Niezależny od woli
  szlak nerwów
  ruchowych odbytu
- Zależny od woli szlak
  nerwów ruchowych
  zwieracza zewnętrz-
  nego odbytu
- Odbytnica
- Mięsień zwieracz
  odbytu zewnętrzny
- Szlak włókien nerwów czuciowych
- Okrężnica esowata
- Mięsień zwieracz odbytu wewnętrzny
- Kanał odbytu

Tak jak pozostała część przewodu
pokarmowego, ściana odbytnicy
i kanał odbytu unerwiane są przez
autonomiczny układ nerwowy.
Układ ten działa „w tle" i zwykle
nie uświadamiamy sobie, jak
reguluje i kontroluje wnętrze
ciała.

Nerwy układu autonomicznego
odbierają bodźce z odbytnicy
informujące o jej wypełnieniu,
a następnie mogą wywołać

*Kiedy odbytnica jest wypełniona,
wyzwala odruch defekcji
pochodzący z rdzenia kręgowego,
który wysyła bodźce inicjujące
skurcz mięśni.*

odruchowy skurcz ściany
odbytnicy i rozluźnienie zwieracza
wewnętrznego odbytu po to, by
wypchnąć masy kałowe do kanału
odbytu.

Kanał odbytu, a dokładniej
zewnętrzny zwieracz odbytu, jest
kontrolowany przez układ
nerwowy, którego działanie podlega
naszej woli.

Nerwy te odchodzą od
drugiego, trzeciego i czwartego
rdzeniowego nerwu krzyżowego.
Umożliwiają wykonanie
świadomego skurczu zwieracza,
co zapobiega wypełnianiu kanału
odbytniczego do czasu
defekacji.

# Trzustka i śledziona

Trzustka jest dużym gruczołem, który wytwarza zarówno enzymy, jak i hormony.
Leży w nadbrzuszu za żołądkiem; jeden jej koniec otacza dwunastnica,
a drugi styka się ze śledzioną.

Trzustka wydziela enzymy do dwunastnicy, pierwszego odcinka jelita cienkiego, które wspomagają trawienie pokarmów. Wytwarza ona również hormony, insulinę i glukagon, które regulują wykorzystanie glukozy przez komórki.

Trzustka leży w poprzek tylnej ściany brzucha. Wyróżnia się w niej cztery części:
■ Głowa trzustki – objęta jest pętlą dwunastnicy, otaczającą ją w kształcie litery C. Głowa trzustki łączy się z częścią zstępującą dwunastnicy. Jest ona haczykowato wygięta i skierowana w kierunku linii pośrodkowej ciała.
■ Szyjka lub cieśń – jest węższa niż głowa, ponieważ z tyłu biegnie duża żyła wrotna; leży nad żyłą i tętnicą krezkową górną.
■ Trzon trzustki – ma przekrój trójkątny i leży przed aortą. Biegnie on ku górze i w lewo i przechodzi w ogon trzustki.
■ Ogon trzustki – zwęża się i kończy we wnęce śledziony.

## UNACZYNIENIE
Trzustka jest bardzo dobrze ukrwionym narządem. Głowę trzustki zaopatrują w krew dwa łuki tętnicze, które tworzą tętnice trzustkowo-dwunastnicza górna i dolna. Trzon i ogon trzustki zaopatrują w krew gałązki tętnicy śledzionowej.

Krew żylna z trzustki płynie do wątroby przez układ żyły wrotnej żyłami, których przebieg odpowiada przebiegowi tętnic zaopatrujących trzustkę w krew.

## Położenie trzustki

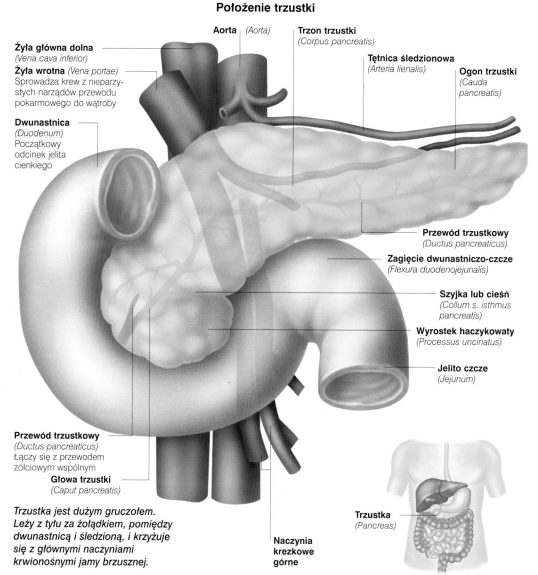

**Aorta** *(Aorta)*
**Trzon trzustki** *(Corpus pancreatis)*
**Żyła główna dolna** *(Vena cava inferior)*
**Żyła wrotna** *(Vena portae)* Sprowadza krew z nieparzystych narządów przewodu pokarmowego do wątroby
**Tętnica śledzionowa** *(Arteria lienalis)*
**Ogon trzustki** *(Cauda pancreatis)*
**Dwunastnica** *(Duodenum)* Początkowy odcinek jelita cienkiego
**Przewód trzustkowy** *(Ductus pancreaticus)*
**Zagięcie dwunastniczo-czcze** *(Flexura duodenojejunalis)*
**Szyjka lub cieśń** *(Collum s. isthmus pancreatis)*
**Wyrostek haczykowaty** *(Processus uncinatus)*
**Jelito czcze** *(Jejunum)*
**Przewód trzustkowy** *(Ductus pancreaticus)* Łączy się z przewodem żółciowym wspólnym
**Głowa trzustki** *(Caput pancreatis)*

*Trzustka jest dużym gruczołem. Leży z tyłu za żołądkiem, pomiędzy dwunastnicą i śledzioną, i krzyżuje się z głównymi naczyniami krwionośnymi jamy brzusznej.*

**Naczynia krezkowe górne**

**Trzustka** *(Pancreas)*

## Przewód trzustkowy i opuszka dwunastnicy

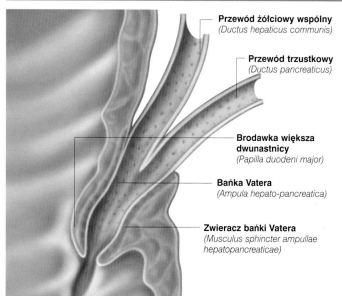

**Przewód żółciowy wspólny** *(Ductus hepaticus communis)*
**Przewód trzustkowy** *(Ductus pancreaticus)*
**Brodawka większa dwunastnicy** *(Papilla duodeni major)*
**Bańka Vatera** *(Ampula hepato-pancreatica)*
**Zwieracz bańki Vatera** *(Musculus sphincter ampullae hepatopancreaticae)*

Przewód trzustkowy ciągnie się przez całą długość trzustki. Po drodze dochodzą do niego małe przewodziki doprowadzające.

W obrębie głowy trzustki przewód trzustkowy łączy się z przewodem żółciowym, tworząc krótkie rozszerzenie – bańkę wątrobowo-trzustkową, inaczej bańkę Vatera. Przewód trzustkowy kończy się

*Przewód żółciowy wspólny i przewód trzustkowy łączą się, tworząc bańkę Vatera położoną w obrębie głowy trzustki. Treść z obu przewodów uchodzi do dwunastnicy.*

w dwunastnicy na szczycie brodawki większej.

### WŁÓKNA MIĘŚNIOWE
Ścianę przewodu trzustkowego otaczają niezależne od woli włókna mięśniowe, które tworzą zwieracz. Reguluje on przepływ soków trzustkowych do światła dwunastnicy.

### PRZEWÓD TRZUSTKOWY DODATKOWY
Poza głównym przewodem trzustkowym czasami występuje przewód trzustkowy dodatkowy, który uchodzi w dwunastnicy na brodawce mniejszej.

# Śledziona

Śledzona jest
największym narządem
limfatycznym; jest koloru
purpurowoczerwonego
i leży pod lewym
podżebrzem.

Wielkość śledziony jest bardzo
różna, zwykle odpowiada wielkości
zaciśniętej pięści. W starszym
wieku ulega naturalnemu zanikowi
i zmniejsza się.

We wnęce śledziony leżą
naczynia krwionośne (tętnica
śledzionowa i żyła) oraz niektóre
naczynia chłonne. Znajdują się tam
również węzły chłonne oraz ogon
trzustki. Wszystkie powyższe
struktury otacza fałd otrzewnej –
więzadło przeponowo-śledzionowe.

### POWIERZCHNIA
### ŚLEDZIONY

Na powierzchni śledziony znajdują
się odciski sąsiadujących z nią
narządów. Skierowana w stronę
przepony powierzchnia śledziony
jest zaokrąglona i gładka, podczas
gdy na powierzchni trzewnej
znajdują się odciski żołądka, lewej
nerki oraz zagięcia śledzionowego
okrężnicy.

### TOREBKA ŚLEDZIONY

Śledzionę otacza i chroni cienka
torebka utworzona z nieregularnej
elastycznej włóknistej tkanki
łącznej. Wewnątrz torebki
włóknistej leżą włókna mięśniowe,
które umożliwiają okresowe
obkurczanie śledziony. Skurcze te
powodują wypływanie do krążenia
przefiltrowanej w śledzionie krwi.

Zamknięta w torebce śledziona
jest w całości otoczona przez
otrzewną – cienką warstwę tkanki
łącznej, która wyściela wnętrze
jamy brzusznej i leżące tam
narządy.

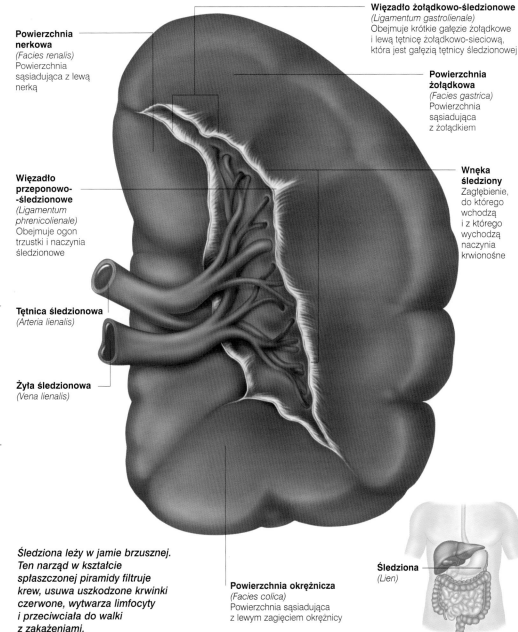

**Powierzchnia
nerkowa**
*(Facies renalis)*
Powierzchnia
sąsiadująca z lewą
nerką

**Więzadło żołądkowo-śledzionowe**
*(Ligamentum gastrolienale)*
Obejmuje krótkie gałęzie żołądkowe
i lewą tętnicę żołądkowo-sieciową,
która jest gałęzią tętnicy śledzionowej

**Powierzchnia
żołądkowa**
*(Facies gastrica)*
Powierzchnia
sąsiadująca
z żołądkiem

**Więzadło
przeponowo-
-śledzionowe**
*(Ligamentum
phrenicolienale)*
Obejmuje ogon
trzustki i naczynia
śledzionowe

**Wnęka
śledziony**
Zagłębienie,
do którego
wchodzą
i z którego
wychodzą
naczynia
krwionośne

**Tętnica śledzionowa**
*(Arteria lienalis)*

**Żyła śledzionowa**
*(Vena lienalis)*

*Śledziona leży w jamie brzusznej.
Ten narząd w kształcie
spłaszczonej piramidy filtruje
krew, usuwa uszkodzone krwinki
czerwone, wytwarza limfocyty
i przeciwciała do walki
z zakażeniami.*

**Powierzchnia okrężnicza**
*(Facies colica)*
Powierzchnia sąsiadująca
z lewym zagięciem okrężnicy

**Śledziona**
*(Lien)*

---

## Mikroanatomia śledziony

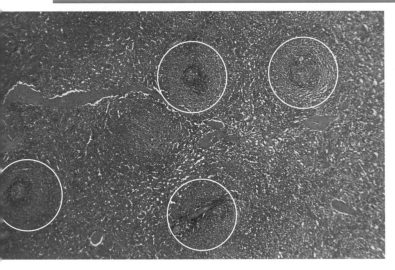

Śledzionę otacza torebka, której
wypustki, tzw. beleczki śledziony,
wnikają w miąższ narządu.
Beleczki stanowią podporę dla
delikatnej tkanki śledziony.
Przechodzą przez nie liczne
naczynia krwionośne.

Po przecięciu śledziony widać, że
składa się ona z jaśniejszych
obszarów leżących wewnątrz
czerwonych. Te dwa rodzaje tkanki
określa się mianem miazgi białej
i czerwonej śledziony.

*Na zdjęciu mikroskopowym
śledziony widać obszary miazgi
białej (w kółkach) położone
w miazdze czerwonej. Każdy
obszar miazgi białej ma tętnicę
środkową.*

### MIAZGA BIAŁA

Miazgę białą stanowią głównie
limfocyty zgromadzone wokół
małych naczyń będących
odgałęzieniami tętnicy
śledzionowej, którą krew dopływa
do śledziony.

### MIAZGA CZERWONA

Miazga czerwona, w której leżą
wysepki miazgi białej, zbudowana
jest z siateczki z tkanki łącznej,
w której znajdują się komórki krwi
i makrofagi, mające zdolność
do opłaszczania i niszczenia innych
komórek.

Zadaniem tej tkanki jest
filtrowanie krwi i usuwanie
z krążenia uszkodzonych krwinek
czerwonych.

# Okolica pachwinowa

Okolica pachwinowa potocznie zwana pachwiną jest miejscem,
w którym powstają przepukliny pachwinowe. Ściana brzucha ma słabsze miejsca,
przez które zawartość jamy brzusznej może uwypuklać się na zewnątrz.

Obustronne występowanie słabszych obszarów w pachwinach jest spowodowane obecnością kanałów pachwinowych, „rurek", przez które u mężczyzn przechodzą powrózki nasienne, a u kobiet więzadło obłe macicy.

## KANAŁ PACHWINOWY

Budowa i przebieg kanału pachwinowego zmniejsza do minimum prawdopodobieństwo wystąpienia przepukliny (uwypuklenia się) zawartości jamy brzusznej na zewnątrz. Kanał rozpoczyna się pierścieniem pachwinowym głębokim, biegnie skośnie ku dołowi w kierunku linii pośrodkowej ciała i kończy się pierścieniem pachwinowym powierzchownym.

## ŚCIANY KANAŁU

Kanał pachwinowy tworzą cztery ściany: strop, ściana przednia, tylna oraz dno.
■ Strop – utworzony jest przez łukowato biegnące włókna mięśnia skośnego wewnętrznego i poprzecznego.
■ Dno – płytkie zagłębienie w kształcie rynienki utworzone przez więzadło pachwinowe.
■ Ściana przednia – utworzona głównie przez mocne rozcięgno mięśnia skośnego zewnętrznego brzucha z udziałem mięśnia skośnego wewnętrznego na brzegu zewnętrznym.
■ Ściana tylna – utworzona przez powięź poprzeczną, w części środkowej wzmocniona jest więzadłem międzydołkowym i sierpem pachwinowym.

*Kanał pachwinowy przechodzi przez dolne warstwy ściany brzucha. U dorosłych ma 4 cm długości, u niemowląt jest krótszy.*

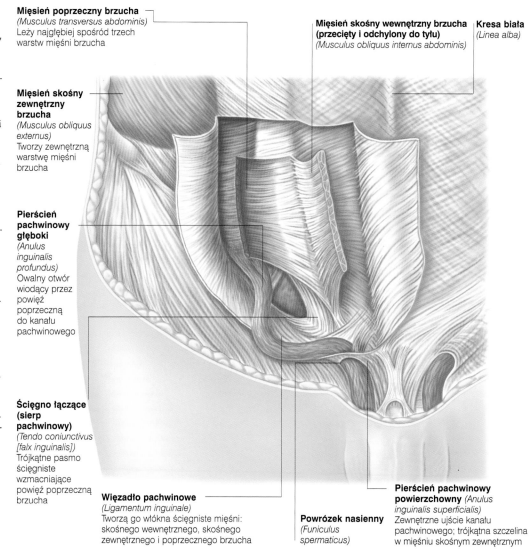

**Okolica pachwinowa u mężczyzny**

**Mięsień poprzeczny brzucha**
*(Musculus transversus abdominis)*
Leży najgłębiej spośród trzech warstw mięśni brzucha

**Mięsień skośny wewnętrzny brzucha (przecięty i odchylony do tyłu)**
*(Musculus obliquus internus abdominis)*

**Kresa biała**
*(Linea alba)*

**Mięsień skośny zewnętrzny brzucha**
*(Musculus obliquus externus)*
Tworzy zewnętrzną warstwę mięśni brzucha

**Pierścień pachwinowy głęboki**
*(Anulus inguinalis profundus)*
Owalny otwór wiodący przez powięź poprzeczną do kanału pachwinowego

**Ścięgno łączące (sierp pachwinowy)**
*(Tendo coniunctivus [falx inguinalis])*
Trójkątne pasmo ścięgniste wzmacniające powięź poprzeczną brzucha

**Więzadło pachwinowe**
*(Ligamentum inguinale)*
Tworzą go włókna ścięgniste mięśni: skośnego wewnętrznego, skośnego zewnętrznego i poprzecznego brzucha

**Powrózek nasienny**
*(Funiculus spermaticus)*

**Pierścień pachwinowy powierzchowny** *(Anulus inguinalis superficialis)*
Zewnętrzne ujście kanału pachwinowego; trójkątna szczelina w mięśniu skośnym zewnętrznym

## Więzadło pachwinowe

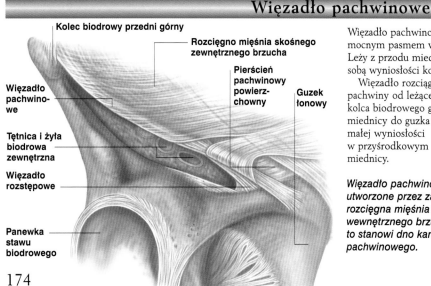

**Kolec biodrowy przedni górny**

**Rozcięgno mięśnia skośnego zewnętrznego brzucha**

**Pierścień pachwinowy powierzchowny**

**Guzek łonowy**

**Więzadło pachwinowe**

**Tętnica i żyła biodrowa zewnętrzna**

**Więzadło rozstępowe**

**Panewka stawu biodrowego**

Więzadło pachwinowe jest mocnym pasmem włóknistym. Leży z przodu miednicy i łączy ze sobą wyniosłości kostne.

Więzadło rozciąga się w poprzek pachwiny od leżącego nad biodrem kolca biodrowego górnego miednicy do guzka łonowego, małej wyniosłości w przyśrodkowym odcinku miednicy.

*Więzadło pachwinowe jest utworzone przez zawinięte włókna rozcięgna mięśnia skośnego wewnętrznego brzucha. Więzadło to stanowi dno kanału pachwinowego.*

## BUDOWA WIĘZADŁA

Więzadło pachwinowe jest utworzone przez dolny brzeg rozcięgna mięśnia skośnego zewnętrznego brzucha, które kieruje się w dół i zawija z powrotem. Powstające płytkie korytko tworzy dno kanału pachwinowego.

W przyśrodkowym (wewnętrznym) odcinku więzadła pachwinowego część włókien rozszczepia się, tworząc więzadło rozstępowe, o którym musi pamiętać chirurg wykonujący operację przepukliny pachwinowej.

# Za więzadłem pachwinowym

Za więzadłem pachwino-
wym znajduje się wiele
ważnych struktur, np. na-
czynia krwionośne i ner-
wy zaopatrujące kończynę
dolną oraz dwie grupy
węzłów chłonnych (głę-
bokie i powierzchowne).

Pod więzadłem pachwinowym
przechodzą dwa ważne naczynia
krwionośne:
■ Tętnica udowa – która zaopatrujące kończynę dolną w krew.
■ Żyła udowa – położona przyśrodkowo od tętnicy udowej
(po stronie wewnętrznej).

### NERW UDOWY

Nerw udowy leży bocznie (na
zewnątrz) od tych naczyń i jest
największym nerwem wychodzącym
ze splotu lędźwiowego.

### POCHEWKA ŁĄCZNOTKANKOWA

Naczynia udowe otoczone są cienką
osłonką, pochewką w kształcie
lejka, zbudowaną z tkanki łącznej.
Dzięki tej osłonce naczynia udowe
ślizgają się po więzadle pachwinowym i nie ulegają uszkodzeniu podczas chodzenia i ruchów biodra.

### WĘZŁY CHŁONNE PACHWINNE

W pachwinie znajdują się dwie grupy węzłów chłonnych:
■ Węzły chłonne powierzchowne
– leżą tuż pod skórą, tworząc dwie
grupy, poziomą i pionową. Spływa
do nich chłonka z pośladków, zewnętrznych narządów płciowych
i powierzchownych warstw kończyny dolnej.
■ Węzły chłonne głębokie – leżą
wokół tętnicy i żyły udowej
w miejscu, w którym naczynia te
przechodzą pod więzadłem pachwinowym; spływa do nich chłonka
z dolnego odcinka kończyny dolnej.

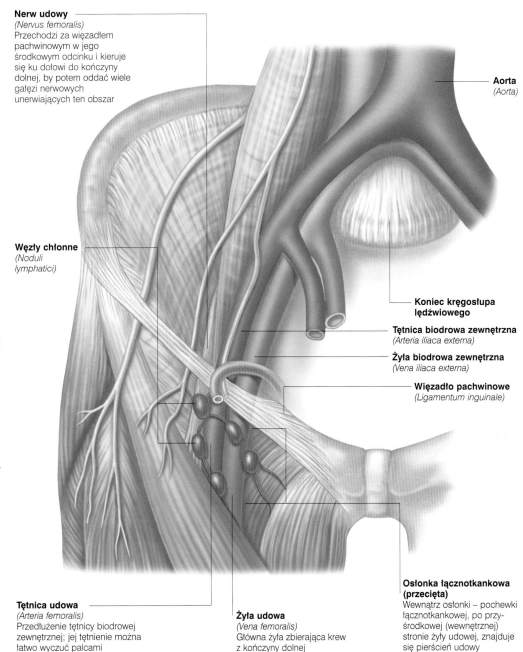

**Nerw udowy**
*(Nervus femoralis)*
Przechodzi za więzadłem
pachwinowym w jego
środkowym odcinku i kieruje
się ku dołowi do kończyny
dolnej, by potem oddać wiele
gałęzi nerwowych
unerwiających ten obszar

**Aorta**
*(Aorta)*

**Węzły chłonne**
*(Noduli
lymphatici)*

**Koniec kręgosłupa
lędźwiowego**

**Tętnica biodrowa zewnętrzna**
*(Arteria iliaca externa)*

**Żyła biodrowa zewnętrzna**
*(Vena iliaca externa)*

**Więzadło pachwinowe**
*(Ligamentum inguinale)*

**Tętnica udowa**
*(Arteria femoralis)*
Przedłużenie tętnicy biodrowej
zewnętrznej; jej tętnienie można
łatwo wyczuć palcami

**Żyła udowa**
*(Vena femoralis)*
Główna żyła zbierająca krew
z kończyny dolnej

**Osłonka łącznotkankowa
(przecięta)**
Wewnątrz osłonki – pochewki
łącznotkankowej, po przy-
środkowej (wewnętrznej)
stronie żyły udowej, znajduje
się pierścień udowy

## Kanał pachwinowy

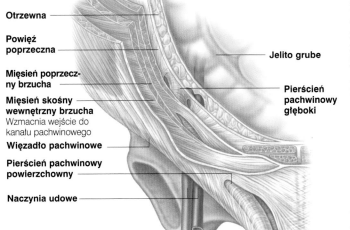

**Otrzewna**

**Powięź
poprzeczna**

**Mięsień poprzecz-
ny brzucha**

**Mięsień skośny
wewnętrzny brzucha**
Wzmacnia wejście do
kanału pachwinowego

**Więzadło pachwinowe**

**Pierścień pachwinowy
powierzchowny**

**Naczynia udowe**

**Jelito grube**

**Pierścień
pachwinowy
głęboki**

Kanał pachwinowy jest potencjalnie
słabym miejscem w ciągłej ścianie
jamy brzusznej. Przez kanał
pachwinowy może wychodzić
na zewnątrz zawartość jamy
brzusznej (przepuklina). Ryzyko
powstania przepukliny zmniejsza:
■ Długość – inaczej niż u małych
dzieci, kanał pachwinowy jest
stosunkowo długą strukturą
anatomiczną, której wejście
i wyjście są oddalone od siebie.

*Kanał pachwinowy wzmacniają
mięśnie i ścięgna, które
zapobiegają powstawaniu
przepuklin brzusznych.*

■ Pierścień pachwinowy głęboki –
wejście do kanału jest wzmocnione
z przodu przez silny mięsień skośny
wewnętrzny brzucha.
■ Pierścień pachwinowy
powierzchowny – wyjście z kanału
wzmacnia więzadło międzydołkowe
i sierp pachwinowy.
■ Wysokie ciśnienie w jamie
brzusznej – mięśnie brzucha
przechodzące nad kanałem kurczą
się automatycznie (podczas
kichania i kaszlu), aby zamknąć
kanał i ucisnąć jego zawartość.

Podczas defekacji i porodu ciało
przybiera naturalną pozycję kuczną,
tak że przednia powierzchnia ud
unosi i podpiera okolicę pachwiny.

# Budowa układu moczowego

Układ moczowy składa się z nerek, moczowodów, pęcherza moczowego i cewki moczowej. Narządy te są odpowiedzialne za wytwarzanie i wydalanie moczu z organizmu.

Parzyste nerki filtrują krew, aby usunąć zbędne produkty przemiany materii oraz nadmiar płynów, które są wydalane w postaci moczu. Mocz spływa przez wąskie moczowody do pęcherza moczowego, gdzie gromadzi się do czasu wydalenia go przez cewkę moczową poza ustrój.

■ **Nerki**
Mają kształt ziarna fasoli, leżą w jamie brzusznej przy tylnej ścianie za jelitami.

■ **Moczowody**
Z wnęki każdej nerki wychodzi moczowód. Prawy i lewy moczowód są wąskimi przewodami, które odprowadzają stale wytwarzany w nerkach mocz.

■ **Pęcherz moczowy**
Mocz spływa do pęcherza moczowego, zbiornika mięśniowego, w którym jest czasowo gromadzony. Pęcherz moczowy leży w miednicy i może zwiększać swą objętość.

■ **Cewka moczowa**
W razie potrzeby pęcherz moczowy obkurcza się, aby wydalić swą zawartość przez cewkę moczową, cienkościenną rurkę mięśniową.

*Układ moczowy składa się z narządów, które biorą udział w wytwarzaniu, zbieraniu i wydalaniu moczu. Rozciąga się od jamy brzusznej po miednicę.*

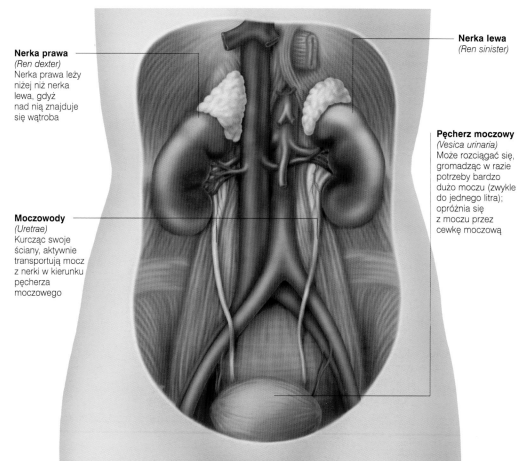

**Nerka prawa**
*(Ren dexter)*
Nerka prawa leży niżej niż nerka lewa, gdyż nad nią znajduje się wątroba

**Moczowody**
*(Uretrae)*
Kurcząc swoje ściany, aktywnie transportują mocz z nerki w kierunku pęcherza moczowego

**Nerka lewa**
*(Ren sinister)*

**Pęcherz moczowy**
*(Vesica urinaria)*
Może rozciągać się, gromadząc w razie potrzeby bardzo dużo moczu (zwykle do jednego litra); opróżnia się z moczu przez cewkę moczową

## Widok nerek od tyłu

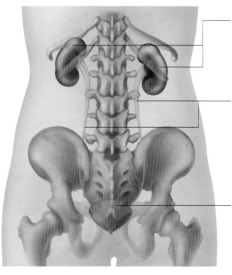

**Nerki**
Te narządy w kształcie ziaren fasoli osłonięte są przez dolne żebra

**Moczowody**
Te długie przewody biegną od nerek w dół aż do miednicy i odprowadzają mocz do pęcherza moczowego

**Pęcherz moczowy**
Leży w miednicy, a wypełniony powiększa się i wystaje do jamy brzusznej

Nerki leżą przed tylną ścianą jamy brzusznej, ich górne bieguny znajdują się na wysokości XI i XII żebra. Z powodu ich położenia operacje nerek wykonuje się zwykle od strony pleców.

### POŁOŻENIE NEREK
Nerka prawa leży około 2,5 cm niżej niż lewa. Obie nerki przesuwają się do góry i do dołu podczas oddychania oraz przy zmianie pozycji ciała.

*Układ moczowy rozciąga się od jamy brzusznej do miednicy. Nerki leżą za dolnymi żebrami, a pęcherz moczowy na dnie miednicy.*

### OCHRONA
Nerki chronione są przez dolne żebra. Dodatkowo otacza je ochronna warstwa tkanki tłuszczowej. Moczowody są również dobrze zabezpieczone, gdyż leżą schowane głęboko i są otoczone mocnymi tkankami.

### BADANIE PALPACYJNE
Badanie dolnego bieguna nerki prawej zwykle jest możliwe przy użyciu dwóch rąk; jedna ręka osoby badającej spoczywa na boku pacjenta, a druga uciska jamę brzuszną z przodu. Lewa nerka zwykle leży wyżej i jest niewyczuwalna, jeśli powiększenie jej nie jest spowodowane obecnością torbieli czy nowotworu.

# Gruczoły nadnerczowe (nadnercza)

Gruczoły nadnerczowe leżą nad górnymi biegunami nerek, lecz nie należą do układu moczowego. Każde z nadnerczy składa się z dwóch oddzielnych części – rdzenia i otaczającej go kory.

Nad górnym biegunem obu nerek leży parzysty gruczoł nadnerczowy zwany również nadnerczem. Chociaż nadnercza sąsiadują z nerkami, nie należą do układu moczowego. Są gruczołami wydzielania wewnętrznego, które wytwarzają hormony niezbędne do prawidłowego funkcjonowania organizmu.

### TKANKI OTACZAJĄCE

Nadnercza, koloru żółtego, leżą nad nerkami pod przeponą. Otoczone są przez cienką warstwę tkanki tłuszczowej. Leżą wewnątrz powięzi otaczającej nerki, jednak są oddzielone od nerek cienką i mocną torebką utworzoną z tkanki łącznej.

Fakt, że nadnercza nie są związane z nerkami, pozwala na chirurgiczne usunięcie nerki bez uszkodzenia delikatnej i ważnej struktury nadnerczy.

### RÓŻNICE W WYGLĄDZIE

Sąsiedztwo innych narządów sprawia, że delikatne i miękkie gruczoły nadnerczowe różnią się wyglądem.

■ **Prawe nadnercze** ma kształt piramidy i leży na górnym biegunie prawej nerki. Styka się z przeponą, wątrobą i żyłą główną dolną, największą żyłą jamy brzusznej.

■ **Lewe nadnercze** ma kształt półksiężyca i leży wzdłuż górnej powierzchni lewej nerki, zajmując obszar od górnego bieguna nerki

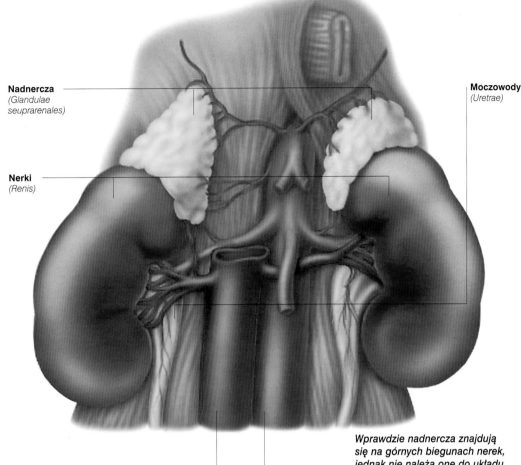

**Nadnercza**
*(Glandulae seuprarenales)*

**Nerki**
*(Renis)*

**Moczowody**
*(Uretrae)*

**Żyła główna dolna**
*(Vena cava inferior)*

**Aorta**
*(Aorta)*

*Wprawdzie nadnercza znajdują się na górnych biegunach nerek, jednak nie należą one do układu moczowego. Są gruczołami wydzielania wewnętrznego, czyli dokrewnymi, które wydzielają hormony do krwiobiegu.*

do jej wnęki. Styka się ze śledzioną, żołądkiem, trzustką i przeponą.

### UNACZYNIENIE

Podobnie jak inne gruczoły wydzielania wewnętrznego, które uwalniają hormony bezpośrednio do krwiobiegu, nadnercza są bardzo dobrze ukrwione. Otrzymują krew tętniczą z trzech źródeł – tętnic nadnerczowej górnej, środkowej i dolnej – które odchodzą odpowiednio od tętnicy przeponowej dolnej, aorty i tętnic nerkowych.

W pobliżu nadnerczy tętnice te dzielą się na wiele małych gałązek, aby następnie wniknąć do tkanki gruczołu na całej jego powierzchni.

Każde nadnercze opuszcza tylko jedna żyła: z prawego nadnercza krew odpływa do żyły głównej dolnej, a z lewego do żyły nerkowej lewej.

## Budowa nadnerczy

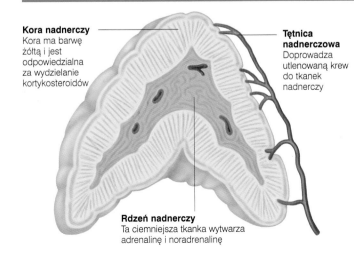

**Kora nadnerczy**
Kora ma barwę żółtą i jest odpowiedzialna za wydzielanie kortykosteroidów

**Tętnica nadnerczowa**
Doprowadza utlenowaną krew do tkanek nadnerczy

**Rdzeń nadnerczy**
Ta ciemniejsza tkanka wytwarza adrenalinę i noradrenalinę

Nadnercza pokrywa ochronna torebka. Każde nadnercze ma zewnętrzną warstwę korową i wewnętrzną warstwę rdzeniową. Oba obszary zbudowane są z różnych rodzajów tkanek, które spełniają odmienne funkcje.

### KORA NADNERCZY

Większą część gruczołu stanowi kora nadnerczy (barwy żółtej). W niej wytwarzane są i wydzielane różnorodne hormony, określane

*Nadnercza zbudowane są z dwóch rodzajów tkanki – kory i rdzenia. Każda część jest odpowiedzialna za produkcję innego rodzajów hormonów.*

wspólną nazwą kortykosteroidów. Mają one duże znaczenie dla kontroli metabolizmu, gospodarki wodno-elektrolitowej i w reakcji na stres. Kora nadnerczy wytwarza również bardzo małe ilości męskich hormonów płciowych (androgenów).

### RDZEŃ NADNERCZY

Ciemniejszy rdzeń nadnerczy stanowi „splot" tkanki nerwowej, który otacza gęsta sieć małych naczyń krwionośnych. W nim wytwarzane są hormony adrenalina i noradrenalina. Hormony te w odpowiedzi na stres przygotowują organizm do „walki lub ucieczki".

# Nerki

Nerki są parzystymi narządami
leżącymi przy tylnej ścianie jamy brzusznej. Filtrują one krew
i regulują homeostazę środowiska wodnego organizmu.

Dwie nerki leżą przy tylnej ścianie jamy brzusznej. Każda nerka ma charakterystyczny kształt ziarna fasoli i długość około 10 cm. Jest koloru czerwonobrązowego. Na przyśrodkowej lub wewnętrznej stronie znajduje się wnęka nerki, przez którą naczynia krwionośne wnikają do nerki i wychodzą z niej. Z wnęki wychodzą również lewy i prawy moczowód, którymi mocz odpływa z nerki do pęcherza moczowego.

## BUDOWA NEREK

W nerce można wyróżnić trzy obszary, z których każdy uczestniczy w wytwarzaniu lub zbieraniu moczu:
■ Kora nerki – jest najbardziej zewnętrzną warstwą; jest blada i ma ziarnisty wygląd.
■ Rdzeń nerki – utworzony z tkanki koloru czerwonego, leży pod korą nerki i przyjmuje postać „piramid".
■ Miedniczka nerkowa – jest centralnym obszarem, w którym zbiera się mocz, ma kształt lejka i przechodzi w moczowód.

## WARSTWA ZEWNĘTRZNA

Każda nerka pokryta jest mocną torebką włóknistą. Na zewnątrz nerek znajduje się warstwa ochronnej tkanki tłuszczowej, którą otacza powięź nerkowa – mocna tkanka łączna łącząca nerki i nadnercza z otaczającymi strukturami.

*Nerki są odpowiedzialne za oczyszczanie krwi z produktów przemiany materii. Każda składa się z trzech części: kory, rdzenia i miedniczki nerkowej.*

## Przekrój poprzeczny przez nerkę

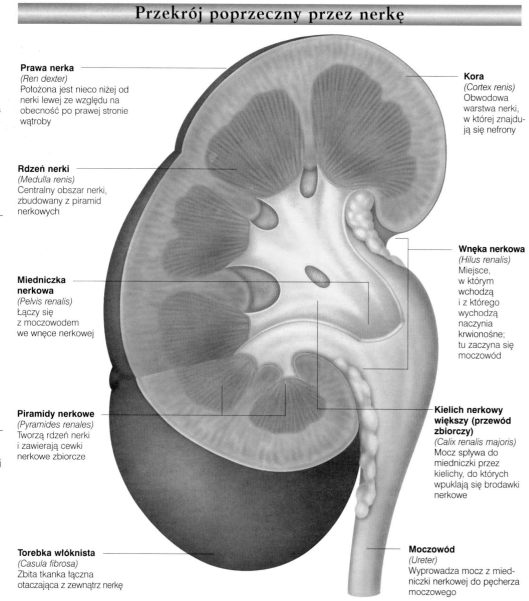

**Prawa nerka**
*(Ren dexter)*
Położona jest nieco niżej od nerki lewej ze względu na obecność po prawej stronie wątroby

**Rdzeń nerki**
*(Medulla renis)*
Centralny obszar nerki, zbudowany z piramid nerkowych

**Miedniczka nerkowa**
*(Pelvis renalis)*
Łączy się z moczowodem we wnęce nerkowej

**Piramidy nerkowe**
*(Pyramides renales)*
Tworzą rdzeń nerki i zawierają cewki nerkowe zbiorcze

**Torebka włóknista**
*(Casula fibrosa)*
Zbita tkanka łączna otaczająca z zewnątrz nerkę

**Kora**
*(Cortex renis)*
Obwodowa warstwa nerki, w której znajdują się nefrony

**Wnęka nerkowa**
*(Hilus renalis)*
Miejsce, w którym wchodzą i z którego wychodzą naczynia krwionośne; tu zaczyna się moczowód

**Kielich nerkowy większy (przewód zbiorczy)**
*(Calix renalis majoris)*
Mocz spływa do miedniczki przez kielichy, do których wpuklają się brodawki nerkowe

**Moczowód**
*(Ureter)*
Wyprowadza mocz z miedniczki nerkowej do pęcherza moczowego

## Nefrony nerki

Kłębuszek nerkowy

Torebka Bowmana

Cewka zbiorcza

Cewka dalsza (dystalna)

Tętniczka doprowadzająca

Tętniczka odprowadzająca

Cewka bliższa (proksymalna)

Pętla Henlego

W nerkach pracuje bez przerwy ponad milion mikroskopijnych nefronów. Każdy nefron składa się z ciałka nerkowego położonego w korze nerki, od którego odchodzi długa wypustka, cewka, w kształcie pętli.
■ **Ciałko nerkowe.**
Zbudowane jest z pętli naczyń

*Woda i rozpuszczone w niej substancje z krwi tętniczej przenikają przez błonę w kłębuszku nerkowym. Płyn ten, czyli mocz pierwotny, spływa do cewek nerkowych, gdzie jest dalej przetwarzany.*

włosowatych kłębuszka, które otacza torebka, tzw. torebka Bowmana, będąca poszerzonym fragmentem cewki nerkowej. Płyn przefiltrowany z krwi wnika do cewki nerkowej i tam jest dalej przetwarzanny.
■ **Cewka nerkowa.**
Rozpoczyna się w torebce Bowmana, wnika w głąb kory, a następnie zawraca jako pętla Henlego. Wytworzony mocz ostatecznie spływa do cewki zbiorczej, która odprowadza go do miedniczki nerkowej.

# Unaczynienie nerek

Zadaniem nerek jest fil-
trowanie przepływającej
przez nie krwi. Aby wyko-
nać to zadanie, nerki są
bardzo bogato unaczynio-
ne. Podobnie jak w innych
narządach, dopływa do
nich krew tętnicza, a od-
pływa z nich krew żylna.

Krew tętnicza dopływa do nerek
przez lewą i prawą tętnicę nerkową, które bezpośrednio odchodzą
od tętnicy głównej – aorty. Prawa
tętnica nerkowa jest dłuższa niż
lewa, gdyż aorta biegnie nieco na
lewo od linii pośrodkowej ciała.
U 30% ludzi występuje dodatkowa
tętnica nerkowa.

### TĘTNICE NERKOWE

Tętnice nerkowe wnikają do nerek
we wnękach i dzielą się na tętnice
segmentowe (3–5), a te z kolei
dzielą się na tętnice płatowe. Tętnice
segmentowe nie łączą się ze sobą.

Tętnice międzypłatowe nerki
biegną między piramidami
nerkowymi i rozgałęziają się,
tworząc tętnice łukowate, które
biegną wzdłuż granicy pomiędzy
korą z rdzeniem nerki. Liczne
tętnice międzypłacikowe odchodzą
od tętnic łukowatych i wnikają do
kory. Płynie nimi krew do
kłębuszków nerkowych – nefronów,
w których zachodzi proces filtracji
krwi, usuwanie zbędnych
produktów przemiany materii oraz
wody.

### ODPŁYW KRWI ŻYLNEJ

Krew powraca przez żyły
międzypłacikowe, żyły łukowate,
żyły międzypłatowe docierają do
żyły nerkowej, a następnie do żyły
głównej dolnej, największej żyły
zbierającej krew z jamy brzusznej.

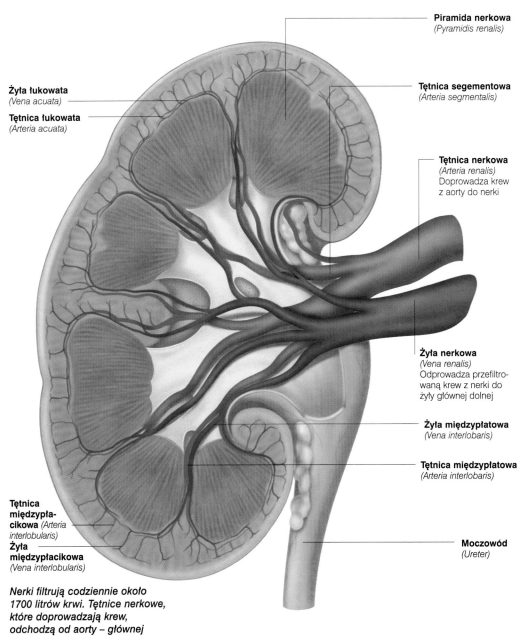

Żyła łukowata
(Vena acuata)

Tętnica łukowata
(Arteria acuata)

Piramida nerkowa
(Pyramidis renalis)

Tętnica segementowa
(Arteria segmentalis)

Tętnica nerkowa
(Arteria renalis)
Doprowadza krew
z aorty do nerki

Żyła nerkowa
(Vena renalis)
Odprowadza przefiltro-
waną krew z nerki do
żyły głównej dolnej

Żyła międzypłatowa
(Vena interlobaris)

Tętnica międzypłatowa
(Arteria interlobaris)

Tętnica
międzypła-
cikowa (Arteria
interlobularis)

Żyła
międzypłacikowa
(Vena interlobularis)

Moczowód
(Ureter)

*Nerki filtrują codziennie około
1700 litrów krwi. Tętnice nerkowe,
które doprowadzają krew,
odchodzą od aorty – głównej
tętnicy organizmu.*

## Wady rozwojowe

We wczesnym okresie płodowym
nerki leżą bardzo blisko siebie
w miednicy, później przemieszczają
się ku górze na swoje docelowe
miejsce przy tylnej ścianie brzucha,
pod przeponą. Bardzo rzadko nerki
oraz związane z nimi struktury nie
rozwijają się prawidłowo, co prowadzi do powstania wad wrodzonych:

### ■ Nerka podkowiasta

Mniej więcej u jednego dziecka na
sześćset w czasie rozwoju dochodzi

*Nerka podkowiasta jest wadą
rozwojową, powstaje w wyniku
połączenia się ze sobą
biegunów dolnych obu nerek.
Nie zaburza to czynności nerek.*

do złączenia się obu nerek ich dolnymi biegunami. W rezultacie powstaje
nerka w kształcie litery U. Leży ona
zwykle niżej niż prawidłowe nerki.

### ■ Agenezja nerki

Bardzo rzadko dziecko rodzi się
z tylko jedną nerką. Jedyna nerka
powiększa się i pracuje bardziej
wydajnie, przez co możliwe jest
zupełnie normalne życie.

### ■ Podwójne moczowody

Niektóre dzieci rodzą się z podwój-
nymi moczowodami. Ta wcale
nierzadka wada może występować
po jednej lub po obu stronach i może
dotyczyć całych moczowodów lub
tylko ich części.

# Pęcherz i moczowody

Moczowody odprowadzają wytworzony w nerkach mocz do pęcherza moczowego.
Mocz gromadzi się w pęcherzu moczowym do czasu wydalenia go
z organizmu przez cewkę moczową.

Mocz jest stale wytwarzany
w nerkach i spływa do pęcherza
moczowego dwoma moczowodami.

### PĘCHERZ MOCZOWY

Mocz gromadzi się w pęcherzu do
czasu wydalenia przez cewkę
moczową. Pusty pęcherz moczowy
ma kształt piramidy, na jego
ścianach tworzą się fałdy, które
wygładzają się, gdy pęcherz moczowy
wypełnia mocz. Położenie pęcherza
moczowego jest zmienne:
■ U dorosłych pusty pęcherz leży
nisko w miednicy, a wypełniony podnosi się i wnika do jamy brzusznej.
■ U dzieci pęcherz moczowy położony jest wyżej w jamie brzusznej –
nawet wtedy gdy jest pusty.
■ Ściany pęcherza moczowego
tworzy mięsień, tzw. mięsień
wypieracz, dzięki któremu pęcherz
moczowy może się obkurczać
i wydalać swą zawartość.

### TRÓJKĄT PĘCHERZA

Jest trójkątnym obszarem ściany
pęcherza leżącym na podstawie
pęcherza. W czasie skurczu
mięśniowa ściana pęcherza zapobiega
cofaniu się moczu do moczowodów.
Mięśniowy zwieracz leżący dookoła
ujścia cewki moczowej zamyka jej
światło do czasu wydalania moczu
na zewnątrz.

*Pęcherz moczowy jest dostatecznie
elastyczny, by rozciągać się
w czasie napełniania moczem.
Zbudowany jest on z silnych włókien mięśniowych, które ułatwiają
wypieranie moczu w razie potrzeby.*

## Przekrój czołowy przez pęcherz i cewkę moczową kobiety

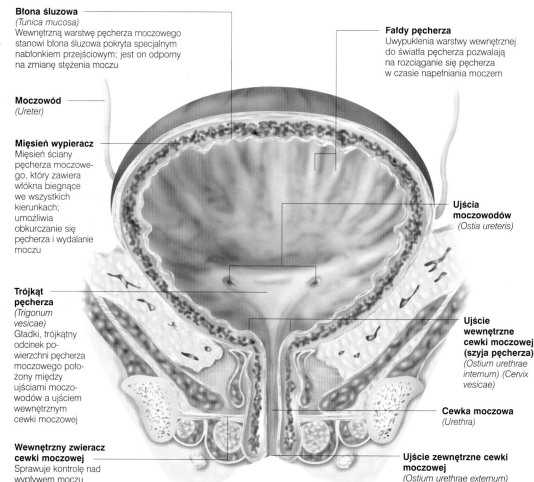

**Błona śluzowa**
*(Tunica mucosa)*
Wewnętrzną warstwę pęcherza moczowego
stanowi błona śluzowa pokryta specjalnym
nabłonkiem przejściowym; jest on odporny
na zmianę stężenia moczu

**Moczowód**
*(Ureter)*

**Mięsień wypieracz**
Mięsień ściany
pęcherza moczowe-
go, który zawiera
włókna biegnące
we wszystkich
kierunkach;
umożliwia
obkurczanie się
pęcherza i wydalanie
moczu

**Trójkąt
pęcherza**
*(Trigonum
vesicae)*
Gładki, trójkątny
odcinek po-
wierzchni pęcherza
moczowego poło-
żony między
ujściami moczo-
wodów a ujściem
wewnętrznym
cewki moczowej

**Wewnętrzny zwieracz
cewki moczowej**
Sprawuje kontrolę nad
wypływem moczu
z pęcherza

**Fałdy pęcherza**
Uwypuklenia warstwy wewnętrznej
do światła pęcherza pozwalają
na rozciąganie się pęcherza
w czasie napełniania moczem

**Ujścia
moczowodów**
*(Ostia ureteris)*

**Ujście
wewnętrzne
cewki moczowej
(szyja pęcherza)**
*(Ostium urethrae
internum) (Cervix
vesicae)*

**Cewka moczowa**
*(Urethra)*

**Ujście zewnętrzne cewki
moczowej**
*(Ostium urethrae externum)*
U kobiet znajduje się tuż
powyżej wejścia do pochwy

---

## Różnice w budowie anatomicznej mężczyzny i kobiety

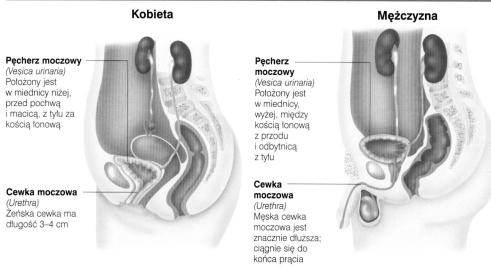

### Kobieta

**Pęcherz moczowy**
*(Vesica urinaria)*
Położony jest
w miednicy niżej,
przed pochwą
i macicą, z tyłu za
kością łonową

**Cewka moczowa**
*(Urethra)*
Żeńska cewka ma
długość 3–4 cm

### Mężczyzna

**Pęcherz
moczowy**
*(Vesica urinaria)*
Położony jest
w miednicy,
wyżej, między
kością łonową
z przodu
i odbytnicą
z tyłu

**Cewka
moczowa**
*(Urethra)*
Męska cewka
moczowa jest
znacznie dłuższa;
ciągnie się do
końca prącia

W związku z obecnością narządów
rozrodczych usytuowanie pęcherza
moczowego, wielkość, kształt oraz
położenie cewki moczowej są inne
u mężczyzn i kobiet.
■ U mężczyzn cewka moczowa ma
długość około 20 cm, przechodzi
przez gruczoł krokowy, a następnie
wzdłuż prącia, by zakończyć się
ujściem zewnętrznym.
■ U kobiet cewka moczowa ma
od 3 do 4 cm długości i kończy się
przed wejściem do pochwy.

*Główna różnica między męskimi
i żeńskimi drogami moczowymi
polega na długości cewki
moczowej. U dorosłego
mężczyzny cewka moczowa jest
pięć razy dłuższa niż u kobiety.*

# Moczowody

Moczowody są przewodami mięśniowymi, którymi mocz spływa w kierunku pęcherza moczowego. Każdy moczowód kurczy się i rozkurcza, aby pobudzić przepływ moczu.

Moczowody są wąskimi cienkościennymi przewodami mięśniowymi w kształcie rury, którymi mocz spływa z nerek do pęcherza moczowego.

Każdy z dwóch moczowodów ma długość 25–30 cm i szerokość około 3 mm. Zaczynają się one w nerkach i schodzą wzdłuż tylnej ściany brzucha, przekraczają kostną krawędź (tzw. wchód) miednicy i łączą się z pęcherzem moczowym na jego tylnej ścianie.

### CZĘŚCI MOCZOWODU

Każdy moczowód składa się z trzech anatomicznie różnych odcinków:

■ **Miedniczka nerkowa**
Jest pierwszym odcinkiem moczowodu, który leży we wnęce nerki. Ma ona kształt lejka i zbiera mocz z kielichów nerkowych. Zwęża się, tworząc przewód moczowód. Miejsce połączenia miedniczki nerkowej z moczowodem jest najwęższą częścią na całej długości moczowodu.

■ **Część brzuszna**
Moczowód schodzi przez jamę brzuszną, a następnie nieznacznie zbliża się w kierunku linii pośrodkowej, dochodzi do brzegu miednicy i wnika w miednicę. W jamie brzusznej moczowód leży za otrzewną – błoną wyściełającą jamę brzuszną.

■ **Część miedniczna**
Moczowód wchodzi do miednicy, przebiegając przed rozgałęzieniem tętnicy biodrowej wspólnej. Biegnie do dołu na tylnej ścianie miednicy i wnika do tylnej ściany pęcherza moczowego.

## Widok moczowodów i pęcherza moczowego od tyłu

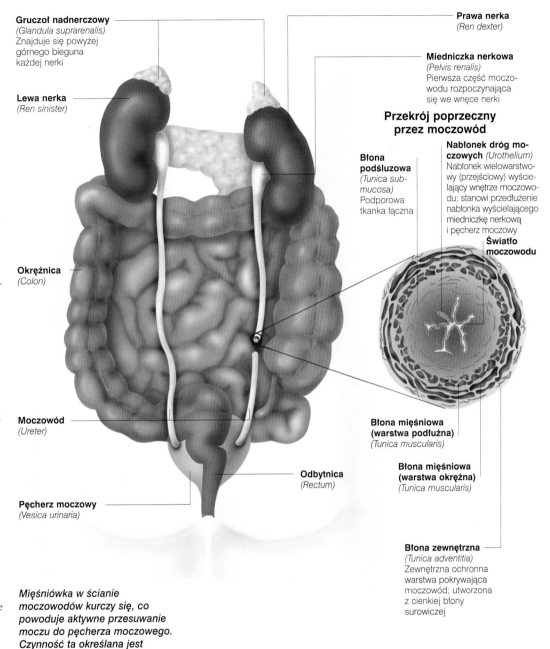

**Gruczoł nadnerczowy**
*(Glandula suprarenalis)*
Znajduje się powyżej górnego bieguna każdej nerki

**Lewa nerka**
*(Ren sinister)*

**Okrężnica**
*(Colon)*

**Moczowód**
*(Ureter)*

**Pęcherz moczowy**
*(Vesica urinaria)*

**Prawa nerka**
*(Ren dexter)*

**Miedniczka nerkowa**
*(Pelvis renalis)*
Pierwsza część moczowodu rozpoczynająca się we wnęce nerki

**Odbytnica**
*(Rectum)*

### Przekrój poprzeczny przez moczowód

**Błona podśluzowa**
*(Tunica submucosa)*
Podporowa tkanka łączna

**Nabłonek dróg moczowych** *(Urothelium)*
Nabłonek wielowarstwowy (przejściowy) wyścielający wnętrze moczowodu; stanowi przedłużenie nabłonka wyścielającego miedniczkę nerkową i pęcherz moczowy

**Światło moczowodu**

**Błona mięśniowa (warstwa podłużna)**
*(Tunica muscularis)*

**Błona mięśniowa (warstwa okrężna)**
*(Tunica muscularis)*

**Błona zewnętrzna**
*(Tunica adventitia)*
Zewnętrzna ochronna warstwa pokrywająca moczowód; utworzona z cienkiej błony surowiczej

*Mięśniówka w ścianie moczowodów kurczy się, co powoduje aktywne przesuwanie moczu do pęcherza moczowego. Czynność ta określana jest mianem „perystaltyki".*

## Moczowód w badaniu radiologicznym

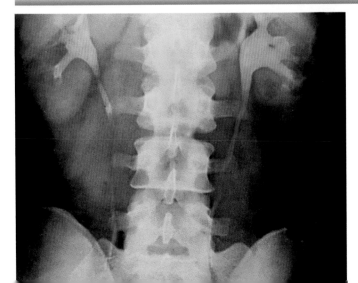

*To badanie radiologiczne układu moczowego z kontrastem ukazuje dwa prawidłowe moczowody, które przebiegają przez całą długość jamy brzusznej.*

Moczowodu nie widać na przeglądowym zdjęciu rentgenowskim. Można jednak zobaczyć wysycone solami wapnia kamienie nerkowe, gdy te znajdują się w jednym z przewężeń moczowodu.

### UROGRAFIA

Nerki, moczowody i pęcherz moczowy można uwidocznić w urografii. W badaniu tym do żyły wstrzykuje się środek kontrastowy, który uwidacznia się na zdjęciu rentgenowskim. Środek ten jest następnie zagęszczany i wydalany przez nerki. Zdjęcia rentgenowskie wykonywane w określonych odstępach czasu ukazują przebieg moczowodów na odcinku od nerek do pęcherza moczowego.

W moczowodach widać miejsca poszerzone i zwężone, co spowodowane jest obecnością fal perystaltycznych, które przepychają mocz w kierunku pęcherza moczowego.

# Układ rozrodczy męski

Do układu rozrodczego męskiego należą:
prącie, moszna i dwa jądra (leżące w mosznie).
Wewnętrzne struktury układu rozrodczego leżą w miednicy.

Struktury wchodzące w skład układu rozrodczego męskiego są odpowiedzialne za wytwarzanie plemników i nasienia oraz przenoszenie ich poza organizm. W odróżnieniu od innych narządów nie osiągają one pełnej sprawności i dojrzałości aż do okresu pokwitania.

### CZĘŚCI SKŁADOWE

Układ rozrodczy mężczyzny składa się z wielu wzajemnie powiązanych części:

■ Jądra – parzyste jądra są zawieszone w mosznie. Plemniki wytwarzane w jądrach przenoszone są poprzez cewki lub kanaliki do najądrza.

■ Najądrze – w czasie ejakulacji nasienie opuszcza najądrza i wnika do nasieniowodu.

■ Nasieniowód – nasienie przemieszcza się wzdłuż nasieniowodu, przewodu mięśniowego, który przechodzi przez gruczoł krokowy.

■ Pęcherzyki nasienne – wychodząc z nasieniowodów, plemniki mieszają się z płynem wytwarzanym przez pęcherzyki nasienne w tzw. przewodzie wytryskowym.

■ Gruczoł krokowy – w obrębie gruczołu krokowego przewód wytryskowy opróżnia się do cewki moczowej.

■ Prącie – po przejściu przez gruczoł krokowy cewka moczowa przebiega przez środek prącia.

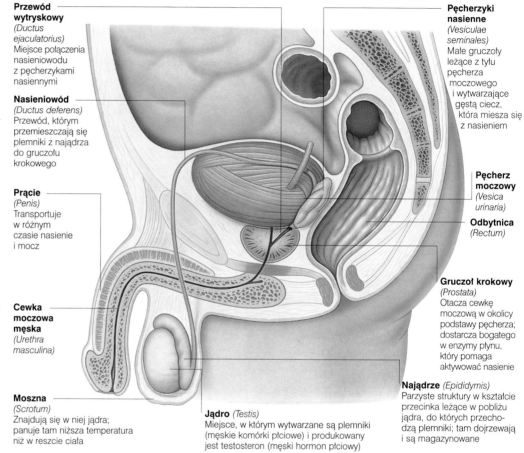

**Przewód wytryskowy**
*(Ductus ejaculatorius)*
Miejsce połączenia nasieniowodu z pęcherzykami nasiennymi

**Nasieniowód**
*(Ductus deferens)*
Przewód, którym przemieszczają się plemniki z najądrza do gruczołu krokowego

**Prącie**
*(Penis)*
Transportuje w różnym czasie nasienie i mocz

**Cewka moczowa męska**
*(Urethra masculina)*

**Moszna**
*(Scrotum)*
Znajdują się w niej jądra; panuje tam niższa temperatura niż w reszcie ciała

**Jądro** *(Testis)*
Miejsce, w którym wytwarzane są plemniki (męskie komórki płciowe) i produkowany jest testosteron (męski hormon płciowy)

**Pęcherzyki nasienne**
*(Vesiculae seminales)*
Małe gruczoły leżące z tyłu pęcherza moczowego i wytwarzające gęstą ciecz, która miesza się z nasieniem

**Pęcherz moczowy**
*(Vesica urinaria)*

**Odbytnica**
*(Rectum)*

**Gruczoł krokowy**
*(Prostata)*
Otacza cewkę moczową w okolicy podstawy pęcherza; dostarcza bogatego w enzymy płynu, który pomaga aktywować nasienie

**Najądrze** *(Epididymis)*
Parzyste struktury w kształcie przecinka leżące w pobliżu jądra, do których przechodzą plemniki; tam dojrzewają i są magazynowane

## Narządy płciowe zewnętrzne

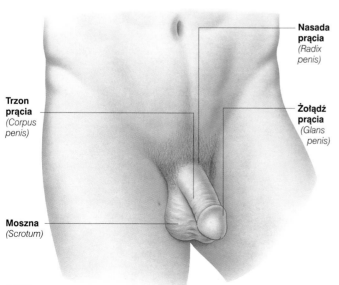

**Trzon prącia**
*(Corpus penis)*

**Moszna**
*(Scrotum)*

**Nasada prącia**
*(Radix penis)*

**Żołądź prącia**
*(Glans penis)*

Narządy płciowe zewnętrzne są to te fragmenty układu rozrodczego, które widać w okolicy łonowej, podczas gdy inne odcinki są ukryte w jamie miednicy.

Do męskich narządów płciowych zewnętrznych należą:
■ moszna,
■ prącie.
U dorosłych osób otoczone są one gęstym owłosieniem łonowym.

### MOSZNA
Moszna jest luźnym workiem utworzonym ze skóry i tkanki

*Zewnętrzne narządy płciowe męskie składają się z moszny i prącia, które leżą w okolicy łonowej. U dorosłych nasadę prącia otacza owłosienie łonowe.*

łącznej, w którym leżą jądra. W linii pośrodkowej znajduje się przegroda, która oddziela od siebie oba jądra.

Może wydawać się dziwne, że jądra znajdują się w okolicy tak narażonej na urazy bez należytej ochrony, jaką zapewnia jama ciała, jednak do wytwarzania nasienia muszą przebywać w niższej temperaturze.

### PRĄCIE
Największą część prącia stanowi tkanka jamista, która wypełnia się krwią podczas pobudzenia płciowego i wzwodu. Cewka moczowa, którą przepływa mocz i nasienie, biegnie przez całą długość prącia.

# Gruczoł krokowy (stercz, prostata)

Gruczoł krokowy stanowi ważną część męskiego układu rozrodczego, dostarczając płynnej wydzieliny, bogatej w enzymy, która stanowi do jednej trzeciej objętości nasienia.

Gruczoł krokowy długości około 3 cm leży tuż pod pęcherzem moczowym i otacza pierwszy odcinek cewki moczowej. Jego podstawa łączy się ściśle z podstawą pęcherza moczowego, a zaokrąglona (przednia) powierzchnia znajduje się tuż za spojeniem łonowym.

### TOREBKA

Gruczoł krokowy otoczony jest mocną torebką utworzoną z tkanki łącznej włóknistej. Na zewnątrz torebki znajduje się kolejna warstwa tkanki łącznej włóknistej, tzw. powięź stercza.

### BUDOWA WEWNĘTRZNA

Cewka moczowa, która odprowadza mocz z pęcherza moczowego, biegnie pionowo przez środek gruczołu krokowego; jest to tzw. część sterczowa cewki moczowej. Przewody wytryskowe łączą się z częścią sterczową cewki moczowej w obrębie wzgórka nasiennego.

Gruczoł krokowy zbudowany jest z płatów, jednak nie są one tak wyraźnie odgraniczone jak w innych narządach:
■ Płat przedni – leży przed cewką moczową i tworzy go głównie tkanka włóknisto-mięśniowa;
■ Płat tylny – leży za cewką moczową, poniżej przewodów wytryskowych;
■ Płaty boczne – dwa płaty boczne leżą po obu stronach cewki moczowej; tworzą główną część gruczołu;
■ Płat środkowy – leży pomiędzy cewką moczową a przewodami wytryskowymi.

## Lokalizacja gruczołu krokowego

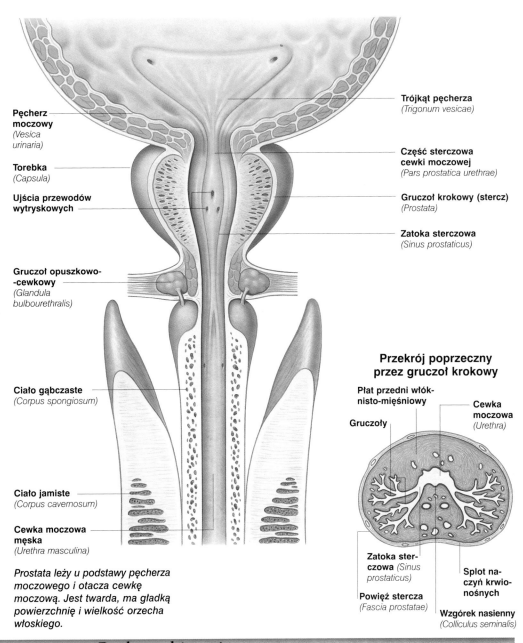

Pęcherz moczowy
(Vesica urinaria)

Torebka
(Capsula)

Ujścia przewodów wytryskowych

Gruczoł opuszkowo--cewkowy
(Glandula bulbourethralis)

Ciało gąbczaste
(Corpus spongiosum)

Ciało jamiste
(Corpus cavernosum)

Cewka moczowa męska
(Urethra masculina)

Trójkąt pęcherza
(Trigonum vesicae)

Część sterczowa cewki moczowej
(Pars prostatica urethrae)

Gruczoł krokowy (stercz)
(Prostata)

Zatoka sterczowa
(Sinus prostaticus)

*Prostata leży u podstawy pęcherza moczowego i otacza cewkę moczową. Jest twarda, ma gładką powierzchnię i wielkość orzecha włoskiego.*

## Przekrój poprzeczny przez gruczoł krokowy

Płat przedni włóknisto-mięśniowy

Gruczoły

Cewka moczowa
(Urethra)

Zatoka sterczowa (Sinus prostaticus)

Powięź stercza
(Fascia prostatae)

Splot naczyń krwionośnych

Wzgórek nasienny
(Colliculus seminalis)

# Pęcherzyki nasienne

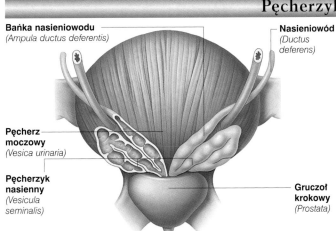

Bańka nasieniowodu
(Ampula ductus deferentis)

Nasieniowód
(Ductus deferens)

Pęcherz moczowy
(Vesica urinaria)

Pęcherzyk nasienny
(Vesicula seminalis)

Gruczoł krokowy
(Prostata)

Parzyste pęcherzyki nasienne są dodatkowymi gruczołami występującymi w męskim układzie rozrodczym. Wytwarzają one gęstą, zasadową ciecz zawierającą cukier (fruktozę), która stanowi główną część nasienia.

### BUDOWA I KSZTAŁT

Każdy pęcherzyk nasienny ma wydłużony kształt i wielkość

*Pęcherzyki nasienne leżą z tyłu pęcherza moczowego. Wydzielina przechodzi do nasieniowodu, który opróżnia się do części sterczowej cewki moczowej.*

małego palca. Leży za pęcherzem moczowym przed odbytnicą. Dwa pęcherzyki nasienne przypominają kształtem literę V.

### OBJĘTOŚĆ PROSTATY

Prostata ma objętość około 10–15 ml, kształtem przypomina kasztan jadalny. Zbudowana jest głównie z krętych kanalików wydzielniczych, które mają mięśniową ścianę.

Wydzielina gruczołu wypływa przez przewód pęcherzyka nasiennego, który łączy się w gruczole krokowym z nasieniowodem, tworząc przewód wytryskowy.

# Jądra, moszna i najądrza

Jądra, które są zawieszone w worku mosznowym, wytwarzają nasienie.
W mosznie znajdują się również dwa najądrza – długie, poskręcane przewody,
które łączą się z nasieniowodami.

Parzyste jądra mają zwartą konsystencję, są ruchome, owalne, długości 4 cm i szerokości 2,5 cm. Leżą w worku mosznowym stanowiącym uwypuklenie przedniej ściany jamy brzusznej. Od góry łączą się z powrózkiem nasiennym, na którym są zawieszone.

## KONTROLA TEMPERATURY

Wartościowe nasienie może być wytwarzane tylko wtedy, gdy jądra mają o 3 stopnie niższą temperaturę niż wnętrze ciała. Włókna mięśniowe leżące w powrózku nasiennym i w ścianie moszny pomagają w regulacji temperatury moszny. Unoszą jądra, gdy jest zimno, i opuszczają, gdy temperatura jest za wysoka.

## NAJĄDRZE

Najądrze jest twarde, wydłużone w kształcie przecinka, ściśle wiąże się z górnym biegunem jądra, i biegnie wzdłuż tylnej powierzchni jądra. Najądrze gromadzi wytwarzane w jądrach nasienie. Jest ono utworzone z silnie poskręcanych przewodzików, które po wyprostowaniu miałyby około 6 metrów długości.

Z ogona najądrza wychodzi nasieniowód. Przewód ten odprowadza nasienie ku górze do powrózka nasiennego i do jamy miednicy.

## Zawartość moszny w przekroju strzałkowym

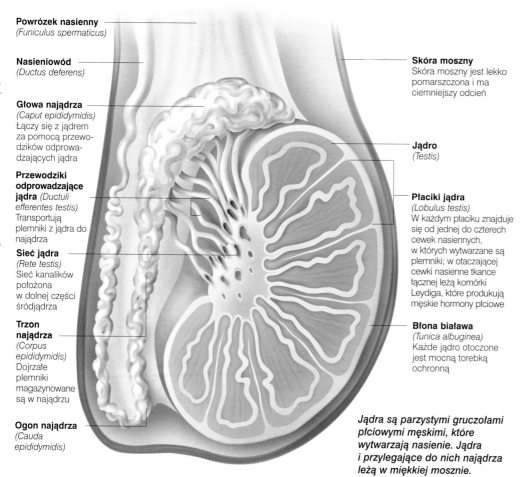

Powrózek nasienny
*(Funiculus spermaticus)*

Nasieniowód
*(Ductus deferens)*

Głowa najądrza
*(Caput epididymidis)*
Łączy się z jądrem za pomocą przewodzików odprowadzających jądra

Przewodziki odprowadzające jądra *(Ductuli efferentes testis)*
Transportują plemniki z jądra do najądrza

Sieć jądra
*(Rete testis)*
Sieć kanalików położona w dolnej części śródjądrza

Trzon najądrza
*(Corpus epididymidis)*
Dojrzałe plemniki magazynowane są w najądrzu

Ogon najądrza
*(Cauda epididymidis)*

Skóra moszny
Skóra moszny jest lekko pomarszczona i ma ciemniejszy odcień

Jądro
*(Testis)*

Płaciki jądra
*(Lobulus testis)*
W każdym płaciku znajduje się od jednej do czterech cewek nasiennych, w których wytwarzane są plemniki; w otaczającej cewki nasienne tkance łącznej leżą komórki Leydiga, które produkują męskie hormony płciowe

Błona biaława
*(Tunica albuginea)*
Każde jądro otoczone jest mocną torebką ochronną

*Jądra są parzystymi gruczołami płciowymi męskimi, które wytwarzają nasienie. Jądra i przylegające do nich najądrza leżą w miękkiej mosznie.*

## Przekrój poprzeczny przez mosznę

### Przekrój przez mosznę

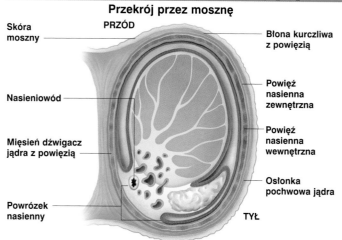

PRZÓD

Skóra moszny

Nasieniowód

Mięsień dźwigacz jądra z powięzią

Powrózek nasienny

Błona kurczliwa z powięzią

Powięź nasienna zewnętrzna

Powięź nasienna wewnętrzna

Osłonka pochwowa jądra

TYŁ

Mosznę tworzy wiele warstw, które w pewnym stopniu odzwierciedlają budowę przedniej ściany jamy brzusznej.

### WARSTWY MOSZNY

Moszna zbudowana jest ze:
■ skóry, która jest cienka, pomarszczona i pigmentowana;
■ błony kurczliwej, warstwy tkanki łącznej, w której leżą mięśnie gładkie;

*Moszna, w której mieszczą się jądra, wisi na zewnątrz ciała. Zbudowana jest ze skóry i leżących pod nią kilku warstw ochronnych.*

■ trzech warstw powięzi pochodzących z trzech warstw mięśni ściany brzucha z włóknami mięśnia dźwigacza jądra;
■ osłonki pochwowej jądra, śliskiej błony surowiczej – podobnej do otrzewnej brzusznej, która zawiera niewielką ilość płynu; płyn nawilża ją i umożliwia ruch jądra wewnątrz otaczających tkanek.

W odróżnieniu od ściany brzucha, wśród warstw otaczających jądra nie ma tkanki tłuszczowej, co pomaga w utrzymaniu niższej temperatury.

# Ukrwienie jąder

Krew tętnicza dopływa do jąder naczyniami odchodzącymi od aorty brzusznej, które schodzą do worka mosznowego. Odpływ krwi żylnej odbywa się tą sama drogą, lecz w przeciwnym kierunku.

W życiu płodowym jądra rozwijają się wewnątrz jamy brzusznej; przed porodem zstępują do worka mosznowego, gdzie pozostają przez resztę życia. Naczynia zaopatrujące jądra w krew pochodzą z aorty brzusznej i wraz z jądrami zstępują do moszny.

### TĘTNICE JĄDRA

Parzyste tętnice jądrowe są długie, wąskie i odchodzą od aorty brzusznej. Następnie schodzą po tylnej ścianie jamy brzusznej, zanim wejdą do pierścienia pachwinowego głębokiego i kanału pachwinowego. Po drodze krzyżują się z moczowodem.

Tętnica jądrowa opuszcza kanał pachwinowy w powrózku nasiennym i wchodzi do moszny, gdzie zaopatruje w krew jądro i łączy się z tętnicą nasieniowodu.

### ŻYŁY JĄDRA

Żyły jądrowe tworzą się w jądrach i najądrzach. Ich przebieg różni się od przebiegu tętnic jądrowych w powrózku nasiennym, gdzie zamiast jednej żyły występuje sieć naczyń żylnych, tzw. splot wiciowaty.

W jamie brzusznej prawa żyła jądrowa uchodzi do żyły głównej dolnej, a lewa do żyły nerkowej lewej.

*Jądra są zaopatrywane w krew przez długie naczynia zaczynające się wysoko w jamie brzusznej. Dzięki nim jądra mogą zstąpić do moszny we wczesnym okresie życia.*

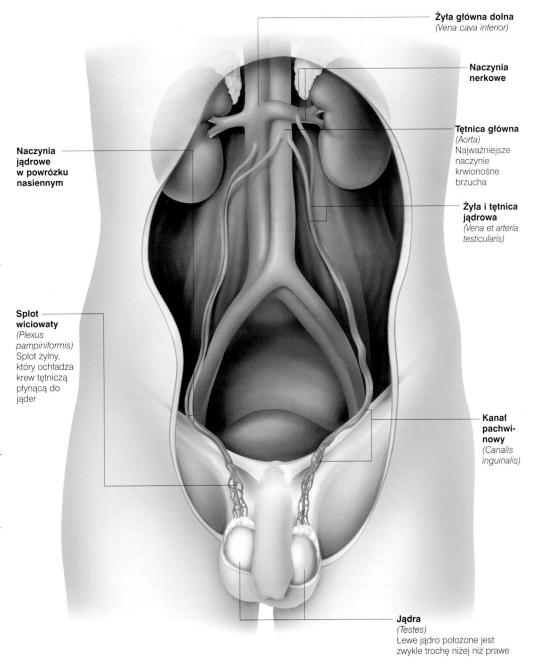

**Żyła główna dolna**
*(Vena cava inferior)*

**Naczynia nerkowe**

**Tętnica główna**
*(Aorta)*
Najważniejsze naczynie krwionośne brzucha

**Żyła i tętnica jądrowa**
*(Vena et arteria testicularis)*

**Naczynia jądrowe w powrózku nasiennym**

**Splot wiciowaty**
*(Plexus pampiniformis)*
Splot żylny, który ochładza krew tętniczą płynącą do jąder

**Kanał pachwinowy**
*(Canalis inguinalis)*

**Jądra**
*(Testes)*
Lewe jądro położone jest zwykle trochę niżej niż prawe

## Budowa wewnętrzna jądra

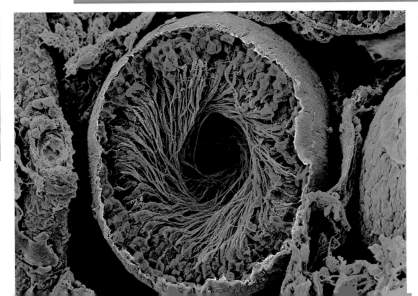

Jądro otacza z zewnątrz mocna odporna torebka zwana błoną białawą, od której odchodzą liczne przegródki łącznotkankowe dzielące jądro mniej więcej na 250 płacików.

W stożkowatych płacikach jądra znajduje się od jednej do czterech krętych cewek nasiennych, w których wytwarzane są plemniki.

*Ten obraz mikroskopowy przedstawia cewkę nasienną w przekroju. Rozwijające się plemniki (czerwone) znajdują się we wnętrzu cewki, otoczonej przez komórki Leydiga (zielone).*

Szacuje się, że długość cewek nasiennych w jednym jądrze wynosi około 350 metrów.

### CEWKI NASIENNE

Plemniki wytwarzane w krętych cewkach nasiennych gromadzone są w prostych cewkach nasiennych łączących się w sieć jądra, z której są odprowadzane do najądrza.

Między krętymi cewkami nasiennymi leżą grupy wyspecjalizowanych komórek śródmiąższowych (Leydiga), które produkują hormony, np. testosteron.

# Macica

Macica stanowi część układu rozrodczego żeńskiego.
Odżywia ona i chroni płód w czasie ciąży.
Macica jest wydrążonym narządem mięśniowym położonym w jamie miednicy.

W okresie rozrodczym kobiety, gdy kobieta nie jest w ciąży, macica ma około 7,5 cm długości i 5 cm szerokości w najszerszym miejscu. Jednak w ciąży może się bardzo rozciągnąć, aby zmieścić rozwijający się płód.

## BUDOWA

Macica składa się z dwóch części:
■ Trzon macicy – stanowi górną część macicy – jest on względnie ruchomy, gdyż musi rozciągać się w czasie ciąży. Leżąca w środku jama macicy ma kształt trójkąta i łączy się z parzystymi jajowodami.
■ Szyjka macicy – leży u dołu macicy – jest to gruby mięśniowy kanał, nieruchomy, gdyż łączy się z otaczającymi strukturami w miednicy.

## ŚCIANY MACICY

Najważniejsza część macicy – trzon macicy – ma grubą ścianę zbudowaną z trzech warstw:
■ Omacicze – cienka zewnętrzna osłonka, która przechodzi w otrzewną miednicy.
■ Mięsień macicy – tworzy największą część ściany macicy.
■ Błona śluzowa macicy – delikatna wyspecjalizowana wyściółka umożliwiająca zagnieżdżenie zarodka po zapłodnieniu.

*Macica przypomina kształtem odwróconą gruszkę. Jest ona zawieszona w jamie macicy za pomocą fałdów otrzewnej, czyli więzadeł.*

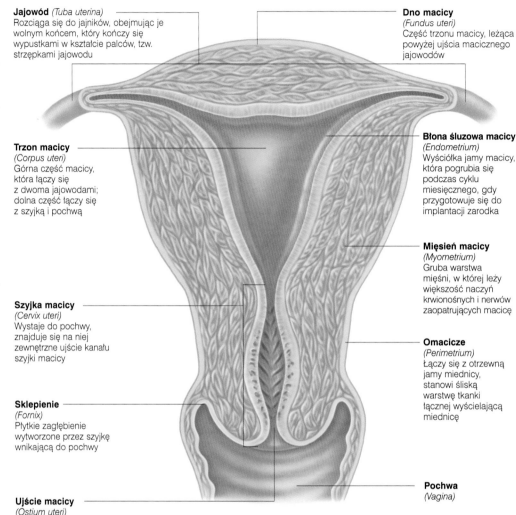

**Jajowód** *(Tuba uterina)*
Rozciąga się do jajników, obejmując je wolnym końcem, który kończy się wypustkami w kształcie palców, tzw. strzępkami jajowodu

**Trzon macicy** *(Corpus uteri)*
Górna część macicy, która łączy się z dwoma jajowodami; dolna część łączy się z szyjką i pochwą

**Szyjka macicy** *(Cervix uteri)*
Wystaje do pochwy, znajduje się na niej zewnętrzne ujście kanału szyjki macicy

**Sklepienie** *(Fornix)*
Płytkie zagłębienie wytworzone przez szyjkę wnikającą do pochwy

**Ujście macicy** *(Ostium uteri)*

**Dno macicy** *(Fundus uteri)*
Część trzonu macicy, leżąca powyżej ujścia macicznego jajowodów

**Błona śluzowa macicy** *(Endometrium)*
Wyściółka jamy macicy, która pogrubia się podczas cyklu miesięcznego, gdy przygotowuje się do implantacji zarodka

**Mięsień macicy** *(Myometrium)*
Gruba warstwa mięśni, w której leży większość naczyń krwionośnych i nerwów zaopatrujących macicę

**Omacicze** *(Perimetrium)*
Łączy się z otrzewną jamy miednicy, stanowi śliską warstwę tkanki łącznej wyścielającą miednicę

**Pochwa** *(Vagina)*

## Pozycja macicy

**Macica w znacznym tyłopochyleniu**

**Macica w zwykłej pozycji**

**Pęcherz moczowy**

**Pochwa**

**Odbytnica**

Macica leży w miednicy między pęcherzem moczowym a odbytnicą. Położenie jej jednak zmienia się i zależy od stanu wypełnienia obu narządów oraz pozycji ciała.

### POŁOŻENIE ZWYKŁE

Zwykle oś długa macicy tworzy z osią pochwy kąt około 90 stopni. Macica pochylona jest do przodu i leży na pęcherzu moczowym. Ta pozycja macicy określana jest terminem przodopochylenie.

*U większości kobiet macica leży na pęcherzu moczowym i odchyla się do tyłu, kiedy pęcherz moczowy napełnia się moczem. Może się ona jednak znajdować w każdej innej pozycji pomiędzy dwiema skrajnymi ukazanymi na ilustracji.*

### PRZODOZGIĘCIE

Niekiedy macica leży w zwykłej pozycji, lecz jej oś, między szyjką a dnem macicy, może zakrzywiać się do przodu. Jest to tzw. przodozgięcie.

### TYŁOZGIĘCIE

Czasami oś macicy nie zgina się do przodu, lecz do tyłu, a jej dno leży przy odbytnicy. Jest to tzw. tyłopochylenie.
Bez względu na swoją pozycję wyjściową powiększająca się w czasie ciąży macica zagina się zwykle ku przodowi. Gdy ciężarna macica znajdzie się w tyłopochyleniu, może upłynąć więcej czasu, zanim osiągnie brzeg miednicy i będzie ją można wyczuć podczas badania palpacyjnego.

# Macica w czasie ciąży

W ciąży macica musi się powiększyć na tyle, aby pomieścić rosnący płód. W czasie ciąży ten mały narząd leżący w miednicy znacznie zwiększa swoje rozmiary i wypełnia znaczną część jamy brzusznej.

Ucisk powiększonej macicy na narządy jamy brzusznej przemieszcza je ku górze w kierunku przepony i wtłacza je do jamy klatki piersiowej oraz powoduje rozszerzenie żeber, by to zrównoważyć. W późnym okresie ciąży obserwuje się znaczne zmniejszenie objętości takich narządów jak żołądek i pęcherz moczowy, co powoduje, że szybko się wypełniają.

Po ciąży macica szybko zmniejsza swoje wymiary i pozostaje nieznacznie większa niż macica kobiety, która nigdy nie była w ciąży.

## WYSOKOŚĆ DNA MACICY

W czasie ciąży macica pozostaje w miednicy przez pierwsze 12 tygodni. W tym czasie górną część macicy, czyli jej dno, można wyczuć w badaniu palpacyjnym w dole brzucha. Około 20. tygodnia ciąży dno macicy sięga do pępka, a pod koniec ciąży do wyrostka mieczykowatego, najniżej położonej części mostka.

## CIĘŻAR MACICY

W końcowym okresie ciąży macica powiększa swoją masę z 45 gramów, z czasu sprzed ciąży, do około 900 gramów. W mięśniówce macicy (*myometrium*) zwiększają się wymiary poszczególnych włókien mięśniowych – dochodzi do ich przerostu. Ponadto zwiększa się również liczba włókien mięśniowych.

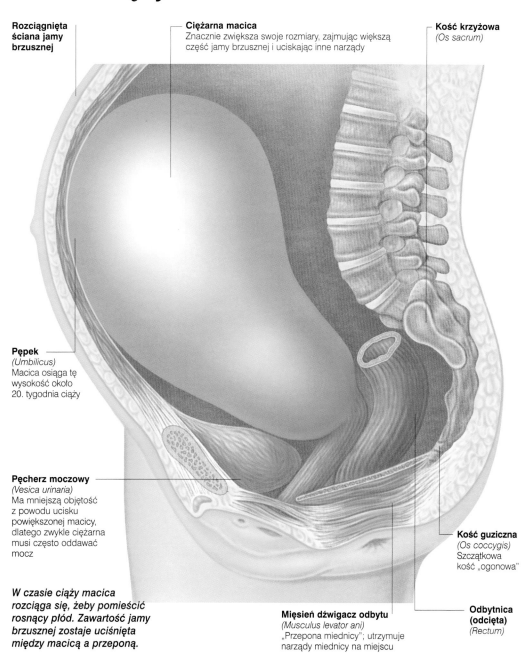

**Rozciągnięta ściana jamy brzusznej**

**Ciężarna macica**
Znacznie zwiększa swoje rozmiary, zajmując większą część jamy brzusznej i uciskając inne narządy

**Kość krzyżowa**
(*Os sacrum*)

**Pępek**
(*Umbilicus*)
Macica osiąga tę wysokość około 20. tygodnia ciąży

**Pęcherz moczowy**
(*Vesica urinaria*)
Ma mniejszą objętość z powodu ucisku powiększonej macicy, dlatego zwykle ciężarna musi często oddawać mocz

**Kość guziczna**
(*Os coccygis*)
Szczątkowa kość „ogonowa"

**Mięsień dźwigacz odbytu**
(*Musculus levator ani*)
„Przepona miednicy"; utrzymuje narządy miednicy na miejscu

**Odbytnica (odcięta)**
(*Rectum*)

*W czasie ciąży macica rozciąga się, żeby pomieścić rosnący płód. Zawartość jamy brzusznej zostaje uciśnięta między macicą a przeponą.*

## Wyściółka macicy

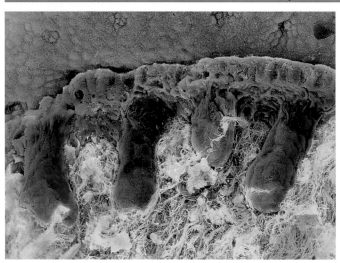

*Przekrój poprzeczny przez błonę śluzową macicy. Widać warstwę komórek nabłonkowych (niebieskie) oraz trzy gruczoły cewkowe.*

Błona śluzowa wyścielająca jamę macicy nazywana jest endometrium. Utworzona jest ona z nabłonka powierzchniowego, który pokrywa grubszą warstwę bogatokomórkowej tkanki łącznej, tzw. blaszkę właściwą (*lamina propria*). W endometrium znajduje się wiele gruczołów cewkowych.

### CYKL MIESIĄCZKOWY

Pod wpływem hormonów płciowych w czasie cyklu miesiączkowego endometrium podlega przemianom, które przygotowują je na możliwość zagnieżdżenia się zarodka. Przed złuszczeniem i wydaleniem w czasie krwawienia miesięcznego grubość błony śluzowej waha się od 1 do 5 mm.

### UKRWIENIE

Tętnice w mięśniówce macicy położonej pod endometrium mają wiele małych odgałęzień do błony śluzowej macicy. Istnieją dwa typy tętnic – tętnice proste, które zaopatrują dolną, stałą warstwę endometrium, i tętnice kręte, spiralne, które zaopatrują górną warstwę, ulegającą złuszczeniu w czasie krwawienia miesięcznego. Spiralny układ tętnic zapobiega nadmiernemu krwawieniu w czasie miesiączki.

# Pochwa i szyjka macicy

Pochwa jest cienkościenną mięśniową rurą, która rozciąga się od szyjki macicy
do zewnętrznych narządów płciowych. Ściany pochwy stykają się ze sobą,
lecz podczas stosunku płciowego i porodu rozciągają się.

Pochwa ma długość około
8 centymetrów i znajduje się
pomiędzy pęcherzem moczowym
a odbytnicą. Tworzy ona główną
część kanału rodnego, a w czasie
stosunku płciowego wnika do niej
prącie.

### BUDOWA POCHWY

W warunkach prawidłowych
przednia i tylna ściana pochwy
stykają się ze sobą i zamykają
światło. Pochwa może się jednak
znacznie rozszerzyć, na przykład
podczas porodu.

Szyjka macicy stanowi dolny
odcinek macicy i wnika do dołu, do
światła pochwy w jej górnym
odcinku. W miejscu, w którym
pochwa się zagina, aby połączyć się
z szyjką macicy, tworzy zachyłki
określane jako sklepienia pochwy.
Wyróżnia się przedni, tylny, lewy
i prawy zachyłek, choć tworzą one
pełne koło.

Cienką ścianę pochwy tworzą
trzy warstwy:
■ Przydanka – zewnętrzna warstwa
zbudowana z włóknistej, elastycznej
tkanki łącznej, tkanki, która w razie
potrzeby umożliwia rozszerzenie
pochwy.
■ Warstwa mięśniowa – środkowa
warstwa mięśniowa ściany pochwy.
■ Śluzówka – wewnętrzna warstwa
pochwy; tworzy liczne marszczki
pochwowe (*rugae vaginales*)
i pokryta jest nabłonkiem wielowarstwowym płaskim (podobnym
do skóry), który chroni przed
urazami podczas stosunku płciowego.

*Pochwa jest narządem mięśniowym
w kształcie rury, który może
rozszerzać się znacznie podczas
stosunku płciowego i porodu.
Ma około 8 cm długości.*

**Przekrój przez pochwę w płaszczyźnie czołowej**

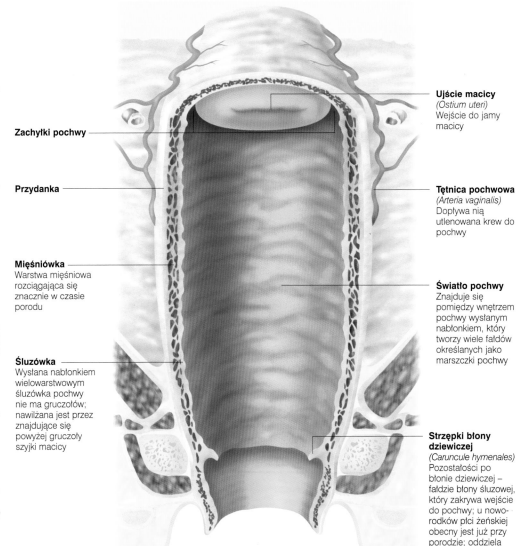

**Zachyłki pochwy**

**Przydanka**

**Mięśniówka**
Warstwa mięśniowa
rozciągająca się
znacznie w czasie
porodu

**Śluzówka**
Wysłana nabłonkiem
wielowarstwowym
śluzówka pochwy
nie ma gruczołów;
nawilżana jest przez
znajdujące się
powyżej gruczoły
szyjki macicy

**Ujście macicy**
*(Ostium uteri)*
Wejście do jamy
macicy

**Tętnica pochwowa**
*(Arteria vaginalis)*
Dopływa nią
utlenowana krew do
pochwy

**Światło pochwy**
Znajduje się
pomiędzy wnętrzem
pochwy wysłanym
nabłonkiem, który
tworzy wiele fałdów
określanych jako
marszczki pochwy

**Strzępki błony
dziewiczej**
*(Caruncule hymenales)*
Pozostałości po
błonie dziewiczej –
fałdzie błony śluzowej,
który zakrywa wejście
do pochwy; u nowo-
rodków płci żeńskiej
obecny jest już przy
porodzie; oddziela
pochwę od
przedsionka pochwy

## Narządy płciowe zewnętrzne

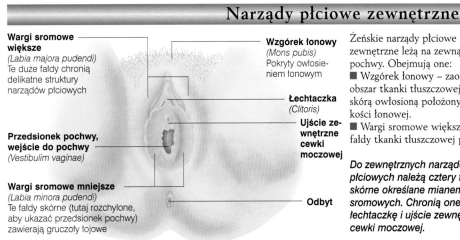

**Wargi sromowe
większe**
*(Labia majora pudendi)*
Te duże fałdy chronią
delikatne struktury
narządów płciowych

**Przedsionek pochwy,
wejście do pochwy**
*(Vestibulim vaginae)*

**Wargi sromowe mniejsze**
*(Labia minora pudendi)*
Te fałdy skórne (tutaj rozchylone,
aby ukazać przedsionek pochwy)
zawierają gruczoły łojowe

**Wzgórek łonowy**
*(Mons pubis)*
Pokryty owłosie-
niem łonowym

**Łechtaczka**
*(Clitoris)*

**Ujście ze-
wnętrzne
cewki
moczowej**

**Odbyt**

Żeńskie narządy płciowe
zewnętrzne leżą na zewnątrz od
pochwy. Obejmują one:
■ Wzgórek łonowy – zaokrąglony
obszar tkanki tłuszczowej pokryty
skórą owłosioną położony powyżej
kości łonowej.
■ Wargi sromowe większe – dwa
fałdy tkanki tłuszczowej pokryte

*Do zewnętrznych narządów
płciowych należą cztery fałdy
skórne określane mianem warg
sromowych. Chronią one
łechtaczkę i ujście zewnętrzne
cewki moczowej.*

skórą, położone na zewnątrz
przedsionka pochwy.
■ Wargi sromowe mniejsze – dwa
mniejsze fałdy skórne położone
wewnątrz szczeliny sromu.
■ Przedsionek pochwy – miejsce,
w którym znajdują się cewka
moczowa i wejście do pochwy.
■ Łechtaczka – utworzona z ciał
jamistych. Może ulec erekcji, zawiera wiele zakończeń nerwów czuciowych; jest analogiczną
strukturą jak prącie u mężczyzn.

Wejście do pochwy jest częściowo
zamknięte przez fałd błony
śluzowej – błonę dziewiczą.

# Szyjka macicy

Szyjka macicy stanowi wąską, dolną część macicy, która wystaje do pochwy.

Szyjka macicy znajduje się w stałym położeniu dzięki więzadłom szyjki, kotwicząc położoną powyżej względnie ruchomą macicę.

### BUDOWA SZYJKI

Przez szyjkę biegnie wąski kanał, który u dorosłej kobiety ma długość około 2,5 cm. Ściany szyjki macicy są twarde i utworzone z tkanki włóknistej oraz mięśniowej, czym różnią się od ściany macicy, która jest głównie zbudowana z włókien mięśniowych.

Kanał szyjki macicy jest kierującym się ku dołowi przedłużeniem jamy macicy i kończy się ujściem zewnętrznym w pochwie. Kanał jest najszerszy w części środkowej, a nieco węższy przy ujściu wewnętrznym u góry i zewnętrznym u dołu.

### WYŚCIÓŁKA SZYJKI MACICY

Szyjkę macicy pokrywa nabłonek dwóch typów:
■ Nabłonek kanału szyjki macicy – wyściela kanał znajdujący się wewnątrz szyjki; jest to prosty nabłonek jednowarstwowy walcowaty, który pokrywa pofałdowaną powierzchnię z jej licznymi gruczołami.
■ Nabłonek powierzchniowy szyjki – pokrywa część szyjki wystającą do pochwy; tworzy go nabłonek wielowarstwowy płaski.

*Szyjka macicy położona jest w dolnym końcu macicy. Zawiera mniej włókien mięśniowych niż macica i wysłana jest dwoma różnymi rodzajami nabłonka.*

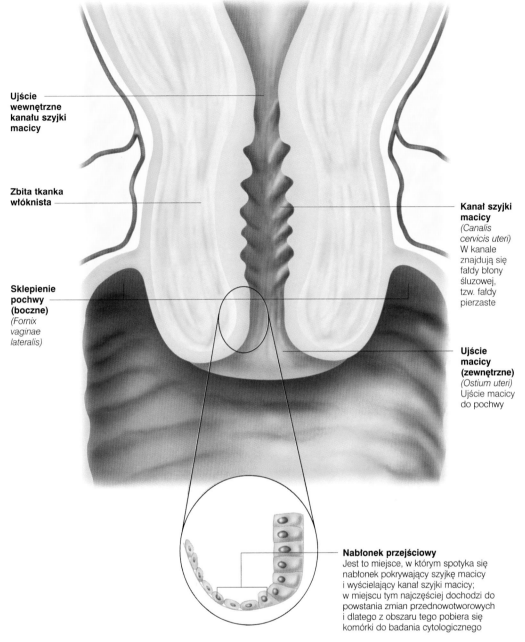

**Ujście wewnętrzne kanału szyjki macicy**

**Zbita tkanka włóknista**

**Sklepienie pochwy (boczne)** *(Fornix vaginae lateralis)*

**Kanał szyjki macicy** *(Canalis cervicis uteri)* W kanale znajdują się fałdy błony śluzowej, tzw. fałdy pierzaste

**Ujście macicy (zewnętrzne)** *(Ostium uteri)* Ujście macicy do pochwy

**Nabłonek przejściowy** Jest to miejsce, w którym spotyka się nabłonek pokrywający szyjkę macicy i wyścielający kanał szyjki macicy; w miejscu tym najczęściej dochodzi do powstania zmian przednowotworowych i dlatego z obszaru tego pobiera się komórki do badania cytologicznego

## Ujście zewnętrzne kanału szyjki macicy

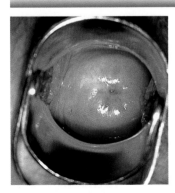

*Zdrowa szyjka oglądana w metalowym wzierniku. Wewnątrz ujścia zewnętrznego szyjki macicy widać ciemnoróżową wyściółkę.*

Ujście zewnętrzne kanału szyjki macicy leży wysoko w pochwie.

Czasami trzeba obejrzeć tę okolicę z bliska, np. gdy znajdzie się nieprawidłowe komórki w badaniu mikroskopowym rutynowo pobranego wymazu z szyjki macicy. W takiej sytuacji wykonuje się kolposkopię – ogląda szyjkę przez kolposkop (urządzenie optyczne dające małe powiększenie).

### KOLPOSKOPIA

Podczas kolposkopii szyjkę macicy pokrywa się barwnikiem, który uwidacznia wszystkie nieprawidłowe komórki. Z każdego podejrzanego obszaru można pobrać wycinek do badania.

**Ujście zewnętrzne u nieródki**

*U kobiety, która nigdy nie rodziła, ujście zewnętrzne szyjki macicy jest okrągłe. Kanał szyjki jest również bardziej zamknięty.*

**Ujście zewnętrzne u wieloródki**

*Po porodzie ujście zewnętrzne szyjki macicy staje się szparowate. Kanał szyjki macicy jest nieco szerszy po przejściu płodu.*

# Jajniki
# i jajowody

Jajniki są narządami wytwarzającymi komórki jajowe,
czyli oocyty, które ulegają zapłodnieniu przez plemniki, tworząc zarodki.
Jajowody przeprowadzają komórki jajowe z jajników do macicy.

Parzyste jajniki znajdują się w dole brzucha i leżą po obu stronach macicy. Położenie ich może się zmieniać, szczególnie po porodzie, kiedy podtrzymujące je więzadła ulegają rozciągnięciu.

Każdy jajnik zbudowany jest z:
■ Błony białawej jajnika (*tunica albuginea*) – ochronnej warstwy tkanki włóknistej;
■ Rdzenia jajnika (*medulla ovarii*) – położonego w środku obszaru, w którym znajdują się naczynia krwionośne i nerwy;
■ Kory jajnika (*cortex ovarii*) – w niej powstają komórki jajowe (*oocyty*);
■ Warstwy powierzchownej – gładkiej przed okresem dojrzewania i bardziej nierównej w okresie rozrodczym.

### ZAOPATRZENIE W KREW

Krew tętnicza dopływa do jajników przez tętnice jajnikowe, które odchodzą od aorty brzusznej. Po zaopatrzeniu jajowodów tętnice jajnikowe zazębiają się z tętnicami macicznymi.

Krew z jajników spływa do sieci drobnych naczyń splotu wiciowatego znajdującego się w więzadle szerokim macicy i dalej do prawej i lewej żyły jajnikowej. Żyła jajnikowa prawa uchodzi do żyły głównej dolnej, a żyła jajnikowa lewa do żyły nerkowej.

*Na przekroju widać położone w korze jajnika pęcherzyki jajnikowe. Każdy pęcherzyk zawiera oocyt w różnej fazie rozwoju.*

## Przekrój poprzeczny przez jajnik

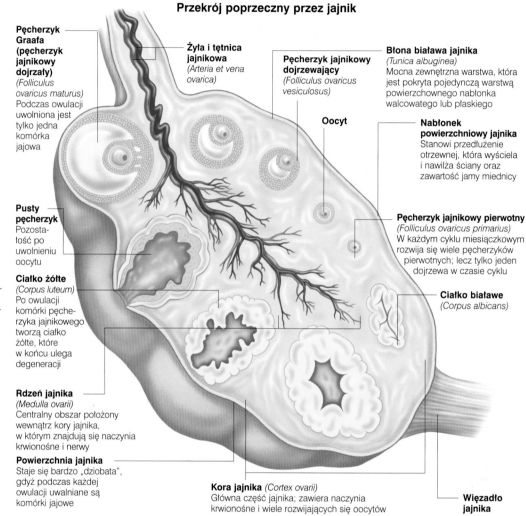

**Pęcherzyk Graafa (pęcherzyk jajnikowy dojrzały)** (*Folliculus ovaricus maturus*) Podczas owulacji uwolniona jest tylko jedna komórka jajowa

**Żyła i tętnica jajnikowa** (*Arteria et vena ovarica*)

**Pęcherzyk jajnikowy dojrzewający** (*Folliculus ovaricus vesiculosus*)

**Błona biaława jajnika** (*Tunica albuginea*) Mocna zewnętrzna warstwa, która jest pokryta pojedynczą warstwą powierzchownego nabłonka walcowatego lub płaskiego

**Oocyt**

**Nabłonek powierzchniowy jajnika** Stanowi przedłużenie otrzewnej, która wyściela i nawilża ściany oraz zawartość jamy miednicy

**Pusty pęcherzyk** Pozostałość po uwolnieniu oocytu

**Ciałko żółte** (*Corpus luteum*) Po owulacji komórki pęcherzyka jajnikowego tworzą ciałko żółte, które w końcu ulega degeneracji

**Pęcherzyk jajnikowy pierwotny** (*Folliculus ovaricus primarius*) W każdym cyklu miesiączkowym rozwija się wiele pęcherzyków pierwotnych; lecz tylko jeden dojrzewa w czasie cyklu

**Ciałko białawe** (*Corpus albicans*)

**Rdzeń jajnika** (*Medulla ovarii*) Centralny obszar położony wewnątrz kory jajnika, w którym znajdują się naczynia krwionośne i nerwy

**Powierzchnia jajnika** Staje się bardzo „dziobata", gdyż podczas każdej owulacji uwalniane są komórki jajowe

**Kora jajnika** (*Cortex ovarii*) Główna część jajnika; zawiera naczynia krwionośne i wiele rozwijających się oocytów

**Więzadło jajnika**

## Więzadła jajnika

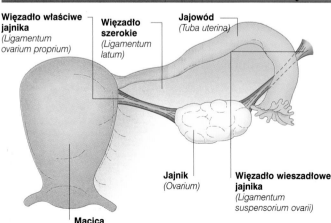

**Więzadło właściwe jajnika** (*Ligamentum ovarium proprium*)

**Więzadło szerokie** (*Ligamentum latum*)

**Jajowód** (*Tuba uterina*)

**Macica** (*Uterus*)

**Jajnik** (*Ovarium*)

**Więzadło wieszadłowe jajnika** (*Ligamentum suspensorium ovarii*)

Każdy jajnik jest utrzymywany w odpowiedniej pozycji względem macicy i jajowodów za pomocą kilku więzadeł.

### GŁÓWNE WIĘZADŁA

Do więzadeł tych należą:
■ Więzadło szerokie – jest fałdem otrzewnej miednicznej, który zwiesza się po obu stronach macicy, obejmując jajowody i jajniki.

*Każdy jajnik jest zawieszony na wielu więzadłach, które utrzymują jego położenie. Jednak położenie jajników jest zmienne, zwłaszcza gdy więzadła uległy rozciągnięciu.*

■ Więzadło wieszadłowe jajnika – jest częścią więzadła szerokiego, które kotwiczy jajnik do boku jamy miednicy; zawiera naczynia krwionośne i limfatyczne.
■ Krezka jajnika – jest fałdem więzadła szerokiego, w którym leżą jajniki.
■ Więzadło właściwe jajnika – łączy jajnik z macicą i biegnie w więzadle szerokim.

U kobiet po porodzie więzadła te mogą być rozciągnięte i w związku z tym pozycja jajników może być bardziej zmienna niż przed porodem.

# Jajowody

Jajowody przyjmują komórki jajowe, które zostały uwolnione z jajników, i przeprowadzają je do macicy. Jajowody są również miejscem, w którym dochodzi do zapłodnienia komórki jajowej przez męską komórkę rozrodczą, plemnik.

Każdy jajowód ma długość około 10 cm i rozciąga się od górnego odcinka macicy w kierunku bocznej ściany jamy miednicy.

Jajowody biegną wewnątrz górnego brzegu więzadła szerokiego i otwierają się do jamy otrzewnej w okolicy jajników.

### BUDOWA

Jajowód anatomicznie dzieli się na cztery odcinki:
■ Lejek jajowodu – zewnętrzny koniec jajowodu, który otwiera się do jamy otrzewnowej.
■ Bańka jajowodu – najdłuższa i najszersza część; w niej to zwykle dochodzi do zapłodnienia komórki jajowej.
■ Cieśń jajowodu – zwężony obszar jajowodu o grubych ścianach.
■ Część maciczna jajowodu – najkrótszy odcinek jajowodu.

### UNACZYNIENIE

Jajowody mają bardzo bogate unaczynienie, które pochodzi od tętnicy jajnikowej i tętnic macicznych. Naczynia te łączą się, tworząc połączenia tętniczo-tętnicze (łuki tętnicze).

Układ żył, który zbiera krew z jajowodu, jest lustrzanym odbiciem układu tętnic zaopatrujących jajowód.

**Główne części jajowodu**

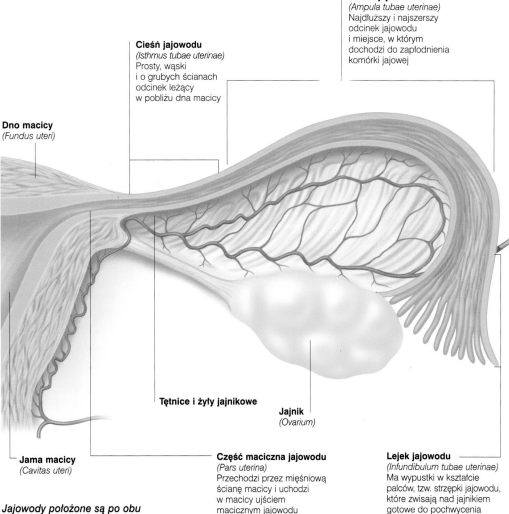

**Bańka jajowodu**
*(Ampula tubae uterinae)*
Najdłuższy i najszerszy odcinek jajowodu i miejsce, w którym dochodzi do zapłodnienia komórki jajowej

**Cieśń jajowodu**
*(Isthmus tubae uterinae)*
Prosty, wąski i o grubych ścianach odcinek leżący w pobliżu dna macicy

**Dno macicy**
*(Fundus uteri)*

**Tętnice i żyły jajnikowe**

**Jajnik**
*(Ovarium)*

**Jama macicy**
*(Cavitas uteri)*

**Część maciczna jajowodu**
*(Pars uterina)*
Przechodzi przez mięśniową ścianę macicy i uchodzi w macicy ujściem macicznym jajowodu

**Lejek jajowodu**
*(Infundibulum tubae uterinae)*
Ma wypustki w kształcie palców, tzw. strzępki jajowodu, które zwisają nad jajnikiem gotowe do pochwycenia komórki jajowej (oocytu) podczas owulacji

*Jajowody położone są po obu stronach macicy. Zewnętrzny odcinek leży w pobliżu jajnika, a jego koniec uchodzi do jamy brzusznej.*

## Ściana jajowodu

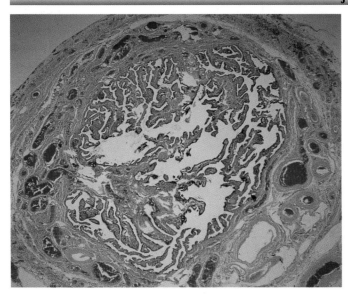

Ściana jajowodu jest tak zbudowana, aby ułatwić przyjęcie i bezpieczne przeniesienia komórki jajowej do jamy macicy w celu zagnieżdżenia.
■ Warstwa mięśni gładkich w ścianie jajowodu umożliwia wykonywanie rytmicznych skurczów, które kierują się w stronę macicy.
■ Ściany jajowodu wysłane są komórkami wyposażonymi w rzęski, małe wypustki podobne do szczoteczki, które „wymiatają" komórkę jajową w kierunku macicy.

*Ściana jajowodu wysłana jest dwoma rodzajami komórek – komórkami wytwarzającymi śluz i komórkami rzęskowymi, które odżywiają i przesuwają komórki jajowe wzdłuż jajowodu.*

■ Komórki bez rzęsek leżące w głębokich kryptach wewnętrznej wyściółki jajowodu wytwarzają wydzielinę służącą do odżywiania komórki jajowej i plemników, które zawędrowały tu podczas swojej podróży przez jajowód.

### HORMONY JAJNIKA

Na wyściółkę jajowodu działają hormony wytwarzane przez jajnik i jej aktywność zależy od fazy cyklu miesięcznego. Na przykład progesteron zwiększa ilość wytwarzanej wydzieliny śluzowej.

# Kości miednicy

Podobną do miski miednicę kostną tworzą kości miedniczne,
kości krzyżowa i guziczna. Kości miednicy są miejscem przyczepu wielu ważnych mięśni
i chronią niezbędne do życia narządy wewnętrzne.

Kości miednicy tworzą pierścień, który łączy kręgosłup z kończynami dolnymi. Miednica osłania położone w niej narządy rozrodcze oraz pęcherz moczowy.

Do kości miednicy jest przyczepionych wiele silnych mięśni, które pomagają przenieść ciężar ciała na kończyny dolne i zachować stabilność ciała.

## BUDOWA MIEDNICY

Miednicę kostną, która ma kształt miski, tworzą kości miedniczne, kości krzyżowa i guziczna. Kości miedniczne stykają się ze sobą z przodu w miejscu spojenia łonowego. Z tyłu łączą się z kością krzyżową, od której odchodzi w dół kość guziczna.

## PODZIAŁ MIEDNICY

Miednicę można sztucznie podzielić na dwie części – miednicę mniejszą i większą, a płaszczyznę podziału wyznacza tzw. kresa graniczna, która przechodzi przez wzgórek kości krzyżowej i spojenie łonowe.
■ Powyżej wzgórka kości krzyżowej miednica rozszerza się, stanowiąc podporę dla narządów położonych w dole jamy brzusznej.
■ Poniżej tej płaszczyzny znajduje się miednica mniejsza; u kobiet tworzy ona ograniczony kośćmi miednicy kanał rodny, przez który przechodzi płód.

*Miednicę kostną tworzą kości miedniczne, kości krzyżowa i guziczna. Przedstawiona na rysunku miednica żeńska jest przystosowana do porodu.*

### Miednica dorosłej kobiety widziana od przodu

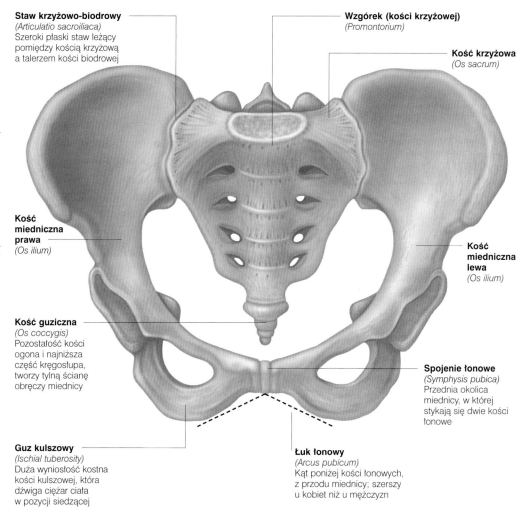

**Staw krzyżowo-biodrowy**
*(Articulatio sacroiliaca)*
Szeroki płaski staw leżący pomiędzy kością krzyżową a talerzem kości biodrowej

**Wzgórek (kości krzyżowej)**
*(Promontorium)*

**Kość krzyżowa**
*(Os sacrum)*

**Kość miedniczna prawa**
*(Os ilium)*

**Kość miedniczna lewa**
*(Os ilium)*

**Kość guziczna**
*(Os coccygis)*
Pozostałość kości ogona i najniższa część kręgosłupa, tworzy tylną ścianę obręczy miednicy

**Spojenie łonowe**
*(Symphysis pubica)*
Przednia okolica miednicy, w której stykają się dwie kości łonowe

**Guz kulszowy**
*(Ischial tuberosity)*
Duża wyniosłość kostna kości kulszowej, która dźwiga ciężar ciała w pozycji siedzącej

**Łuk łonowy**
*(Arcus pubicum)*
Kąt poniżej kości łonowych, z przodu miednicy; szerszy u kobiet niż u mężczyzn

## Różnice budowy miednicy męskiej i żeńskiej

### Miednica dorosłego mężczyzny widziana od przodu

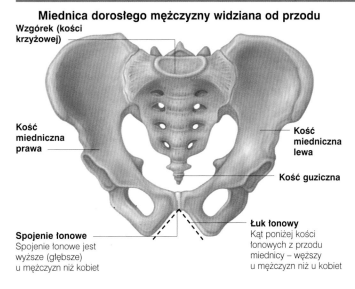

**Wzgórek (kości krzyżowej)**

**Kość miedniczna prawa**

**Kość miedniczna lewa**

**Kość guziczna**

**Spojenie łonowe**
Spojenie łonowe jest wyższe (głębsze) u mężczyzn niż kobiet

**Łuk łonowy**
Kąt poniżej kości łonowych z przodu miednicy – węższy u mężczyzn niż u kobiet

Szkielet męski i żeński różnią się w wielu miejscach, lecz nigdzie różnice te nie są tak bardzo widoczne jak w miednicy.

### ZMIANY BUDOWY

Na różnice pomiędzy miednicą męską a żeńską mają wpływ dwa zasadnicze czynniki – cechy warunkujące odbycie porodu i fakt, że mężczyźni na ogół ważą więcej i mają bardziej rozwinięte mięśnie niż kobiety. Niektóre z tych oczywistych różnic obejmują:

*Miednica męska różni się od żeńskiej tym, że jest cięższa i ma grubsze kości. Kąt pod łukiem łonowym jest mniejszy, a spojenie łonowe głębsze.*

■ budowę ogólną – miednica mężczyzny jest cięższa i grubsza niż kobiety;
■ wejście od góry do miednicy – jest szersze i owalne u kobiet, węższe i w kształcie serca u mężczyzn;
■ kanał miednicy – ma kształt cylindryczny u kobiet, a u mężczyzn zwęża się ku dołowi;
■ łuk łonowy – u kobiet kąt poniżej kości łonowych z przodu miednicy jest szerszy (powyżej 100 stopni) niż u mężczyzn (poniżej 90 stopni).

Różnice te, wraz z innymi dokładniejszymi pomiarami, mogą być wykorzystywane przez lekarza sądowego i antropologa do określenia płci szkieletu.

# Kość miedniczna

Dwie kości miedniczne
łączą się ze sobą z przodu
i z kością krzyżową z tyłu.
Każda z nich składa się
z trzech kości – kości
biodrowej, kulszowej
i łonowej.

Dwie kości miedniczne stanowią
większą część miednicy. Łączą się
ze sobą z przodu, a z kością
krzyżową z tyłu.

### BUDOWA

Kość miedniczna jest duża i mocna,
co wiąże się z jej funkcją
przenoszenia obciążeń pomiędzy
kończynami dolnymi
a kręgosłupem. Tak jak większość
innych kości ma na swej
powierzchni obszary chropowate
i wystające miejsca, do których są
przyczepione więzadła i mięśnie.

Kość miedniczna powstaje
w wyniku zespolenia się trzech
oddzielnych kości: biodrowej,
kulszowej i łonowej. U dzieci kości
te połączone są chrząstką.
W okresie dojrzewania łączą się,
tworząc po jednej kości
miednicznej z każdej strony.

### CECHY

Górny brzeg kości miednicznej
tworzy poszerzony grzebień talerza
biodrowego. W dole znajduje się
guz kulszowy, wyniosłość kostna
kości kulszowej.

Otwór zasłonowy położony jest
poniżej i nieco ku przodowi od
panewki stawu biodrowego,
w którą wchodzi głowa kości
udowej.

*Widok z boku kości miednicznej
ukazuje wchodzące w jej skład
kości: biodrową, kulszową
i łonową. Kości te zrastają się
ze sobą w okresie dojrzewania.*

**Prawa kość miedniczna – widok z boku**

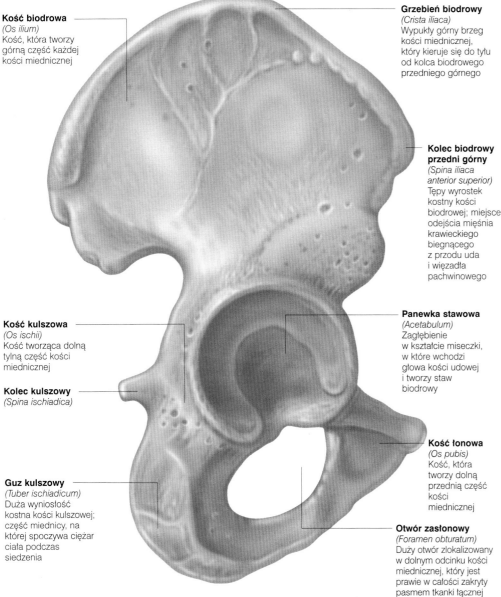

**Kość biodrowa**
*(Os ilium)*
Kość, która tworzy
górną część każdej
kości miednicznej

**Kość kulszowa**
*(Os ischii)*
Kość tworząca dolną
tylną część kości
miednicznej

**Kolec kulszowy**
*(Spina ischiadica)*

**Guz kulszowy**
*(Tuber ischiadicum)*
Duża wyniosłość
kostna kości kulszowej;
część miednicy, na
której spoczywa ciężar
ciała podczas
siedzenia

**Grzebień biodrowy**
*(Crista iliaca)*
Wypukły górny brzeg
kości miednicznej,
który kieruje się do tyłu
od kolca biodrowego
przedniego górnego

**Kolec biodrowy
przedni górny**
*(Spina iliaca
anterior superior)*
Tępy wyrostek
kostny kości
biodrowej; miejsce
odejścia mięśnia
krawieckiego
biegnącego
z przodu uda
i więzadła
pachwinowego

**Panewka stawowa**
*(Acetabulum)*
Zagłębienie
w kształcie miseczki,
w które wchodzi
głowa kości udowej
i tworzy staw
biodrowy

**Kość łonowa**
*(Os pubis)*
Kość, która
tworzy dolną
przednią część
kości
miednicznej

**Otwór zasłonowy**
*(Foramen obturatum)*
Duży otwór zlokalizowany
w dolnym odcinku kości
miednicznej, który jest
prawie w całości zakryty
pasmem tkanki łącznej
włóknistej

## Kanał miednicy żeńskiej

**Widok miednicy z boku**

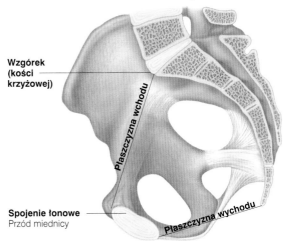

**Wzgórek
(kości
krzyżowej)**

Płaszczyzna wchodu

Płaszczyzna wychodu

**Spojenie łonowe**
Przód miednicy

W czasie porodu płód schodzi do
kanału miednicy przez wchód
(wejście) i opuszcza go przez
wychód (wyjście). Z tego powodu
wymiary miednicy kobiety są ważne.

### KSZTAŁT TRÓJKĄTA

Kanał miednicy ma na przekroju
kształt trójkąta; krótka ściana przednia utworzona jest przez spojenie
łonowe. Znacznie dłuższą ścianę tylną
tworzą kości krzyżowa i guziczna.

W wymiarze przednio-tylnym
wchód do miednicy ma długość

*Kanał miednicy znajduje się
pomiędzy spojeniem łonowym
z przodu a kością krzyżową z tyłu.
W czasie porodu kość guziczna
odchyla się do tyłu.*

około 11 cm i określany jest jako
„sprzężna położnicza". Wchód jest
nieco szerszy między ścianami
bocznymi, przez co przybiera
kształt owalny.

### ZMIANY W CZASIE
### PORODU

Wychód (wyjście) z miednicy jest
zwykle nieznacznie szerszy niż
wchód, szczególnie pod koniec
ciąży, gdyż więzadła utrzymujące
kości miednicy mogą rozciągać się
pod wpływem hormonów.

Luźniejsze staje się również
połączenie stawowe pomiędzy
kością guziczną a kością krzyżową,
co umożliwia kości guzicznej
przesunięcie się do tyłu w czasie
porodu.

# Mięśnie dna miednicy

Mięśnie dna miednicy pełnią istotne funkcje podporowe
dla narządów jamy brzusznej i miednicy. Pomagają one również regulować
proces wypróżniania i oddawania moczu.

Mięśnie dna miednicy pełnią ważną funkcję podporową dla narządów jamy brzusznej i miednicy. Podczas ciąży pomagają unieść wzrastający ciężar macicy, a w czasie porodu ochraniają i podpierają głowę dziecka, gdy szyjka macicy ulegnie rozszerzeniu.

## MIĘŚNIE

Mięśnie dna miednicy łączą się od wewnątrz z pierścieniem kostnym miednicy i schodzą do dołu w kształcie lejka.

Największym mięśniem dna miednicy jest mięsień dźwigacz odbytu. Jest to szeroka cienka warstwa mięśniowa, którą tworzą trzy części:

■ mięsień łonowo-guziczny – główna część mięśnia dźwigacza odbytu;
■ mięsień łonowo-odbytniczy – jego włókna zaczynają się na kości łonowej i obejmują pętlą od tyłu zgięcie kroczowe odbytnicy;
■ mięsień biodrowo-guziczny – tylne włókna mięśnia dźwigacza odbytu.

Drugim mięśniem jest mięsień guziczny, który znajduje się za mięśniem dźwigaczem odbytu.

## ŚCIANY MIEDNICY

W jamie miednicy wyróżnia się cztery ściany: przednią, tylną i dwie boczne.

Ścianę przednią tworzą kości łonowe i ich połączenie, spojenie łonowe. Ścianę tylną tworzą kości krzyżowa i kość guziczna oraz sąsiadujące części kości biodrowej. Dwie boczne ściany utworzone są przez mięsień zasłaniacz wewnętrzny leżący na kościach miednicznych.

**Przepona miednicy kobiety widziana od góry**

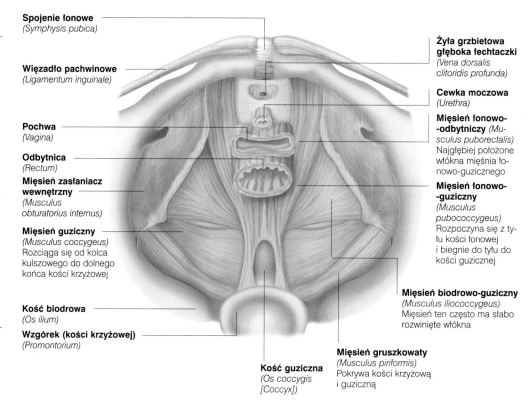

Spojenie łonowe
(Symphysis pubica)

Więzadło pachwinowe
(Ligamentum inguinale)

Pochwa
(Vagina)

Odbytnica
(Rectum)

Mięsień zasłaniacz wewnętrzny
(Musculus obturatorius internus)

Mięsień guziczny
(Musculus coccygeus)
Rozciąga się od kolca kulszowego do dolnego końca kości krzyżowej

Kość biodrowa
(Os ilium)

Wzgórek (kości krzyżowej)
(Promontorium)

Żyła grzbietowa głęboka łechtaczki
(Vena dorsalis clitoridis profunda)

Cewka moczowa
(Urethra)

Mięsień łonowo--odbytniczy (Musculus puborectalis)
Najgłębiej położone włókna mięśnia łonowo-guzicznego

Mięsień łonowo--guziczny
(Musculus pubococcygeus)
Rozpoczyna się z tyłu kości łonowej i biegnie do tyłu do kości guzicznej

Mięsień biodrowo-guziczny
(Musculus iliococcygeus)
Mięsień ten często ma słabo rozwinięte włókna

Mięsień gruszkowaty
(Musculus piriformis)
Pokrywa kości krzyżową i guziczną

Kość guziczna
(Os coccygis [Coccyx])

*Mięśnie dna miednicy określane są mianem przepony miednicy. Najważniejszym mięśniem dna miednicy jest dźwigacz odbytu, a jego nazwa pochodzi od sposobu działania (dźwigania odbytu).*

## Środek ścięgnisty krocza

**Miednica kobiety**

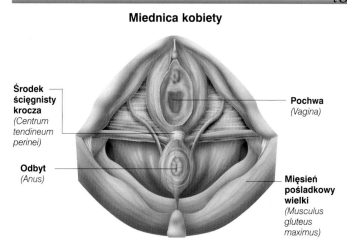

Środek ścięgnisty krocza
(Centrum tendineum perinei)

Odbyt
(Anus)

Pochwa
(Vagina)

Mięsień pośladkowy wielki
(Musculus gluteus maximus)

Środek ścięgnisty krocza jest małym skupiskiem tkanki włóknistej, leżącym w dnie miednicy, tuż przed kanałem odbytu. Do środka ścięgnistego przyczepionych jest wiele mięśni dna miednicy i krocza, umożliwiając parzystym mięśniom wzajemne pociąganie się, przez co pełni jedną z funkcji kości. Stanowi on też podporę dla narządów wewnętrznych leżących w miednicy.

*Mały i głęboko ukryty środek ścięgnisty jest bardzo ważną strukturą; podpiera on leżące powyżej narządy miednicy.*

## NACIĘCIE KROCZA

W czasie porodu może dojść do uszkodzenia środka ścięgnistego w wyniku rozciągnięcia albo pęknięcia, gdy głowa dziecka przechodzi przez dno miednicy. Utrata podpory, jaką tylnej ścianie pochwy zapewnia środek ścięgnisty, może niekiedy doprowadzić do wypadania pochwy.

Aby zapobiec uszkodzeniu środka ścięgnistego w czasie porodu, położnik może wykonać nacięcie krocza (episiotomię). To umyślne nacięcie mięśni na tylnej ścianie pochwy powiększa otwór i zapobiega uszkodzeniu środka ścięgnistego.

# Otwory dna miednicy

Pod względem budowy dno miednicy przypomina przeponę w klatce piersiowej, ponieważ tworzy prawie ciągłą warstwę, jedynie z kilkoma otworami, przez które przechodzą ważne struktury. W dnie miednicy leżą dwa ważne otwory.

Miednica widziana od dołu ma kształt lejka. W biegnących przez dno miednicy mięśniach można wyróżnić dwa główne otwory:

■ Rozwór odbytowy – ten otwór umożliwia przejście odbytu i kanału odbytu przez warstwę mięśni dna miednicy. Tylny brzeg rozworu tworzą biegnące w kształcie litery U włókna mięśnia łonowo-odbytniczego.

■ Rozwór moczowo-płciowy – znajduje się z przodu od rozworu odbytowego; przez ten otwór przechodzi cewka moczowa, która odprowadza mocz z pęcherza moczowego na zewnątrz. U kobiet przez ten rozwór przechodzi również pochwa, która leży tuż za cewką moczową.

## FUNKCJE MIĘŚNI DNA MIEDNICY

Mięśnie dna miednicy pełnią następujące funkcje:

■ Stanowią podporę dla narządów miednicy i jamy brzusznej.

■ Przeciwstawiają się wzrostowi ciśnienia w obrębie jamy brzusznej, np. podczas kaszlu czy kichania, które mogłoby spowodować opróżnienie pęcherza moczowego lub jelita grubego.

■ Kontrolują wypróżnianie i oddawanie moczu.

■ Stanowią podporę dla trzewi podczas forsownych ćwiczeń kończyn górnych, np. podciągania się na rękach.

### Widok miednicy męskiej od dołu

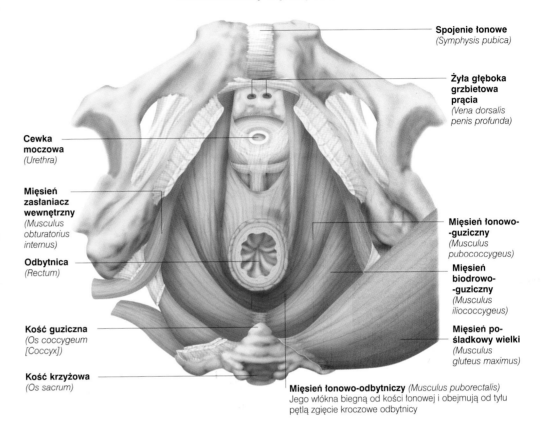

**Spojenie łonowe**
(Symphysis pubica)

**Żyła głęboka grzbietowa prącia**
(Vena dorsalis penis profunda)

**Cewka moczowa**
(Urethra)

**Mięsień zasłaniacz wewnętrzny**
(Musculus obturatorius internus)

**Odbytnica**
(Rectum)

**Kość guziczna**
(Os coccygeum [Coccyx])

**Kość krzyżowa**
(Os sacrum)

**Mięsień łonowo--guziczny**
(Musculus pubococcygeus)

**Mięsień biodrowo--guziczny**
(Musculus iliococcygeus)

**Mięsień po--śladkowy wielki**
(Musculus gluteus maximus)

**Mięsień łonowo-odbytniczy** (Musculus puborectalis)
Jego włókna biegną od kości łonowej i obejmują od tyłu pętlą zgięcie kroczowe odbytnicy

### Przepona miednicy męskiej – widok z góry

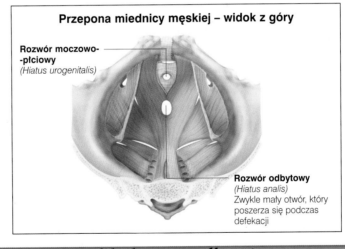

**Rozwór moczowo--płciowy**
(Hiatus urogenitalis)

**Rozwór odbytowy**
(Hiatus analis)
Zwykle mały otwór, który poszerza się podczas defekacji

*Mięśnie dna miednicy pełnią ważne funkcje podporowe. Bez nich narządy wewnętrzne jamy brzusznej i miednicy wypadałyby przez kostną obręcz miednicy.*

## Dół kulszowo-odbytniczy

### Miednica w przekroju czołowym

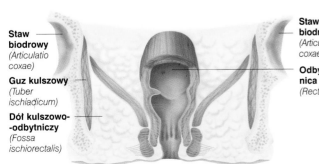

**Staw biodrowy**
(Articulatio coxae)

**Guz kulszowy**
(Tuber ischiadicum)

**Dół kulszowo--odbytniczy**
(Fossa ischiorectalis)

**Staw biodrowy**
(Articulatio coxae)

**Odbyt-nica**
(Rectum)

Dół kulszowo-odbytniczy jest przestrzenią położoną na zewnątrz miednicy pomiędzy mięśniami przepony miednicy a skórą wokół odbytu.

Dół kulszowo-odbytniczy wypełnia tkanka tłuszczowa, poprzedzielana pasmami tkanki łącznej. Tłuszcz pełni funkcję materiału uszczelniającego, który

*Dół kulszowo-odbytniczy ma kształt klina węższego u góry, a szerszego u podstawy. Dół wypełnia ciało tłuszczowe (tkanka tłuszczowa).*

może przystosowywać się do zmieniającej się wielkości i położenia odbytu w okresie między wypróżnieniami.

### ZAKAŻENIE

W obrębie dołu kulszowo--odbytniczego może rozwinąć się zakażenie i wytworzyć ropień. Każdy źle ukrwiony obszar organizmu jest podatny na zakażenie i z pewnością takim obszarem jest tkanka tłuszczowa dołu kulszowo-odbytniczego. Zakażenie może objąć inne miejsca i wymagać leczenia chirurgicznego.

# Mięśnie pośladków

Mięsień pośladkowy jest największym i najcięższym
ze wszystkich mięśni leżących w okolicy pośladkowej.
Ten silny mięsień umożliwia utrzymanie pionowej pozycji ciała.

Okolica pośladkowa znajduje się
z tyłu miednicy. Jej kształt zależy
od wielu dużych mięśni, które
stabilizują i umożliwiają wykonywanie
ruchów w stawie biodrowym.
Mięśnie te pokrywa warstwa tkanki
tłuszczowej.

## MIĘSIEŃ POŚLADKOWY WIELKI

Jest on jednym z największych
mięśni ludzkiego ciała. Pokrywa on
inne mięśnie pośladków z wyjątkiem
jednej trzeciej mięśnia pośladkowego
średniego. Mięsień pośladkowy wielki
rozpoczyna się na kości biodrowej
(części miednicy kostnej), z tyłu
kości krzyżowej i kości guzicznej.
Jego włókna biegną ku dołowi i na
zewnątrz pod katem 45 stopni
w kierunku kości udowej. Większość
włókien jest przyczepionych do
pasma biodrowo-piszczelowego.

## DZIAŁANIE

Główne działanie mięśnia polega na
utrzymaniu pionowej postawy ciała
i prostowaniu kończyny podczas
wstawania z pozycji siedzącej. Gdy
noga jest wyprostowana, mięsień
pośladkowy wielki pokrywa guz
kulszowy. W pozycji siedzącej guz
ten podczas siedzenia dźwiga ciężar
ciała. Nigdy jednak nie siedzimy na
mięśniu pośladkowym wielkim,
ponieważ gdy noga jest zgięta
w stawie biodrowym, unosi się on
i odsuwa w bok od guza
kulszowego.

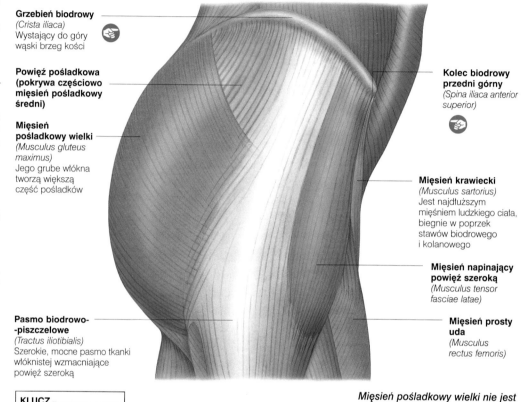

**Grzebień biodrowy**
*(Crista iliaca)*
Wystający do góry
wąski brzeg kości

**Powięź pośladkowa
(pokrywa częściowo
mięsień pośladkowy
średni)**

**Mięsień
pośladkowy wielki**
*(Musculus gluteus
maximus)*
Jego grube włókna
tworzą większą
część pośladków

**Pasmo biodrowo-
-piszczelowe**
*(Tractus iliotibialis)*
Szerokie, mocne pasmo tkanki
włóknistej wzmacniające
powięź szeroką

**Kolec biodrowy
przedni górny**
*(Spina iliaca anterior
superior)*

**Mięsień krawiecki**
*(Musculus sartorius)*
Jest najdłuższym
mięśniem ludzkiego ciała,
biegnie w poprzek
stawów biodrowego
i kolanowego

**Mięsień napinający
powięź szeroką**
*(Musculus tensor
fasciae latae)*

**Mięsień prosty
uda**
*(Musculus
rectus femoris)*

**KLUCZ** To miejsce można
bez trudu wyczuć
pod skórą

*Mięsień pośladkowy wielki nie jest
bardzo aktywny podczas zwykłego
chodzenia, silniej pracuje
podczas biegania i wchodzenia
po schodach.*

## Anatomia powierzchni okolicy pośladkowej

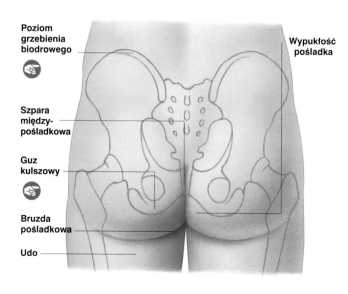

**Poziom
grzebienia
biodrowego**

**Wypukłość
pośladka**

**Szpara
między-
pośladkowa**

**Guz
kulszowy**

**Bruzda
pośladkowa**

**Udo**

Okolica pośladkowa znajduje się
z tyłu miednicy, pomiędzy
grzebieniem biodrowym a dolnym
brzegiem mięśnia pośladkowego
wielkiego. Zarysy jej tworzą głównie
mięsień pośladkowy wielki i tkanka
tłuszczowa.

### CECHY

W okolicy pośladkowej występuje
wiele charakterystycznych cech:
■ Szpara międzypośladkowa, która
oddziela pośladki.
■ Wypukłość pośladka utworzona
przez dolny brzeg mięśnia
pośladkowego wielkiego, który

*Mięśnie i tkanka tłuszczowa
tworzą zarys okolicy pośladkowej.
Bruzda pośladkowa oddziela
dolny koniec pośladków
od górnego odcinka uda.*

pokryty jest warstwą tkanki
tłuszczowej.
■ Bruzda pośladkowa jest
zgięciem, które znajduje się poniżej
wypukłości pośladków. Jest linią
oddzielającą pośladek od uda.

### ORIENTACYJNE PUNKTY
KOSTNE

U osób, które nie są bardzo otyłe,
przez skórę w okolicy pośladków
można wyczuć niektóre wyniosłości
kostne:
■ Grzebień biodrowy jest zwykle
wyczuwalny na całym przebiegu.
■ Guz kulszowy, można wyczuć
w dole pośladków; w pozycji
stojącej pokrywa go mięsień
pośladkowy wielki.
■ Kość guziczną można wyczuć
w górnym odcinku szpary między-
pośladkowej.

# Mięśnie głębokie okolicy pośladków

Mięśnie leżące pod mięśniem pośladkowym wielkim mają ogromne znaczenie w czasie chodzenia. Utrzymują one miednicę w poziomie, gdy stopa odrywana jest od podłoża.

Poniżej mięśnia pośladkowego wielkiego leży wiele innych mięśni, które stabilizują staw biodrowy i poruszają kończyną dolną.

### MIĘŚNIE POŚLADKOWE MAŁY I ŚREDNI

Mięśnie pośladkowe średni i mały leżą pod mięśniem pośladkowym wielkim. Ich włókna układają się wachlarzowato i biegną w tym samym kierunku.

Mięsień pośladkowy średni leży bezpośrednio pod mięśniem pośladkowym wielkim i tylko w jednej trzeciej nie jest przez niego przykryty. Mięsień pośladkowy średni zaczyna się na zewnętrznej powierzchni kości biodrowej i jest przyczepiony do krętarza większego, kości udowej.

Mięsień pośladkowy mały leży bezpośrednio pod mięśniem pośladkowym średnim, a jego włókna mają podobny wachlarzowaty przebieg. Zaczyna się on na kości biodrowej i jest przyczepiony do krętarza większego.

### CZYNNOŚĆ PODSTAWOWA

Mięśnie pośladkowe średni i mały wspólnie biorą udział w procesie chodzenia. Utrzymują one miednicę w poziomie i nie pozwalają jej opaść w chwili, gdy jedna stopa jest uniesiona nad podłożem. Dzięki nim nieobciążona stopa może oderwać się od podłoża, zanim zostanie przeniesiona do przodu.

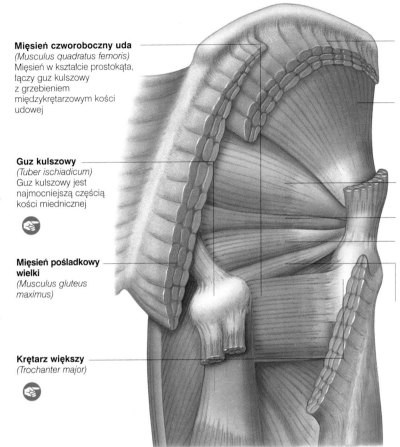

**Mięsień czworoboczny uda**
*(Musculus quadratus femoris)*
Mięsień w kształcie prostokąta, łączy guz kulszowy z grzebieniem międzykrętarzowym kości udowej

**Guz kulszowy**
*(Tuber ischiadicum)*
Guz kulszowy jest najmocniejszą częścią kości miednicznej

**Mięsień pośladkowy wielki**
*(Musculus gluteus maximus)*

**Krętarz większy**
*(Trochanter major)*

**Mięsień pośladkowy średni**
*(Musculus gluteus medius)*
Gruby mięsień, w dużej części pokryty przez mięsień pośladkowy wielki

**Mięsień pośladkowy mały**
*(Musculus gluteus minimus)*
Najmniejszy i najgłębiej położony mięsień pośladkowy

**Mięsień gruszkowaty**
*(Musculus piriformis)*

**Mięsień bliźniaczy górny**
*(Musculus gemellus superior)*

**Mięsień zasłaniacz wewnętrzny**
*(Musculus obturatorius internus)*

**Mięsień bliźniaczy dolny**
*(Musculus gemellus inferior)*

**KLUCZ** To miejsce można bez trudu wyczuć pod skórą

W obszarze, w którym leżą mięśnie pośladkowe, znajdują się jeszcze inne mięśnie. Wspomagają one wykonywanie innych ruchów kończyny dolnej w stawie biodrowym:
■ Mięsień gruszkowaty – którego nazwa pochodzi od kształtu mięśnia. Leży on pod mięśniem pośladkowym małym. Mięsień gruszkowaty obraca udo w bok, tak by stopa była skierowana na zewnątrz.
■ Mięsień zasłaniacz wewnętrzny oraz mięśnie bliźniacze górny i dolny – wspólnie tworzą złożony, trójgłowy mięsień. Leży on pod mięśniem gruszkowatym. Mięśnie te obracają udo na zewnątrz i stabilizują staw biodrowy.

*Mięśnie głębokie obracają udo na zewnątrz i stabilizują staw biodrowy. Głównymi mięśniami w tej grupie są mięśnie pośladkowy średni i mały.*

■ Mięsień czworoboczny uda – ten krótki, gruby mięsień obraca udo na zewnątrz i pomaga stabilizować staw biodrowy.

## Kaletki okolicy pośladków

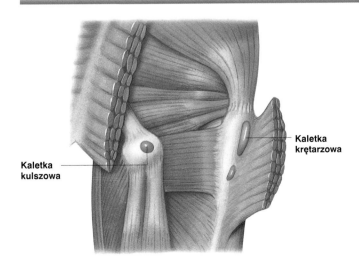

**Kaletka kulszowa**

**Kaletka krętarzowa**

Kaletka jest małym woreczkiem częściowo wypełnionym płynną treścią. Kaletki występują w wielu miejscach ciała, tam gdzie dwie struktury, zwykle kość i ścięgno, przesuwają się po sobie.

### OCHRONA

Kaletki leżące między tymi strukturami chronią je przed zużyciem i zmniejszają tarcie.

W okolicy pośladkowej występują trzy grupy kaletek:
■ Kaletka krętarzowa. Ta duża kaletka leży pomiędzy grubymi

*W okolicy pośladkowej znajdują się trzy ważne kaletki maziowe. Ułatwiają one przesuwanie ścięgien po kościach.*

górnymi włóknami mięśnia pośladkowego wielkiego a krętarzem większym kości udowej.
■ Kaletka kulszowa. Ta kaletka, jeśli występuje, leży pomiędzy dolnymi włóknami mięśnia pośladkowego wielkiego a guzem kulszowym miednicy, który dźwiga ciężar ciała podczas siedzenia.
■ Kaletka pośladkowo-udowa. Kaletka ta leży na zewnętrznej stronie uda pomiędzy mięśniem pośladkowym wielkim a mięśniem obszernym bocznym.

# Staw biodrowy

Staw biodrowy jest mocnym stawem kulistym panewkowym łączącym kończynę dolną z miednicą. Staw biodrowy jest drugim po stawie ramiennym stawem umożliwiającym wykonywanie szerokich ruchów.

W stawie biodrowym kulista głowa kości udowej pasuje dokładnie do miseczkowatej panewki utworzonej przez kość biodrową miednicy.

Powierzchnie stawowe – części kostne, które stykają się ze sobą – pokrywa ochronna warstwa bardzo gładkiej i śliskiej chrząstki szklistej. Staw biodrowy jest stawem maziówkowym, co znaczy, że w jamie stawowej znajduje się cienka warstwa mazi stawowej, która smaruje powierzchnie stawowe, ułatwiając ruchy. Maź jest produkowana i wydzielana przez błonę maziową.

## OBRĄBEK PANEWKOWY

Wysoki obrąbek panewkowy znacznie pogłębia panewkę stawu biodrowego. Struktura ta zwiększa stabilność stawu i sprawia, że prawie kulista głowa kości udowej leży głęboko wewnątrz stawu.

Chrząstka panewki nie pokrywa całej powierzchni panewki, nie jest zamkniętym pierścieniem, lecz ma kształt półksiężyca lub podkowy. Przerwa w powierzchni panewki stawowej, tzw. wcięcie panewki, leży w najniższym jej punkcie, a brzegi wcięcia łączy leżący powyżej obrąbek panewki. Wolna, otwarta środkowa część „podkowy" wypełniona jest amortyzującą wyściółką tłuszczową.

*Staw biodrowy jest stawem kulistym panewkowym, który łączy kość miedniczną z kością udową. W stawie możliwe jest wykonywanie szerokiego zakresu ruchów.*

**Przekrój poprzeczny prawego stawu biodrowego**

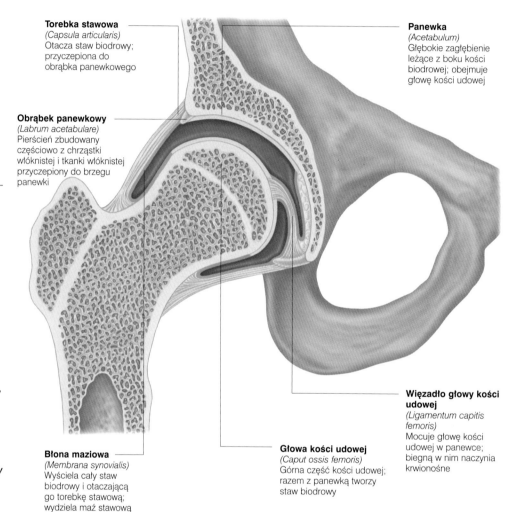

**Torebka stawowa**
*(Capsula articularis)*
Otacza staw biodrowy; przyczepiona do obrąbka panewkowego

**Obrąbek panewkowy**
*(Labrum acetabulare)*
Pierścień zbudowany częściowo z chrząstki włóknistej i tkanki włóknistej przyczepiony do brzegu panewki

**Panewka**
*(Acetabulum)*
Głębokie zagłębienie leżące z boku kości biodrowej; obejmuje głowę kości udowej

**Więzadło głowy kości udowej**
*(Ligamentum capitis femoris)*
Mocuje głowę kości udowej w panewce; biegną w nim naczynia krwionośne

**Głowa kości udowej**
*(Caput ossis femoris)*
Górna część kości udowej; razem z panewką tworzy staw biodrowy

**Błona maziowa**
*(Membrana synovialis)*
Wyściela cały staw biodrowy i otaczającą go torebkę stawową; wydziela maź stawową

## Ukrwienie stawu biodrowego

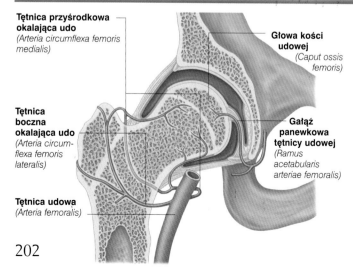

**Tętnica przyśrodkowa okalająca udo**
*(Arteria circumflexa femoris medialis)*

**Tętnica boczna okalająca udo**
*(Arteria circumflexa femoris lateralis)*

**Tętnica udowa**
*(Arteria femoralis)*

**Głowa kości udowej**
*(Caput ossis femoris)*

**Gałąź panewkowa tętnicy udowej**
*(Ramus acetabularis arteriae femoralis)*

Staw biodrowy zaopatrują w krew dwa źródła:
■ Tętnice przyśrodkowa i boczna okalająca udo dochodzą do głowy kości udowej od strony szyi kości udowej.
■ Tętnica zaopatrująca głowę kości udowej – dochodzi do głowy kości udowej od strony panewki stawowej, przechodzi przez więzadło głowy kości udowej.

*Krew dopływająca do stawu biodrowego pochodzi z dwóch źródeł. Są nimi tętnice przyśrodkowa i boczna okalająca udo oraz tętnica głowy kości udowej.*

### JAŁOWA MARTWICA GŁOWY KOŚCI UDOWEJ (CHOROBA PERTHESA)

Zaopatrzenie w krew stawu biodrowego ma duże znaczenie kliniczne. Szczególnie u dzieci duża ilość krwi dopływa do głowy kości udowej przez tętnicę leżącą w więzadle głowy kości udowej.

Uszkodzenie tej tętnicy może doprowadzić do martwicy głowy kości udowej, tzw. martwicy awaskularnej (spowodowanej brakiem odpowiedniego dopływu krwi). Uszkodzenie to występuje u głównie dzieci między 3. a 9. rokiem życia i może objawiać się bólem biodra i kolana.

# Więzadła stawu biodrowego

Staw biodrowy chroni gruba włóknista torebka stawowa. Jest ona wystarczająco elastyczna, aby umożliwić wykonywanie szerokiego zakresu ruchów; wzmacniają ją liczne więzadła.

Torebkę stawu biodrowego wzmacnia silny aparat więzadłowy. Więzadła stawu biodrowego rozciągają się od brzegu panewki stawowej ku dołowi do szyjki kości udowej. Biegną spiralnie od kości biodrowej do kości udowej, a ich nazwa zależy od części kości, do której są przyczepione:
■ więzadło biodrowo-udowe,
■ więzadło łonowo-udowe,
■ więzadło kulszowo-udowe.

### RUCHY I STABILNOŚĆ

Staw biodrowy jest stawem kulistym, drugim po stawie ramiennym pod względem możliwego do wykonania zakresu ruchów. W odróżnieniu do stawu ramiennego musi być bardzo stabilny, gdyż przenosi znaczne obciążenia. W stawie biodrowym można wykonać następujące ruchy:
■ zginanie (zginanie do przodu, kolano się unosi),
■ prostowanie (noga znajduje się z tyłu ciała),
■ odwodzenie (odstawianie nogi w bok),
■ przywodzenie (dostawianie nogi do linii pośrodkowej ciała),
■ obrót, zasięg tego ruchu jest większy przy zgiętej nodze.

*Staw biodrowy leży w torebce włóknistej. Torebkę wzmacniają liczne więzadła, które biegną spiralnie do dołu od kości biodrowej do kości udowej.*

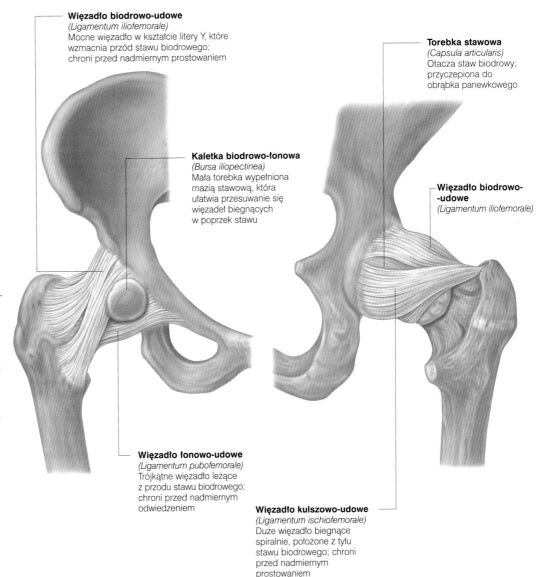

**Prawe biodro – widok z przodu**

**Więzadło biodrowo-udowe**
*(Ligamentum iliofemorale)*
Mocne więzadło w kształcie litery Y, które wzmacnia przód stawu biodrowego; chroni przed nadmiernym prostowaniem

**Kaletka biodrowo-łonowa**
*(Bursa iliopectinea)*
Mała torebka wypełniona mazią stawową, która ułatwia przesuwanie się więzadeł biegnących w poprzek stawu

**Więzadło łonowo-udowe**
*(Ligamentum pubofemorale)*
Trójkątne więzadło leżące z przodu stawu biodrowego; chroni przed nadmiernym odwiedzeniem

**Prawe biodro – widok z tyłu**

**Torebka stawowa**
*(Capsula articularis)*
Otacza staw biodrowy; przyczepiona do obrąbka panewkowego

**Więzadło biodrowo--udowe**
*(Ligamentum iliofemorale)*

**Więzadło kulszowo-udowe**
*(Ligamentum ischiofemorale)*
Duże więzadło biegnące spiralnie, położone z tyłu stawu biodrowego; chroni przed nadmiernym prostowaniem

## Sztuczny staw biodrowy

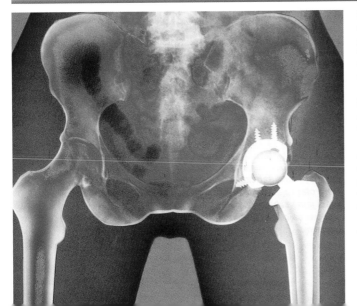

Staw biodrowy był pierwszym stawem, dla którego stworzono protezę. Pierwszą całkowitą wymianę stawu biodrowego wykonał sir John Charnley w 1963 roku.

Wprawdzie staw biodrowy jest bardzo stabilny, jednak jest on podatny na uszkodzenia spowodowane urazem lub zapaleniem, co może

*Zamieszczone obok zdjęcie rentgenowskie przedstawia protezę lewego stawu biodrowego. Składa się ona z plastikowej panewki umieszczonej w miednicy i metalowej protezy zacementowanej w kości udowej.*

prowadzić do poważnego kalectwa. Chirurgiczna wymiana stawu zwiększa ruchomość i zmniejsza ból.

Podczas operacji uszkodzoną główkę i szyjkę kości udowej zastępuje się metalową protezą. Mocuje się ją w kości udowej specjalnym cementem. Panewkę stawu biodrowego zastępuje się plastikową panewką, którą wkleja się na cement w kości miednicy.

Sztuczne stawy biodrowe wytrzymują około 10 lat. Nie są więc odpowiednie dla młodych aktywnych ludzi. Istnieje nadzieja, że dzięki badaniom, technice oraz nowoczesnym materiałom protezy staną się coraz doskonalsze.

# Staw kolanowy i rzepka

Staw kolanowy jest połączeniem między dolnym końcem kości udowej
a górnym końcem piszczeli. Z przodu stawu kolanowego leży wypukła rzepka,
którą łatwo można wyczuć pod skórą.

Staw kolanowy jest połączeniem pomiędzy dolnym końcem kości udowej a górnym końcem piszczeli (największa kość goleni). Strzałka, mniejsza z dwóch kości goleni, nie tworzy stawu kolanowego.

### BUDOWA

Staw kolanowy jest stawem maziówkowym, w którym ruchy ułatwia maź stawowa wydzielana przez błonę wyścielającą jamę stawu.

O stawie kolanowym myślimy często jak o pojedynczym stawie, jednak jest on najbardziej złożonym stawem ciała. Składa się z trzech oddzielnych stawów, które znajdują się we wspólnej jamie stawowej:

■ Staw pomiędzy rzepką a dolnym końcem kości udowej. Jest to staw płaski, w którym jedna kość ślizga się po drugiej.

■ Staw między kłykciami kości udowej (dolnymi końcami kości udowej) a odpowiadającymi im częściami piszczeli. Jest to staw typu zawiasowego, gdyż ruchy, jakie w nim można wykonać, są podobne do ruchu drzwi na zawiasach.

### STABILNOŚĆ STAWU

Biorąc pod uwagę, że nie ma dobrego „dopasowania" między kłykciami kości udowej a górnym końcem piszczeli, staw kolanowy jest w miarę stabilny. Stabilność stawu zapewniają otaczające go mięśnie i więzadła.

**Przekrój strzałkowy kolana**

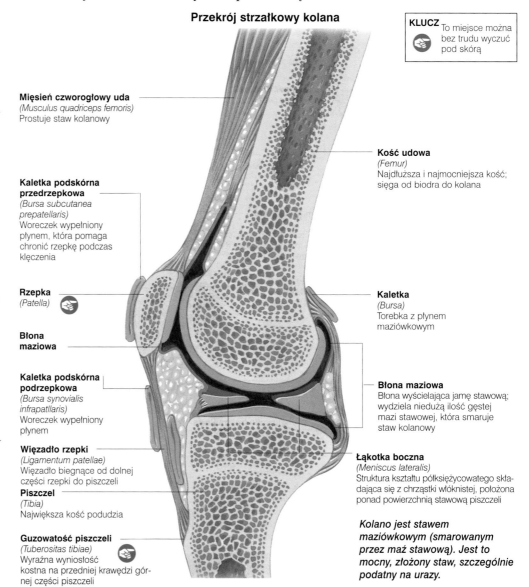

**Mięsień czworogłowy uda**
*(Musculus quadriceps femoris)*
Prostuje staw kolanowy

**Kaletka podskórna przedrzepkowa**
*(Bursa subcutanea prepatellaris)*
Woreczek wypełniony płynem, która pomaga chronić rzepkę podczas klęczenia

**Rzepka**
*(Patella)*

**Błona maziowa**

**Kaletka podskórna podrzepkowa**
*(Bursa synovialis infrapatllaris)*
Woreczek wypełniony płynem

**Więzadło rzepki**
*(Ligamentum patellae)*
Więzadło biegnące od dolnej części rzepki do piszczeli

**Piszczel**
*(Tibia)*
Największa kość podudzia

**Guzowatość piszczeli**
*(Tuberositas tibiae)*
Wyraźna wyniosłość kostna na przedniej krawędzi górnej części piszczeli

**Kość udowa**
*(Femur)*
Najdłuższa i najmocniejsza kość; sięga od biodra do kolana

**Kaletka**
*(Bursa)*
Torebka z płynem maziówkowym

**Błona maziowa**
Błona wyścielająca jamę stawową; wydziela niedużą ilość gęstej mazi stawowej, która smaruje staw kolanowy

**Łąkotka boczna**
*(Meniscus lateralis)*
Struktura kształtu półksiężycowatego składająca się z chrząstki włóknistej, położona ponad powierzchnią stawową piszczeli

*Kolano jest stawem maziówkowym (smarowanym przez maź stawową). Jest to mocny, złożony staw, szczególnie podatny na urazy.*

## Anatomia powierzchni stawu kolanowego

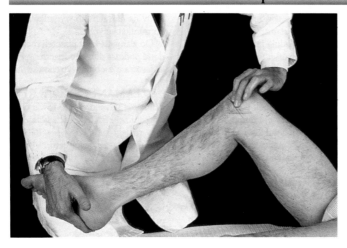

Wiele struktur stawu kolanowego można wyczuć, delikatnie obmacując pokrywającą go skórę przy zgiętym kolanie.

### WIĘZADŁA RZEPKI

Łatwo można zobaczyć zarys rzepki i zbadać jej powierzchnię. Pod rzepką leży więzadło rzepki, mocne pasmo tkanki włóknistej, które schodzi z rzepki na przednią powierzchnię piszczeli.

*Badanie fizykalne kolana pozwala ocenić wiele jego części. Szczególnie łatwo można wyczuć części kostne, ponieważ leżą one tuż pod skórą.*

Po obu stronach rzepki, tuż za nią, leżą kłykcie przyśrodkowy i boczny (zaokrąglone dolne końce kości udowej). Poniżej rzepki można wyczuć guzowatość piszczeli (chropowatą wyniosłość leżącą z przodu na górnym końcu).

### TĘTNICE

Z tyłu kolana leży zagłębienie, tzw. dół podkolanowy. Podczas delikatnego ucisku powierzchni przy zgiętym kolanie można wyczuć tętnienie dużej tętnicy podkolanowej.

# Wnętrze kolana – łąkotki

Łąkotki są płytkami zbudowanymi z twardej chrząstki włóknistej. Mają kształt litery C i leżą na powierzchni stawowej piszczeli. Amortyzują wstrząsy i zapobiegają bocznym ruchom kości udowej.

Patrząc w dół na otwarty staw kolanowy i górną powierzchnię piszczeli, widać dwie łąkotki w kształcie litery C.

Łąkotki są płytkami zbudowanymi z wytrzymałej chrząstki włóknistej. Leżą na powierzchni stawowej piszczeli i pogłębiają zagłębienie, w które wchodzą kłykcie kości biodrowej.

## ABSORPCJA WSTRZĄSÓW

Łąkotki pełnią funkcję amortyzatorów – absorbują wstrząsy w obrębie stawu kolanowego i zapobiegają kołysaniu się stawu na boki.

## BUDOWA ŁĄKOTEK

Na przekroju poprzecznym łąkotki mają kształt klina. Ich zewnętrzne brzegi są szersze. Bliżej środka stają się cieńsze, a ich wewnętrzna krawędź zmniejsza się ku środkowi, nie łączą się z podłożem. Z przodu obie łąkotki są złączone ze sobą przez więzadła poprzeczne kolana, a ich zewnętrzne brzegi mocno łączą się z torebką stawową.

## PRZYCZEPY

Przyczep łąkotki przyśrodkowej do więzadła pobocznego piszczelowego ma duże znaczenie kliniczne, gdyż uraz tego więzadła podczas uprawiania sportów kontaktowych może spowodować uszkodzenie łąkotki.

**Kolano widziane od góry**

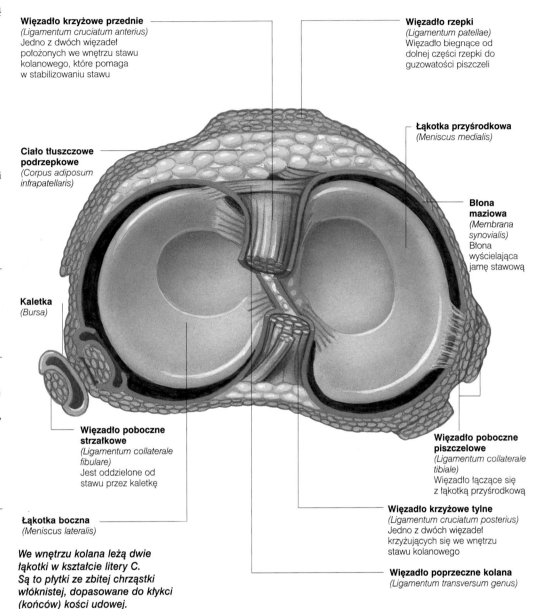

**Więzadło krzyżowe przednie**
(Ligamentum cruciatum anterius)
Jedno z dwóch więzadeł położonych we wnętrzu stawu kolanowego, które pomaga w stabilizowaniu stawu

**Ciało tłuszczowe podrzepkowe**
(Corpus adiposum infrapatellaris)

**Kaletka**
(Bursa)

**Więzadło poboczne strzałkowe**
(Ligamentum collaterale fibulare)
Jest oddzielone od stawu przez kaletkę

**Łąkotka boczna**
(Meniscus lateralis)

**Więzadło rzepki**
(Ligamentum patellae)
Więzadło biegnące od dolnej części rzepki do guzowatości piszczeli

**Łąkotka przyśrodkowa**
(Meniscus medialis)

**Błona maziowa**
(Membrana synovialis)
Błona wyścielająca jamę stawową

**Więzadło poboczne piszczelowe**
(Ligamentum collaterale tibiale)
Więzadło łączące się z łąkotką przyśrodkową

**Więzadło krzyżowe tylne**
(Ligamentum cruciatum posterius)
Jedno z dwóch więzadeł krzyżujących się we wnętrzu stawu kolanowego

**Więzadło poprzeczne kolana**
(Ligamentum transversum genus)

*We wnętrzu kolana leżą dwie łąkotki w kształcie litery C. Są to płytki ze zbitej chrząstki włóknistej, dopasowane do kłykci (końców) kości udowej.*

---

## Rzepka

### Widok z przodu

### Widok z tyłu

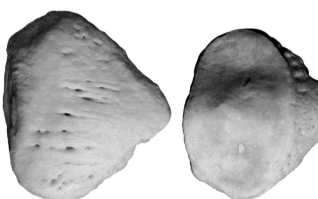

Leży wewnątrz ścięgna silnego mięśnia czworogłowego uda. Rzepka jest największą trzeszczką ciała. Trzeszczki są kośćmi, które rozwijają się wewnątrz ścięgien mięśni. Chronią ścięgna, gdy te przesuwają się nad końcami kości długich.

### BUDOWA

Rzepka jest płaską kością, wypukłością skierowaną do przodu; można ją bez trudu wyczuć pod skórą. Między rzepką a skórą leży

*Rzepka leży z przodu kolana. Jest ona płaską kością o wypukłej zewnętrznej powierzchni, którą można z łatwością wyczuć przez skórę.*

(wypełniona płynem) kaletka, która zmniejsza tarcie i chroni kość podczas klęczenia.

### CHRZĄSTKA

Tylną powierzchnię rzepki pokrywa cienka warstwa chrząstki. Tworzy ona staw maziówkowy z dolnym końcem kości udowej.

Ścięgno silnego mięśnia czworogłowego uda jest przyczepione do górnego i bocznego brzegu rzepki, a więzadło rzepki odchodzi od jej dolnego brzegu i jest przyczepione do guzowatości piszczeli.

# Więzadła i kaletki maziowe kolana

Staw kolanowy jest tylko częściowo otoczony torebką stawową.
Jego stabilność zależy od więzadeł. Kaletki leżące wokół kolana pozwalają
na wykonywanie płynnych ruchów.

W odróżnieniu od stawu biodrowego kości stawu kolanowego nie łączą się ze sobą w sposób, który zapewnia szczególną stabilność stawu. Dlatego trwałość jego w dużej mierze zależy od otaczających go więzadeł i mięśni.

Jamę stawową stawu kolanowego otacza włóknista torebka stawowa. Więzadła wzmacniające staw kolanowy można podzielić na dwie grupy w zależności od ich położenia względem torebki.

## WIĘZADŁA LEŻĄCE POZA TOREBKĄ

Więzadła leżące poza torebką chronią kończynę przed nadmiernym prostowaniem goleni w stawie kolanowym (zginaniem do przodu). Należą do nich:

■ Ścięgno mięśnia czworogłowego – jest ono przedłużeniem ścięgna mięśnia czworogłowego uda. Wzmacnia staw kolanowy od przodu (nie jest pokazane).

■ Więzadło poboczne strzałkowe (boczne) – mocne pasmo tkanki łączące dolny zewnętrzny koniec kości udowej z głową strzałki.

■ Więzadło poboczne piszczelowe (przyśrodkowe) – mocne płaskie pasmo tkanki łączące dolny wewnętrzny koniec kości udowej z piszczelą. Jest ono słabsze niż więzadło poboczne strzałkowe, łatwiej ulega uszkodzeniu.

■ Więzadło podkolanowe skośne – wzmacnia torebkę stawu kolanowego od tyłu (nie jest pokazane).

■ Więzadło podkolanowe łukowate – również wzmacnia staw kolanowy od tyłu (nie pokazano).

### Zgięte kolano widziane od przodu

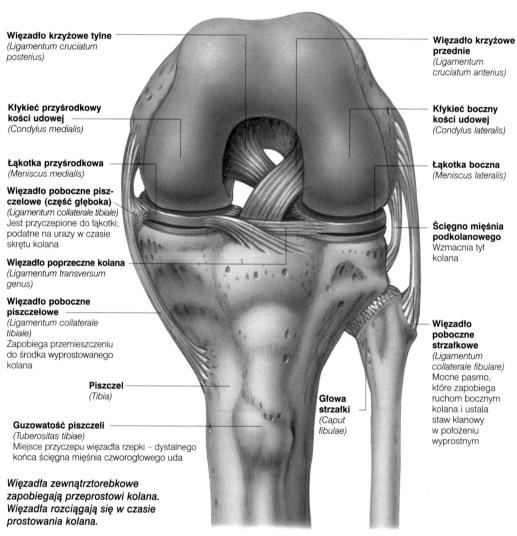

**Więzadło krzyżowe tylne**
(Ligamentum cruciatum posterius)

**Kłykieć przyśrodkowy kości udowej**
(Condylus medialis)

**Łąkotka przyśrodkowa**
(Meniscus medialis)

**Więzadło poboczne piszczelowe (część głęboka)**
(Ligamentum collaterale tibiale)
Jest przyczepione do łąkotki; podatne na urazy w czasie skrętu kolana

**Więzadło poprzeczne kolana**
(Ligamentum transversum genus)

**Więzadło poboczne piszczelowe**
(Ligamentum collaterale tibiale)
Zapobiega przemieszczeniu do środka wyprostowanego kolana

**Piszczel**
(Tibia)

**Guzowatość piszczeli**
(Tuberositas tibiae)
Miejsce przyczepu więzadła rzepki – dystalnego końca ścięgna mięśnia czworogłowego uda

**Więzadło krzyżowe przednie**
(Ligamentum cruciatum anterius)

**Kłykieć boczny kości udowej**
(Condylus lateralis)

**Łąkotka boczna**
(Meniscus lateralis)

**Ścięgno mięśnia podkolanowego**
Wzmacnia tył kolana

**Więzadło poboczne strzałkowe**
(Ligamentum collaterale fibulare)
Mocne pasmo, które zapobiega ruchom bocznym kolana i ustala staw klanowy w położeniu wyprostnym

**Głowa strzałki**
(Caput fibulae)

*Więzadła zewnątrztorebkowe zapobiegają przeprostowi kolana. Więzadła rozciągają się w czasie prostowania kolana.*

## Więzadła wewnątrztorebkowe

### Widok z boku na więzadła wewnątrz torebki

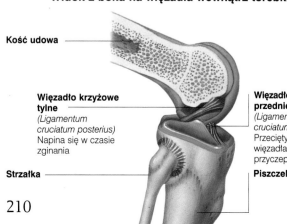

**Kość udowa**

**Więzadło krzyżowe tylne**
(Ligamentum cruciatum posterius)
Napina się w czasie zginania

**Strzałka**

**Więzadło krzyżowe przednie**
(Ligamentum cruciatum anterius)
Przecięty koniec więzadła ukazuje przyczep przedni

**Piszczel**

Więzadła wewnątrztorebkowe łączą piszczel z kością udową w środku stawu kolanowego, zapobiegając przesunięciu się kolana do przodu lub tyłu.

### WIĘZADŁA KRZYŻOWE

Dwa więzadła wewnątrztorebkowe

*Więzadła wewnątrztorebkowe, inaczej krzyżowe, układają się w kształcie litery X. Zapobiegają one przemieszczaniu się do przodu i tyłu kości tworzących staw oraz stabilizują je.*

noszą nazwę więzadeł krzyżowych, ponieważ krzyżują się ze sobą.

■ Więzadło krzyżowe przednie – jest słabszym z dwóch więzadeł krzyżowych; rozluźnia się, gdy kolano jest zgięte, a napina się przy wyprostowanym.

■ Więzadło krzyżowe tylne – więzadło to napina się podczas zginania kolana; stabilizuje kolano, gdy ciężar jest przenoszony na zgiętej nodze (np. podczas schodzenia).

# Kaletki maziowe kolana

Kaletki maziowe kolana
są małymi woreczkami
wypełnionymi mazią
stawową. Służą one do
ochrony struktur
położonych wewnątrz
kolana, zmniejszają tarcie
między poszczególnymi
elementami tworzącymi
staw podczas ruchów.

Kaletki maziowe są małymi
woreczkami leżącymi między
dwiema strukturami stale
przesuwającymi się po sobie.
Kaletki chronią te struktury przed
zużyciem i rozdarciem.

Dookoła stawu kolanowego leży
wiele kaletek maziowych. Chronią
one ścięgna podczas ruchu i ułatwiają
przesuwanie skóry nad rzepką.

## KALETKA NADRZEPKOWA

Niektóre kaletki leżą dookoła
stawu kolanowego i łączą się z jamą
stawową, przestrzenią między
powierzchniami stawów, którą
wypełnia maź stawowa. Kaletka
nadrzepkowa leży powyżej jamy
stawowej, między dolnym końcem
kości udowej a silnym mięśniem
czterogłowym uda.

## KALETKA PRZEDRZEPKOWA
I PODRZEPKOWA

Te kaletki otaczają rzepkę i więzadło
rzepki. Kaletka przedrzepkowa
ułatwia przesuwanie się skóry nad
rzepką podczas chodzenia. Kaletki
powierzchowne i głębokie leżą
dookoła dolnego końca więzadła
rzepki, w miejscu przyczepu do
guzowatości piszczeli.

*W okolicy kolana znajduje się
około 12 kaletek. Ułatwiają one
wzajemne przesuwanie się
struktur tworzących staw
kolanowy, zmniejszając tarcie.*

### Lewe kolano – widok z boku

**Mięsień czworogłowy uda**
*(Musculus quadriceps femoris)*

**Kaletka nadrzepkowa**
*(Bursa suprapatellaris)*
Największa i najważniejsza
kaletka w stawie
kolanowym

**Kaletka podskórna
przedrzepkowa**
*(Bursa subcutanea prepatellaris)*
Leży między rzepką
a pokrywającą ją skórą

**Więzadło rzepki**
*(Ligamentum patellae)*
**Kaletka podrzepkowa głęboka**
*(Bursa infrapatellaris profunda)*

**Ścięgno mięśnia
podkolanowego**

**Więzadło
poboczne
strzałkowe**
*(Ligamentum
collaterale
fibulare)*

### Lewe kolano – widok z tyłu

**Dwie głowy
mięśnia
brzuchatego łydki**
*(Musculus
gastrocnemius)*

**Kaletka mięś-
nia podkola-
nowego**
*(Bursa musculi
poplitei)*

**Kaletka mięśnia
brzuchatego łydki**
*(Bursae musculi
gastrocnemii)*

**Mięsień
podkola-
nowy**
*(Musculus
popliteus)*

**Kaletka mięśnia
półbłoniastego**
*(Bursa musculi
semimembranosi)*

**Kaletka gęsia**
*(Bursa anserina)*

**Kaletka podrzepkowa powierzchowna**
*(Bursa infrapatellaris subcutanea)*
Chroni ścięgno i umożliwia przemieszczanie
się skóry nad guzowatością piszczeli

## Badanie stawu kolanowego

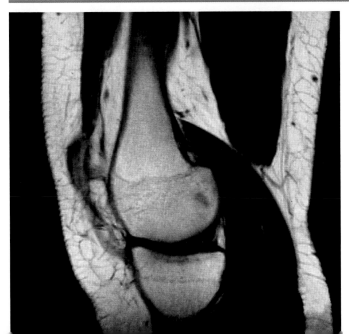

Staw kolanowy jest bardzo narażony
na uszkodzenia spowodowane
urazem lub zwyrodnieniem kości
i stawów. Aby określić wielkość
uszkodzenia, konieczne jest badanie
kliniczne i często badania dodatkowe.

### BADANIE RADIOLOGICZNE

Badanie radiologiczne stawu
kolanowego w różnych pozycjach,
czasami połączone z wstrzyknięciem
kontrastu do jamy stawowej
(artrografia), uwidacznia
nieprawidłowości kości i łąkotek.

*Rezonans magnetyczny (NMR) jest
skuteczną metodą obrazowania
złożonej anatomii stawów. Na tym
zdjęciu wyraźnie widać kości stawu
kolanowego i otaczające tkanki.*

### REZONANS
MAGNETYCZNY

Rezonans magnetyczny (NMR) jest
bardzo pomocny w diagnostyce
chorób stawów kolanowych. To nie-
inwazyjne badanie może uwidocznić
choroby tkanek miękkich leżących
dookoła stawu kolanowego oraz
w samych kościach, a więc ma dużą
przewagę nad artrografią.

### WZIERNIKOWANIE STAWU
(ARTROSKOPIA)

Innym sposobem obejrzenia wnętrza
stawu jest użycie wziernika z kamerą
(artroskopu). Podczas badania, które
wykonuje się w znieczuleniu ogólnym, chirurg może usunąć uszkodzoną tkankę, dzięki czemu chory może
uniknąć zabiegu operacyjnego.

# Mięśnie uda

Udo tworzą głównie duże grupy mięśni,
które odpowiadają za ruchy w stawach biodrowym i kolanowym.
Mięśnie poruszające udem należą do najsilniejszych mięśni ciała.

Wśród mięśni uda wyróżnia się trzy grupy: grupę przednią leżącą z przodu kości udowej, grupę tylną leżącą z tyłu i grupę przyśrodkową (mięśnie przywodziciele), które biegną między wewnętrzną powierzchnią kości udowej a miednicą.

### GRUPA PRZEDNIA

Mięśnie grupy przedniej zginają lub prostują udo w stawie biodrowym i prostują staw kolanowy. Ruchy te są wykonywane podczas podnoszenia nogi i przesuwania jej do przodu w czasie chodzenia.

Mięśnie należące do tej grupy to:
■ **Mięsień biodrowo-lędźwiowy.** Jest dużym mięśniem, zaczyna się wewnątrz miednicy i w okolicy dolnych kręgów lędźwiowych. Jego włókna są przyczepione do krętarza mniejszego kości biodrowej. Jest to najsilniejszy mięsień, który zgina udo i przesuwa kolano ku górze i do przodu.
■ **Mięsień napinający powięź szeroką.** Mięsień łączy się z silnym pasmem łącznotkankowym, które rozciąga się od uda do piszczeli.
■ **Mięsień krawiecki.** Jest najdłuższym mięśniem ciała ludzkiego, ma postać płaskiego pasma biegnącego w poprzek uda od kolca biodrowego przedniego górnego miednicy przez stawy biodrowy i kolanowy do wewnętrznej strony górnego końca piszczeli.
■ **Mięsień czworogłowy uda.** Jest dużym mięśniem, który ma cztery głowy.

**Mięsień biodrowo-lędźwiowy**
*(Musculus iliopsoas)*
Jest silnym zginaczem stawu biodrowego. Zgina udo w kierunku tułowia przy unieruchomionej miednicy

**Mięsień napinający powięź szeroką**
*(Musculus tensor fasciae latae)*
W pozycji stojącej pomaga utrzymać kość udową na położonej poniżej piszczeli

**Pasmo biodrowo-wo-piszczelowe**
*(Tractus iliotibialis)*

**Mięsień czworogłowy uda**
*(Musculus quadriceps femoris)*
Grupa mięśniowa, na którą składają się trzy mięśnie obszerne i mięsień prosty uda

**Ścięgno mięśnia czworogłowego uda**

**Rzepka**
*(Patella)*
Kość położona w ścięgnie mięśnia czworogłowego uda; ochrania kolano i wspomaga dźwiganie się

**Guzowatość piszczeli**
*(Tuberositas tibiae)*
Wyniosłość na kości, miejsce przyczepu ścięgna rzepki

**Mięsień grzebieniowy**
*(Musculus pectineus)*
Płaski mięsień, który przywodzi, zgina i odwraca udo

**Mięsień przywodziciel długi**
*(Musculus adductor longus)*
Trójkątny mięsień leżący z przodu grupy mięśni przywodzicieli uda

**Mięsień smukły**
*(Musculus gracilis)*
Mięsień z grupy przywodzicieli

**Mięsień krawiecki**
*(Musculus sartorius)*
Długi mięsień zginacz wspomaga m. biodrowo-lędźwiowy, m. napinający powięź szeroką i m. prosty uda; zgina stawy biodrowy i kolanowy

**Mięsień prosty uda**
*(Musculus rectus femoris)*
Mięsień, który stabilizuje staw biodrowy i zgina udo w stawie biodrowym; ponadto prostuje staw kolanowy

**Mięsień obszerny przyśrodkowy**
*(Musculus vastus medialis)*

*Mięśnie biodrowo-lędźwiowy, napinający powięź szeroką i prosty uda są najważniejszymi zginaczami stawu biodrowego. Inicjują ruch kończyny dolnej do przodu.*

## Mięsień czworogłowy uda

**Mięsień obszerny boczny**
*(Musculus vastus lateralis)*
Największy mięsień wchodzący w skład mięśnia czworogłowego uda

**Ścięgno mięśnia prostego uda**
Brzusiec mięśnia prostego uda został odcięty, by ukazać położone głębiej struktury

**Mięsień obszerny pośredni**
*(Musculus vastus intermedius)*
Leży w głębi, pod mięśniem prostym

**Mięsień obszerny przyśrodkowy**
*(Musculus vastus medialis)*
Pokrywa przyśrodkową część uda

Duży czterogłowy mięsień jest największym mięśniem uda i najsilniejszym mięśniem ciała. Tworzą go cztery głowy mięśniowe, z połączenia ich ścięgien powstaje mocne ścięgno mięśnia czworogłowego uda. Łączy się ono z górą rzepki, a następnie kieruje się ku dołowi jako ścięgno rzepki i łączy z guzowatością piszczeli. Mięsień czworogłowy uda prostuje kolano.

W skład mięśnia czworogłowego uda wchodzą cztery mięśnie:

*Mięsień czworogłowy uda jest prostownikiem i pracuje podczas biegania, skakania i wspinania się. Prostuje kolano przy wstawaniu.*

■ **Mięsień prosty uda** – prosty mięsień zakrywający inne części. Zgina kończynę w stawie biodrowym i prostuje w stawie kolanowym.
■ **Mięsień obszerny boczny** – największa część mięśnia czworogłowego uda.
■ **Mięsień obszerny przyśrodkowy** – leży na przyśrodkowej powierzchni uda.
■ **Mięsień obszerny pośredni** – leży w środku pod mięśniem prostym uda.

Kilka pasemek mięśnia obszernego pośredniego schodzi do torebki stawu kolanowego i napina ją, dzięki czemu przy wyprostowanym kolanie nie dochodzi do uwięźnięcia fałdów torebki.

# Grupa tylna mięśni uda

Do grupy tylnej mięśni uda należą trzy duże mięśnie. Są nimi mięsień dwugłowy uda, mięsień półścięgnisty i mięsień półbłoniasty.

Ta grupa mięśni może prostować kończynę dolną w stawie biodrowym oraz zginać kolano, jednak ruchy te nie mogą być wykonywane jednocześnie.

### MIĘSIEŃ DWUGŁOWY UDA

Mięsień dwugłowy uda ma dwie głowy. Głowa długa zaczyna się na guzie kulszowym miednicy, a głowa krótka z tyłu kości udowej. Okrągłe ścięgno mięśnia dwugłowego uda można bez trudu wyczuć i zobaczyć na zewnętrznej stronie kolana, zwłaszcza gdy kolano podczas zginania natrafia na opór.

### MIĘSIEŃ PÓŁŚCIĘGNISTY

Podobnie jak mięsień dwugłowy, mięsień półścięgnisty zaczyna się na guzie kulszowym miednicy. Ma on długie ścięgno, które rozpoczyna się mniej więcej w dwóch trzecich jego długości i jest przyczepione do wewnętrznej powierzchni górnego odcinka piszczeli.

### MIĘSIEŃ PÓŁBŁONIASTY

Mięsień zaczyna się płaskim włóknistym przyczepem na guzie kulszowym miednicy. Mięsień biegnie z tyłu uda pod mięśniem półścięgnistym. Jest przyczepiony do wewnętrznej górnej powierzchni piszczeli.

**KLUCZ** To miejsce można bez trudu wyczuć pod skórą

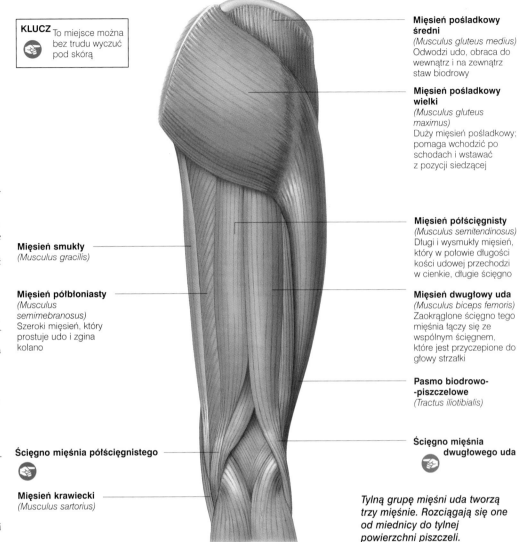

**Mięsień pośladkowy średni**
*(Musculus gluteus medius)*
Odwodzi udo, obraca do wewnątrz i na zewnątrz staw biodrowy

**Mięsień pośladkowy wielki**
*(Musculus gluteus maximus)*
Duży mięsień pośladkowy; pomaga wchodzić po schodach i wstawać z pozycji siedzącej

**Mięsień półścięgnisty**
*(Musculus semitendinosus)*
Długi i wysmukły mięsień, który w połowie długości kości udowej przechodzi w cienkie, długie ścięgno

**Mięsień dwugłowy uda**
*(Musculus biceps femoris)*
Zaokrąglone ścięgno tego mięśnia łączy się ze wspólnym ścięgnem, które jest przyczepione do głowy strzałki

**Pasmo biodrowo--piszczelowe**
*(Tractus iliotibialis)*

**Ścięgno mięśnia dwugłowego uda**

**Mięsień smukły**
*(Musculus gracilis)*

**Mięsień półbłoniasty**
*(Musculus semimebranosus)*
Szeroki mięsień, który prostuje udo i zgina kolano

**Ścięgno mięśnia półścięgnistego**

**Mięsień krawiecki**
*(Musculus sartorius)*

*Tylną grupę mięśni uda tworzą trzy mięśnie. Rozciągają się one od miednicy do tylnej powierzchni piszczeli.*

## Mięśnie przywodziciele

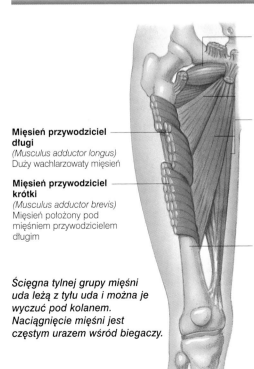

**Mięsień zasłaniacz zewnętrzny**
*(Musculus obturatorius externus)*
Mięsień położony głęboko wśród przywodzicieli

**Mięsień przywodziciel wielki**
*(Musculus adductor magnus)*
Duży trójkątny mięsień

**Mięsień przywodziciel długi**
*(Musculus adductor longus)*
Duży wachlarzowaty mięsień

**Mięsień przywodziciel krótki**
*(Musculus adductor brevis)*
Mięsień położony pod mięśniem przywodzicielem długim

**Kość udowa**
*(Femur)*

*Ścięgna tylnej grupy mięśni uda leżą z tyłu uda i można je wyczuć pod kolanem. Naciągnięcie mięśni jest częstym urazem wśród biegaczy.*

Mięśnie wewnętrznej powierzchni uda noszą nazwę przywodzicieli, gdyż przywodzą udo, czyli przesuwają kończynę do linii pośrodkowej ciała, jak to się dzieje np. podczas jazdy konnej, gdy jeździec nogami ściska konia. Mięśnie te zaczynają się w dolnym odcinku miednicy i są przyczepione do kości udowej na różnej wysokości. Do mięśni tej grupy należą:

■ **Mięsień przywodziciel długi** – duży mięsień kształtu wachlarza, leży przed innymi mięśniami przywodzicielami, ma wyczuwalne ścięgno w pachwinie.

■ **Mięsień przywodziciel krótki** – krótki mięsień leży poniżej mięśnia przywodziciela długiego uda.

■ **Mięsień przywodziciel wielki** – duży trójkątny mięsień, pełni funkcję mięśnia przywodziciela oraz mięśnia tylnej grupy uda.

■ **Mięsień smukły** – ma kształt paska, biegnie pionowo w dół po wewnętrznej powierzchni uda (nie pokazano).

■ **Mięsień zasłaniacz zewnętrzny** – mały mięsień, leży głęboko w grupie mięśni przywodzicieli. Grupa mięśni przywodzicieli pracuje np. podczas jazdy konnej. Naciągnięcie tych mięśni podczas zajęć sportowych może spowodować uszkodzenie pachwiny.

*Piłkarze są narażeni na urazy okolicy pachwinowej (naciągnięcie mięśni przywodzicieli) w czasie kopania piłki i ruchu nogi w poprzek linii pośrodkowej ciała.*

# Tętnice kończyny dolnej

Kończynę dolną zaopatruje w krew wiele tętnic będących gałęziami
tętnicy biodrowej zewnętrznej. Tętnice te biegną w dół kończyny, oddając gałązki,
które zaopatrują mięśnie, kości, stawy i skórę.

Kończyna dolna jest zaopatrywana
przez sieć naczyń tętniczych.
Główne tętnice oddają ważne
i mniejsze gałązki, które odżywiają
stawy i mięśnie.

### TĘTNICE

■ **Tętnica udowa** – jest główną
tętnicą kończyny dolnej. Jej główną
gałęzią jest tętnica głęboka uda.
Nim wejdzie w rozwór
przywodzicieli i dotrze do dołu
podkolanowego, oddaje mniejsze
gałązki, które zaopatrują w krew
pobliskie mięśnie.

■ **Tętnica głęboka uda** – jest
główną tętnicą uda. Oddaje wiele
gałązek, w tym przyśrodkowe
i boczne gałązki okalające udo
oraz cztery gałązki przeszywające.

■ **Tętnica podkolanowa** – jest
przedłużeniem tętnicy udowej.
Schodzi z tyłu kolana. Zanim
podzieli się na tętnicę piszczelową
przednią i tylną, oddaje wiele
małych gałązek, które odżywiają
staw kolanowy.

■ **Tętnica piszczelowa przednia**
– zaopatruje struktury leżące
z przodu goleni. Schodzi na stopę,
gdzie staje się tętnicą grzbietową
stopy.

■ **Tętnica piszczelowa tylna**
– pozostaje z tyłu goleni, wspólnie
z tętnicą strzałkową zaopatruje
struktury leżące z tyłu i z boku
goleni.

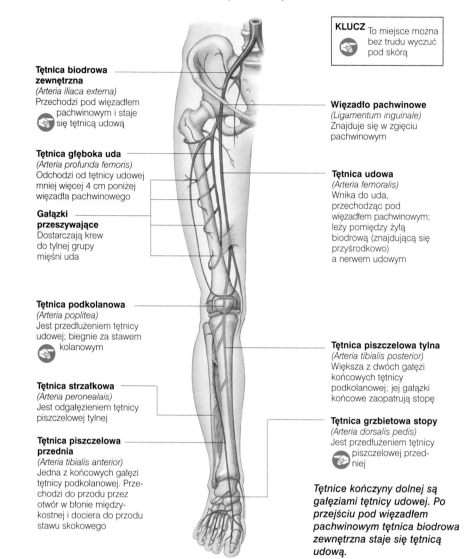

**KLUCZ** To miejsce można
bez trudu wyczuć
pod skórą

**Tętnica biodrowa
zewnętrzna**
*(Arteria iliaca externa)*
Przechodzi pod więzadłem
pachwinowym i staje
się tętnicą udową

**Tętnica głęboka uda**
*(Arteria profunda femoris)*
Odchodzi od tętnicy udowej
mniej więcej 4 cm poniżej
więzadła pachwinowego

**Gałązki
przeszywające**
Dostarczają krew
do tylnej grupy
mięśni uda

**Tętnica podkolanowa**
*(Arteria poplitea)*
Jest przedłużeniem tętnicy
udowej; biegnie za stawem
kolanowym

**Tętnica strzałkowa**
*(Arteria peronealis)*
Jest odgałęzieniem tętnicy
piszczelowej tylnej

**Tętnica piszczelowa
przednia**
*(Arteria tibialis anterior)*
Jedna z końcowych gałęzi
tętnicy podkolanowej. Przechodzi do przodu przez
otwór w błonie między-
kostnej i dociera do przodu
stawu skokowego

**Więzadło pachwinowe**
*(Ligamentum inguinale)*
Znajduje się w zgięciu
pachwinowym

**Tętnica udowa**
*(Arteria femoralis)*
Wnika do uda,
przechodząc pod
więzadłem pachwinowym;
leży pomiędzy żyłą
biodrową (znajdującą się
przyśrodkowo)
a nerwem udowym

**Tętnica piszczelowa tylna**
*(Arteria tibialis posterior)*
Większa z dwóch gałęzi
końcowych tętnicy
podkolanowej; jej gałązki
końcowe zaopatrują stopę

**Tętnica grzbietowa stopy**
*(Arteria dorsalis pedis)*
Jest przedłużeniem tętnicy
piszczelowej przed-
niej

*Tętnice kończyny dolnej są
gałęziami tętnicy udowej. Po
przejściu pod więzadłem
pachwinowym tętnica biodrowa
zewnętrzna staje się tętnicą
udową.*

## Tętnice wokół stawu kolanowego

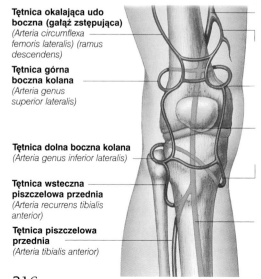

**Tętnica okalająca udo
boczna (gałąź zstępująca)**
*(Arteria circumflexa
femoris lateralis) (ramus
descendens)*

**Tętnica górna
boczna kolana**
*(Arteria genus
superior lateralis)*

**Tętnica dolna boczna kolana**
*(Arteria genus inferior lateralis)*

**Tętnica wsteczna
piszczelowa przednia**
*(Arteria recurrens tibialis
anterior)*

**Tętnica piszczelowa
przednia**
*(Arteria tibialis anterior)*

**Tętnica udowa**
*(Arteria femoralis)*

**Tętnica zstępująca
kolana**
*(Arteria genus
descendens)*

**Tętnica górna przy-
środkowa kolana**
*(Arteria genus
superior medialis)*

**Tętnica
podkolanowa**
*(Arteria poplitea)*

**Tętnica dolna
przyśrodkowa
kolana**
*(Arteria genus
inferior medialis)*

**Tętnica
piszczelowa tylna**
*(Arteria tibialis
posterior)*

Z tyłu kolana odchodzi od tętnicy
podkolanowej wiele małych
gałązek. Otaczają one staw
kolanowy i tworzą anastomozy,
czyli połączenia z innymi małymi
gałązkami tętnicy udowej oraz
tętnicy piszczelowej tylnej
i przedniej. Dzięki temu powstaje
sieć tętnic, przez którą krew może
omijać zwykłą drogę przepływu
wiodącą przez tętnicę podkolanową.
Ma to znaczenie, gdy kolano jest
długo zgięte lub gdy główna tętnica
jest zwężona lub zamknięta.

*Krew tętnicza dociera do stawu
kolanowego przez sieć naczyń
łączących tętnicę udową
z końcowymi gałązkami tętnicy
podkolanowej.*

### TĘTNO POD KOLANEM

Tak jak można wyczuć tętnienie
w tętnicy udowej w pachwinie, tak
z tyłu kolana można wyczuć tętno
w tętnicy podkolanowej. Ponieważ
jednak leży ona głęboko
w tkankach, tętno nie zawsze jest
łatwo wyczuwalne. Podczas badania
często konieczne jest zgięcie
kończyny w stawie kolanowym, aby
zmniejszyć napięcie powięzi mięśni
w dole podkolanowym, dzięki
czemu łatwiej jest wyczuć tętno.
Jeśli tętno jest słabe lub
niewyczuwalne, oznacza to,
że tętnica udowa jest zwężona
lub niedrożna.

# Tętnice stopy

Podobnie jak na ręce, małe tętniczki stopy tworzą łuki i oddają gałązki leżące po obu stronach palców. Naczynia tętnicze zaopatrują szczególnie obficie podeszwę stopy.

Do stopy krew tętnicza dopływa końcowymi gałązkami tętnic piszczelowej przedniej i tylnej.

### GRZBIET STOPY

Tętnica piszczelowa przednia po zejściu na stopę na przedniej powierzchni stawu skokowego staje się tętnicą grzbietową stopy. Na grzbiecie stopy zmierza do przestrzeni pomiędzy pierwszym a drugim palcem stopy. W tym miejscu oddaje gałąź głęboką, która łączy się z tętnicami podeszwy stopy. Gałązki tętnicy grzbietowej stopy leżące na grzbiecie łączą się i tworzą łuk, od którego odchodzą tętniczki do palców stopy.

W czasie badania lekarz może wyczuć tętno na tętnicy grzbietowej stopy w pobliżu ścięgna mięśnia piszczelowego przedniego. W miejscu tym tętnica leży tuż pod skórą i gdy naczynia są zdrowe, można względnie łatwo wyczuć tętno.

### PODESZWA STOPY

Podeszwa stopy jest bogato unaczyniona przez gałązki tętnicy piszczelowej tylnej. Gdy tętnica wnika w podeszwę stopy, dzieli się na dwie tętnice podeszwowe – przyśrodkową i boczną.
■ **Tętnica podeszwowa przyśrodkowa** – jest mniejszą gałązką tętnicy piszczelowej tylnej.

**Podeszwa stopy (spód)**

**Grzbiet stopy (wierzch)**

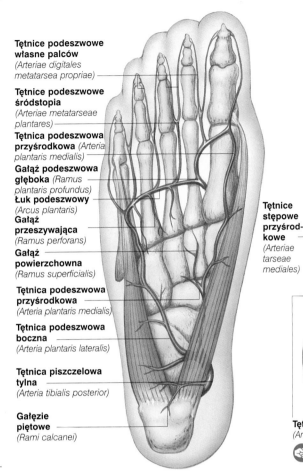

**KLUCZ** To miejsce można bez trudu wyczuć pod skórą

**Tętnice podeszwowe własne palców** (Arteriae digitales metatarsea propriae)

**Tętnice podeszwowe śródstopia** (Arteriae metatarseae plantares)

**Tętnica podeszwowa przyśrodkowa** (Arteria plantaris medialis)

**Gałąź podeszwowa głęboka** (Ramus plantaris profundus)

**Łuk podeszwowy** (Arcus plantaris)

**Gałąź przeszywająca** (Ramus perforans)

**Gałąź powierzchowna** (Ramus superficialis)

**Tętnica podeszwowa przyśrodkowa** (Arteria plantaris medialis)

**Tętnica podeszwowa boczna** (Arteria plantaris lateralis)

**Tętnica piszczelowa tylna** (Arteria tibialis posterior)

**Gałęzie piętowe** (Rami calcanei)

**Tętnice stępowe przyśrodkowe** (Arteriae tarseae mediales)

**Tętnice grzbietowe palców** (Arteriae digitales dorsales)

**Tętnice grzbietowe śródstopia** (Arteriae metatarseae dorsales)

**Gałęzie przeszywające łuku podeszwowego głębokiego** (Rami perforantes)

**Gałąź podeszwowa głęboka** (Ramus plantaris profundus)

**Tętnica łukowata** (Arteria arcuata)

**Tętnica stępowa boczna** (Arteria tarsea lateralis)

**Tętnica kostkowa przednia boczna** (Arteria malleolaris anterior lateralis)

**Tętnica kostkowa przednia przyśrodkowa** (Arteria malleolaris anterior medialis)

**Gałąź przeszywająca tętnicy strzałkowej** (Ramus perforans arteriae fibularis)

**Tętnica piszczelowa przednia** (Arteria tibialis anterior)

**Tętnica grzbietowa stopy** (Arteria dorsalis pedis)

Zaopatruje w krew mięśnie palucha i oddaje małe gałązki do pozostałych palców stopy.
■ **Tętnica podeszwowa boczna** – jest większą gałęzią niż tętnica podeszwowa przyśrodkowa,

zakręca pod kośćmi śródstopia i tworzy głęboki łuk podeszwowy.

Głębokie gałązki tętnicy grzbietowej stopy łączą się z wewnętrznym końcem tego łuku, dzięki czemu powstaje połączenie

*Tętnice zaopatrujące stopę rozgałęziają się w podobny sposób jak tętnice ręki. Podeszwa jest szczególnie bogato unaczyniona.*

pomiędzy unaczynieniem tętniczym grzbietu i podeszwy stopy.

---

## Angiogramy

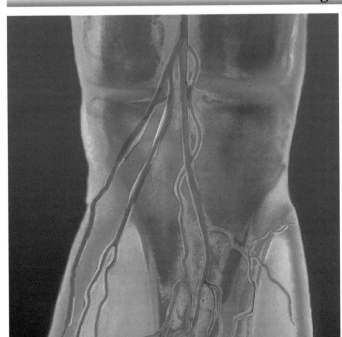

Tętnice można badać metodą arteriografii. Badanie to polega na wstrzyknięciu środka cieniującego (kontrastu) do tętnicy i wykonaniu serii zdjęć rentgenowskich, na których widać, jak kontrast przesuwa się przez układ naczyń tętniczych. Wstrzykując środek cieniujący do tętnicy udowej wysoko na udzie, można uwidocznić cały układ tętniczy nogi, zwężenia lub zamknięcie naczynia, a także tętniące uwypuklenie w miejscu tętniaka w tętnicy podkolanowej.

*Arteriografię wykonuje się, by dokładnie określić miejsce zamknięcia tętnicy. Środek cieniujący wstrzyknięty do krwi pozwala uwidocznić naczynie na zdjęciu rentgenowskim.*

Arteriografię może wykonać przed planowaną operacją, jednak są mniej inwazyjne metody oceny przepływu krwi w kończynie, np. badanie USG metodą Dopplera czy rezonans magnetyczny. Mogą one dostarczyć potrzebnych informacji w sposób bardziej komfortowy dla pacjenta.

### MIAŻDŻYCA

Jedną z chorób zaburzających przepływ krwi przez kończyny jest miażdżyca, czyli stwardnienie tętnic, które często jest skutkiem palenia tytoniu. Choroba ta może wywoływać bolesne skurcze łydki podczas wysiłku, które ustają po odpoczynku. Ból spowodowany jest zmniejszonym dopływem krwi do mięśni.

217

# Staw skokowy

Staw skokowy jest stawem zawiasowym
łączącym dolne końce piszczeli i strzałki z górną powierzchnią
dużej kości stopy, kością skokową.

Głęboką panewkę stawu skokowego tworzą dolne odcinki kości goleni – strzałki i piszczeli. Do panewki wchodzi główka stawowa utworzona przez bloczek kości skokowej. Kształt kości i otaczające je mocne więzadła sprawiają, że staw skokowy jest bardzo stabilny. Jest to ważna cecha tego dźwigającego ciężar ciała stawu.

## POŁĄCZENIE STAWOWE

Powierzchnie stawowe stawu skokowego – części kości, które przesuwają się po sobie – pokrywa warstwa gładkiej chrząstki szklistej. Chrząstkę otacza cienka błona maziowa. Wytwarza ona lepki płyn smarujący powierzchnie stawowe.

Powierzchnie stawowe stawu skokowego tworzą:

■ Wewnętrzna strona kostki bocznej, wystającego dolnego końca strzałki, tworzy powierzchnię stawową, która łączy się z zewnętrzną górno-boczną powierzchnią kości skokowej.
■ Dolny koniec piszczeli tworzy sklepienie stawu, które powierzchnią stawową łączy się z kością skokową.
■ Wewnętrzna powierzchnia kostki przyśrodkowej, wystającego dolnego końca piszczeli, przesuwa się po wewnętrznej, górnej powierzchni kości skokowej.
■ Bloczek kości skokowej, okolica kości skokowej nazwana tak ze względu na kształt jej górnej części, łączy się z dolnymi końcami strzałki i piszczeli.

### Staw skokowy – widok z przodu

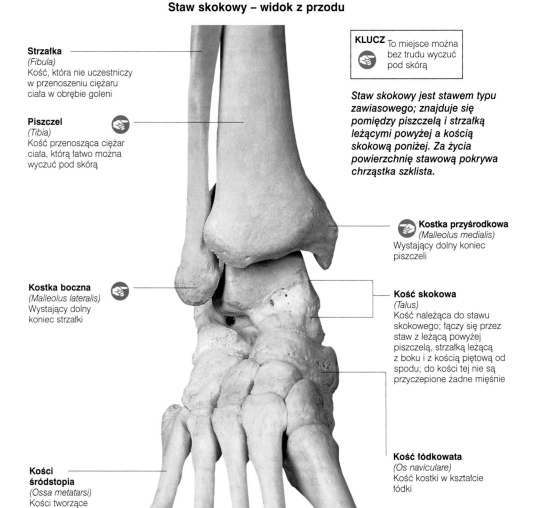

**Strzałka**
*(Fibula)*
Kość, która nie uczestniczy w przenoszeniu ciężaru ciała w obrębie goleni

**Piszczel**
*(Tibia)*
Kość przenosząca ciężar ciała, którą łatwo można wyczuć pod skórą

**Kostka boczna**
*(Malleolus lateralis)*
Wystający dolny koniec strzałki

**Kości śródstopia**
*(Ossa metatarsi)*
Kości tworzące stopę

**KLUCZ** To miejsce można bez trudu wyczuć pod skórą

*Staw skokowy jest stawem typu zawiasowego; znajduje się pomiędzy piszczelą i strzałką leżącymi powyżej a kością skokową poniżej. Za życia powierzchnię stawową pokrywa chrząstka szklista.*

**Kostka przyśrodkowa**
*(Malleolus medialis)*
Wystający dolny koniec piszczeli

**Kość skokowa**
*(Talus)*
Kość należąca do stawu skokowego; łączy się przez staw z leżącą powyżej piszczelą, strzałką leżącą z boku i z kością piętową od spodu; do kości tej nie są przyczepione żadne mięśnie

**Kość łódkowata**
*(Os naviculare)*
Kość kostki w kształcie łódki

## Ruchy w stawie skokowym

### Zgięcie podeszwowe stopy

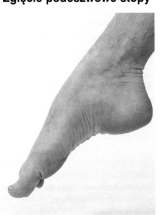

### Zgięcie grzbietowe stopy

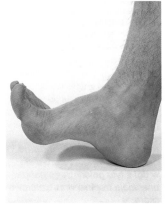

Wprawdzie stopa może wykonywać wiele różnych ruchów, jednak zakres ich w dużej mierze zależy od obecności innych stawów stopy leżących poniżej stawu skokowego. Staw skokowy jest stawem zawiasowym, w którym ruch może odbywać się tylko w jednej płaszczyźnie. Pod tym względem jest on podobny do stawu łokciowego.

*Staw skokowy jako staw zawiasowy umożliwia wykonywanie ruchów tylko w jednej płaszczyźnie. W zgięciu grzbietowym stopy palce skierowane są do góry, a w zgięciu podeszwowym do dołu.*

Zakres ruchów w stawie skokowym:
■ **Zgięcie grzbietowe stopy**. Jest to ruch stopy ku górze: palce unoszą się, a pięta przesuwa do dołu. Zakres tego ruchu częściowo ogranicza leżące z tyłu ścięgno Achillesa.
■ **Zgięcie podeszwowe stopy**. Jest ruchem przeciwnym do zgięcia grzbietowego; palce kierują się do dołu. Ruch ten hamuje pociąganie mięśni i więzadeł leżących z przodu stawu skokowego.

Kształt kości i więzadeł stawu skokowego sprawia, że jest on bardziej stabilny w zgięciu grzbietowym stopy niż w zgięciu podeszwowym.

# Więzadła stawu skokowego

Staw skokowy wzmacniają mocne więzadła, które stabilizują ten ważny staw dźwigający ciężar ciała.

Staw skokowy musi być sztywny, ponieważ dźwiga ciężar ciała. Obecność wielu mocnych więzadeł położonych wokół stawu skokowego stabilizuje go, zapewniając jednocześnie swobodne wykonywanie ruchów.

Podobnie jak większość stawów, staw skokowy otoczony jest mocną włóknistą torebką stawową. Wprawdzie torebka jest z przodu i z tyłu cienka, jednak z obu boków wzmacniają ją mocne przyśrodkowe (wewnętrzne) i boczne (zewnętrzne) więzadła stawu skokowego.

### WIĘZADŁO PRZYŚRODKOWE

Więzadło przyśrodkowe, tzw. więzadło trójgraniaste, jest bardzo mocne; rozciąga się ono półkoliście od wierzchołka kostki przyśrodkowej piszczeli. Wyróżnia się w nim trzy części – ich nazwy pochodzą od kości, z którymi się łączą:

■ Część piszczelowo-skokowa przednia i tylna. Leżą one blisko kości i łączą piszczel z przyśrodkową powierzchnią położonej poniżej kości skokowej.

■ Część piszczelowo-łódkowa. Leży bardziej powierzchownie; ta część więzadła łączy piszczel z kością łódkowatą stopy.

■ Część piszczelowo-piętowa. To mocne więzadło leży tuż pod skórą i rozciąga się od piszczeli do podpórki kości skokowej, uwypuklenia dużej kości piętowej.

Wspólnie powyższe części więzadła przyśrodkowego usztywniają (stabilizują) staw skokowy w czasie ruchu odwracania stopy na zewnątrz.

## Stopa prawa (widok z boku)

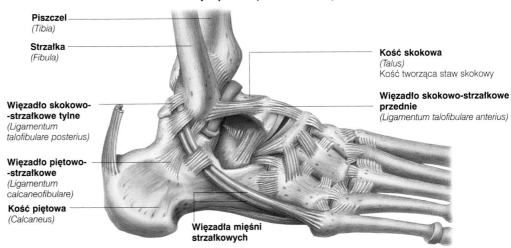

Piszczel
(Tibia)

Strzałka
(Fibula)

Kość skokowa
(Talus)
Kość tworząca staw skokowy

Więzadło skokowo-strzałkowe przednie
(Ligamentum talofibulare anterius)

Więzadło skokowo--strzałkowe tylne
(Ligamentum talofibulare posterius)

Więzadło piętowo--strzałkowe
(Ligamentum calcaneofibulare)

Kość piętowa
(Calcaneus)

Więzadła mięśni strzałkowych

## Stopa prawa (widok od środka)

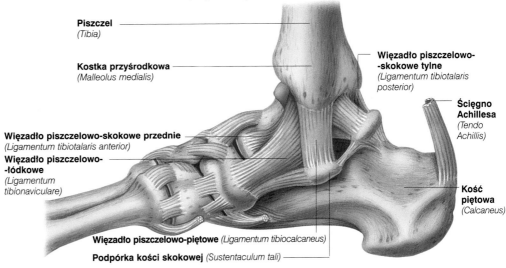

Piszczel
(Tibia)

Kostka przyśrodkowa
(Malleolus medialis)

Więzadło piszczelowo--skokowe tylne
(Ligamentum tibiotalaris posterior)

Ścięgno Achillesa
(Tendo Achillis)

Więzadło piszczelowo-skokowe przednie
(Ligamentum tibiotalaris anterior)

Więzadło piszczelowo--łódkowe
(Ligamentum tibionaviculare)

Kość piętowa
(Calcaneus)

Więzadło piszczelowo-piętowe (Ligamentum tibiocalcaneus)

Podpórka kości skokowej (Sustentaculum tali)

### WIĘZADŁO BOCZNE

Więzadło boczne jest słabsze niż więzadło przyśrodkowe; tworzą je:
■ Więzadło skokowo-strzałkowe przednie. Biegnie od kostki bocz-nej strzałki ku przodowi do kości skokowej.

■ Więzadło piętowo-strzałkowe. Biegnie od szczytu kostki bocznej ku dołowi do boku kości skokowej.
■ Więzadło skokowo-strzałkowe tylne. Jest grubym mocnym pasmem, które kieruje się od kostki bocznej ku tyłowi do kości skokowej.

## Urazy stawu skokowego

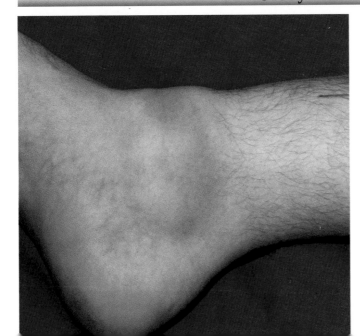

Urazy stawu skokowego nie należą do rzadkich; wśród wszystkich dużych stawów ciała staw skokowy jest najbardziej narażony na urazy.

Najczęściej dochodzi do skręcenia stawu skokowego, w którym jedno lub więcej więzadeł zostaje tak bardzo rozciągnięte, że niektóre włókna ulegają rozerwaniu. Do skręcenia stawu skokowego często dochodzi u sportowców. Zwykle jest ono

*Jeśli stopa uległa skręceniu na zewnątrz, może dojść do złamania Potta. Ten typ urazu charakteryzuje się skręceniem kości skokowej, złamaniem strzałki i rozerwaniem więzadła przyśrodkowego.*

skutkiem gwałtownego i nieoczekiwanego skręcenia do środka stopy, na której spoczywa ciężar ciała. Skręcenie najczęściej prowadzi do uszkodzenia najsłabszego więzadła bocznego.

### ZŁAMANIE POTTA

Do złamania Potta może dojść, gdy stopa ulegnie gwałtownemu i silnemu skręceniu na zewnątrz. W urazie tym skręcenie kości skokowej powoduje, że dochodzi do złamania strzałki i rozciągnięcia więzadła przyśrodkowego oraz jego oderwania od kostki przyśrodkowej piszczeli. W najcięższych przypadkach może nawet dojść do uszkodzenia końca piszczeli.

# Kości stopy

Ludzka stopa składa się z 26 kości: siedmiu dużych nieregularnych kości stępu;
pięciu kości śródstopia leżących wzdłuż stopy
i 14 kości palców tworzących ich szkielet.

Kości stępu są odpowiednikiem kości nadgarstka; przy czym stęp składa się z siedmiu, a nadgarstek z ośmiu kości. Kości stępu różnią się nieco ułożeniem od kości nadgarstka, co odzwierciedla różnice wynikające z funkcji dłoni i stopy.

## KOŚCI STĘPU

Do kości stępu należą:
■ Kość skokowa – łączy się z piszczelą i strzałką w stawie skokowym. Staw ten dźwiga ciężar ciała, który przenoszony jest ku dołowi przez piszczel. Kształt kości skokowej sprawia, że ciężar rozkłada się do dołu i do tyłu oraz do przodu w kierunku początku stopy.
■ Kość piętowa – duża kość tworząca piętę.
■ Kość łódkowata – jest względnie małą kością kształtem przypominającą łódkę. Znajdują się na niej guzowatość kości łódkowatej. Gdy jest duża, może ocierać się o obuwie i powodować ból stopy.
■ Kość sześcienna – ma kształt sześcianu, leży na zewnętrznym brzegu stopy; na spodniej powierzchni ma rowek, przez który przechodzi ścięgno mięśnia.
■ Trzy kości klinowate – nazywane zgodnie z ich położeniem: przyśrodkowa, pośrednia i boczna. Kość klinowata przyśrodkowa jest największą spośród trzech kości klinowatych.

**Kości stępu**

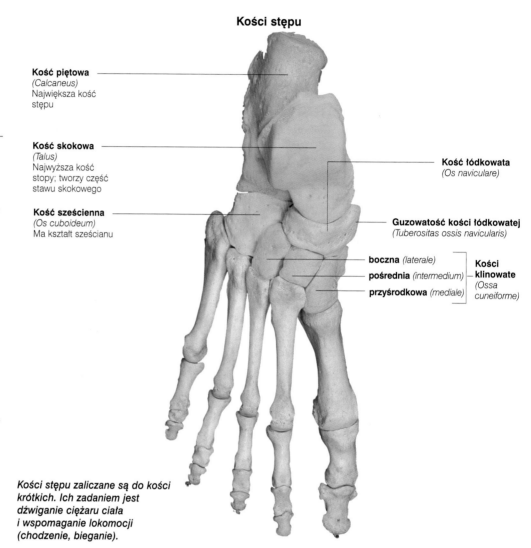

**Kość piętowa**
*(Calcaneus)*
Największa kość stępu

**Kość skokowa**
*(Talus)*
Najwyższa kość stopy; tworzy część stawu skokowego

**Kość sześcienna**
*(Os cuboideum)*
Ma kształt sześcianu

**Kość łódkowata**
*(Os naviculare)*

**Guzowatość kości łódkowatej**
*(Tuberositas ossis navicularis)*

**boczna** *(laterale)*
**pośrednia** *(intermedium)*
**przyśrodkowa** *(mediale)*
**Kości klinowate**
*(Ossa cuneiforme)*

*Kości stępu zaliczane są do kości krótkich. Ich zadaniem jest dźwiganie ciężaru ciała i wspomaganie lokomocji (chodzenie, bieganie).*

## Kość piętowa

### Kość piętowa – widok od góry

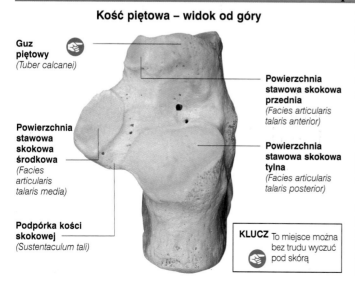

**Guz piętowy**
*(Tuber calcanei)*

**Powierzchnia stawowa skokowa środkowa**
*(Facies articularis talaris media)*

**Podpórka kości skokowej**
*(Sustentaculum tali)*

**Powierzchnia stawowa skokowa przednia**
*(Facies articularis talaris anterior)*

**Powierzchnia stawowa skokowa tylna**
*(Facies articularis talaris posterior)*

**KLUCZ** To miejsce można bez trudu wyczuć pod skórą

Kość piętowa jest największą kością stopy i można ją z bez trudu wyczuć pod skórą jako wyniosłość pięty. Musi być duża i bardzo wytrzymała, ponieważ przenosi ciężar ciała z kości skokowej na podłoże.

### POWIERZCHNIE STAWOWE

Ta duża nieregularna kość ma wiele powierzchni stawowych, którymi łączy się z kością skokową leżącą wyżej i kością sześcienną z przodu.

*Kość piętowa ma kilka powierzchni stawowych. Powierzchnie te znajdują się w miejscach, gdzie kość piętowa przesuwa się względem kości skokowej i kości sześciennej.*

Na wewnętrznej powierzchni kości piętowej znajduje się podpórka kości skokowej, na której opiera się głowa kości skokowej. Na spodzie podpórki znajduje się rowek, przez który przechodzą długie ścięgna mięśni.

### POWIERZCHNIA TYLNA

Z tyłu kości piętowej leży chropowata wyniosłość, tzw. guz piętowy. Podczas stania przyśrodkowa powierzchnia guza styka się z podłożem.

W połowie wysokości tylnej powierzchni kości piętowej leży chropowaty grzebień, do którego jest przyczepione silne ścięgno Achillesa.

# Kości śródstopia i paliczków

Kości śródstopia
i paliczków stopy są
miniaturami kości długich
i składają się z podstawy,
trzonu i głowy.

Tak jak w ręce znajduje się pięć
kości śródręcza, tak w stopie jest
pięć kości śródstopia. Chociaż
poszczególne kości przypominają
budową kości śródręcza,
jednak ich układ jest nieco inny.
Główna różnica polega na tym, że
paluch leży w tej samej
płaszczyźnie co pozostałe palce
stopy i nie przeciwstawia się im tak
jak kciuk.

### KOŚCI ŚRÓDSTOPIA

Każda kość śródstopia ma długi
trzon i dwa rozszerzone końce.
Podstawa kości śródstopia łączy się
za pomocą stawów z kośćmi stępu.
Głowy kości śródstopia łączą się
przez stawy z odpowiednimi
palcami stopy.

Numerację kości śródstopia od
1 do 5 zaczyna się od kości leżącej
najbardziej przyśrodkowo. Pierwsza
kość śródstopia jest krótsza
i mocniejsza niż pozostałe. Łączy
się z pierwszym paliczkiem
palucha.

### PALICZKI

Paliczki palców stopy są podobne
do paliczków palców ręki.
W palcach stopy znajduje się
14 paliczków, paluch ma dwa
paliczki, a pozostałe palce po trzy.

Podstawa pierwszego paliczka
każdego palca łączy się poprzez
staw z głową odpowiadającej mu
kości śródstopia. Paliczki palucha są
grubsze niż pozostałych palców.

**Stopa – widok z boku**

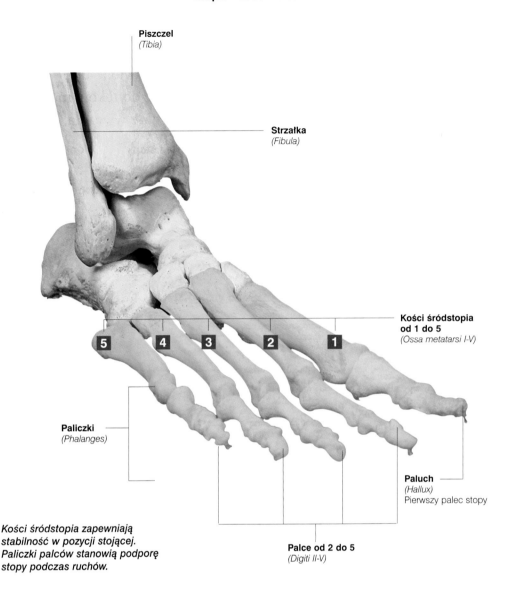

Piszczel
*(Tibia)*

Strzałka
*(Fibula)*

Kości śródstopia
od 1 do 5
*(Ossa metatarsi I-V)*

Paliczki
*(Phalanges)*

Paluch
*(Hallux)*
Pierwszy palec stopy

Palce od 2 do 5
*(Digiti II-V)*

*Kości śródstopia zapewniają
stabilność w pozycji stojącej.
Paliczki palców stanowią podporę
stopy podczas ruchów.*

## Trzeszczki stopy

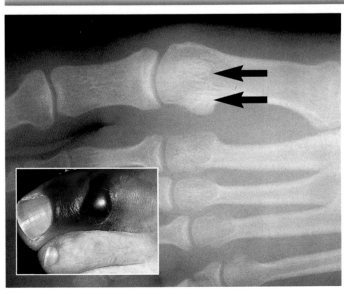

Stopa jest jednym z miejsc ciała,
w którym występują trzeszczki.

### ZNACZENIE OCHRONNE

Trzeszczki są kośćmi, które
powstają wewnątrz ścięgien, a ich
rola polega na ochronie ścięgien
przed zużyciem i rozdarciem
w tych miejscach, gdzie przechodzą
one nad krawędziami kości długich.

### LOKALIZACJA
### TRZESZCZEK

Dwie trzeszczki stopy leżą pod
głową pierwszej kości śródstopia

*Na tym zdjęciu rentgenowskim
strzałką zaznaczono trzeszczki
stopy. Te małe kostki często
ulegają uszkodzeniu, gdy jakiś
przedmiot spadnie na paluch
(w ramce).*

w dwóch głowach mięśnia zginacza
palucha krótkiego i przenoszą
ciężar ciała, zwłaszcza wtedy, gdy
palce odpychają się podczas
chodzenia.

Dodatkowe trzeszczki można
również znaleźć w innych ścięgnach
zginaczy palców stopy.

### ROZWÓJ TRZESZCZEK

Trzeszczki rozwijają się już w życiu
płodowym i stopniowo ulegają
kostnieniu w dzieciństwie.
Z chwilą skostnienia można je
dostrzec na zdjęciu rentgenowskim
stopy – trzeszczki nakładają się
na głowę pierwszej kości
śródstopia.

Te małe kości mogą ulec
uszkodzeniu przy zgnieceniu stopy,
np. gdy znaczny ciężar upada na
duży palec.

# Krążenie krwi

W organizmie człowieka znajdują się dwie sieci naczyń krwionośnych. Układ krążenia płucnego transportuje krew pomiędzy sercem a płucami, a układ krążenia systemowego (obwodowego) zaopatruje w krew wszystkie części organizmu poza płucami.

W układzie krążenia można wyróżnić dwa obiegi:
■ Krążenie systemowe – w jego skład wchodzą naczynia, które rozprowadzają krew po organizmie.
■ Krążenie płucne – w jego skład wchodzą naczynia, którymi krew przepływa przez płuca, gdzie zachodzi wymiana gazowa, oddawanie dwutlenku węgla i pobranie tlenu.

### KRĄŻENIE SYSTEMOWE

Tętnice układu systemowego rozprowadzają krew z serca do tkanek, dostarczając im składników odżywczych. Krew utlenowana w płucach płynie z serca do aorty. Od aorty odchodzą gałęzie, które zaopatrują kończyny górne, głowę, tułów i kończyny dolne. Od dużych gałęzi odchodzą małe gałązki, które dzielą się jeszcze wielokrotnie. Najmniejsze tętniczki prowadzą krew do naczyń włosowatych (kapilar).

### KRĄŻENIE PŁUCNE

Każdy skurcz serca tłoczy krew z prawej komory przez tętnicę płucną (którą płynie krew odtleniona) do płuc. Po wielu podziałach tętnicy na coraz mniejsze gałązki krew płynie naczyniami włosowatymi do pęcherzyków płucnych, w których odbywa się jej utlenianie i usuwanie z niej dwutlenku węgla. W końcu krew wpływa do jednej z czterech żył płucnych, które prowadzą do lewego przedsionka, skąd jest przepompowywana przez serce na obwód do krążenia systemowego.

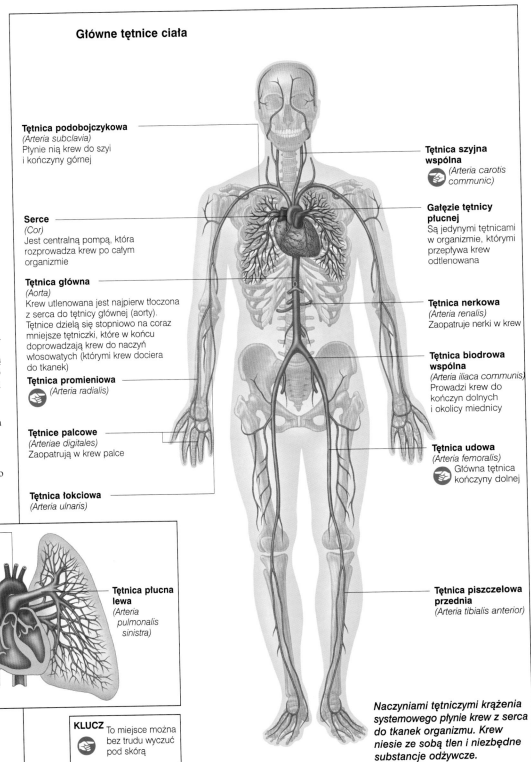

**Główne tętnice ciała**

**Tętnica podobojczykowa**
*(Arteria subclavia)*
Płynie nią krew do szyi i kończyny górnej

**Serce**
*(Cor)*
Jest centralną pompą, która rozprowadza krew po całym organizmie

**Tętnica główna**
*(Aorta)*
Krew utlenowana jest najpierw tłoczona z serca do tętnicy głównej (aorty). Tętnice dzielą się stopniowo na coraz mniejsze tętniczki, które w końcu doprowadzają krew do naczyń włosowatych (którymi krew dociera do tkanek)

**Tętnica promieniowa**
*(Arteria radialis)*

**Tętnice palcowe**
*(Arteriae digitales)*
Zaopatrują w krew palce

**Tętnica łokciowa**
*(Arteria ulnaris)*

**Tętnica szyjna wspólna**
*(Arteria carotis communic)*

**Gałęzie tętnicy płucnej**
Są jedynymi tętnicami w organizmie, którymi przepływa krew odtlenowana

**Tętnica nerkowa**
*(Arteria renalis)*
Zaopatruje nerki w krew

**Tętnica biodrowa wspólna**
*(Arteria iliaca communis)*
Prowadzi krew do kończyn dolnych i okolicy miednicy

**Tętnica udowa**
*(Arteria femoralis)*
Główna tętnica kończyny dolnej

**Tętnica piszczelowa przednia**
*(Arteria tibialis anterior)*

*Naczyniami tętniczymi krążenia systemowego płynie krew z serca do tkanek organizmu. Krew niesie ze sobą tlen i niezbędne substancje odżywcze.*

**Łuk aorty**
*(Arcus aortae)*

**Tętnica płucna prawa**
*(Arteria pulmonalis dextra)*

**Tętnica płucna lewa**
*(Arteria pulmonalis sinistra)*

*Krążenie płucne zapewnia przepływ krwi pomiędzy sercem a płucami. W płucach krew dostaje tlen i oddaje dwutlenek węgla.*

**KLUCZ** To miejsce można bez trudu wyczuć pod skórą

# Układ żylny

Przez układ naczyń żylnych krew powraca z tkanek do serca. Następnie jest przepompowywana przez krążenie płucne, gdzie zostaje ponownie utlenowana, zanim trafi znów do krążenia dużego (systemowego).

Żyły powstają z małych naczyń żylnych, do których spływa krew z naczyń włosowatych. Żyły łączą się ze sobą w coraz większe naczynia, tworząc ostatecznie dwie największe żyły zbierające krew z całego ciała – żyłę główną górną i dolną, które uchodzą do serca. W układzie żylnym stale mieści się około 65% całej krążącej w ustroju krwi.

## RÓŻNICE

Układ żylny jest pod wieloma względami podobny do układu tętniczego, jednak istnieją między nimi pewne istotne różnice:

■ Ściany naczyń – tętnice mają grubsze ściany niż żyły, by mogły sprostać wyższemu ciśnieniu krwi tętniczej.

■ Położenie – większość tętnic leży głęboko w tkankach, co ma je chronić przed uszkodzeniem, a wiele żył leży powierzchownie tuż pod skórą.

■ Układ żyły wrotnej – krew z jelit, która płynie żyłami żołądkowymi i krezkowymi, nie powraca od razu do serca. Najpierw przechodzi przez układ wątrobowej żyły wrotnej, którą płynie do wątroby, gdzie jest filtrowana, a dopiero potem powraca do krążenia systemowego.

■ Odmiany – przebieg układu tętnic jest taki sam u wszystkich ludzi, natomiast przebieg żył wykazuje znaczne różnice osobnicze.

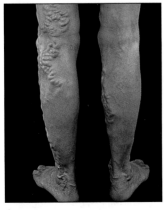

*Żylaki są poszerzonymi, poskręcanymi żyłami powierzchownymi. Najczęstsze są żylaki kończyn dolnych spowodowane niewydolnością zastawek żylnych.*

## Główne żyły ciała

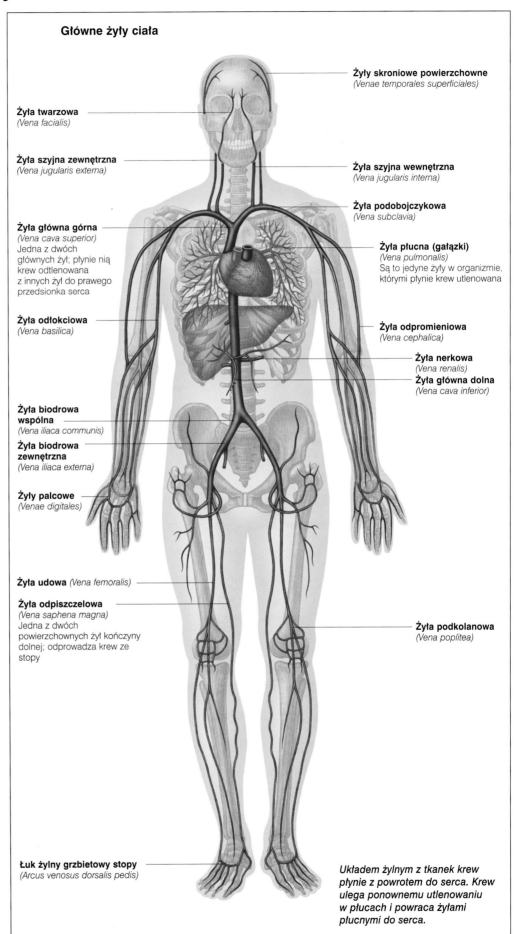

**Żyły skroniowe powierzchowne**
*(Venae temporales superficiales)*

**Żyła twarzowa**
*(Vena facialis)*

**Żyła szyjna zewnętrzna**
*(Vena jugularis externa)*

**Żyła szyjna wewnętrzna**
*(Vena jugularis interna)*

**Żyła podobojczykowa**
*(Vena subclavia)*

**Żyła główna górna**
*(Vena cava superior)*
Jedna z dwóch głównych żył; płynie nią krew odtlenowana z innych żył do prawego przedsionka serca

**Żyła płucna (gałązki)**
*(Vena pulmonalis)*
Są to jedyne żyły w organizmie, którymi płynie krew utlenowana

**Żyła odłokciowa**
*(Vena basilica)*

**Żyła odpromieniowa**
*(Vena cephalica)*

**Żyła nerkowa**
*(Vena renalis)*

**Żyła główna dolna**
*(Vena cava inferior)*

**Żyła biodrowa wspólna**
*(Vena iliaca communis)*

**Żyła biodrowa zewnętrzna**
*(Vena iliaca externa)*

**Żyły palcowe**
*(Venae digitales)*

**Żyła udowa** *(Vena femoralis)*

**Żyła odpiszczelowa**
*(Vena saphena magna)*
Jedna z dwóch powierzchownych żył kończyny dolnej; odprowadza krew ze stopy

**Żyła podkolanowa**
*(Vena poplitea)*

**Łuk żylny grzbietowy stopy**
*(Arcus venosus dorsalis pedis)*

*Układem żylnym z tkanek krew płynie z powrotem do serca. Krew ulega ponownemu utlenowaniu w płucach i powraca żyłami płucnymi do serca.*

# Obwodowy układ nerwowy

Do obwodowego układu nerwowego należą wszystkie nerwy,
które nie znajdują się w mózgu i rdzeniu kręgowym.
Jego głównym elementem anatomicznym są nerwy czaszkowe i nerwy rdzeniowe.

Układ nerwowy człowieka dzieli się
na układ nerwowy ośrodkowy
i obwodowy.

W skład obwodowego układu
nerwowego wchodzą:

■ Receptory czucia – wyspecjalizowane zakończenia komórek
nerwowych, które odbierają
informacje na temat temperatury,
dotyku, rozciągnięcia mięśni
i smaku.

■ Nerwy obwodowe – utworzone
przez pęczki włókien nerwowych,
które przewodzą informacje do
i z ośrodkowego układu nerwowego.

■ Ruchowe zakończenia nerwowe
– wyspecjalizowane zakończenia
nerwowe, które sprawiają, że
przylegające do nich mięśnie kurczą
się w odpowiedzi na bodziec
płynący z ośrodkowego układu
nerwowego.

## UKŁAD

Wyróżniamy dwa typy nerwów
obwodowych:

■ **Nerwy czaszkowe**
W mózgu powstaje 12 par nerwów
czaszkowych, które otrzymują
informacje z obszaru głowy i szyi
umożliwiające jego kontrolę.

■ **Nerwy rdzeniowe**
Powstają w obrębie rdzenia
kręgowego, a każdy z nich zawiera
tysiące włókien nerwowych, które
unerwiają resztę ciała. Spośród
31 par nerwów rdzeniowych wiele
wnika w jeden z wielu złożonych
splotów nerwowych, takich jak
splot ramienny, którego nerwy
unerwiają kończynę górną.

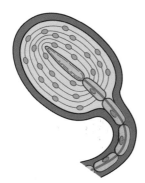

*Zakończenia nerwów czuciowych
są albo wolnymi zakończeniami
nerwu, albo ciałkami korpuskular-
nymi, jak np. ciałka blaszkowate
Pacciniego.*

**Główne nerwy obwodowe**

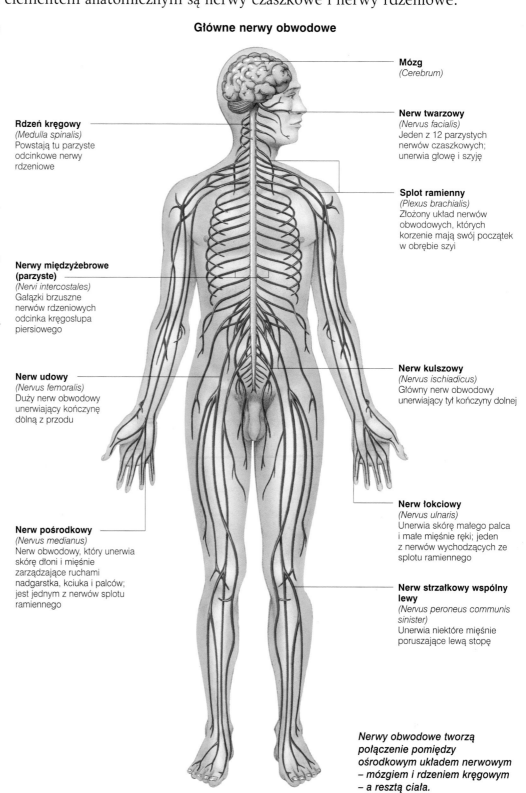

**Mózg**
*(Cerebrum)*

**Nerw twarzowy**
*(Nervus facialis)*
Jeden z 12 parzystych
nerwów czaszkowych;
unerwia głowę i szyję

**Rdzeń kręgowy**
*(Medulla spinalis)*
Powstają tu parzyste
odcinkowe nerwy
rdzeniowe

**Splot ramienny**
*(Plexus brachialis)*
Złożony układ nerwów
obwodowych, których
korzenie mają swój początek
w obrębie szyi

**Nerwy międzyżebrowe
(parzyste)**
*(Nervi intercostales)*
Gałązki brzuszne
nerwów rdzeniowych
odcinka kręgosłupa
piersiowego

**Nerw kulszowy**
*(Nervus ischiadicus)*
Główny nerw obwodowy
unerwiający tył kończyny dolnej

**Nerw udowy**
*(Nervus femoralis)*
Duży nerw obwodowy
unerwiający kończynę
dolną z przodu

**Nerw łokciowy**
*(Nervus ulnaris)*
Unerwia skórę małego palca
i małe mięśnie ręki; jeden
z nerwów wychodzących ze
splotu ramiennego

**Nerw pośrodkowy**
*(Nervus medianus)*
Nerw obwodowy, który unerwia
skórę dłoni i mięśnie
zarządzające ruchami
nadgarstka, kciuka i palców;
jest jednym z nerwów splotu
ramiennego

**Nerw strzałkowy wspólny
lewy**
*(Nervus peroneus communis
sinister)*
Unerwia niektóre mięśnie
poruszające lewą stopę

*Nerwy obwodowe tworzą
połączenie pomiędzy
ośrodkowym układem nerwowym
– mózgiem i rdzeniem kręgowym
– a resztą ciała.*

# Budowa nerwu obwodowego

Każdy nerw obwodowy utworzony jest z pojedynczych włókien nerwowych, otoczonych izolującą warstwą mieliny i pokrytych warstwą tkanki łącznej.

Największą część nerwu obwodowego tworzą trzy warstwy ochronne tkanki łącznej, bez których kruche włókna nerwowe mogłyby łatwo ulec uszkodzeniu.

■ **Śródnerwie**
Śródnerwie jest warstwą delikatnej tkanki łącznej, która otacza akson – najmniejszą jednostkę nerwu obwodowego. Warstwa ta może również pokrywać osłonkę mielinową.

■ **Onerwie**
Onerwie jest warstwą tkanki łącznej, która otacza niewielkie wiązki włókien nerwowych biegnących razem w postaci tzw. pęczków.

■ **Nanerwie**
Pęczki włókien nerwowych łączą osłonki z mocnej tkanki łącznej, nanerwia, tworząc nerw obwodowy. Nanerwie obejmuje również odżywiające nerw naczynia krwionośne i ochronną warstwę tkanki łącznej.

### FUNKCJE NERWÓW

Większość nerwów obwodowych przewodzi informacje do i z ośrodkowego układu nerwowego (odpowiednio funkcje czuciowe i ruchowe) i dlatego określa się je mianem nerwów mieszanych.

Nerwy, które są czysto ruchowe lub czysto czuciowe, występują w organizmie bardzo rzadko.

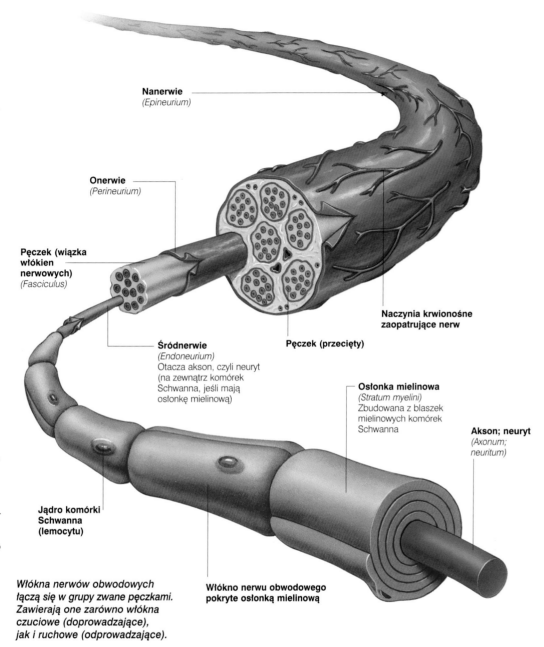

**Nanerwie**
*(Epineurium)*

**Onerwie**
*(Perineurium)*

**Pęczek (wiązka włókien nerwowych)**
*(Fasciculus)*

**Naczynia krwionośne zaopatrujące nerw**

**Śródnerwie**
*(Endoneurium)*
Otacza akson, czyli neuryt (na zewnątrz komórek Schwanna, jeśli mają osłonkę mielinową)

**Pęczek (przecięty)**

**Osłonka mielinowa**
*(Stratum myelini)*
Zbudowana z blaszek mielinowych komórek Schwanna

**Akson; neuryt**
*(Axonum; neuritum)*

**Jądro komórki Schwanna (lemocytu)**

**Włókno nerwu obwodowego pokryte osłonką mielinową**

*Włókna nerwów obwodowych łączą się w grupy zwane pęczkami. Zawierają one zarówno włókna czuciowe (doprowadzające), jak i ruchowe (odprowadzające).*

## Zakończenia nerwów ruchowych

Zakończenia nerwów ruchowych są wyspecjalizowanymi włóknami nerwowymi, które leżą na włóknach mięśniowych i komórkach wydzielniczych. Poprzez nerwy obwodowe dopływają do nich sygnały z ośrodkowego układu nerwowego, przechodzą na nie i powodują skurcz mięśni lub wydzielanie zawartości z komórek gruczołowych. W ten sposób ośrodkowy układ nerwowy może kontrolować każdą część organizmu.

*To zdjęcie mikroskopowe przedstawia złącze nerwowo--mięśniowe. Na górze widać połączenie (synapsę) między włóknem nerwowym a mięśniem zależnym od woli.*

### POŁĄCZENIA

Połączenie nerwowo-mięśniowe występuje w miejscu, w którym zakończenie włókien ruchowych nerwów obwodowych łączy się z mięśniami zależnymi od woli.

W połączeniu tym włókno nerwu ruchowego dzieli się i oddaje wiele gałązek, na podobieństwo drzewa, tworząc mikroskopijne zakończenia, które leżą naprzeciw włókien mięśniowych.

### PRZEKAZYWANIE SYGNAŁU

Sygnał elektryczny wysłany w dół do połączenia nerwowo-mięśniowego przekazywany jest na włókno mięśniowe za pomocą substancji chemicznej uwalnianej z zakończenia nerwu.

# Autonomiczny układ nerwowy

Autonomiczny układ nerwowy zaopatruje we włókna nerwowe te części organizmu, które nie podlegają świadomej kontroli. Można go podzielić na dwie części – układ współczulny i układ przywspółczulny.

Układ autonomiczny dzieli się na dwie części: układ współczulny i przywspółczulny. Oba układy unerwiają te same narządy, lecz mają przeciwstawne działanie. W każdym układzie na drodze z ośrodkowego układu nerwowego do unerwianego narządu leżą dwa neurony (dwie komórki nerwowe).

## UKŁAD NERWOWY WSPÓŁCZULNY

Reakcje organizmu na pobudzenie układu współczulnego określane są często jako reakcje typu „walka lub ucieczka". W czasie podniecenia lub niebezpieczeństwa układ współczulny bardzo zwiększa swą aktywność, powodując, że czynności serca zwiększa się, skóra bladnie i pokrywa się potem, ponieważ krew jest kierowana do mięśni.

## BUDOWA

Ciała komórkowe komórek układu współczulnego znajdują się w rdzeniu kręgowym. Włókna nerwowe opuszczają rdzeń kręgowy przez korzeń brzuszny i przez gałęzie łączące (białe) dochodzą do pnia współczulnego znajdującego się przed kręgosłupem w postaci zwojów łańcucha współczulnego.

Część włókien, które wnikają do łańcucha współczulnego, łączy się na swojej drodze z drugą komórką nerwową. Następnie włókna wychodzą przez gałęzie łączące (szare) i łączą się z gałęziami brzusznymi nerwów rdzeniowych.

## Budowa anatomiczna układu współczulnego

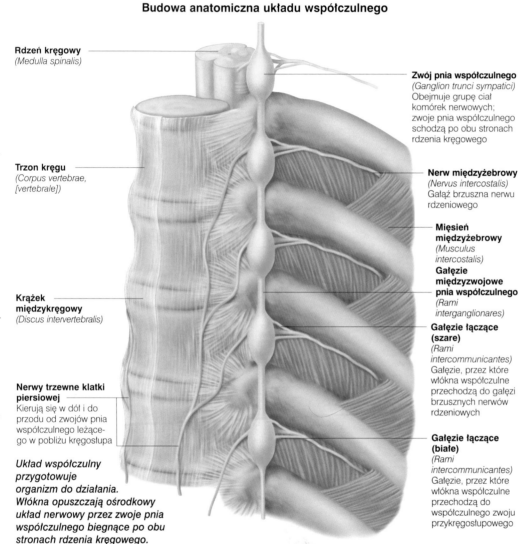

**Rdzeń kręgowy**
*(Medulla spinalis)*

**Trzon kręgu**
*(Corpus vertebrae, [vertebrale])*

**Krążek międzykręgowy**
*(Discus intervertebralis)*

**Nerwy trzewne klatki piersiowej**
Kierują się w dół i do przodu od zwojów pnia współczulnego leżącego w pobliżu kręgosłupa

*Układ współczulny przygotowuje organizm do działania. Włókna opuszczają ośrodkowy układ nerwowy przez zwoje pnia współczulnego biegnące po obu stronach rdzenia kręgowego.*

**Zwój pnia współczulnego**
*(Ganglion trunci sympatici)*
Obejmuje grupę ciał komórek nerwowych; zwoje pnia współczulnego schodzą po obu stronach rdzenia kręgowego

**Nerw międzyżebrowy**
*(Nervus intercostalis)*
Gałąź brzuszna nerwu rdzeniowego

**Mięsień międzyżebrowy**
*(Musculus intercostalis)*

**Gałęzie międzyzwojowe pnia współczulnego**
*(Rami interganglionares)*

**Gałęzie łączące (szare)**
*(Rami intercommunicantes)*
Gałęzie, przez które włókna współczulne przechodzą do gałęzi brzusznych nerwów rdzeniowych

**Gałęzie łączące (białe)**
*(Rami intercommunicantes)*
Gałęzie, przez które włókna współczulne przechodzą do współczulnego zwoju przykręgosłupowego

## Rdzeń nadnerczy

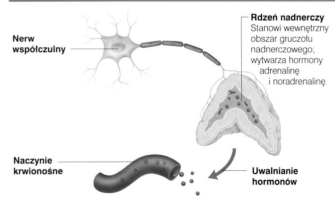

**Nerw współczulny**

**Naczynie krwionośne**

**Rdzeń nadnerczy**
Stanowi wewnętrzny obszar gruczołu nadnerczowego; wytwarza hormony adrenalinę i noradrenalinę

**Uwalnianie hormonów**

Współczulny układ nerwowy pełni funkcję pośrednika reakcji typu „walki lub ucieczki" i stymuluje również rdzeń nadnerczy.

W odpowiedzi na tę stymulację rdzeń nadnerczy uwalnia hormony adrenalinę i noradrenalinę do krwiobiegu. Hormony te działają

*W odpowiedzi na stres rdzeń nadnerczy jest pobudzany do uwalniania hormonów do krwiobiegu. Hormony te przygotowują organizm do działania.*

w wielu obszarach organizmu, nasilając działania układu współczulnego.

Unerwienie nadnerczy przez układ współczulny jako jedyne w całym organizmie ma na swojej drodze z ośrodkowego układu nerwowego tylko jeden neuron, a nie dwa jak szlaki zaopatrujące inne narządy. Rdzeń nadnerczy sam zachowuje się jak zwój pnia współczulnego i pod względem rozwojowym wywodzi się z tej samej tkanki zarodkowej.

# Układ przywspółczulny

Układ przywspółczulny jest częścią autonomicznego układu nerwowego, która jest najbardziej aktywna, gdy ciało znajduje się w spoczynku.

Układ przywspółczulny ma prostszą budowę niż współczulny układ nerwowy.

### LOKALIZACJA CIAŁ KOMÓREK

Ciała komórek nerwowych pierwszego z dwóch neuronów przewodzących sygnały znajdują się tylko w dwóch miejscach. Są to:

■ Pień mózgu – włókna przywspółczulne odchodzące od komórek położonych w istocie szarej pnia mózgu i opuszczają czaszkę jako część składowa wielu nerwów czaszkowych. Tworzą one wspólnie część głowową układu przywspółczulnego.

■ Okolica krzyżowa rdzenia kręgowego – część krzyżowa splotu przywspółczulnego powstaje z ciał komórek przywspółczulnych, które znajdują się w odcinku krzyżowym rdzenia kręgowego. Włókna opuszczają rdzeń kręgowy przez korzenie brzuszne.

Z powodu lokalizacji czasami mówi się o części czaszkowo-krzyżowej autonomicznego układu przywspółczulnego; a układ współczulny określany jest przedziałem piersiowo-lędźwiowym.

### ROZMIESZCZENIE

Część głowowa układu przywspółczulnego unerwia okolicę głowy, a krzyżowa miednicę. Obszar pomiędzy nimi (obejmujący większość narządów jamy brzusznej i klatki piersiowej) unerwia nerw błędny (X nerw czaszkowy), który zawiera włókna przywspółczulne z części głowowej.

## Narządy podlegające kontroli przywspółczulnego układu nerwowego

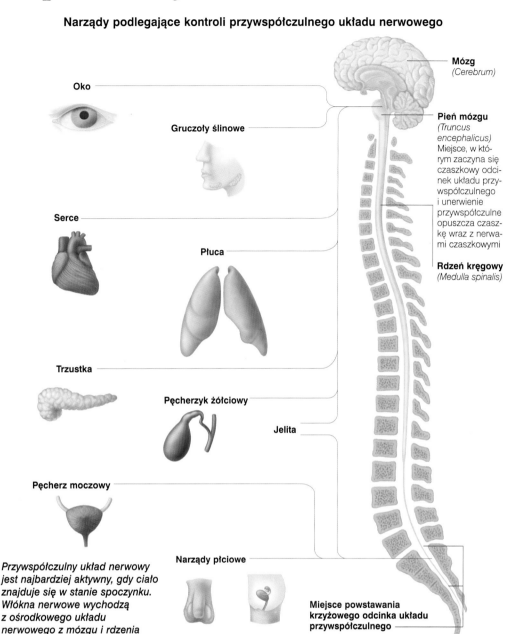

Oko

Gruczoły ślinowe

Serce

Płuca

Trzustka

Pęcherzyk żółciowy

Jelita

Pęcherz moczowy

Narządy płciowe

Mózg
*(Cerebrum)*

**Pień mózgu**
*(Truncus encephalicus)*
Miejsce, w którym zaczyna się czaszkowy odcinek układu przywspółczulnego i unerwienie przywspółczulne opuszcza czaszkę wraz z nerwami czaszkowymi

**Rdzeń kręgowy**
*(Medulla spinalis)*

**Miejsce powstawania krzyżowego odcinka układu przywspółczulnego**

*Przywspółczulny układ nerwowy jest najbardziej aktywny, gdy ciało znajduje się w stanie spoczynku. Włókna nerwowe wychodzą z ośrodkowego układu nerwowego z mózgu i rdzenia kręgowego okolicy krzyżowej.*

## Działanie przeciwstawne

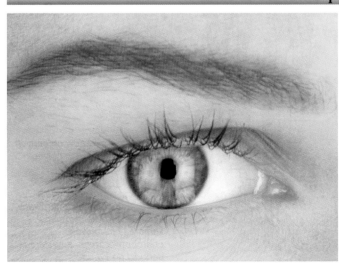

Układ współczulny przygotowuje organizm w czasie stresu i niebezpieczeństwa, podczas gdy układ przywspółczulny pomaga mu podczas odpoczynku i trawienia oraz sprzyja zachowaniu energii. Ponieważ zadania tych układów w wielu sytuacjach nawzajem się wykluczają, działają one przeciwstawnie na organizm.

■ Serce – układ współczulny zwiększa częstość i siłę skurczu serca; układ przywspółczulny zwalnia częstość i zmniejsza ich siłę.

*Układy współczulny i przywspółczulny działają przeciwstawnie na oko. Przywspółczulny rozszerza, a współczulny zwęża źrenicę.*

■ Układ pokarmowy – układ współczulny hamuje procesy trawienia i zmniejsza dopływ krwi; układ przywspółczulny pobudza je.

■ Wątroba – układ współczulny nasila rozpad glikogenu (węglowodanów) w wątrobie, by zapewnić dopływ energii; układ przywspółczulny nasila jego syntezę.

■ Ślinianki – układ współczulny zmniejsza wytwarzanie śliny, która staje się również gęsta; układ przywspółczulny nasila wydzielanie wodnistej śliny.

# Paznokcie i skóra

Skóra wraz z włosami i paznokciami stanowi naturalny układ ochronny.
Funkcja skóry polega na regulacji temperatury ciała
i obronie przed mikroorganizmami.

Skóra pokrywa całe ciało człowieka i zajmuje powierzchnię od 1,5 do 2 m². Stanowi ona około 7% całej masy ciała i waży w przybliżeniu 4 kg.

## DWIE WARSTWY

Skórę zbudowana jest z dwóch warstw naskórka i skóry właściwej.

■ Naskórek – jest cieńszą spośród dwóch warstw skóry i spełnia funkcje ochronne, okrywając leżącą poniżej skórę właściwą. Utworzony jest z wielu warstw komórek. Warstwę leżącą na samym spodzie tworzą żywe komórki w kształcie sześciennym, które szybko się dzielą i stanowią źródło komórek dla warstw położonych powyżej.

Przed osiągnięciem zewnętrznej powierzchni i złuszczeniem komórki naskórka obumierają i ulegają spłaszczeniu. Naskórek nie ma naczyń krwionośnych, dlatego jego stan zależy od dyfuzji substancji odżywczych, które docierają do niego z dobrze unaczynionej dolnej warstwy skóry właściwej.

■ Skóra właściwa – jest grubą warstwą skóry pokrytą ochronną warstwą naskórka. Jest ona utworzona z tkanki łącznej, w której znajdują się włókna sprężyste zapewniające jej elastyczność i rozciągliwość. W skórze znajduje się dużo naczyń krwionośnych oraz wiele czuciowych zakończeń nerwowych. W skórze znajdują się też inne struktury, np. mieszki włosowe, gruczoły łojowe i potowe.

**Skóra w przekroju**

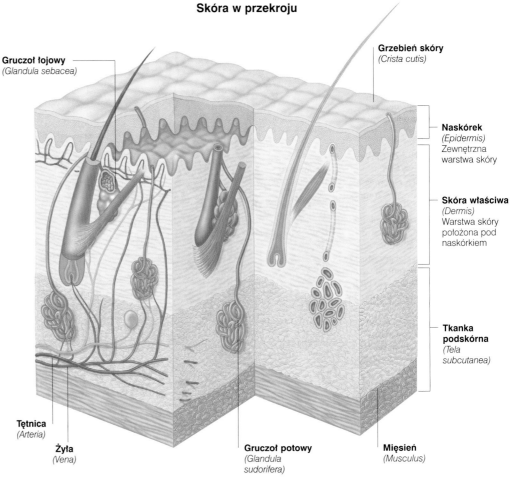

Gruczoł łojowy
(Glandula sebacea)

Grzebień skóry
(Crista cutis)

**Naskórek**
(Epidermis)
Zewnętrzna
warstwa skóry

**Skóra właściwa**
(Dermis)
Warstwa skóry
położona pod
naskórkiem

**Tkanka
podskórna**
(Tela
subcutanea)

Tętnica
(Arteria)

Żyła
(Vena)

Gruczoł potowy
(Glandula
sudorifera)

Mięsień
(Musculus)

*Skóra opisywana jest jako największy narząd ciała. Przez obkurczanie i rozszerzanie naczyń krwionośnych położonych w skórze właściwej bierze udział w regulacji temperatury.*

## Barwa skóry

Różne rasy ludzi różnią się kolorem skóry, ale istnieją też różnice osobnicze pomiędzy ludźmi należącymi do tej samej rasy.

### TRZY BARWNIKI

Kolor skóry zależy od trzech barwników: melaniny, karotenu i hemoglobiny. Melanina, o barwie od czerwieni do brązu i czerni, powstaje w wyspecjalizowanych komórkach, melanocytach,

*Ludzie, zwłaszcza należący do różnych grup rasowych, mogą w znaczący sposób różnić się od siebie kolorem skóry. Zależy to od ilości trzech barwników skóry.*

leżących w dolnej warstwie naskórka. Wszyscy ludzie i rasy ludzkie mają tyle samo melanocytów, nawet jeśli kolor ich skóry znacznie się różni. Melanocyty osób ciemnoskórych wytwarzają więcej melaniny niż osób jasnoskórych.

Karoten jest pomarańczowym barwnikiem wchłanianym z warzyw takich jak marchew. Odkłada się on w zewnętrznej warstwie naskórka i jest najbardziej widoczny na dłoniach i podeszwach. Hemoglobina znajdująca się w naczyniach krwionośnych skóry nadaje jej różowe zabarwienie, szczególnie gdy w skórze znajduje się niewielka ilość melaniny.

# Paznokcie

Paznokcie u ludzi są odpowiednikiem kopyt i pazurów u zwierząt. Tworzą one twarde ochronne pokrycie podatnych na urazy palców rąk i stóp. Paznokcie stanowią, w razie potrzeby, przydatne narzędzie służące do drapania i podnoszenia drobnych rzeczy.

Paznokcie leżą na grzbietowej powierzchni końców palców, pokrywając paliczki dalsze, czyli końcowe.

### CZĘŚCI SKŁADOWE

W paznokciu można wyróżnić:
■ Płytkę paznokcia – w każdym paznokciu znajduje się twarda płytka zbudowana ze stale wytwarzanej keratyny (takiej samej, z jakiej zbudowane są włosy).
■ Obrąbek paznokcia – poza wolnym brzegiem paznokieć otoczony jest pokrywającym go fałdem skórnym.
■ Brzeg wolny – paznokieć oddziela się od leżącej pod nim powierzchni w najdalszym końcu na tzw. brzeg wolny. Długość brzegu wolnego paznokcia zależy od osobistych preferencji i zużycia paznokcia.
■ Korzeń paznokcia – znajduje się u podstawy paznokcia poniżej samej płytki paznokcia i obrąbka paznokcia. Ta część paznokcia leży najbliżej skóry. W tym miejscu wytwarzana jest twarda keratynowa płytka paznokcia. Jeśli zniszczeniu ulegnie korzeń paznokcia, paznokieć nie może odrosnąć.
■ Obłączek – jest jasnym, półksiężycowatym obszarem

## Przekrój podłużny paznokcia

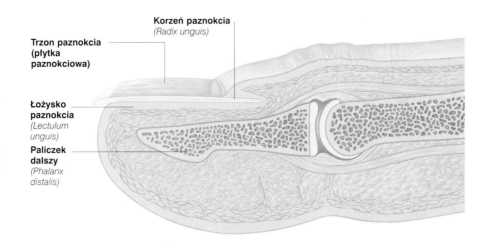

Trzon paznokcia (płytka paznokciowa)

Korzeń paznokcia (Radix unguis)

Łożysko paznokcia (Lectulum unguis)

Paliczek dalszy (Phalanx distalis)

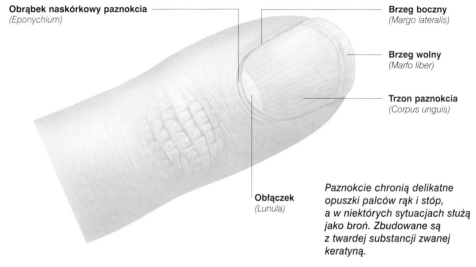

Obrąbek naskórkowy paznokcia (Eponychium)

Brzeg boczny (Margo lateralis)

Brzeg wolny (Marfo liber)

Trzon paznokcia (Corpus unguis)

Obłączek (Lunula)

*Paznokcie chronią delikatne opuszki palców rąk i stóp, a w niektórych sytuacjach służą jako broń. Zbudowane są z twardej substancji zwanej keratyną.*

położonym u podstawy paznokcia, przez który można zobaczyć leżącą poniżej macierz paznokcia.
■ Obrąbek naskórkowy paznokcia – pokrywa bliższy koniec paznokcia i obejmuje płytkę paznokcia. Chroni macierz paznokcia przed wnikaniem drobnoustrojów i zakażeniem.

### WZROST

Paznokcie palców rąk rosną szybciej niż palców stóp. Znak wykonany na obłączku paznokcia palca ręki osiąga wolny brzeg po trzech miesiącach, podczas gdy na paznokciu palców stopy może mu to zająć nawet 2 lata. Aby paznokcie rosły z prawidłową

szybkością i miały zdrowy różowy kolor, muszą mieć dobrze unaczynione korzenie; paznokcie mają różowy kolor, gdyż w skórze znajduje się dużo naczyń krwionośnych. Paznokcie rosną z szybkością około 0,1 mm dziennie, a w razie uszkodzenia szybkość ta wzrasta.

## Łuszczyca

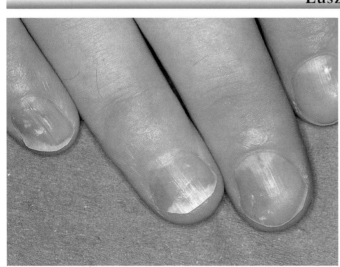

*Łuszczyca powoduje charaktery-styczne zmiany paznokci. Paznokcie mogą mieć drobne wgłębienia (objaw naparstka), mogą być zgrubiałe, bruzdowane i mogą oddzielać się od łożyska paznokcia.*

Łuszczyca jest dokuczliwą chorobą skóry, którą występuje u około 2% populacji. Przyczyna jej nie została poznana, choć wydaje się, że w niektórych przypadkach istotne znaczenie mają czynniki dziedziczne. Zaczyna się w wieku dojrzałym i może się uwidocznić po przebytej infekcji lub pod wpływem stresu.

### ROZROST KOMÓREK

Głównym objawem łuszczycy jest szybki rozrost komórek warstwy

podstawnej naskórka. Powoduje to gromadzenie się komórek w naskórku, które tworzą czerwone złuszczające się blaszki.

Dla wielu osób łuszczyca jest tylko niedogodnością, która od czasu do czasu nawraca. U niektórych jednak choroba ma ciężki przebieg i obejmuje inne części ciała, np. stawy, i prowadzi do kalectwa.

### NIEPRAWIDŁOWE PAZNOKCIE

W przebiegu łuszczycy często dochodzi do zajęcia paznokci. Może dojść do oddzielania się płytki paznokcia od łożyska w jego dalszym odcinku (onycholysis), jak również ogólnego pogrubienia i pomarszczenia paznokci (zaniku).

# Indeks